S0-AHZ-871

LINGÜÍSTICA ROMÁNICA

TOMO I

BIBLIOTECA ROMÁNICA HISPÁNICA

Dirigida por DÁMASO ALONSO

III. MANUALES

HEINRICH LAUSBERG

LINGÜÍSTICA
ROMÁNICA

Exmsii M. Garci Gómez

BIBLIOTECA ROMÁNICA HISPÁNICA

EDITORIAL GREDOS, S. A.

MADRID

© Editorial Gredos, Madrid, 1965.

Título del original alemán: *Romanische Sprachwissenschaft*. Zweite, durchgesehene Auflage. Walter de Gruyter. Berlín, 1963.

Traducción española de J. PÉREZ RIESCO y E. PASCUAL RODRÍGUEZ.

N.º de Registro: 7085-64. — Depósito Legal: M. 19423-1964

Gráficas Cóndor, S. A. — Sánchez Pacheco, 83. — Madrid-2   1923-64

LISTA DE ABREVIATURAS

a.	= antiguo	lad.	= ladino
al.	= alemán	lat.	= latín
apul.	= apulense	lat. cl.	= latín clásico
arag.	= aragonés	lat. vulg.	= latín vulgar
Archiv	= Archiv für das Studium	lem.	= lemosino
	der Neueren Sprachen	leon.	= leonés
astur.	= asturiano	lig.	= ligurés
cal.	= calabrés	lim.	= lem.
camp.	= campidanés	log.	= logudorés
cast.	= castellano	lomb.	= lombardo
cat.	= catalán	lor.	= lorenés
cor.	= corso	luc.	= lucano
champ.	= champañés	m.	= moderno
dacorrum.	= dacorrumano	macedorrum.	= macedorrumano
dalmát.	= dalmático	moz.	= mozárabe
eng(ad.)	= engadino	napol.	= napolitano
esp.	= español	neer.	= neerlandés
fr.	= francés	neorrum.	= neorrumano
fr. a. *	= francés antiguo	nor.	= normando
fr. m. *	= francés moderno	norteit.	= norteitaliano
fránc.	= fráncico	nuor.	= nuorés
francoprov.	= francoprovenzal	piam.	= piamontés
friul.	= friulés	picar.	= picardo
galoit.	= galoitaliano	poit.	= poitevino
galorrom.	= galorrománico	port.	= portugués
galur.	= galurés	pr(ov.)	= provenzal
gasc.	= gascón	retorrom.	= retorrománico
germ.	= germánico	RF	= Romanische Forschun-
gris.	= grisón		gen
iberorrom.	= iberorrománico	rum.	= rumano
ing.	= inglés	sar(d.)	= sardo
istr.	= istrio	sas.	= sasarés
it.	= italiano	sicil.	= siciliano

* Esas abreviaturas valen también para todos los otros idiomas.

sobres. = sobreselvano
sudit. = suditaliano
tosc. = toscano
val. = valón

vegl. = vegliota
venec. = veneciano
Z = *Zeitschrift für romanische Philologie*

OBSERVACIONES PREVIAS

I. Bibliografía e iniciación en el estudio

Esta segunda edición del primer tomo de la *Lingüística románica* es una reelaboración de la primera edición, aparecida en 1956. Algunas cuestiones aparecen ahora sometidas a un planteamiento nuevo. He utilizado para ello las numerosas observaciones de W. Babilas (de viva voz), W. Th. Elwert (*Archiv f. d. Studium der Neueren Sprachen* 193, 1957, pp. 209-210), C. Th. Gossen (*Zeitschrift f. rom. Philologie* 74, 1958, pp. 481-483), Z. Hampej (*Philologica Pragensia* 1, 1958, p. 25), H. W. Klein (de viva voz), H. Kuen (*Vox Romanica* 15, 1956, pp. 172-186; *Mitteilungsblatt des Allg. Deutschen Neuphilologenverbandes* 10, 1957, pp. 28-29), R. L. Politzer (*The Romanic Review* 48, 1957, pp. 316-317), M. Regula (*Zeitschrift f. frz. Sprache u. Lit.* 67, 1956-57, pp. 238-244), T. Reinhard (*Basler Schulblatt* 5, 1956), H. Rheinfelder (por carta), C. A. Robson (*The Modern Language Review* 53, 1958, pp. 581-582), P. Ronge (de viva voz), G. E. Sansone (*Giornale Italiano di Filologia* 10, 1957, p. 372), H. Stimm (*RF* 72, 1960, pp. 456-463), G. Straka (*Revue de linguistique romane* 21,

1957, p. 188), W. Mettmann (de viva voz), Chr. Schwarze (de viva voz).

La presente exposición se inspira en la meritoria *Romanische Sprachwissenschaft* de A. Zauner (Colección Göschen, dos tomos, cuarta edición, 1921 y 1926).

A) SÍNTESIS BIBLIOGRÁFICA

La última exposición ambiciosa de la lingüística románica se la debemos a W. Meyer-Lübke (1861-1936): *Grammatik der romanischen Sprachen,* cuatro tomos, Leipzig, 1890-1902; *Romanisches etymologisches Wörterbuch,* tercera edición, Heidelberg, 1935.

Acerca del estado actual de la lingüística románica se hallará una orientación sumaria en las siguientes obras: G. Rohlfs, *Romanische Philologie, Erster Teil (Allgemeine Romanistik; Französische und provenzalische Philologie),* Heidelberg, 1950; G. Rohlfs, *Romanische Philologie, Zweiter Teil (Italienische Philologie; Die sardische und rätoromanische Sprache),* Heidelberg, 1952; G. Rohlfs, *Manual de filología hispánica,* Bogotá, 1957; É. Bourciez-J. Bourciez, *Éléments de linguistique romane,* París, 1956; C. Tagliavini, *Le Origini delle lingue neolatine,* Bolonia, 1959; B. E. Vidos, *Manuale di linguistica romanza,* Florencia, 1959; W. D. Elcock, *The Romance Languages,* Londres, 1960; I. Iordan-W. Bahner, *Einführung in Geschichte und Methoden der romanischen Sprachwissenschaft,* Berlín, 1962.

Se encontrará una orientación bibliográfica corriente en los *Supplemente* de la *Zeitschrift für romanische Philologie* (el último el *Supplement zu Band 67-71: Bibliographie 1951-1955,* por A. Kuhn-O. Klapp, Tubinga, 1961), así como en la publicación anual *Bibliographie linguistique publiée par le Comité International Permanent des Linguistes,* Utrecht-Amberes (Editorial Spectrum). Aparecen recensiones críticas, por ejemplo, en *Archiv für das Studium der Neueren Sprachen und Literaturen* (Braunschweig), *Revue de linguistique romane* (París), *Romanische Forschungen* (Frankfort del Main), *Romanistisches Jahrbuch* (Hamburgo), *Vox Romanica* (Zurich), *Zeitschrift für romanische Philologie* (Tubinga).

B) REQUISITOS PARA EL ESTU-
DIO DE LA LINGÜÍSTICA ROMÁNICA

Esta nuestra exposición elemental de la lingüística románica no necesita ningún género de requisitos para ser leída y estudiada más a fondo. Sencillamente, quiere poner en manos de un público no especializado una primera y fácil introducción a las materias y problemas de la lingüística románica, procurando de ese modo ganarlo para un estudio profundo y auténtico de esta especialidad verdaderamente «europea».

Pero el estudio de la lingüística románica en sí requiere condiciones previas. Ahora bien, el concepto de condición previa no se ha de entender siempre en sentido cronológico: no es, por tanto, necesario cumplir todas y cada una de las condiciones previas para poder así, y sólo entonces, comenzar el estudio de la lingüística románica. Por condición previa se ha de entender más bien una permanente integración funcional de la lingüística románica en un conjunto mayor, es decir, en la historia e historia de la cultura europeas, en la lingüística general, en la fenomenología general filológica. De esta suerte, los requisitos exigidos, lejos de ser obstáculos que pretenden retraernos de este estudio desde el principio, son imperativos cuyo cumplimiento en cada fase del estudio amplía en extensión y agudiza en intensidad los conocimientos asequibles a la lingüística románica; más aún, sólo así se despertará finalmente la voluntad y afán de conocer.

El estudio de la lingüística románica presupone una buena formación humanística escolar en el dominio de las lenguas (conocimiento del griego, latín, francés moderno, inglés, alemán), de la historia y de la literatura, así como un pensamiento avezado a la disciplina de la matemática.

Los demás requisitos se refieren (α) a las mismas lenguas románicas y (β) al contorno histórico-geográfico de las lenguas románicas.

α) *Conocimiento de las lenguas románicas*

El estudio de un objeto presupone el conocimiento de ese mismo objeto. La lingüística románica presupone, por tanto, el conocimiento de las lenguas románicas.

El conocimiento de una lengua no consiste solamente en saber que existe, sino en conocerla de manera apropiada. Como la lengua es un instrumento de comunicación (§ 3) que se realiza en los textos (§ 1), el conocimiento apropiado de una lengua consiste en el manejo de esta lengua como instrumento de comunicación. A este conocimiento apropiado se da el nombre de «dominio práctico».

En el dominio práctico de una lengua hay que distinguir el dominio meramente pasivo (comprensión de textos hablados y escritos) del dominio activo (producción de textos utilitarios hablados y escritos: cf. § 1). El dominio pasivo de una lengua incluye la comprensión de textos literarios (cf. § 1) y, por lo mismo, también un cierto grado de capacidad crítica y literaria referida a la lengua. Respecto al dominio activo de una lengua, la producción (creadora) de textos literarios no constituye una meta obligada en el aprendizaje de una lengua, ya se trate de la lengua materna ya de una lengua extranjera. Entre el dominio pasivo y activo de una lengua se halla la capacidad de reproducir mediante la recitación textos literarios.

El hecho de que los textos pueden conservarse más allá de la época en que fueron redactados, trae consigo el que se pueda distinguir entre lenguas vivas (utilizadas en la sociedad de hoy) y lenguas muertas (no empleadas ya en la sociedad actual, pero utilizadas como lenguas vivas en épocas anteriores y conservadas hasta hoy en los monumentos lingüísticos y en las obras literarias). Las lenguas muertas o se hallan hoy en día totalmente extinguidas (por ej., el dalmático, cf. más abajo § 27) o hay que considerarlas como fases históricas previas de lenguas vivas en la actualidad (por ej., el francés antiguo con relación al francés moderno).

Aquellas lenguas en las que a través de una tradición ininterrumpida se ha venido redactando textos literarios hasta hoy (cf. § 1), no se deben contar entre las lenguas muertas, aun cuando el lenguaje de los textos utilitarios actuales acuse profundas desviaciones y quede así dificultada la comprensión de los antiguos textos literarios. Esto se aplica al griego y latín de las liturgias cristianas, al italiano de la *Divina Commedia* de Dante, al francés de la literatura del siglo XVII: estas lenguas viven en los textos literarios vivos. Incluso respecto a aquellas otras lenguas con textos literarios, cuya tradición quedó interrumpida, puede, a tenor de la jerarquía y valor actual de dichos textos, tenerse en cuenta la cualidad de lengua «viva» (por ej., respecto a la lengua de la *Canción de Roldán* en francés antiguo), si no se limita por principio esta cualidad a la aplicación actual en textos utilitarios, sino que el empleo en textos literarios practicados hoy (en medios más o menos limitados) se considera también como característica «vital». Este distintivo especial de lengua «viva» se aplica de manera muy especial al latín, pues no sólo se practica en todo el mundo mediante la liturgia latina, sino que de manera innegable actúa también en los idiomas del centro y occidente de Europa como *basso ostinato* omnipresente (§ 146).

Requisito para el estudio de la lingüística románica es el dominio práctico de las lenguas románicas.

Un mínimo imprescindible de estas condiciones previas consiste en el suficiente dominio pasivo de todas las lenguas románicas (vivas y muertas) en textos escritos, incluyéndose aquí también la reproducción oral, suficientemente correcta, de textos literarios mediante la recitación. El conocimiento de los rudimentos de fonética general (cf. §§ 40-148) está incluido en este mínimo imprescindible de requisitos.

Medios auxiliares para el aprendizaje elemental de las lenguas románicas vivas, aparte del francés moderno, son, por ejemplo: C. M. Sauer-W. Th. Elwert, *Italienische Sprachlehre*, Heidelberg, 1953; Th. Heinermann-F. Palau, *Spanisches Lehrbuch auf wissenschaftlicher Grundlage*, Munich, 1952; L. Ey-F. Krüger, *Portugiesische Sprachlehre*, Heidelberg, 1962; C. Tagliavini, *Rumänische Konversationsgrammatik*, Heidelberg, 1938; J. Huber, *Katalanische Grammatik*, Heidelberg, 1929; S. M. Nay, *Lehrbuch der rätoromanischen Sprache (Surselvisch)*, Chur (Suiza), 1948; J. Vonmoos, *Lehrbuch der ladinischen Sprache (Ober- und Unterengadinisch)*, Thusis (Suiza), 1942.

De las lenguas románicas muertas, el francés y provenzal antiguos son los más importantes, tanto desde el punto de vista de la lingüística como desde el ángulo de la ciencia de la literatura. El dominio profundo de estas lenguas resulta imprescindible. Como obras de introducción a estas lenguas cabe citar: G. Rohlfs, *Vom Vulgärlatein zum Altfranzösischen*, Tubinga, 1960; H. Rheinfelder, *Altfranzösische Grammatik, Erster Teil (Lautlehre)*, Munich, 1953; O. Schultz-Gora, *Altprovenzalisches Elementarbuch*, Heidelberg, 1924. Más información en las obras citadas más arriba (A) de Rohlfs, Bourciez, Tagliavini, Vidos.

El máximo de requisitos se alcanzaría mediante un perfecto dominio activo y pasivo de todas las lenguas y dialectos románicos. Pero este máximo resulta inalcanzable individualmente. Sin embargo, la Sociedad de Romanistas debería, por medio de medidas pedagógicas y planificación de las investigaciones, hacer que el máximo de estos requisitos fuese alcanzado, al menos colectivamente, por el conjunto de los romanistas. En cuanto a cada romanista en particular, el grado de dominio de las lenguas y dialectos románicos que haya alcanzado (en extensión e intensidad) constituye una limitación sensible de los problemas científicos abordables y de las posibilidades de conocimiento, así como de la exactitud de su propio discernimiento.

Dentro de los territorios de habla alemana, se considera en general obligado el dominio activo del moderno francés, italiano y español, y el dominio pasivo del francés antiguo, del antiguo provenzal y del español e italiano antiguos, preferencia que está basada en razones de índole cultural. Pero desde el punto de vista de la lingüística, las demás lenguas escritas (rumano, retorromano, catalán, portugués) y el sardo, así como, principalmente, los dialectos románicos, resultan, cuando menos, tan importantes. Cada romanista pondrá, pues, el peso principal de sus empeños en un dominio lingüístico románico (incluyendo en él sus dialectos) para desde este dominio dirigir su mirada a la romanidad (§ 4), común a las demás lenguas románicas.

Pero este tener la mirada clavada en la romanidad no debe, ni en sus esfuerzos de investigación ni en el manejo práctico de las lenguas, llevarlo a una confusión que falsifique el sistema de cada lengua (o dialecto), ni tampoco a una interpretación latinizante de la realidad concreta de cada lengua: cada fenómeno de una lengua o dialecto tiene su sitio en la estructura de esa lengua o dialecto (cf. más abajo, c). Así por ej., la palabra italiana *súbito*, «inmediatamente», fue tomada de la palabra latina *subito*, «súbitamente», en el curso de la historia de la lengua. Pero la palabra italiana ocupa, como se ve por su significado, un lugar distinto al que ocupaba en latín la voz latina. Y esto tiene su aplicación en el aprendizaje de la lengua. El que se pone a estudiar italiano debería, sin duda, dominar el latín, pero también debería olvidarlo. Un batiburrillo a base de latín y románico común no constituye realidad lingüística ninguna. El aprendizaje y manejo activo y pasivo de una lengua deberían, en la conciencia del que la aprende y practica, mantenerse libres de toda molesta interferencia por parte de la lingüística histórica y la geografía lingüística (cf. más abajo, c). La lingüística estructural (cf. más abajo, c) es la única que conviene al aprendizaje y práctica de un idioma.

β) *Conocimiento del contorno de las lenguas románicas*

El conocimiento del medio ambiente de las lenguas románicas se fundamenta en la formación humanística escolar. Pero es necesario ampliar este conocimiento del contorno orientándolo hacia la problemática de la lingüística romá-

nica. Se pueden distinguir dos dominios (de transiciones imprecisas) en ese medio ambiente: (I) el contorno lingüístico;
(II) el contorno cultural.

I. CONTORNO LINGÜÍSTICO

Las lenguas románicas han vivido siempre en la vecindad
de otros idiomas (§ 28), a los que deben el sello de huellas
más o menos amplias, más o menos profundas. El conocimiento de esos idiomas, así como de los problemas científicos que plantean, resulta, por tanto, imprescindible. De entre estos idiomas cada romanista elegirá aquellos que más
estrecha relación guarden con el dominio lingüístico románico que haya elegido. Desde el ángulo del románico común,
es importante (§ 36) el germánico (H. Krahe, *Germanische
Sprachwissenschaft*, dos tomos, Colección Göschen, 1956-
1957; G. Rohlfs, *Germanisches Spracherbe in der Romania*,
Munich, 1949). Quien elija el dominio lingüístico del rumano,
deberá aprender albanés (M. Lambertz, *Lehrgang des Alba-
nischen*, tres tomos, Berlín, 1954-1959) y eslavo eclesiástico
(A. Leskien, *Handbuch der altbulgarischen* [*altkirchensla-
vischen*] *Sprache*, Heidelberg, 1955). El que se dedique al italiano deberá imponerse en el etrusco (H. L. Stoltenberg,
Etruskische Sprachlehre, Leverkusen, 1950; R. Bloch, *Les
Étrusques*, París, 1959), en el osco-umbro (E. Vetter, *Handbuch der italischen Dialekte*, dos tomos, Heidelberg, 1953 ss.)
y en el griego (A. Debrunner, *Grundfragen und Grundzüge
des nachklassischen Griechisch*, Colección Göschen, 1954;
M. Moser-Philtsou, *Lehrbuch der neugriechischen Volksspra-
che*, Munich, 1958). El hispanista trabajará con ahinco en familiarizarse con el árabe (E. Harder-R. Paret, *Kleine arabi-
sche Sprachlehre*, Heidelberg, 1949; M. Asín Palacios, *Cresto-
matía de árabe literal*, Madrid, 1950) y el vascuence (J. de

Zàbala-Arana, *Gramática vasca guipuzkoera,* San Sebastián, 1951; I. López Mendizábal, *La Lengua Vasca.* Buenos Aires, 1949; P. Bera-López Mendizábal, *Diccionario Vasco-Castellano,* Zarauz (Guipúzcoa), 1950). Quien elija como campo de trabajo el galorrománico, deberá dedicar su atención al celta, y especialmente al galo (G. Dottin, *La Langue gauloise,* París, 1920).

II. CONTORNO CULTURAL

El medio ambiente cultural de los idiomas románicos muestra tres dominios (de límites imprecisos): la primitiva cultura popular, la alta cultura profana, la cultura eclesiástica.

La primitiva cultura popular es, por decirlo así, el suelo vegetal de la Romania. Es de lamentar que ese suelo permanezca totalmente extraño para la mayor parte de los romanistas. Cada romanista debería imponerse como obligación el pasar regularmente una parte de su tiempo con los pastores de los Abruzzos, Cerdeña, Pirineos y Rumanía. Se hallará una visión de conjunto en R. Corso, *Folklore (Storia, obietto, metodo, bibliografia),* Nápoles, 1946.

El conocimiento de la alta cultura profana que todo romanista necesita puede fomentarse mediante el estudio de las especialidades de la filología clásica y de la historia (en especial de la historia económica).

El método para familiarizarse con la cultura cristiana consiste en el estudio de la patrología y de la filología del bajo latín, así como, de manera especial, en el conocimiento de la ciencia de la literatura románica referida a la Edad Media (E. R. Curtius, *Europäische Literatur und lat. Mittelalter,* Berna, 1954; E. R. Curtius, *Gesammelte Aufsätze zur romanischen Philologie,* Berna, 1960). Es aconsejable, para comenzar, el camino directo de la lectura reiterada de la *Vulgata* latina *(Bibliorum Sacrorum iuxta Vulgatam Clementinam nova editio,* cur. A. Gramatica, Typis Polyglottis Vaticanis, 1951), del *Missale Romanum* (Ratisbonae, F. Pustet) y del *Breviarium Romanum* (Ratisbonae, F. Pustet).

Prescindiendo de los contenidos culturales históricos y actuales, hay que recomendar encarecidamente, para despertar la voluntad de saber y perfeccionar los métodos lingüísticos, el estudio de las especialidades de la sociología, etnología y psicología.

c) ASPECTOS DE LA LINGÜÍSTICA

La lingüística románica es una parte de la lingüística general. Servirán de introducción a la lingüística general las siguientes obras: L. Bloomfield, *Language,* New York, 1951; A. Gardiner, *The Theory of Speech and Language,* Oxford, 1951; H. A. Gleason, *An Introduction to Descriptive Linguistics,* New York, 1960; Z. S. Harris, *Structural Linguistics,* Chicago, 1961; P. Hartmann, *Zur Theorie der Sprachwissenschaft,* Assen (Países Bajos), 1960; L. Hjelmslev-F. J. Whitfield, *Prolegomena to a Theory of Language,* Baltimore, 1953; Ch. F. Hockett, *A Course in Modern Linguistics,* New York, 1958; J. Perrot, *La Linguistique,* París, 1959; E. Sapir, *Language,* New York, 1949; W. Porzig, *Das Wunder der Sprache,* Berna, 1957 [trad. esp.: *El mundo maravilloso del lenguaje,* Madrid, Gredos, 1964]; C. Tagliavini, *Introduzione alla glottologia,* Bolonia, 1950; W. von Wartburg-St. Ullmann, *Einführung in Problematik und Methodik der Sprachwissenschaft,* Tubinga, 1962; J. Whatmough, *Language,* New York (Mentor Books), 1957; C. K. Zipf, *Psycho-Biology of Language,* Boston-Cambridge (Mass.), 1935.

Ahora bien, el lenguaje en sí pertenece al fenómeno más general de la «información», y ésta es, a su vez, objeto de la teoría de la información. Cf. sobre esto el artículo «Teoría de la información» y «Comunicación» en *Der Grosse Herder*, tomo 11 (suplemento I), Friburgo, 1962.

Con relación a la triple condicionalidad del lenguaje (condicionalidad interna, condicionalidad de vecindad y condicionalidad histórica) se pueden distinguir tres ramas en la lingüística, cada una de las cuales tiene su propia perspectiva orientada al lenguaje y sus propios métodos.

α) *Estructura sincrónica*

La condicionalidad interna del lenguaje consiste en la mutua interdependencia de sus diversos elementos. Esta mutua interdependencia se llama «estructura». Cada idioma es en cada momento (considerado sincrónicamente) un sistema funcional de signos articulados a efectos de la mutua comprensión dentro de una comunidad. La estructura de este sistema es asunto en que entiende la lingüística estructural (ejemplo: K. Togeby, *Structure immanente de la langue française*, Copenhague, 1951). La lingüística estructural es la base científica del dominio práctico de una lengua.

Los dos fenómenos fundamentales de la estructura son la oposición (§§ 125-126, *amicus, amici*) y la analogía (§§ 136-140, *inimicus, inimici*). La estructura de una lengua sería perfecta si todos los dominios de la lengua (incluida incluso la oposición semántica de los fenómenos: § 40) se hallasen referidos unos a otros con organización jerárquica *(thesis, antithesis, synthesis)* en oposiciones análogas y, de esta suerte, se motivasen estructuralmente unos a otros como elementos integrantes del sistema. Una perfección así resulta ya imposible, por ej., en el léxico por la razón de que el complejo de las situaciones (§ 1) y, por tanto, la realidad que el lenguaje pretende dominar, carece de aquella perfección estructural. El lenguaje, de acuerdo con su función de dominar la situación, ha de mirar también al caos que surge de la situación, y ha de mantener abierta al hablante la disponibilidad de la innovación creadora en función de la contingencia de la situación (por ej., la contingencia de que surja una realidad que no tiene todavía denominación en la lengua). Esto es aplicable, en primer término, a la expresión de los afectos del hablante, afectos que no tienen cabida holgada en los símbolos estereotipados. Pero, por otra parte, una lengua totalmente caótica (realizada en cada caso como innovación de cada momento) no se ajustaría tampoco a las situaciones reales: existen indudablemente tipos de situaciones que aparecen ordenados análogamente en oposiciones. Además, un lenguaje arbitrario no cumpliría con la función social de comunicación y, por tanto, no dominaría la situación.

El lenguaje viene a ser así, de acuerdo con la complejidad de situaciones de la vida humana, un estado de equilibrio suficientemente funcional, aunque inestable, entre estructura y caos (cf. §§ 40; 583-584)[1]. La tarea de revelar la estructura (mediante la revelación de la oposición y de las analogías) incumbe a la lingüística estructural. El resto no estructurado del lenguaje solamente puede comprobarse de modo enumerativo; ahora bien, el principio ordenador de la enumeración no puede ser estructural, sino únicamente externo (extraño

---

[1] Este estado es característico, sobre todo, de las normas de aplicación social. También un código es un estado de equilibrio funcional, aunque inestable, entre estructura (en cuanto ordenación consecuente y recíproca, motivación de cada una de las leyes) y caos (en cuanto coexistencia no estructurada de cada una de las leyes vigentes de hecho).

al contenido). El diccionario alfabético, sin ir más lejos, se basa en la idea de que el caudal léxico es caótico en su totalidad, aunque pueda estar estructurado en zonas más restringidas (por ejemplo, en las lenguas profesionales).

Oposición y analogía no sólo no se contradicen, sino que se condicionan dialécticamente una a otra. Sin oposición *(m/t:* por ej., en francés, *moi/toi)* la analogía carecería de todo punto de apoyo (fr., *mien, tien;* § 751). Sin la red de las analogías, la oposición sería una arbitrariedad carente de todo sistema y de toda eficacia.

β) *Coexistencia sincrónica*

Dentro de la «sincronía», cada idioma tiene relaciones de vecindad con las lenguas «coexistentes». Esta relación de vecindad puede realizarse, según diversos grados de intensidad, desde el punto cero de una total ausencia de relaciones mutuas (por ejemplo, la relación de las lenguas de los indios con los idiomas europeos hasta el siglo xv) hasta el máximo de una mutua dependencia. Ahora bien, la vecindad puede ser geográfica (I) o no geográfica (II).

I. VECINDAD GEOGRÁFICA

Cuando la vecindad es susceptible de repartirse geográficamente, es que se trata de lenguas geográficamente vecinas. La relación de vecindad geográfica es objeto de la geografía lingüística, ciencia de la que tenemos una sugestiva introducción en el libro de K. Jaberg, *Sprachgeographie,* Aarau, 1908. Cf. también A. Kuhn, *60 Jahre Sprachgeographie in der Romania,* en *Romanistisches Jahrbuch,* tomo I, Hamburgo, 1947-48, p. 25 y ss. Son singularmente fecundos para la geografía lingüística los dialectos (cf. § 5), pues están repartidos en áreas más reducidas. Cf. también § 27.

La geografía lingüística tiene que habérselas especialmente con la estratificación «geológica» de las capas del desarrollo lingüístico. Es muy difícil que una innovación lingüística aparezca de manera difusa en todos los lugares de un dominio lingüístico simultáneamente. Lo normal es, por el contrario, que dicha innovación comience en un punto geográfico («centro innovador») y que desde allí se extienda, según la «autoridad» de dicho centro, al resto del dominio lingüístico. Y sucederá que, o bien acabará por invadir todo el espacio lingüístico de manera uniforme, o bien cambiará en el curso de su propagación (por ejemplo, en las condiciones de su aparición), o caerá en un estacionamiento geográfico antes de haber conquistado todo el dominio lingüístico. Ejemplos:

A) La pérdida del tipo de fut. lat. *cantabo* se propagó a toda la Romania como innovación «negativa» (§ 387).

B) El estacionamiento geográfico de una innovación es causa de que en el dominio lingüístico queden zonas «arcaicas» (no afectadas por la innovación). La situación geográfica de estas zonas depende de las realidades históricas y sociales y no es posible determinarla *a priori* (cf. § 35). Hay que notar dos posibilidades diametralmente opuestas:

1) Cuando la innovación arranca de un lugar situado en el centro geográfico del espacio lingüístico, entonces, al quedar estacionaria la innovación, pueden formarse varias zonas arcaicas, separadas unas de otras en las zonas marginales del conjunto del dominio lingüístico («zonas arcaicas marginales»; cf. A. Bartoli, *Introduzione alla neolinguistica*, Ginebra, 1925, y *Saggi di linguistica spaziale*, Turín, 1945). Así, por ej., la innovación que irradiaba de París, *blaireau* «tejón», hizo retroceder la antigua denominación *taisson* hasta una

zona marginal al norte (valón) y otra zona marginal al sur.

2) Entre dos zonas marginales que innovan en sentido mutuamente contrapuesto, puede quedar «enclavada» una zona arcaica central. Así, la zona arcaica lucana (*femmina, nive:* § 160) está enclavada entre una zona norte, que tiende a nivelar en *e* (*femmina, neve:* § 157), y una sur, que tiende a nivelar en *i* (*fimmina, nivi:* § 162). Cf. H. Lausberg, *Die Mundarten Südlukaniens,* Halle, 1939, § 153.

3) Una tercera posibilidad, menos compleja, consiste en que la innovación comprende una parte del territorio lingüístico, mientras que el resto arcaico se mantiene compacto (esto es, no se fracciona en dos o más partes). Así, por ejemplo, en francés la *a* libre latina se palataliza, al paso que en provenzal se mantiene (§ 174).

II. CONGLOMERADO SOCIAL

Cuando la vecindad no es susceptible de repartirse territorialmente, es que se trata de la coexistencia mezclada de varios idiomas en un mismo espacio. Si las lenguas en cuestión son muy distintas unas de otras, entonces se las llama lenguas adstratísticas (§ 27). Si se trata de variantes de una misma lengua, entonces nos hallamos ante una estratificación de grupos sociales, cada uno de los cuales utiliza una variante de la misma lengua. Las capas sociales son un fenómeno de la división del trabajo. Así, pues, hay varias lenguas profesionales y una lengua comercial que sirve de mediadora entre aquéllas y que como «lengua común» llega en un desarrollo superior de la cultura a convertirse en «lengua escrita». Estos fenómenos son objeto de la sociología lingüística. Cf. § 27.

El fenómeno de la vecindad (sea o no repartible territorialmente) es una función de la consistencia compacta de las agrupaciones sociales. El grado de más estrecha cohesión aparece en la esfera económica como lengua profesional (por ejemplo, la terminología de los vinicultores), geográficamente como dialecto aldeano que muestra ya una nivelación de las lenguas profesionales apropiada para las relaciones inter-profesionales y representa, por tanto, una «lengua comercial» local. El grado más amplio de cohesión aparece en la esfera económica y geográfica como «lengua comercial», cuando una aldea hace de mercado de un grupo de varias aldeas. Todo el que actúa como vendedor en el mercado se expresará en él de tal manera que pueda ser entendido por quienes acudan al mercado en plan de compradores. La lengua comercial que sirve para facilitar la comprensión entre las diversas profesio-nes y aldeas no empleará de la lengua profesional más que aquellas palabras que puedan causar especial impacto sobre el comprador (términos, por tanto, que afectan al producto ya listo, pero no al proceso de su fabricación); y por la mis-ma razón, no utilizará más elementos del dialecto aldeano que los que sean comunes a todas las aldeas que acuden al mercado y puedan, en consecuencia, entenderse por todos. Qué elementos de una lengua profesional y qué elementos de un dialecto aldeano se han de considerar imprescindibles o no, depende de las necesidades y conveniencias de vende-dores y compradores: así, por ej., si una clase de vino deter-minado encuentra fácil salida por su buena calidad, el com-prador tomará del vendedor juntamente con el vino en cues-tión su nombre de fábrica, y ello aunque tal denominación no haya sido corriente hasta entonces en la lengua comercial. El interés comercial es, por tanto, decisivo en la formación y perfeccionamiento de la lengua comercial. Otro tanto hay que decir de los espacios económicos mayores (nacionales y supranacionales), en los que hay intercambio no sólo de bienes materiales, sino también espirituales (por ej., mediante la administración de justicia), con lo que la lengua comercial puede convertirse en «lengua escrita» superdialectal. Los «textos literarios» (y litúrgicos) (cf. § 1), cuando se dirigen a un círculo relativamente grande, se redactan en la lengua comercial (lengua escrita) y vienen a ser así a su vez un poderoso medio de difusión de la lengua comercial. Para el «latín vulgar» y los dialectos románicos, cf. §§ 5 ; 32-34.

γ) *Diacronía*

En sí la «sincronía» es un momento dentro del flujo ininterrumpido de la «diacronía», de la historia. El sistema de la lengua se altera en el curso de la historia y, al propio tiempo, conserva en todo momento su capacidad funcional. Las relaciones entre historia y lenguaje las estudia la lingüística en una doble perspectiva : la lingüística histórica (gramática histórica, lexicología histórica ; ejemplo : G. Rohlfs, *Italienische Grammatik,* tres tomos, Berna, 1949-54) considera el cambio histórico de cada uno de los fenómenos de la lengua y de las estructuras lingüísticas, mientras que la historia de la lengua (ejemplo : B. Migliorini, *Storia della lingua italiana.* Florencia, 1960) estudia la relación que en cada momento guarda la lengua con el cambiante mundo social, así como la cristalización de esta relación en monumentos lingüísticos y en la literatura. En cuanto a cada una de las lenguas románicas, cf. las obras de consulta citadas más arriba en la bibliografía (1, a).

La lingüística histórica latina (Sommer, *Handbuch der lat. Laut- u. Formenlehre,* Heidelberg, 1948 ; F. Stolz-J. H. Schmalz-M. Leumann-J. B. Hofmann, *Lat. Grammatik,* dos tomos, Munich, 1926-1928) y la historia de la lengua latina (G. Devoto, *Storia della lingua di Roma,* Bolonia, 1944 ; F. Altheim, *Ge-*

schichte der lat. Sprache, Frankfort del Main, 1951; F. Stolz-
A. Debrunner, *Geschichte der lat. Sprache,* Colección Göschen,
1962) son partes básicas de la lingüística románica, en especial, por lo que se refiere al «latín vulgar» (J. Sofer, *Zur
Problematik des Vulgärlateins,* Viena, 1963; F. Slotty, *Vulgär-
lat. Übungsbuch,* Berlín, 1960, cf. más abajo §§ 33-34), y al
«latín cristiano» (Ch. Mohrmann, *Latein,* en *Lexikon f. Theo-
logie u. Kirche,* tomo 6, Friburgo, 1961, p. 809).

La estructura sincrónica (como eje x), la transformabili-
dad diacrónica (como eje y) y la organización social sincrónica en vecindad o en conglomerado geográficos (como eje z)
forman en conjunto un sistema axil tridimensional. A la estructura sincrónica le corresponde dentro del sistema la función propiamente lingüística de la comprensión en el interior
de una comunidad, mientras que los ejes y y z insertan esta
función en la continuidad tempo-espacial.

Esta exposición de la lingüística románica se limita a los
problemas de la lingüística histórica. Pero se tienen en cuenta también, en la medida de lo posible y hacedero, puntos de
vista de lingüística estructural (por ej., en §§ 156-162), como
también de geografía lingüística (mediante la confrontación
comparativa de todas las lenguas y principales dialectos románicos), de historia de la lengua (para el latín en §§ 28-29;
para las lenguas románicas en §§ 6-26) y de sociología lingüística (por ej., §§ 33-34).

II. Ortografía, pronunciación, transcripción fonética

La ortografía de las lenguas literarias románicas —y también la de muchos dialectos en la pluma de poetas y aficiona-
dos nativos— tiene una larga tradición y con frecuencia bus-

ca apoyarse en la forma de la palabra latina. Así sucede que
las más de las veces la ortografía tradicional no refleja de manera inequívoca la pronunciación efectiva y real. No siempre
se corresponden caracteres y sonidos. El francés *qu*, por
ejemplo, ha de pronunciarse unas veces como [*k*] (*quatre*),
otras como [*ku̯*] (*quadrupède*) y otras como [*kü̯*] (*quiétisme*). Inversamente, a un mismo sonido corresponden signos
distintos: francés [*ã*] se representa unas veces por *an* (*langue*), otras por *am* (*champ*), o bien por *en* (*tenter*), *em*
(*temps*), *aon* (*taon*), etc. Añádase que a veces un signo carece de toda correspondencia de sonido, por ejemplo, la *p* en
champ o la *h* en *homme*.

No han faltado, ciertamente, en la historia de cada una
de las lenguas románicas —como tampoco en la del alemán—
reformas de la ortografía; sin embargo, tales reformas sólo
en contados casos han desembocado en sistemas realmente
cómodos de ortografía; por ejemplo, el sistema ortográfico
español a partir del s. XIX. Pero ni aun aquí existe perfecta
coincidencia entre signos y sonidos.

Para representar en forma inequívoca la pronunciación
real la lingüística se ve obligada a crear un sistema propio
de transcripción fonética. También aquí hay varios sistemas,
si bien el más conocido de ellos es, sin duda, el de la *Asso-
ciation Phonétique Internationale,* que es el empleado en la
mayoría de las gramáticas escolares.

En la presente exposición se utiliza, por razones prácticas
(y siguiendo a K. Jaberg-J. Jud, *Der Sprachatlas als For-
schungsinstrument,* Halle, 1928, pp. 24-36) un sistema capaz
de una mayor diferenciación, cuyos signos damos en la tabla
siguiente [2].

---

[2] En el texto, la transcripción fonética va entre paréntesis rectos
y en cursiva.

A) TABLA ALFABÉTICA DE LOS SIG-
NOS DE TRANSCRIPCIÓN EMPLEADOS [3]

a, ạ (fr. *patte*), *ą* (fr. *pâte*): 44; 127

ã: fr. *dans* 45

b: fr. *bon* 52

β: esp. *saber* 59

ç: al. *ich* 64

ć: esp. *choza*, it. *cento* 77 (aprox. como *tsch* en al. *Peitsche*).

č: sobres. *tgau* 55 (aprox. como *tj* en al. *tja*)

d (fr. *dé*), *ḍ*: 53.

δ: esp. *nada* 61

e, ẹ (fr. *fer*), *ę* (fr. *dé*): 44; 127

ę̃: fr. *main* 45

ə: fr. *le* 44

f: fr. *fer* 60

g: fr. *gant* 55

ǵ: it. *già* 77

ǧ: sobres. *giginar*, fr. pop. *diable* 55

γ: esp. *luego* 66

h: al. *Haus* 68

i, ị (al. del nort. *Mitte*), *ị* (fr. *vie*): 44; 127

ị̣: esp. fr. *bien* 71 (= *y*)

î: 44

k: fr. *corps* 55

l: fr. *long* 81.

ł: esp. *sello*, it. *figlia* 83

L: port. *alto* 84

m: fr. *ma* 52.

n: fr. *nous* 53

ñ: esp. *caña*, fr. *cognée* 56

ŋ: al. *lang* 56

o, ọ (fr. *botte*), *ǫ* (fr. *beau*): 44; 127

õ: fr. *bon* 45

ö, ọ̈ (fr. *heure*), *ọ̈* (fr. *deux*): 44

ø̃ (fr. *un*): 45; 127

p: fr. *pont* 52

r, R: 85-86

s: fr. *sa* 61

ṣ: 62

š: fr. *champ* 65

t: fr. *ta* 53

---

[3] Los números envían a los párrafos en que se halla la explicación de los signos. Para las cantidades vocálicas, cf. § 42.

u, ụ (al. del nort. *Mutter*), *ụ* ' (Apóstrofo): ataque duro
(fr. *coup*): 44; 127   de vocales (57).

ü, ü̱ (al. del nort. *Mütter*), *ü̱* ˜ (Acento circunflejo griego
(fr. *dû*): 44; 127   sobre una vocal, por ej., *ã*):

ụ̱: esp. *cuatro*, fr. *toi* 72   vocal nasal (45).
(= *w*)   El ganchillo bajo una vocal

ü̱: fr. *nuit* 73 (= *w̃*)   (por ej., *ę*) = vocal abier-
v: fr. *vin* 60   ta; el punto bajo una vo-
w: fr. *toi*, ing. *wall* 59, 72 · cal (por ej., *ẹ*) = vocal ce-
w̃ = *ü̱*   rrada (43). En la vocal *a*,
y: fr. *yeux*, al. *Jammer* 64   el ganchillo se emplea con-
(= *ị*)   vencionalmente para dis-
z: fr. *causer* 61   tinguir la variante más pa-
ž: fr. *jambe* 62   latal (*ạ* en fr. *patte*), y el
ϑ: ing. *thing* 61   punto para distinguir la
φ: 59   variante más velar (*ạ* en
χ: al. *ach* 66   fr. *pâte*) (44), aunque de
' (Una rayita detrás de con-   hecho la *ạ* velar es más
sonante, por ej., *p'*): indica   abierta que la *ạ* palatal.
palatalización (67).   * Finalmente, el asterisco an-
´ (Acento agudo sobre una   tepuesto a un sonido o for-
vocal, por ej., lat. *cámpus*):   ma indica sonido o forma
vocal tónica (115).   hipotéticos, no atestigua-
` (Acento grave sobre una   dos en documentos o en
vocal, por ej., lat. *màndu-*   lenguas habladas, sino de-
cáre): vocal con acento se-   ducidos por medio de la
cundario (117).   comparación lingüística.

El ángulo abierto hacia la izquierda (>) significa «se convierte en» (lat. d o r m i t o r i u m > fr. *dortoir*). El ángulo
abierto hacia la derecha (<) significa «viene de» (fr. *dortoir*
< lat. d o r m i t o r i u m).

B) REGLAS PARA LA PRONUNCIACIÓN
DE LAS LENGUAS ROMANCES A BASE
DE LA ORTOGRAFÍA TRADICIONAL [4]

Observación previa.—La ortografía del francés antiguo representa aproximadamente la pronunciación de entonces. Por tanto, las consonantes finales mudas en francés moderno sonaban todavía; además, *oi* ha de pronunciarse [*ói*], no [*u̯a*] como en francés moderno; *au* es [*áu*]; *ai* es [*ái*], a veces [*éi*] e incluso [*ę*], como en francés moderno.—Las letras *c* ante *e, i* (*cent* «cien») y -*z* (*braz* «brazo») se pronuncian [*ts*], la letra *g* ante *e, i* se pronuncia [*ǵ*] y el grupo de letras *ch* se pronuncia [*ć*].—También la ortografía del provenzal antiguo reproduce bastante bien la pronunciación.

α) *Vocales.*

a: para *â* en rumano v. § 44; en rumano *ă* es aproximadamente [*ə*]; *a* inacentuada en portugués y catalán es oscura y semeja la *e* átona alemana en *Wanne*, sólo que más abierta y parecida a la *a*. También en sobreselvano la *a* átona es un poco oscura.

e: *e* átona se pronuncia débil [*ə*] en portugués y es con frecuencia completamente muda. En catalán coincide con la *a* átona oscura (v. arriba).

i: -*ĭ* en rumano es muy breve (sorda y asilábica); tras silbante es (casi) muda. Para *î* en rumano v. § 44.

---

[4] Se da por sentado que se conoce la pronunciación del francés moderno. Las reglas dadas aquí para las otras lenguas sirven sólo a efectos de una orientación sumaria. Esas reglas, en toda su extensión, deberán aprenderse al estudiar cada una de las lenguas respectivas.

o : o inacentuada en portugués y catalán = [*u*]. En portugués es a veces oscura o totalmente muda.

u: en francés antiguo, provenzal antiguo y moderno = [*ü*], en el resto [*u*]. En rumano *-ŭ* es muy breve (asilábica, con frecuencia totalmente muda).

Unión de varios signos vocálicos:

ea, oa en rumano son diptongos con acento en la *á*.

ie, uo en el italiano literario llevan el acento sobre el segundo elemento del diptongo; así también en español *ie, ue* y *ie, ue, uo* en provenzal antiguo. En francés antiguo hay que distinguir entre los diptongos decrecientes *éi, ái, ói, éu, áu* y los diptongos crecientes *ié, ué* (*pié* 'pie', *puét* 'puede')[5]. Se discute si la *u* de los diptongos del francés antiguo *éu, ué* ha de pronunciarse [*u*] o bien [*ü*]; sin duda, variaba según las épocas y lugares.

ou en portugués es [*o*], en francés moderno y en provenzal moderno [*u*].

β) *Consonantes.*

b en español, portugués, catalán, al comienzo del ritmo elocutivo o palabra fonética y detrás de *m*, se pronuncia [*b*]; fuera de estos casos, [β]. En catalán suena también [*b*] en algunos otros grupos consonánticos.

c ante *e, i* suena en rumano e italiano [*ć*]; en francés antiguo, provenzal antiguo y español antiguo [*ts*]; en retorromano varía, según el dialecto, en sobreselvano [*ts*]; en francés moderno, provenzal moderno y portugués, como [*s*]; en español moderno, como [ϑ]. En otras posiciones (ante

---

[5] En algunos dialectos también éstos se acentúan en el primer elemento y son decrecientes.

a, o, u, ante consonante, etc.) *c* suena siempre [*k*]; *ç* siempre como *c* ante *e, i*.

ch en rumano, italiano y sobreselvano, como [*k*]; en engadino y otros dialectos retorrománicos [*č*]; en francés antiguo, provenzal y español como [*ć*], en francés moderno y portugués como [*š*].

d en español, portugués y catalán al comienzo del ritmo elocutivo o palabra fonética y detrás de *n* y *l* como [*d*]; fuera de estos casos, como [δ]. En catalán suena también [*d*] en algunos otros grupos consonánticos.

g ante *e, i* varía en retorromano según los dialectos, en sobreselvano como [*ǧ*]; en rumano, italiano, francés antiguo y provenzal, como [*ǵ*]; en español antiguo [*ǵ*] o bien [*ž*]; en catalán, si es inicial, [*ǵ*] o bien [*ž*], si es medial [*ž*]. En español moderno [χ]; en francés moderno y portugués [*ž*].

g final de dicción en provenzal antiguo [*ć*] (otra grafía: *ch*).

gh ante *e, i* en sobreselvano, italiano y rumano [*g*].

gu ante *e, i* en italiano [*gu̯*], en francés y provenzal [*g*], en español, portugués y catalán [*g*] o bien [γ] (como *g* ante *a, o, u*; v. abajo).

g en otras posiciones (ante *a, o, u, r*, etc.) siempre [*g*], pero en español, portugués y catalán [γ] si no es inicial del ritmo elocutivo o va precedida de *n*.

h en rumano (excepto tras *c* o *g*; v. arriba) [χ], ante *e, i* [*ç*]; en francés antiguo (en palabras de origen germánico, por ejemplo, *helme* 'yelmo') [*h*]; fuera de estos casos, siempre muda.

j en sobreselvano e italiano [*y*]; en rumano [*ž*]; en el resto, como *g* ante *e, i*.

ll en español y en catalán, *lh* en provenzal y en portugués, *ill* (final *il*) en francés antiguo, *gl* en italiano y sobreselvano, representan el sonido [*ț*] (que en italiano se ha de pronunciar como [*țț*] larga; v. § 133 d).

ñ en español, *ny* en catalán, *nh* en provenzal y portugués, *gn* en francés (en francés antiguo también -*ign*-), sobreselvano e italiano, representan el sonido [*ñ*].

qu en italiano y sobreselvano, siempre [*kụ*] (en otros dialectos retorrománicos también [*k*]); en catalán y portugués ante *a*, *o* como [*kụ*], fuera de estos casos [*k*]; en el resto [*k*].

s intervocálica es sorda [*s*] en rumano, italiano (toscano[6]) y español moderno; en los demás idiomas (incluido español antiguo) es sonora [*z*].

s ante consonante sorda suena [*š*] en portugués y sobreselvano (y en todo el retorrománico); en los demás idiomas [*s*]; ante consonante sonora suena [*ž*] en portugués y sobreselvano (y en todo el retorrománico), en el resto [*z*]. En portugués, *s* se pronuncia [*š*] también en posición final, por ejemplo, *muros* [*muruš*].

s en comienzo de dicción y tras consonante suena [*s*]. Distíngase entre alemán *Verse* [*ferzə*] e italiano *versi* [*vẹrsi*]. Sólo en sobreselvano *s* inicial o tras consonante se pronuncia en ciertas palabras como [*z*] (y entonces frecuentemente se emplea en la escritura el punto diacrítico: *șala* 'salón', *verșet* 'versecillo').

ș en rumano [*š*].

sc ante *e*, *i* suena en italiano [*š*], y en comienzo de dicción se alarga [*šš*].

sch ante *e*, *i* suena en italiano [*sk*]. En sobreselvano, *sch* se pronuncia [*š*] o [*ž*]. La pronunciación [*ž*] se indica a menudo mediante un punto diacrítico: *șch*.

---

[6] El toscano y, consiguientemente, también el italiano literario, tienen [*z*] en numerosos préstamos; por ejemplo, *rosa*. Cf. § 381.

ţ en rumano [*ts*].

tg en sobreselvano [*č*].

tg (ante *e*, *i*) y *tj* en catalán, como [*ǵǵ*] larga.

tsch en sobreselvano, *tx* en catalán = [*ć*].

v en español y catalán como *b* (v. arriba); en las demás lenguas [*v*].

x en portugués y español antiguo, [*š*]; en español moderno [χ] (que la ortografía española actual transcribe por *j*); en catalán [*ks*] (*explosió*) y [*gz*] (*exemple*) en los cultismos, [*š*] en las voces populares (por ej., *xinxa*, 'chinche').

y en francés, español, catalán [*y*]; *y* inicial, también se pronuncia en español [*ǧ*].

z en italiano [*ts*], a veces [*dz*]; en francés antiguo y provenzal antiguo [*ts*]; en rumano, francés moderno y provenzal moderno [*z*]; en español antiguo [*dz*] o [δ]; en español moderno [ϑ]; en portugués [*z*] entre vocales y [*š*] en posición final.

INTRODUCCIÓN (§§ 1-39)

I. Posición y significación de la lingüística románica (§§ 1-5)

1. La filología tiene como objeto todos los discursos que pronuncian o han pronunciado los hombres. El discurso (fr. *discours*) es por su parte una manifestación lingüística que el hablante considera como conclusa y hecha con el fin de modificar la situación (por tanto, parcial).

Hay situaciones condicionadas por las cosas y situaciones condicionadas por los hombres. Las situaciones que dependen de las cosas (por ej., la caída de un árbol que puede al caer matar a un hombre) solamente pueden modificarse mediante la acción (por ej., alejándose del árbol a punto de caer). Las situaciones que dependen de los hombres pueden modificarse mediante la acción (por ej., matando a un hombre en caso de legítima defensa), o bien mediante el discurso. La modificación mediante el discurso se produce al influir éste sobre la intención del hombre que tiene el poder de la modificación activa de la situación. El éxito del influjo sobre la intención de un hombre mediante el discurso se llama «persuasión».

El discurso presupone, pues, una división del trabajo y una correspondiente repartición del poder en la sociedad humana. No tiene todo el mundo el poder (y la autorización social) de modificar activamente la situación, aunque todo el mundo esté interesado en esa modificación situacional. Los cointeresados influyen en el gobernante mediante el discurso. Si la asamblea popular convocada por los gobernantes trata de decidir entre la paz o la guerra con otro Estado, el interesado en la ruptura de las hostilidades se esforzará por medio de la persuasión en lanzar a la asamblea a la declaración de guerra, mientras que el interesado en el mantenimiento de la paz aconsejará a la asamblea que se abstenga de la declaración de guerra. Si el tribunal de justicia presidido por los gobernantes discute sobre la condena o absolución de un acusado, el reo tratará de persuadir con su discurso al tribunal que le declare inocente; en cambio, el acusador abogará porque se le condene. Así, pues, el discurso en la esfera deliberativa de la asamblea popular y en la esfera deliberativa del tribunal de justicia es parcial, pues la modificación de la situación es posible al menos en dos direcciones (sí/no). Por lo demás, la asamblea política y el tribunal de justicia son sólo casos típicos para una mayor variedad de las funciones discursivas.

Cuando el discurso considerado por el orador como concluso ha tenido éxito, es decir, ha logrado persuadir, o bien cuando fracasa como consecuencia del éxito de la parte contraria, en ese caso el discurso es un hecho concreto más de la historia y pierde ya toda función actual, quedando reducido a simple discurso pragmático. Pero la función del discurso, función radicada en la modificación de la situación, y la utilizabilidad del mismo, guardan entre sí recíproca correspondencia.

En etapas de cultura superior los discursos utilitarios («de consumo») pueden conservarse mecánicamente (por medio de la escritura), sin que cumplan ya su función propia. En este caso son objetivamente documentos históricos, y desde el punto de vista lingüístico, son monumentos del lenguaje y una de las fuentes de la lingüística (§ 3).

El discurso se realiza con frecuencia (por su carácter parcial) en el diálogo. Una serie dialógica de discursos (de al menos dos personas) referidos unos a otros se llama «discusión o debate». Así, pues, el debate es una unidad superior y por encima del discurso, unidad que consta de los discursos singulares. Algunos de los discursos de una discusión pueden no tener conclusa la manifestación de la opinión del hablante —precisamente la manifestación total de esa opinión es lo que caracteriza al discurso—; y ello sucede cuando el orador se ve impedido de dar remate a su discurso porque se lo interrumpe con su intervención el interlocutor.

Hay junto al decurso situacional —lineal y consuntivo del discurso— de la historia otro decurso cíclico inherente al ritmo del año (y a otros ritmos del tiempo). Cierto que el decurso cíclico es por naturaleza fijo y no puede cambiarlo el hombre ni mediante la acción ni mediante el discurso. Pero el hombre, ante esta dependencia suya del curso cíclico, se siente impulsado a manifestar su interés en ese decurso mediante discursos comprobatorios y ratificadores (laudatorios) o por medio de discursos que evocan incluso el proceso natural gracias a una cooperación fisticia. Este discurso es un discurso litúrgico que se repite anualmente (o conforme a otros ritmos temporales). Tales discursos litúrgicos serán más o menos constantes en su tenor de año en año, para expresar así el retorno de la misma realidad situacional de que se trate. De esta suerte el discurso litúrgico es un discurso literario («de uso reiterado»), y, desde el punto de vista de la fenomenología, es lo que, desligado de su vinculación con el ritmo litúrgico del tiempo, se llama poesía o (bella) literatura. El uso reiterado supone la conservación del discurso en la memoria de al menos una persona (generalmente de toda una escuela de cantores o incluso del conjunto de la comunidad celebrante) o por medio de la escritura. Así nace la tradición literaria.

Una desvinculación del ritmo fijo temporal se produce ya en los comienzos debido a las solemnidades y fiestas que se repiten de manera no rítmica, sino ocasional (boda, terminación de la casa, etc.).

El discurso literario (reutilizable) puede integrarse también en la discusión dialógica (drama).

En la vida jurídica la discusión muestra una mezcla de discursos utilitarios («de consumo»), tales como interrogatorios, discursos de defensa, etc., y discursos literarios («de uso reiterado»), tales como textos legales, fórmulas fijas para notificar la sentencia, etc.

El discurso (sea utilitario, sea literario) puede denominarse también: 1. «obra» con relación a su carácter total inherente a la intención de algo concluso; 2. «texto» («tejido»), habida cuenta de que está compuesto de partes (§ 3). El término «texto» se aplica también al conjunto mayor que llamamos «discusión o debate».

Sobre la extensión cuantitativa del discurso nada puede decirse. Lo único que cuenta en este aspecto es la exhaustividad pretendida por el orador y la intención de modificar la situación (§ 1). Estas notas se aplican tanto al discurso de dos horas de duración del abogado defensor ante el tribunal, como también a la respuesta monosilábica «sí» en cuanto manifestación de la voluntad en la celebración del matrimonio,

y a todo parlamento y réplica, breves o prolijos, en el diálogo.
En todo caso, el discurso consta cuando menos de un pensamiento y, las más de las veces, de varios (§ 3), articulados en
un sistema de ideas («texto»).

Si al estudiar el discurso (fr. *discours*) prescindimos de
su carácter de algo concluso (totalidad absoluta), obtendremos la «actividad discursiva» (fr. *parole*), cuyo resultado
constituye asimismo «textos», si no pretendemos dar a la
palabra «texto» la significación de cosa conclusa (totalidad
absoluta). Y si al estudiar la «actividad discursiva» hacemos
abstracción del ejercicio de esta actividad, obtendremos la
«facultad o capacidad discursiva» (fr. *parole*).

En la actividad discursiva, cuyo resultado absoluto es el
discurso (fr. *discours*), la «capacidad discursiva» solamente
puede ejercitarse en una comunidad con esperanza de éxito
en la modificación de la situación, cuando el orador dispone,
como de un depósito de formas, de un sistema de signos reconocido por la comunidad; esto es, de la lengua (fr. *langue*).

La filología (§ 2) tiene por objeto los «textos» («obras»),
mientras que la lingüística (§§ 3-5) tiene como meta el conocimiento del instrumento «lengua», así como de la «capacidad» y «actividad» discursivas.

Filología y lingüística dependen una de otra y mutuamente se necesitan, ya que el texto solamente se crea mediante
el instrumento a base de la «capacidad discursiva» y con intervención de la «actividad discursiva», y ya que no sólo se
manifiesta en el texto la intención del orador, sino también
el instrumento empleado. Cf. H. Kuhn, *Sprach- und Litera-
turwissenschaft als Einheit?*, en *Festschrift für J. Trier*,
Meisenheim-Glan, 1954, pp. 9-33.

A) FILOLOGÍA (§ 2)

2. La filología tiene como objeto de estudio las «obras»
o «textos» (§ 1), tanto los textos pragmáticos de consumo
como los textos literarios de uso reiterado. La filología que
concentra sus esfuerzos en los textos literarios se llama
«ciencia de la literatura».

El cometido social de los filólogos se refiere de hecho a
los textos literarios: los filólogos son los vigilantes encarga-
dos de la tradición litúrgica y, después, literaria de la comunidad. El cargo de vigilantes se echa de ver en tres planos
concéntricos:

1) La tarea principal de los filólogos consiste en la custodia y salvaguardia de los textos contra su destrucción material. Esta salvaguardia puede ejercerse en varias formas:

a) En una sociedad que carece de escritura, el filólogo
ocupa el cargo de maestro, con la misión de transmitir a la
memoria de las nuevas generaciones los textos de la sociedad. Incluso después de haber adoptado la escritura una sociedad, se mantiene en pie este cometido del filólogo como
una intensificación avivadora de la tradición.

b) Una vez introducido el uso de la escritura, el filólogo
conserva los textos en una biblioteca pública. Y al propio
tiempo cuida de que se multipliquen mediante copias. De
aquí nace la tarea de la crítica textual, cuya función primi-
genia consiste en supervisar las copias realizadas en los talleres de la propia biblioteca. Pero el filólogo puede ampliar
esta vigilancia a las copias hechas en los talleres de otras bibliotecas. Como quiera que, según el cálculo de probabilida-
des, la propagación de un texto lleva a una variación cada
vez mayor del tenor del texto propagado, la crítica textual se

esforzará en reconocer este fenómeno para de esa manera poder proceder al restablecimiento del tenor original del texto en cuestión.

c) Como además pueden perderse también textos enteros, la misión salvaguardadora de los filólogos puede extenderse al redescubrimiento de textos perdidos, pero conservados en la memoria de comunidades poco conocidas (por ejemplo, en el caso del descubrimiento de romances españoles entre los judíos del norte de Africa) o en bibliotecas y depósitos poco conocidos (por ej., cuevas en el Mar Muerto, escombreras en Egipto).

2) La tarea nuclear del filólogo consiste en el cuidado del sentido que se le debe dar al tenor del texto. Con ello se da por sentado el hecho de que el sentido de los textos no resulta evidente con sólo el tenor del texto. Mientras que los textos utilitarios (§ 1) poseen casi siempre un sentido extremadamente claro gracias a la situación precisa en que se producen (con lo que la situación viene a ser también un elemento complementario de interpretación), los textos literarios (§ 1) guardan una implicación menos pronunciada con la situación de cada caso. Reviste importancia especial el hecho de que el conjunto de la situación puede modificarse por cambios culturales (industrialización) o lingüísticos (por ejemplo, rareza o desuso de palabras que fueron antes corrientes). Con la situación así modificada se confronta el tenor del texto literario inalterado por el cuidado y vigilancia de los filólogos. En la situación así modificada, la comunidad pudiera quizá comprender mal o no entender ya en absoluto ese texto. Los filólogos tienen la misión de conservar también su antiguo sentido al texto por ellos conservado. Por ello, han de servir de intermediarios entre el texto y la comunidad; deben ser intérpretes del texto que la comunidad

no entiende ya o entiende torcidamente. Esta tarea de los filólogos se llama «interpretación». Cf. W. Babilas, *Tradition und Interpretation*, Munich, 1961.

3) Las dos tareas citadas de los filólogos (núms. 1-2) se refieren no sólo a un texto único, sino a múltiples textos. Esta multiplicidad trae consigo como tercera misión del filólogo la integración de los textos en conexiones más amplias:

a) La misión fundamental del filólogo (núm. 1), consistente en la conservación de los textos, desemboca en la formación de una biblioteca (núm. 1 *b*), en la que se custodian varios textos. Pero su custodia y conservación exigen un principio de orden. Son posibles criterios ordenadores, por ejemplo, el título de cada una de las obras, el autor, los géneros (narración, drama, etc.). Estos puntos de vista dan por resultado series de obras, y tienen que ser completados por un principio ordenador; por ejemplo, alfabético (catálogo alfabético de títulos y autores) o cronológico (según la época en que vivió el autor y fue compuesta la obra). La observancia del principio cronológico lleva a la historia de la literatura, la cual es a su vez una parte de la historia de la cultura y de la historia general.

b) La misión fundamental (núm. 1) y la tarea nuclear (núm. 2), realizadas en variedad de obras, conducen a experiencias filológicas, cuya colección y explicación es incumbencia de una fenomenología literaria que se llama «teoría general de la literatura».

La filología románica tiene que cumplir, en las obras compuestas en idiomas románicos, la triple misión de crítica textual, interpretación de textos y su integración superior (en la historia de la literatura y la fenomenología literaria).

Sorprende de pronto el hecho de que no exista comunidad por cuyo encargo la filología románica tenga que cumlir su cometido, al paso que, por ej., tras la filología francesa se halla como mandante la comunidad francesa.

El principio de unidad de la filología románica es el de la romanidad de las lenguas; por tanto, un principio lingüístico secundario incluso dentro de la lingüística (§ 4). Pero al paso que de las lenguas románicas singulares se puede extraer con métodos lingüísticos una romanidad lingüística, no existe una romanidad literaria de las literaturas compuestas en idiomas románicos. Un principio lingüístico de unidad existe únicamente para las literaturas nacionales compuestas en las respectivas lenguas nacionales (por ej., «literatura italiana»).

Pero hay de hecho un principio de unidad por encima de las literaturas nacionales, de la misma manera que hay por encima de las naciones una comunidad espiritual superior (aun sin el vínculo de la comunidad política). El principio de unidad por encima de las literaturas nacionales compuestas en cada una de las lenguas románicas no radica en la romanidad lingüística, sino en el hecho de pertenecer al espacio cultural de la Europa central y occidental, espacio que se halla determinado (desde Finlandia, pasando por los países bálticos y Polonia, hasta Croacia) por la común liturgia latina. Pero la romanidad de cada una de las lenguas de este espacio no implica dependencia especial ni lingüística ni (prescindiendo de un contacto familiar más estrecho, condicionado por razones geográficas, en este o aquel siglo) cultural, pues la romanidad no es más que una abstracción lingüística. En todo caso se le puede reconocer a la romanidad lingüística de los idiomas románicos el llevar como encarnada una cierta función simbólica para el conjunto del espacio cultural del centro y occidente de Europa (§ 5).

Precisamente esta función de símbolo cultural constituye la razón y justificación del interés alemán por una filología «románica». El estudio de la filología «románica» lleva a una comprensión profunda y vital de la herencia antigua y cristiana de Alemania y de su tradición europea universal, despertando con ello la conciencia cultural europea. Y en esto consiste el fruto, para la educación y para la política cultural en el más noble sentido, de una ciencia que debe su origen a los tanteos y hallazgos comunes del romanticismo francés y alemán (François Raynouard, 1761-1836; Friedrich Diez, 1794-1876).

En todo caso, la romanidad literaria habría que buscarla en la literatura popular transmitida oralmente (y ello tanto en los contenidos como en la forma, por ej., en la métrica). Aunque el hilo de la tradición se remonte seguramente hasta la antigüedad (cf. *Archiv f. d. Studium der Neueren Sprachen*, 194, 1958, pp. 39-43), resulta, sin embargo, improbable la conservación de una comunidad románica que abarcara vastos territorios, tan improbable que el folklore no se ha hecho todavía cargo de este problema.

B) LINGÜÍSTICA (§§ 3-5)

3. La lingüística tiene como objeto la «lengua» (§ 1), que es el instrumento al servicio del restablecimiento de los «textos», así como la «capacidad discursiva» y la «actividad discursiva» (§ 1).

La función de la lengua es el «discurso» (parcial, y además también la «discusión») en una situación (§ 1). La lengua se realiza en los discursos: los objetos estudiados por la lingüística (lengua, capacidad y actividad discursivas) han de abstraerse de los discursos concretos, que vienen a ser así las fuentes de la lingüística. La transposición abstractiva de los discursos concretos al sistema de la lengua que sirve en cada caso como instrumento de los discursos, constituye la misión y el quehacer básico de la lingüística, quehacer básico puesto que recoge y proporciona el material. Solamente cuando ha dominado cumplidamente esta misión, se halla la lingüística capacitada para dar solución a los problemas de detalle en los planos de la lengua, de la capacidad discursiva y de la facultad discursiva.

Según el fin perseguido por el lingüista, pueden ser fuentes de la lingüística tanto los discursos utilitarios (§ 1) como también los discursos literarios (§ 1). El que quiere estudiar el lenguaje cotidiano (como, por ej., el dialectológo) elegirá como fuentes los discursos utilitarios (que incluso podrá recoger en cinta magnetofónica). En cambio, los discursos literarios, por efecto del fenómeno de la tradición y por su mismo carácter solemne, tienen, en general, propiedades que los distancian del lenguaje conversacional: pues bien, también el discurso literario (por tanto, la bella literatura) es fuente legítima de la lingüística, si ésta se percata de que, por ejemplo, la lengua de Dante ha de considerarse como lengua en sí que no puede equipararse sin más con el italiano.

Cada pensamiento (parcial), en cuanto parte de un discurso (parcial), se llama (en su realización lingüística) «oración».

La «oración» es, pues, una totalidad conceptual; sin embargo, como oración carece de la intención de cosa conclusa respecto a la modificación de la situación, intención que es propia sólo del discurso. Por otra parte, un discurso puede constar de una oración sola si el orador le inyecta a ésta la intención de algo concluso.

La oración consta de portadores funcionales de significación que se llaman «palabras». Una palabra se integra en la
oración mediante otras palabras.

Una palabra consta de «elementos de la palabra» (sonidos, sílabas: § 40), que no son ya portadores de significación,
sino que constituyen en común el portador de significación
o modifican como elementos particulares de la palabra la
significación del portador de la significación (por ej., las desi-
nencias flexivas: § 583).

Cuando una palabra consta solamente de un elemento de
la palabra (lat. *i* «vete»), nos hallamos ante un caso límite
que queda aclarado mediante otras posibles funciones de ese
elemento de la palabra *(i-re)*.

La misión de la lingüística se desdobla, pues, en los siguientes dominios: 1. Teoría de la situación, teoría del discurso (retórica) con inclusión de la teoría de la capacidad
y actividad discursivas, teoría de la discusión (dialéctica);
2. Teoría de la oración; 3. Teoría de la palabra; 4. Teoría de
los elementos de la palabra. Cada uno de estos dominios ha
de tratarse atendiendo a los tres aspectos de la lingüística
(cf. arriba 1, c.).

La citada serie analítica de los dominios responde a la
tarea fundamental (cf. arriba) de la lingüística, tarea cuyos
datos concretos le son proporcionados por el discurso. Pero
en una exposición de los resultados de la lingüística es aconsejable el orden inverso (sintético), que comienza (como esta
nuestra exposición: § 40) con la teoría de los elementos de
la palabra.

El primer dominio (teoría de la situación, del discurso y
del debate o discusión) se lo ha dejado la lingüística casi
por completo a la ciencia de la literatura (cf. H. Lausberg,
Handbuch der literarischen Rhetorik, Munich, 1960 [*Manual*

de retórica literaria, Madrid, Gredos, 1965]; H. G. Coenen, *Elemente der Racine'schen Dialogtechnik,* Münster, Westfalia, 1961). Nuestra exposición acepta este método de exclusión, pues para estos dominios solamente deben esperarse los posibles resultados de las lingüísticas de las lenguas particulares (§ 4).

La lingüística en sí ha prestado toda su atención a la necesidad de una teoría de la situación, de la que precisamente forma una parte la investigación del contenido del lenguaje. (H. Gipper-H. Schwarz, *Bibliographisches Handbuch zur Sprachinhaltsforschung,* Colonia y Opladen desde 1962). Por contenido lingüístico se ha de entender la realidad aprehendida y estructurada en el lenguaje.

La situación general, en cuanto suma de los contenidos lingüísticos posibles, trae consigo, por ej., el que ningún dialecto puede representar la continuación pura del latín hablado de los últimos tiempos de la antigüedad (cf. más abajo, §§ 32-34): la situación general ha cambiado a partir de la antigüedad, y con ella ha cambiado también la suma de los contenidos lingüísticos. Cualquier hablante dialectal podrá así verse hoy en la situación de tener que hablar de motores, elecciones parlamentarias, aviones, escopetas. Una modificación de la situación general la constituye también la conciencia, por ej., de los hablantes del dialecto leonés (§ 15), de que no hablan ya una variante del latín, sino un dialecto (genéticamente inexacto) de la lengua escrita española (§ 5).

Hay también una teoría de la situación (formada en la teoría de los *status* de la retórica) relativa al discurso singular como un todo. Hay además fenómenos situacionales dentro del discurso, tales, por ej., como el empleo del artículo determinado o indeterminado (§ 743), el empleo de los pronombres demostrativos (§ 728), por cuanto el grado de conocimiento de un objeto del discurso puede variar para el público a lo largo del discurso mismo.

Tampoco carece de objeto una retórica lingüística si se piensa que el discurso (§ 1) de un campesino del norte de Alemania se distingue del de un napolitano en la formación del conjunto del discurso (por ej., en la mayor o menor duración del mismo o respecto a la rapidez de la actividad discursiva).

4. La lingüística románica tiene como objeto las lenguas románicas bajo el aspecto de su romanidad común.

Únicamente aquellos fenómenos particulares de cada idioma que no tienen nada que ver con la romanidad común a las lenguas románicas (por ej., el desarrollo del francés regional en los tiempos modernos, el desarrollo del español en Méjico) son objeto, no de la lingüística románica, sino de las lingüísticas particulares de cada idioma (francés, español, etcétera). Los límites entre unos y otros fenómenos no son siempre precisos. Por ello, en esta exposición se aducirán algunos fenómenos que con igual razón pudieran dejarse a la lingüística de cada lengua particular.

En concreto, no hay discurso románico (para el «batiburrillo», cf. arriba, pág. 16); lo que hay es, de un lado, discursos latinos (en la tradición escrita), y de otro, discursos en las lenguas románicas particulares, vivas o muertas. Así, pues, la misión fundamental de la lingüística románica (§ 3) sólo hay que extraerla de las lingüísticas particulares de cada idioma románico. De las lenguas románicas particulares y del latín, la lingüística románica abstrae la «romanidad»: esta abstracción es la que constituye en segundo grado la tarea fundamental de la lingüística románica. Si el discurso en cada lengua románica es un racimo, la lingüística de cada lengua es la pisa del vino y la lingüística románica la destilación del aguardiente.

5. La abstracción de la romanidad a partir del discurso en lengua románica no pretende ser un simple juego, sino que tiene la intención de poner al descubierto el origen de la pluralidad de las lenguas románicas. El origen de las lenguas románicas es un fenómeno debido, por un lado, a la relajación de los lazos externos del Imperio Romano y al debilitamiento de su vitalidad cultural, y por otro, a la nueva formación de comunidades lingüísticas «nacionales», surgidas a continuación, al volver a asimilar, vivificándola de manera independiente, la antigua tradición cultural. Nacimiento e historia de las lenguas románicas hasta nuestros días representan procesos históricos, cuya razón profunda solamente se revela a la lingüística cuando ésta se apoya en los resultados de todas las ramas de la historia. Pero los resultados de la lingüística redundan a su vez en provecho de la historia general, viniendo a ser así la lingüística como una *nobilis ancilla,* una preciosísima ciencia auxiliar de la Historia.

Las más o menos amplias comunidades lingüísticas románicas, formadas a raíz del proceso de desmembración ocurrido a finales de la Edad Antigua y comienzos de la Edad Media, se crearon a través de la Edad Media y Moderna sus propias lenguas escritas, cuyo origen e historia se hallan estrechamente vinculados con el desarrollo de las respectivas literaturas. De esta suerte, la lingüística románica viene a desembocar necesariamente en la ciencia de la literatura románica, pudiéndose considerar a aquélla en este aspecto como evidente ciencia auxiliar de ésta.

Ahora bien, bajo el influjo decisivo del latín sabio (que obró como un injerto) o de otras lenguas escritas más anti-

guas (por ej., el eslavo eclesiástico y el francés para el rumano, el francés y el provenzal para el italiano, etc.), las lenguas
románicas escritas emprendieron como potencias culturales
el vuelo del propio desarrollo literario y de la nivelación su-
pradialectal; y por ello, la lingüística orientada en sentido
paleontológico busca en los dialectos románicos vivos —en
mayor medida aún que en los mismos documentos lingüísticos escritos más antiguos— su principal fuente, pues estos
dialectos se remontan, en tradición oral ininterrumpida desde la antigüedad, hasta el latín hablado de las regiones respectivas. Claro que, en todo caso, hay que tener en cuenta
los influjos y reorganizaciones de los espacios dialectales,
influjos y reorganizaciones continuados y acrecentados en la
Edad Media y Moderna —especialmente el influjo irradiado
por las lenguas románicas escritas en los centros urbanos,
pero también, por ej., los desplazamientos de los pueblos—
(«sustratos y superestratos intrarrománicos», cf. § 28). La investigación de las posteriores reorganizaciones dialectales,
así como el estudio de la primitiva desmembración de los espacios lingüísticos románicos, es una tarea prometedora e in-
citante de la geografía lingüística como método especialmente
afinado y preciso de la investigación dialectal (cf. págs. 22-24),
que encuentra en el folklore su complemento en lo que se
refiere a la historia de la civilización (y también en lo relativo
a la ciencia de la literatura).

La reestructuración decisiva de la Romania en grandes espacios lingüísticos nacionales se produjo en el momento en
que un dialecto formado a base del latín (por ej., el dialecto
de Bolonia [§ 18, 1 a], el dialecto de León [§ 15]) no lo sintie-
ron ya sus hablantes (como hasta entonces) como una modificación del latín (que seguía empleando la Iglesia como lengua litúrgica), sino como modificación de la nueva lengua

escrita (del italiano, del español), siendo así que a su vez esta lengua escrita (cf. págs. 24-26) no fue en sus orígenes más que uno de los muchos dialectos (el dialecto de Florencia, el dialecto de Cantabria: §§ 15-17; cf. § 3).

La Romania lingüística es el núcleo materializado de la romanidad espiritual de la Europa central y occidental (§ 2): la tradición cultural y espiritual de la mitad occidental del territorio alemán, tradición reconocible por el síntoma de la liturgia latina (§ 3), se puede señalar palpablemente en la propagación, en forma de abanico, de la romanidad desarrollada sobre territorio de lo que fue Imperio Romano, y se halla a la vez documentada en la totalidad social. Para la «desmembración de los espacios lingüísticos de la Romania» (W. v. Wartburg, *Die Ausgliederung der romanischen Sprachräume*, Berna, 1950 [*La fragmentación lingüística de la Romania*, Madrid, 1952, Gredos]; W. v. Wartburg, *Die Entstehung der roman'schen Völker*, Tubinga, 1951) cf. últimamente A. Schiaffini, *Studi in onore di A. Monteverdi*, Módena, 1959, pp. 691-715.

II. Lenguas románicas y su clasificación (§§ 6-26)

6. A base del grado de parentesco (§ 35), la Romania resulta dividida en tres regiones:

I. Romania occidental con los siguientes espacios parciales:

A) Galorromania (prov., francoprov., fr.: §§ 7-13);
B) Retorromania (§§ 20-21);
C) Norte de Italia (§ 18, 1);
D) Iberorromania (cat., esp., port.: §§ 14-16);

II. Romania oriental con los siguientes espacios parciales:

A) Centro y sur de Italia (§ 18, 2);
B) Dalmacia (§ 26);
C) Rumanía (§§ 22-25);

III. Cerdeña (§ 19).

Esta división de la Romania corresponde aproximadamente a los finales de la época imperial (§ 35): como se ve por la bipartición de Italia (§ 18), esta división no tiene en cuenta la división actual en los grandes espacios lingüísticos nacionales creados por el influjo de las lenguas escritas (§ 5) y que son un hecho concreto de la Edad Media y Moderna, sino que se apoya exclusivamente en el estado y condición de los dialectos (§ 5).

El cuadro de la Romania actual está determinado (hasta incluso los dialectos: § 5) por las lenguas escritas. Estas son: portugués (§ 16), español (§ 15), francés (§§ 7-11), grisón (aunque sin lengua escrita unitaria: § 20, 1), italiano (§§ 17-18), rumano (§§ 22-25). El catalán todavía conserva hoy en día cierta importancia como lengua escrita (§ 14). Por sus servicios culturales en la Edad Media y sus claras diferencias frente al francés también el provenzal (§§ 12-13), muy empleado en la Edad Media como lengua viva, se cuenta entre las lenguas románicas propiamente dichas, a pesar de que hoy en día se halla sometido al influjo del francés escrito. El criterio de lengua escrita no es aplicable al sardo (§ 19), sometido hoy a la influencia del italiano escrito, ni al dalmático (§ 26); sin embargo, ambas lenguas se consideran como lenguas propiamente románicas por la razón de que su dependencia respecto a una lengua escrita no es suficiente para hacer olvidar sus destacadas diferencias frente al italiano. Y roto así una vez el principio de lengua escrita, con igual razón consideraremos también el retorromano (§§ 20-21) como lengua propiamente dicha, a pesar de que solamente el grisón (§ 20, 1) alcanzó consideración de lengua escrita, y ello únicamente dentro del territorio de los grisones.

Tenemos, pues, una serie desigualmente motivada de diez idiomas románicos: portugués (§ 16), español (§ 15), catalán (§ 14), provenzal (§§ 12-13), francés (§§ 7-11), retorromano (§§ 20-21), italiano (§§ 17-18), dalmático (§ 26), rumano (§§ 22-25) y sardo (§ 19).

El orden que seguimos a continuación comienza con el francés, para seguir primeramente hacia el sur hasta el portugués (§§ 7-16); pasamos después al italiano, e inmediatamente al sardo y retorromano, como lenguas vecinas del italiano (§§ 17-21); y terminamos con las lenguas habladas en los Balcanes (§§ 22-16).

A) FRANCÉS (§§ 7-11)

7. El actual francés literario es la lengua de la buena sociedad de París, regulada desde principios del siglo XVI por preceptistas y gramáticos (Vaugelas, *Académie Française*, etcétera), así como por escritores de nota (Malherbe, G. de Balzac, Pascal, Corneille, Racine, Molière, La Fontaine, Boileau, etc.), y perfeccionada en las sucesivas generaciones (siglo XVIII: Voltaire, Rousseau; siglo XIX: Víctor Hugo, Balzac, Flaubert y muchos más). Como lengua literaria está en uso también en las posesiones francesas de ultramar, así como en el Canadá, Bélgica, Luxemburgo y Suiza. La lengua francesa contemporánea suele calificarse, desde un punto de vista cronológico, de francés moderno para distinguirlo de sus

antecedentes medievales, que también lograron en su tiempo
validez de lengua literaria escrita: francés antiguo (siglo ix-
primera mitad del siglo xiv: *Canción de Roldán,* Chrétien de
Troyes, siglo xii; *Roman de la Rose,* de Guillaume de Lorris
y Jean de Meung, siglo xiii) y francés medio (segunda mitad
del siglo xiv-siglo xvi: Villon, siglo xv). Hay que notar que la
lengua del siglo xvi (Marot, Rabelais, Ronsard, Montaigne) se
debe calificar de «francés premoderno», pues se asemeja ya
bastante al francés de las siguientes centurias.

8.   La lengua literaria francesa de las tres épocas se basa
principalmente en el dialecto de París (dialecto de la *Île de
France),* el cual, ya a partir del siglo xv, conquistó definitivamente la supremacía —incluso sobre el provenzal en el
sur de Francia (§ 12)—.

Además del dialecto de la *Île de France,* hay, fundamentalmente, los siguientes dialectos franceses: picardo, normando, dialectos occidentales (Anjou, Touraine, Maine, Bre-
tagne), sudoccidentales (Poitou, Saintonge, Aunis), dialectos
del sur (Bourbonnais, Nivernais, Berry, Orléanais), champañés, valón, lorenés, borgoñón y dialecto del norte del Franco
Condado. Entre éstos alcanzaron importancia literaria en la
Edad Media, especialmente, el picardo, el normando, el champañés y el valón; y ofrecieron encarnizada resistencia, en
parte incluso en el siglo xiv, al dialecto de la *Île de France,*
que luchaba por convertirse en la lengua literaria ya desde el
siglo xii (siglo xii: *Viaje de Carlomagno;* siglo xiii: *Ruste-
buef).*—El normando fue transplantado a Inglaterra en el
año 1066, y se lo conoce con el nombre de anglonormando.
Si bien desarrolló algunas particularidades por su cuenta
(siglos xii-xiv), hubo de sucumbir ante la competencia de la
lengua literaria de la *Île de France,* propagada hasta Ingla-

terra, y finalmente ante su absorción por el inglés.—Durante la Edad Media, el francés (en cualquiera de sus variedades dialectales) recibe el nombre de *langue d'oïl* (en contraposición a la *langue d'oc*: § 12, nota); tal denominación le viene de la partícula afirmativa del francés antiguo *oïl* (< *h o c i l l i), la cual pervive aún en el francés moderno *oui*.

9. La primitiva frontera sur del francés era la línea del Loira. Como límite entre las provincias romanas de Aquitania y Galia Lugdunense, primero, y después, como frontera en la demarcación eclesiástica de diócesis, límite norte del reino visigodo (en tiempo del rey franco Siagrio) y frontera sur del asentamiento franco, la línea del Loira continuó hasta muy entrada la Edad Media como divisoria político-feudal y cultural, cuyos efectos aun hoy se pueden comprobar. Inmediatamente al sur del Loira se extiende una antigua zona de transición íntimamente vinculada al principio con el espacio lingüístico provenzal. El afrancesamiento de esta zona comienza propiamente en los siglos XI-XII. El primer trovador provenzal, Conde Guillermo de Poitou (Duque de Aquitania), escribe (alrededor de 1100) un provenzal coloreado de poitevino. Para el franco-provenzal, cf. § 12; para el franco-italiano, cf. § 18. Más detalles en H. Stimm, *RF* 72, 1960, p. 457 y ss. Cf. también § 35.

10. El francés literario constituye el fruto más sazonado de la evolución de las lenguas romances. Esta madurez se la debe, en buena parte, a haberse educado en la escuela del latín, en forma severa y, sin embargo, orgánica, a lo largo de un milenio (monumento más antiguo: *Juramento de Estrasburgo*, en 842; poco después, *Secuencia de Eulalia*, hacia 880). Portadores de esta educación son los grandes poetas

y escritores franceses. Así es cómo el francés representa un medio, henchido de tradición y refinamiento, de comprensión intelectual y de expresión artística: *le véhicule d'une élite et d'une aristocratie* (Ch. Bally). La excesiva fijación literaria y la fuerte dosis de elementos tomados del latín clásico han ocasionado a la lengua francesa algunos perjuicios. La fluencia de la frase en el francés moderno no es tan vigorosa y desembarazada como en francés antiguo y en otras lenguas que han sabido conservar mejor las riquezas populares y no se han sometido humildemente a una norma «clásica». Estos defectos del francés los han reconocido y lamentado los grandes maestros de la lengua, como Fénelon, Voltaire, Flaubert y otros. Resultados de la regulación tradicional son la penetración de las germanías *(argots)* en el francés hablado, y en la lengua escrita, la *crise du français*, cuyos síntomas son, por una parte, el empleo literario del lenguaje conversacional entretejido de germanías (L.-F. Céline, *Voyage au bout de la nuit*, 1932), y por otra, la rebeldía de los pedagogos de la lengua (E. Legrand, *Stylistique française, Livre du maître*, París, 1957).

Muestra del francés antiguo:

> Ce nos ont nostre livre apris
> Que Grece ot de chevalerie
> Le premier los et de clergie.
> Puis vint chevalerie a Rome
> Et de la clergie la some,
> Qui ore est an France venue.
> Des doint qu'ele i soit retenue
> Et que li leus li abelisse,
> Tant que ja mes de France n'isse
> L'enors qui s'i est arestee.

Des l'avoit as autres prestee,
Mes des Grezois ne des Romains
Ne dit an mes ne plus ne mains;
D'aus est la parole remese
Et estainte la vive brese [1].

(Chrestien de Troyes, s. XII) [2]

11. Enclavado al este, entre los espacios lingüísticos
francés y provenzal (cf. § 12), está el dominio lingüístico francoprovenzal [3]. Abarca la parte norte del Delfinado (con Gre-
noble), Saboya (en uno y otro caso con inclusión de la vertiente oriental de los Alpes occidentales), oeste de Suiza (con
excepción de la zona francesa alrededor de Porrentruy, en el
cantón de Berna), el ángulo noroeste de Piamonte (con Aos-
ta), región de Lyon y parte sur del Franco-Condado [4]. El

---

[1] Traducción: Esto nos han enseñado nuestros libros, / Que Grecia
tuvo la primera gloria de la caballería y de la cultura. / Después la
caballería y la flor de la cultura vinieron a Roma, / Y ahora han pasado a Francia. / Quiera Dios que se mantengan aquí / Y que este lugar
les agrade, / De suerte que nunca más de Francia salga / El honor que
aquí ha hecho asiento. / Dios lo había concedido a otros, / Pero de
los griegos y de los romanos / No se habla ya (ni poco ni mucho); / Ha
cesado el hablar de ellos, / Y su viva brasa se ha extinguido.—El pasa-
je es significativo en cuanto a la conciencia cultural de los franceses
(*translatio studii*); cf. E. R. Curtius, *Europ. Literatur u. lat. Mittelalter*, Berna, 1954, p. 388.

[2] La traducción dada en la nota 1 —y lo mismo las traducciones
de las demás muestras— pretende ser solamente un medio para la inteligencia literal del texto.

[3] Para la zona occidental de transición entre el francés y el provenzal en la Edad Media, cf. § 9. Sobre el francoprov. cf. ahora H. Hafner, *Grundzüge einer Lautlehre des Altfrkpr.*, Berna, 1955; *Archiv* 193,
1957, p. 80.

[4] Para la caracterización lingüística del francoprovenzal, cf. §§ 280
y 287.

franco-provenzal no desarrolló una lengua literaria propia y
cae dentro de la esfera de influencia del francés literario.
Muestra del franco-provenzal:

> Lyáuba [łyoba], lyáuba, por ariá!
> Vinite tóte
> Pitite, gróše,
> Blyántse, néyre,
> Ródze, moθéyle!
> Lyáuba, lyáuba, por ariá![5]
>
> (Del *Ranz des vaches*, de Gruyère)

B) PROVENZAL (§§ 12-13)

12. 'Provenzal' *(proensal)* es en sus orígenes uno de los
nombres con que se conocía la lengua literaria —no totalmente uniforme— de los trovadores medievales (s. XII-XIII)
del sur de Francia (Arnaut Daniel, Bernart de Ventadorn,
Bertran de Born, Gaucelm Faidit, Guilhem de Peitieu, Giraut
de Bornelh, Jaufré Rudel, Marcabru, Peire Cardenal, Peire
Vidal, Raimbaut de Vaqueiras y muchos más).

Su centro dialectal fue quizá el territorio del conde de
Toulouse. La denominación de *proensal*[6] puede explicarse
por el hecho de que el condado de Provenza (al que había
quedado limitado el nombre de la *Provincia Narbonensis*)

---

[5] Traducción: ¡Vaca, vaca, al ordeño! / Venid todas, / Pequeñas,
grandes, / Blancas, negras, / rojas, manchadas. / Vaca, vaca, al ordeño!
[6] Otro nombre del provenzal literario es *limosî* «lemosino». Debe
de ser de procedencia nortefrancesa. Para su aplicación al catalán
cf. § 14.

mantenía estrechas relaciones, en los siglos XII y XIII, con los
norteitalianos, que se interesaban en calidad de Mecenas
(Cortes de Monferrato, Malaspina, Este, etc.) por la poesía
trovadoresca y la cultivaban activamente (siglo XIII: Rambertino Buvalelli, Sordello da Goito, Lanfranco Cigala y otros).

Integran el dominio de los dialectos provenzales la Provenza (con la vertiente oriental de los Alpes occidentales), el
Languedoc [7] (con Rouergue), la Auvergne, el Limousin (con
Périgord y Quercy). Para el gascón cf. § 13. La frontera norte
del dominio lingüístico provenzal frente al francés comienza
en la Gironde, describe después un arco hacia el norte en
torno al Macizo Central para alcanzar el Ródano entre Valence y Vienne. Aquí empalma con el franco-provenzal (cf.
§ 11), manteniendo la parte sur del Delfinado dentro del provenzal.

Con la poesía trovadoresca murió también el antiguo provenzal literario (principio de la decadencia: la cruzada contra los albigenses en el año 1213), y la consideración de lengua literaria pasó al francés (que consolidó definitivamente
su victoria a partir del siglo XV). Al mismo tiempo, el francés
conseguía imponerse en los centros urbanos como lengua
coloquial, con lo que los dialectos provenzales cayeron al nivel de simples jergas campesinas sin normas ni refrendo.
Los intentos del regionalismo romántico del siglo XIX *(félibrige;* principales representantes: Roumanille, Mistral) por
hacer del moderno provenzal una lengua apta para la expresión literaria, si bien consiguieron considerables resultados
literarios, no lograron constituir una moderna lengua pro-

---

[7] Llamado así por la partícula afirmativa provenzal *oc* (< h o c).
Langue d'oc puede utilizarse también como denominación de todos los
dialectos provenzales; cf. § 9.

venzal, uniforme y acatada por todos. De todos modos, alcanzó notable relieve el dialecto de F. Mistral, esto es, el dialecto del Bajo Ródano (Bouches-du-Rhône).

Muestra de provenzal antiguo:

1. Ab l'alen tir vas me l'aire
   qu'eu sen venir de Proensa;
   tot quant es de lai m'agensa,
   si que, quan n'aug ben retraire,
   eu m'o escout en rizen
   e'n deman per un mot cen:
   tan m'es bel quan n'aug ben dire.

2. Qu'om no sap tan dous repaire
   cum de Rozer tro qu'a Vensa,
   si cum clau mars e Durensa,
   ni on tan fis jois s'esclaire;
   per qu'entre la franca gen
   ai laissat mon cor jauzen,
   ab leis que fa'ls iratz rire.

3. Qu'om no pot lo jorn mal traire
   qu'aia de leis sovinensa,
   qu'en leis nais jois e comensa;
   e qui qu'en sia lauzaire,
   de ben qu'en diga no i men,
   que'l melher es, ses conten,
   e'l genser que'l mon se mire.

4. E s'eu sai ren dir ni faire,
   ilh n'aia'l grat, que sciensa
   m'a donat e conoissensa,
   per qu'eu sia gais chantaire,
   e tot quan fauc d'avinen

ai del seu bel cors plazen,
neis quan de bon cor consire [8].

(Peire Vidal, alred. de 1200).

Muestra de provenzal moderno:

1. Sian tout d'ami, sian tout de fraire,
   Sian li cantaire dóu país!
   Tout enfantoun amo sa maire,
   Tout auceloun amo soun nis:
   Noste cèu blu, noste terraire
   Soun pèr nous-autre un paradis.
   Sian tout d'ami galoi e libre,
   Que la Prouvènço nous fai gau;
   Es nautre que sian li Felibre,
   Li gai Felibre prouvençau!

2. En prouvençau, ce que l'on pènso
   Vèn sus li bouco eisadamen:

---

[8] Traducción: 1. Con el aliento me atraigo el aire / Que siento venir de la Provenza; / Todo lo de allí me agrada, /Tanto que cuando oigo hablar bien de ella, / Lo escucho riendo alegre / Y por una palabra pido ciento: / Tanto me complace / Cuando oigo hablar bien de ella.—2. Pues nadie sabe de un lugar tan dulce / Como entre el Ródano y Vence (Alpes Marítimos), / Como (el espacio que) el mar y Durence abrazan, / Ni (de una morada) donde tan pura alegría resplandezca. / Por esto entre el noble pueblo / He dejado yo mi alegre corazón, / En ella (la Provenza), que hace reir al triste.—3. Pues no es posible pasar mal el día / En que nos domina su recuerdo. / Pues en ella (Provenza) nace y comienza la alegría, / Y cualquiera que la alabe, / No miente en lo que pueda decir de ella. / Pues ella es la mejor, sin discusión, / Y la más bella que existe en el mundo.—4. Y si algo sé decir o hacer, / Reciba mi agradecimiento, pues la ciencia / Me ha dado y el conocimiento / Para ser yo un alegre cantor; / Y todo cuanto hago de agradable, / Lo tengo de su belleza, / Incluso cuando reflexiono seriamente.

O douço lengo de Prouvènço,
Vaqui perqué toujou t'amen!
Sus li frejau de la Durenço
N'en aven fa lou saramen!
Sian tout d'ami galoi e libre...

3. Li bouscarleto, de soun paire
Oublidon pas lou piéutamen:
Lou roussignòu l'oublido gaire,
Lou cant que soun paire i'apren,
E lou parla de nòsti maire,
Voulès que nautre l'oubliden?
Sian tout d'ami galoi e libre...[9].

(Mistral, 1854)

13. Al lado del provenzal ocupa una posición en cierto modo particular el gascón (entre el Garona y los Pirineos), el cual pasaba ya entre los trovadores (por ejemplo, Raimbaut de Vaqueiras, alrededor de 1200) por idioma independiente al lado del provenzal. En muchos rasgos característicos se halla más emparentado con el aragonés y el catalán que con el provenzal (cf. § 37). Igual que el provenzal, tam-

---

[9] Traducción: 1. Somos todos amigos, todos hermanos; / Somos los cantores del país. / Todo niño ama a su madre, / Todo pajarillo ama su nido: / Nuestro cielo azul, nuestro terruño / Son para nosotros un Paraíso. / Somos todos alegres y libres amigos, / Pues Provenza nos hace dichosos. / Somos los felibres, los alegres felibres provenzales.— 2. Cuando se piensa en provenzal, / Se viene a la boca (a los labios) fácilmente: / ¡Oh dulce lengua de Provenza, / Por eso te queremos amar siempre! / Sobre los guijarros del Durance / Lo hemos jurado. / Somos todos alegres y libres amigos...—3. Las currucas, de su padre / No olvidan el piído; / El ruiseñor no olvida, no, / El canto que su padre le enseña. / Y la lengua de nuestras madres / ¿Queréis que olvidemos nosotros? / Somos todos alegres y libres amigos...

bién el gascón cae hoy en la zona dominada por el francés literario. Muestra del gascón:

> Nosta-Drama arà cinta blùa
> Florechcat èste serament,
> Arrai de sorelh, cla de lùa,
> Pregat per nos-àuti u moment...
> Sant-Vizens e Santa-Lilòia,
> Quand paset sus era Montyòia
> Arà heresca, eds sés d'estiu,
> Se volet que r'arrasa visque,
> Pregat Diu qu'enze benadisque,
> Tant qui semiam ed blat de Diu! [10]

(Philadelphe de Gerde, 1930.)

C) CATALÁN (§ 14)

14. El catalán es el idioma de Cataluña. Gracias a la Reconquista el catalán se extendió en una estrecha faja costera desde el condado de Barcelona (marca fronteriza de Carlomagno en 1801) hasta Valencia y las puertas de Murcia, así como a las Baleares. El catalán (lengua oficial del reino de Aragón) desarrolló en la Edad Media, a imitación del provenzal, una lengua literaria (autores: Ramón Llull, siglos XIII-XIV; Bernat Metge, alrededor de 1400; Ausías March y Jaume

---

[10] Traducción: Nuestra Señora (de Lourdes) del azul cinturón, / Florezca este juramento; / Rayo de sol, claro de luna, / Rogad un momento por nosotros... / San Vicente y Santa Liliola (abadesa de Arlés, en el s. VI), / Cuando vayáis a Montjoie / Con el frescor de las tardes de verano, / —Si queréis que vuestra raza viva— / Rogad a Dios que nos bendiga, / Mientras sembremos el grano de Dios.

Roig, siglo xv), que durante el dominio aragonés sobre Nápoles y Sicilia llegó a ser la lengua de la cancillería también en el sur de Italia. Como resto de esta expansión no queda hoy más que el dialecto catalán de la ciudad de Alghero (Cerdeña). Desde el siglo xv, el catalán tiene que luchar dentro de la misma Cataluña por su permanencia como lengua literaria, permanencia que a duras penas logra mantener hoy frente al castellano (cf. § 15). Como lengua de la cancillería fue sustituida por el castellano en el año 1714 por los Borbones. El regionalismo romántico del siglo xix (autores: Aribau, Rubió y Ors, Milá y Fontanals, Aguiló, Balaguer, Verdaguer) intentó, con cierto éxito, una renovación literaria del catalán [11]. La comarca del Rosellón, caída en poder de los franceses en 1659, pertenece al dominio lingüístico del catalán.—Para la posición del catalán respecto a los idiomas vecinos cf. §§ 13, 15, 37.—El dominio lingüístico del catalán se divide en dos zonas (§ 168): una occidental (Andorra-Lérida-Valencia) y otra oriental (Perpiñán-Gerona-Barcelona-Tarragona), dentro de las cuales las Baleares ocupan una posición especial.—La lengua literaria se basa en la hablada en Barcelona.—Muestra del catalán:

> Pláume encara parlar la llengua d'aquells sabis
> Que ompliren l'univers de llurs costums e lleis,
> La llengua d'aquells forts que acataren los Reis,
> Defengueren llurs drets, venjaren llurs agravis.
> Muira, muira l'ingrat que al sonar en sos llabis
> Per estranya regió l'accent natiu, no plora:
> Que al pensar en sos llars, no's consum ni s'anyora,
> Ni cull del mur sagrat la lira dels seus avis.

---

[11] La lengua medieval se llama catalán antiguo, la de los siglos posteriores se llama catalán moderno.

En llemosí [12] soná lo meu primer vagit
Quant del mugró matern la dolça llet bebia;
En llemosí al Senyor pregava cada dia
E càntics llemosins somiava cada nit [13].

(Aribau, 1833.)

D) ESPAÑOL (§ 15)

15. La lengua literaria española se basa en el dialecto castellano (de ahí su denominación *el castellano*); por su parte, el castellano arranca en sus orígenes del dialecto hablado en la marca fronteriza cántabra, que linda con el País Vasco y que nunca estuvo bajo el poder de los árabes.

Ya en tiempo de los romanos el latín usual en la Península Ibérica tenía, sin duda, particularidades regionales, las cuales muy bien pudieran guardar relación con la división en provincias *(Tarraconensis, Baetica, Lusitania)*. Las regiones de Galicia, Asturias, Cantabria y el País Vasco no fueron conquistadas por los romanos hasta más tarde, lo que explica quizá su especial posición lingüística. La latinidad de la *Baetica* y de la *Lusitania* se perpetuó en el dialecto «mozá-

---

[12] Propiamente «lemosino». Esta denominación procede del provenzal escrito (cf. § 12).

[13] Traducción: Me agrada hablar aún la lengua de aquellos sabios / Que llenaron el universo con sus costumbres y leyes, / La lengua de aquellos valientes que acataron a los Reyes, / Defendieron sus derechos y vengaron sus agravios. / Muera, muera el ingrato que al sonar en sus labios / En extraña región el acento nativo, no llora: / Y al pensar en sus lares no se consume de añoranza / Ni coge del sagrado muro la lira de sus antepasados. / En catalán resonó mi primer vagido / Cuando del pecho materno la dulce leche bebía; / En catalán al Señor rogaba cada día / y cantos catalanes soñaba cada noche.

rabe», hablado por los hispano-romanos bajo el poder de los
árabes (desde el siglo VIII) y sometido a la influencia del
árabe literario. La latinidad de la Tarraconense parece haber
mantenido ya en tiempo de los Césares un estrecho contacto
con la vecina Galorromania, a juzgar por las coincidencias
lingüísticas entre catalán y provenzal (al este) y entre aragonés y gascón (al oeste). La *Reconquista* de los territorios
ocupados por los árabes parte de dos baluartes: la montaña
asturiana, al oeste, y la marca fronteriza de Carlomagno, al
este (cf. § 14). Desde las montañas asturianas avanzaron
hacia el sur, paralelamente, el dialecto astur-leonés (hasta Extremadura), por el centro, y a ambos lados de éste el
gallego (cf. § 16) y el cántabro-castellano (cf. arriba). Desde
la marca fronteriza oriental la latinidad de la Tarraconense
llega al sur en los dialectos aragonés y catalán (para el catalán, cf. § 14). La parte principal de la *Reconquista* le cupo
al dialecto castellano, que avanzó sobre las dos Castillas,
Extremadura, Murcia, Andalucía y, finalmente, sobre el re-
cién conquistado reino de Granada, castellanizando en todas
partes la latinidad «mozárabe» que encontraba a su paso y
desplazando y eliminando la lengua árabe. En el siglo XIII
(Alfonso X el Sabio), el castellano ha sobrepasado ya tanto
geográfica como culturalmente a su principal competidor, el
astur-leonés. Los demás dialectos —con excepción del gallego, que se ha independizado en Portugal (cf. § 16), y sobre todo del catalán (c. § 14)— quedan rebajados a la categoría de simples hablas regionales; el leonés y lo mismo el
aragonés, que tiene tantos puntos de contacto con aquél,
quedan como dialectos marginales del castellano, cuyos dominios se han extendido sobremanera. Las regiones arrebata-
das a los árabes últimamente (Andalucía, Granada) desarro-
llaron, sobre la base del castellano, un característico dialecto

colonial (el andaluz), sobre todo en la pronunciación. En los países extraeuropeos (Argentina, Chile, Perú, Bolivia, Méjico, etc.) el castellano-español (fuertemente influido al principio por el dialecto andaluz por razones étnicas y técnico-administrativas) ha emprendido en parte rutas nuevas e independientes. El español de la Edad Media se llama español antiguo (*Cantar de Mio Cid,* siglo xii; Gonzalo de Berceo y Alfonso el Sabio, siglo xiii; Juan Ruiz y Don Juan Manuel, siglo xiv; Jorge Manrique y la *Celestina,* siglo xv), y el del *Siglo de Oro* (siglos xvi-xvii: Garcilaso de la Vega, Santa Teresa de Jesús, San Juan de la Cruz, Luis de León, Cervantes, Góngora, Lope de Vega, Quevedo, Calderón, Gracián) y de las centurias siguientes recibe el nombre de español moderno (cuya ortografía actual data del siglo xix).—Los judíos expulsados de España a finales del siglo xv y que viven desde entonces en Oriente (especialmente en Salónica) y en Marruecos, hablan todavía hoy un español arcaico, que representa todavía en muchas de sus particularidades el español de los siglos xv-xvi.—Acerca de la distribución lingüística de la Península Ibérica (§§ 14-16), cf. K. Baldinger, *Die Herausbildung der Sprachräume auf der Pyrenäenhalbinsel,* Berlín, 1958 (Título en español: *La formación de los dominios lingüísticos en la Península Ibérica,* Madrid, Gredos, 1963). M. Alvar et al., *Enciclopedia lingüística hispánica. Suplemento al tomo I*: *La fragmentación fonética peninsular,* Madrid, 1962.

Muestra del español:

No me mueve, mi Dios, para quererte
el cielo que me tienes prometido,
ni me mueve el infierno tan temido
para dejar por eso de ofenderte.

¡Tú me mueves, Señor! Muéveme el verte
clavado en esa cruz y escarnecido;
muéveme el ver tu cuerpo tan herido;
muévenme tus afrentas y tu muerte.

Muéveme, en fin, tu amor y en tal manera,
que aunque no hubiera cielo, yo te amara,
y aunque no hubiera infierno, te temiera.

No me tienes que dar porque te quiera;
pues, aunque cuanto espero no esperara,
lo mismo que te quiero te quisiera.

(Anónimo del Siglo de Oro.)

E) PORTUGUÉS (§ 16)

16. El portugués es la lengua literaria de Portugal, de
sus colonias y del Brasil. Sus orígenes arrancan del dialecto
de Galicia (en el ángulo noroeste de la Península), región que
estuvo sometida a la influencia del asturiano-leonés (y más
tarde del castellano) y que cae hoy dentro de la zona dominada por el español literario.—La marca fronteriza gallega
del sur, que en el año 1095 se independizó como condado
(reino desde 1139) de Portugal en la desembocadura del
Duero, había llevado ya, a mediados del siglo XIII, la reconquista hasta la frontera sur del Portugal de hoy, y propagó
por esos territorios el dialecto fronterizo gallego, que en la
Edad Media se empleó para la lírica incluso en los territorios
castellanos.

La lengua de la Edad Media se llama portugués antiguo
(imitación de la poesía trovadoresca provenzal, siglos XIII-

xv), y la de los siglos siguientes se conoce por portugués moderno (Gil Vicente, siglos xv-xvi; Luis de Camões, siglo xvi).—El portugués de hoy se basa en el habla de la capital, Lisboa (a partir del siglo xv; anteriormente, Coimbra).

El dominio lingüístico portugués, como suelo colonial, se halla muy poco subdividido dialectalmente. La clasificación dialectal corresponde, en líneas generales, a la división política en provincias, siendo los dialectos norteños (entre el Duero y el Miño) los más parecidos al gallego propiamente dicho, según era de esperar.

Muestra del portugués:

1. As Armas e os Barões assinalados,
   Que, da Occidental praia Lusitana,
   Por mares nunca d'antes navegados,
   Passárão ainda além da Taprobana;
   E em perigos e guerras esforçados,
   Mais do que prometia a força humana,
   Entre gente remota edificárão
   Novo Reino, que tanto sublimárão

2. E tambem as memórias gloriosas
   Daquelles Reis, que fórão dilatando
   A Fé, o Império; e as terras viciosas
   De África e de Ásia andárão devastando;
   E aquelles que por obras valerosas
   Se vão da lei da morte libertando;
   Cantando espalharei por toda parte,
   Se a tanto me ajudar o engenho e arte.

3. Cessem do sábio Grego e do Troiano
   As navegações grandes que fizérão;

Calle-se de Alexandro e de Trajano
A fama das victórias que tivérão;
Que eu canto o peito illustre Lusitano,
A quem Neptuno e Marte obedecérão:
Cesse tudo o que a Musa antígua canta,
Que outro valor mais alto se alevanta [14].

(Luis de Camões, comienzo de *Os Lusiadas*.)

F) ITALIANO (§§ 17-18)

17. La tradición de la lengua literaria italiana se remonta a la «Escuela poética» siciliana de los Hohenstaufen, en
el siglo XIII (imitación de la poesía de los trovadores provenzales), que empleaba el siciliano entreverado de provenzalis-
mos. Desde la segunda mitad del siglo XIII la dirección literaria pasa a Toscana; concretamente, a Florencia, con lo que
el florentino se convierte en la base del italiano literario.
Los escritores florentinos Dante (siglos XIII-XIV), Petrarca y

_____

[14] Traducción: 1. Las armas y los héroes afamados, / Que desde la
occidental playa lusitana, / Por mares nunca antes navegados, / Llega-
ron más allá de Taprobana (Ceilán); / Y en peligros y guerras esfor-
zados, / Más de lo que prometía la fuerza humana, / Entre gente remota edificaron / Nuevo Reino que tanto sublimaron:—2. Y también la
memoria gloriosa / De aquellos Reyes que fueron dilatando / La Fe, el
Imperio; y las tierras viciosas / De África y de Asia fueron devastando; / Y aquellos que por obras valerosas / Se van de la ley de
muerte libertando; / Cantando divulgaré por todas partes, / Si a tanto
me ayudare ingenio y arte.—3. Cesen del sabio Griego y del Troya-
no / Las grandes navegaciones que hicieron; / Enmudezca de Alejandro y de Trajano / La fama de las victorias que obtuvieron; / Pues
yo canto el pecho ilustre Lusitano, / A quien Neptuno y Marte obe-
decieron: / Cese cuanto la musa antigua canta, / Que otro valor más
alto se levanta.

Boccaccio (siglo XIV) son autores modelo, cuya autoridad es normativa [15]. En el siglo XIX, el escritor Alejandro Manzoni introduce con éxito como norma de la lengua literaria el habla viva de Florencia (aunque sin crasos florentinismos) frente a la exclusiva tradición de estos modelos clásicos. Desde finales del siglo XIX la lengua literaria, sin renunciar al carácter fundamentalmente florentino que ha heredado, ha emprendido derroteros propios.

Muestra del italiano:

«Al Padre, al Figlio, allo Spirito Santo»
Cominciò «gloria!» tutto il paradiso,
Sì che m'inebriava il dolce canto.
Ciò ch'io vedeva mi sembiava un riso
Dell'universo; per che mia ebbrezza
Intrava per l'udire e per lo viso.
Oh gioia! Oh ineffabile allegrezza!
Oh vita integra d'amore e di pace!
Oh sanza brama sicura ricchezza! [16].

(Dante Alighieri, *Divina Commedia, Paradiso*
27, 1-9; primer cuarto del siglo XIV.)

---

[15] Así se reconoce expresamente en el s. XVI por el *umanesimo volgare*, que aplicó a la lengua vulgar, esto es, al italiano, la tesis humanística de la necesidad de escritores modelos. Grandes poetas: Ariosto (s. XV-XVI), Tasso (s. XVI), Carducci (s. XIX) y otros.

[16] Traducción: «Gloria al Padre, al Hijo y al Espíritu Santo»; / Prorrumpió todo el Paraíso / En tal forma que me arrobaba el dulce canto. / Cuanto veía me parecía una sonrisa / Del universo; pues mi arrobamiento / Penetraba en mí por el oído y por los ojos. / ¡Oh gozo, oh inefable dicha! / ¡Oh vida de amor y paz no interrumpidos! / ¡Oh segura riqueza satisfecha!

18. La clasificación dialectal de Italia es harto complicada:

   1. Grupo románico occidental (cf. §§ 6, 35), en el norte de Italia:

      a) Dialectos galoitalianos (cf. § 30): Lombardía (con el cantón suizo de Tessino y partes del cantón de los Grisones [Mesocco, Bergell y Poschiavo]), Piamonte, Liguria, Emilia y Romaña.

      b) Veneciano (con Venecia, Padua, Verona y Trento) e istrio (M. Deanović, *Avviamento allo studio del dialetto di Rovigno d'Istria*, Zagreb, 1954; cf. § 26).

   2. Grupo románico oriental (cf. §§ 6, 35):

      a) Dialectos centroitalianos:
         α) Toscana con Córcega (cf. § 19).
         β) Las Marcas (con Ancona), Umbría y Lazio.

      b) Dialectos suditalianos: Abruzzos, Campania, Apulia, Lucania, Calabria y Sicilia.

La frontera lingüística entre los grupos románicos occidental y oriental se remonta ya al tiempo de los romanos (cf. § 35). En el norte de Italia los dialectos galoitalianos muestran en el léxico un sustrato céltico más o menos fuerte (cf. § 30), sustrato que no tiene el núcleo lingüístico veneciano (Venecia-Padua). Por su parte, el veneciano aparece fuertemente influido por el toscano. En la Edad Media, y aun en la Moderna hasta el siglo XVIII, el veneciano desempeñó casi el papel de lengua literaria del norte de Italia (República de Venecia), pudiendo de esta manera extender sus

fronteras al este (Verona, Trento) y al oeste (Istria y Adria).
El comediógrafo veneciano Goldoni (siglo XVIII) alcanzó relieve internacional.—El trasplante de la épica nortefrancesa
al norte de Italia originó aquí, en la Edad Media (siglos XIII-
XIV), la creación pasajera de una lengua épica mezclada con
elementos franceses y venecianos, el franco-italiano, que se
utilizó literariamente.—Por lo que se refiere a la frontera
occidental del norte italiano, nótese que la vertiente oriental
de los Alpes Occidentales forma parte de la zona lingüística
provenzal y franco-provenzal (cf. §§ 11, 12), lo que, sin duda,
obedece al deseo de los francos (siglo VI) de tener seguros
los pasos.

Dentro del grupo románico oriental, la diferenciación del
dominio suditaliano frente a la Italia Central se debió a la
conquista normanda y el reino de Nápoles, y también al pasi-
llo transversal (Roma-Ancona), formado por los Estados
Pontificios. Y obsérvese que los dialectos de las Marcas, Umbría y Lacio (junto con Roma) tuvieron en sus orígenes sello
suditaliano; pero éste se fue borrando más o menos ante el
influjo del toscano (especialmente, por ejemplo, en la ciudad
de Roma) en su expansión hacia el sur. A su vez, el toscano
—y en mayor medida aún la lengua literaria— sufrió influencias norte-italianas.—Dentro de los dialectos suditalianos, el
siciliano alcanzó un especial relieve histórico por el hecho
de haber formado la base de la más antigua lengua literaria
de Italia (cf. § 17). Aun hoy aparecen en la lírica italiana
algunos sicilianismos de antigua tradición.

Varios dialectos italianos han producido variada literatura
dialectal. Así, el siciliano, el napolitano, el romano, el veneciano (cf. arriba).

19. El sardo no ha desarrollado una lengua literaria, aunque no falten documentos medievales redactados en alguno de los dialectos sardos. Cerdeña está dividida en tres zonas lingüísticas: en el sur se habla el campidanés; en la faja central, el arcaico logudorés y los dialectos centrales semejantes a éste, pero más arcaicos todavía [17]. El norte está ocupado por dos dialectos que se parecen mucho al corso y que hay que considerar, por tanto, como dialectos italianos: el sasarés (con Sassari) al oeste y el galurés al este.

Los dialectos de Córcega, fuertemente toscanizados, sobre todo en el norte, por el dominio de Pisa, pudieron muy bien parecerse en sus orígenes al sardo; pero hoy hay que considerarlos, sin género de duda, como dialectos italianos.

Para la posición del sardo dentro de las lenguas románicas, cf. § 35.

Muestra del sardo (nuorés):

unu bandíu nugorẹzu vi ˙ kkirkáu δa za dzustíssia (k aía ffatt una mọrte) e ffi kkuβáu nd una taŋk akkurtsi a llula; fi ddisperáu e ssi kommẹnti vi mmẹδa divọttu e ffit un ọmmine mẹδa βọnu, s est invọkáu a ssantu vrantsisku ki átterar βortaz aía ssarβáu bandíoz e impinnó a ssu zantu ki zi lu δ íat áe ssarβáu, li δ ía ffáker una krẹzia n onọre zúo dzust issór uβe vi kkuβá issu. sọr de za dzustíssia zuŋ koláuz issorikẹδḍ uβe vi kkuβáu zu bandíu e nnọ ll ana βiδu, e ssu ban-

---

[17] Las localidades principales de la región de los dialectos centrales son Bitti y Nuoro.—Desde el ángulo lingüístico, Cerdeña es el testigo de la latinidad africana (§§ 159; 537).

díu rikkonnoskę́nt a mmantęzu z impinnassiǫne vatta,
a ffravikáu za krę́zia e kkaδ annu vintsaz a ssa mǫrte,
i ssu męz e maįu ęst anḍáu kin tóttu za vamíllia a ffake
ssa noβę́n a ssantu vrantsisku [18].

H) RETORROMANO (§§ 20-21)

20. «Retorromano» («románico de los Alpes») es el nombre común de tres grupos de dialectos románicos de los
Alpes Medios y Orientales, los cuales, aunque no tienen ya
hoy en día continuidad geográfica, sin embargo presentan
características comunes que los distinguen de los dialectos
del norte de Italia. Esos tres dialectos son:

1. Grupo occidental (entre San Gotardo y Ortler): románico grisón *(Rumantsch Grischun)*, esto es:

    a) Dialectos del Oberland bernés (cuenca del Rhin;
    su centro a finales de la Antigüedad fue Chur
    [Coira]):

---

[18] Traduc. italiana: *Un bandito nuorese era cercato dalla giustizia,
che aveva fatto una morte (poichè aveva ucciso) ed era nascosto in una
tanca vicino a Lula; era disperato e siccome era molto devoto ed era
un uomo molto buono, si è rivolto a San Francesco che altre volte aveva
salvato banditi, e fece voto al Santo che se lo avrebbe salvato, gli fa-
rebbe una chiesa in onore suo giusto vicino dove era nascosto esso.
Quelli della giustizia sono passati vicinissimo dove era nascosto il
bandito e non l'hanno visto, e il bandito riconoscente ha mantenuto
l'impegno, fatto, ha fabbricata la chiesa, e ogni anno fino alla morte,
nel mese di maggio è andato con tutta la famiglia a fare la novena a
San Francesco* (Texto y trad. según G. Bottiglioni, *Leggende e Tradi-
zioni di Sardegna*, Ginebra, 1922, p. 78).—En la transcripción fonética
(cf. más arriba, p. 29) las palabras que no llevan ningún signo de acento, son paroxítonas (§ 115, 2).

α) Dialecto obváldico (sobreselvano) en el Rhin Anterior; centros: Disentis *(Mustér)*, Ilanz *(Glion)*.

β) Grisón central *(Grischun central)* en el Rhin Posterior y en el Albula.

b) Engadino (cuenca del Inn): engadino superior y engadino inferior; además el dialecto del Valle de Münster (cuenca del Etsch).—Su centro: Samaden *(Samedan* en el engadino superior).

Los dialectos grisones (especialmente el engadino y el sobreselvano) han desarrollado, a partir del siglo XVI, una rica literatura (en su mayor parte de contenido religioso, popular y patriótico). Desde el año 1928, el grisón pasó a ser la cuarta lengua nacional de Suiza (junto con el alemán, francés e italiano). Por lo demás, el grisón no está representado por una lengua literaria uniforme, sino por distintos dialectos fijados en el uso escrito.

2. Grupo central (desde Ortler hasta la región dolomítica): ladino central con dos variedades dialectales, a saber:

a) En la cuenca del Etsch:

α) Al oeste del Etsch, el Valle de Nonsberg y el Valle de Sulzberg (en parte fuertemente lombardizado).

β) Al este de la línea Eisack-Etsch (ladino dolomítico), los Valles de Gröden, de (Avisio-) Fleims-Fassa y de Gader (Abtei, Enneberg).

b) En la cuenca del Piave: Buchenstein, Valles de Ampezzo, Auronzo y Gomélico (en parte fuertemente venecianizado).

3. Grupo oriental (región de Tagliamento-Isonzo hasta el mar): friulés. Este dialecto se hablaba en Trieste todavía en el siglo XIX. Centro: Udine.—Para el istrio, cf. § 26.

Los grupos central y oriental del retorromano pertenecen hoy a la esfera de influencia del italiano literario. El habla coloquial se halla bajo el influjo del veneciano. En el grupo central (sur del Tirol) hay que añadir aún influjos bayuváricos.

21. Los dialectos retorromanos actuales son restos y reductos de una colonización románica que se extendió en tiempos pasados por la región alpina y prealpina (*Raetia-Vindelicia-Noricum*) sin solución de continuidad geográfica. Al norte la lengua románica cedió a la presión de los alamanes (siglo V) y bayuvaros, pero no sin dejar vestigios substratísticos (cf. § 28). Consta por documentos la existencia de grupos dispersos románicos en el Lago de Constanza (siglo VII) y en Salzburgo (siglo VIII).—Al sur del grisón y del ladino central la latinidad rética se extendía al principio de la Edad Media hasta el mismo borde de la llanura; pero fue desalojada y rechazada de aquí por los dialectos urbanos lombardo y veneciano. Los dialectos alpino-lombardos y alpino-venecianos hablados hoy en la vertiente sur de los Alpes muestran claras huellas del habla retorromana desplazada (que forma, por tanto, un «sustrato intrarrománico»; cf. § 28).— Muestra de sobreselvano:

1. A Trun sut igl ischi
   Nos babs ein serimnai,
   Da cor ein els uni,
   Cun forza tuts armai,

Lur clom ha ramurau,
Las tuors sfraccadas en:
Tirans han empruau
Co'ls Grischs fan truament!

2. Affons nus denter greps,
   Nutri fegls en las vals,
   Naschi entuorn ils pézs:
   Lein esser nus vasals?
   Tgi metta nus sut tetg
   En nossa paupradad?
   Tgi dat a nus nies dretg?
   Mo valerusadad.

3. Nies ferm e liber maun,
   Mo alla libertad!
   Nies cor, nies liber saung
   Alla fraternitad!
   Gni sut gl'ischi, Grischuns,
   Nos babs lein honorar,
   Da forza cun canzuns
   La Ligia Grisch'alzar! [19].

                          (G. A. Huonder, siglo xix.)

_____

[19] Traducción: 1. En Truns bajo el alerce / Se han reunido nuestros padres, / Se han unido de corazón, / Armados todos de fuerza;
/ Su grito ha resonado, / Las torres se han derrumbado, / Y los
tiranos han experimentado / Cómo hacen justicia los Grisones.—2.
Nosotros, hijos de los riscos, / Nosotros, criados en los valles, / Nacidos en torno a las cumbres de la montaña, / ¿Vamos a ser escla-
vos? / ¿Quién nos pone bajo techo / En nuestra pobreza? / ¿Quién
nos da nuestro derecho? / Solamente el valor.—3. Nuestra firme y libre mano, / ¡Sólo para la libertad! / Nuestro corazón, nuestra sangre, / ¡Sólo para la fraternidad! / Venid bajo el alerce, Grisones, /
Honremos a nuestros padres, / Virilmente con canciones / Ensalcemos
la Liga Grisona!—Se alude a *La Ligia Grischa* formada y jurada en
Truns en el año 1424.

I) RUMANO (§§ 22-25)

22. La lengua literaria de Rumanía (escrita hasta el siglo XIX casi exclusivamente con caracteres cirílicos y ahora con caracteres latinos) [20] fue creada en Transilvania (Siebenbürgen de los alemanes) en la época optimista de la imprenta y de la Reforma. Ya en el decurso del siglo XVI el rumano aceptó como base el dialecto de la Gran Valaquia y alcanzó su forma definitiva en el siglo XIX —especialmente bajo el influjo del francés (neologismos)—.

23. El espacio lingüístico rumano se llama dominio dacorrumano, y éste está dividido en las siguientes zonas dialectales: Gran Valaquia (Muntenia) y Pequeña Valaquia (Oltenia), Moldavia, Besarabia, Bucovina, Transilvania, Maramures, Crisana y Banato. Además, hay que añadir un pequeño territorio en la orilla derecha del Danubio en los Estados de Serbia y Bulgaria.—Fuera del dominio lingüístico dacorrumano, hay todavía en los Balcanes algunos grupos rumanos dispersos: los macedorrumanos, desparramados por Macedonia, Albania, Tesalia y Epiro; los istrorrumanos, fuertemente eslavizados, en las proximidades de la costa de Istria; los meglenitas mahometanos, en las inmediaciones de Salónica.

24. El rumano es una reliquia de aquella latinidad oriental hablada primeramente en la orilla derecha del Danubio, en las provincias conquistadas de Dalmacia (desde el si-

---

[20] Los rumanos de la República Moldava que viven en territorio soviético (alrededor de Kischinew = *Chişinău*) utilizan aún hoy las letras rusas al escribir el rumano.

glo III a. C.), Panonia (año 10 d. C.), Mesia y Dardania (año
29 a. C.), Tracia (año 46 d. C.), y que se extendió después
a la orilla izquierda, en la provincia de Dacia, que formó
parte del Imperio romano desde el año 107 (Trajano)
hasta el año 275 (Aureliano). De todo el Imperio fueron en-
viados colonos a la provincia de Dacia, cuyo territorio corresponde al de la actual Rumanía. Cuando en el año 275
Roma tuvo que evacuar la Dacia y retirar sus funciona-
rios, una buena parte de la población románica permaneció evidentemente en el país. Además, en la época de las
transmigraciones de pueblos los Cárpatos parecen haber
sido un reducto de la romanidad, pues el rumano hablado en Transilvania muestra una fisonomía singularmente
arcaica (según ha probado el investigador rumano S. Puşcariu). Otros investigadores buscan la región de origen del
rumano en la orilla derecha del Danubio [21], romanizada desde hacía tiempo (y que siguió siendo romana incluso después
del año 275), especialmente en Dardania, ya que el sustrato
prerromano (cf. § 28) del rumano acusa estrecha convivencia
con el albanés, y, a mayor abundamiento, los macedorrumanos y los istrorrumanos viven al sur del Danubio y consta
por documentos que estaban ya allí desde comienzos de la
Edad Media. Por otra parte, el macedorrumano (así como el
istrorrumano y el meglenita) se hallan tan estrechamente
vinculados con el dacorrumano, que hay que considerar ex-
cluida su separación a partir de la Antigüedad (275). En general, se admite que los grupos disgregados se separaron del
dacorrumano en el siglo XI-XII.

---

[21] Lo vivo de la vida cultural de los latinos del s. IV-V en la orilla
derecha del Danubio resulta evidente, a juzgar por el caso del escritor eclesiástico y obispo Nicetas de Remesiana (junto a Nisch), al que
probablemente hay que atribuir el *Te Deum*.

25. A partir del siglo VI, los rumanos han convivido estrechamente con los eslavos (adstrato, cf. § 28), que formaban sin duda las capas superiores de la sociedad y que fueron absorbidos más tarde dentro de la nación rumana. Tras la probable extinción de la jerarquía latina, los rumanos adoptaron el rito de la Iglesia eslava (siglos IX-XVII; desde entonces la lengua rumana se ha impuesto poco a poco en el rito oriental). Se comprende que en estas condiciones el rumano se haya visto ampliamente invadido de elementos eslavos; sin embargo, su carácter fundamental de lengua románica no sufrió merma alguna.—Muestra de rumano:

Stélele (Doină)

De la míne pân 'la tine
Númai stéle şi lumíne!
Dar ce sunt acéle stele?
Sunt chiar lácrimile mele
Ce din óchi-mi au sburát
Şi pe cer s'au aninát
Cum s'anímă déspre zori
Rouă límpede pe flori!...
Vărsát-am multe din ele
Pentru soarta ţării mele!
Multe pentru cei ce sunt
Pribegiţi de pe pământ!
Multe lácrimi de jălíre...
Iar de dulce fericíre
Ah! vărsát-am numai două
Şi-s lucéferi amândouă! [22].

(Vasile Alecsandri, siglo XIX.)

---

[22] Traducción: Las estrellas (Doină = clase de canción popular). ¡Desde mí hasta ti / Sólo estrellas y luminarias! / Pero ¿qué son aque-

K) DALMÁTICO (§ 26)

26. El románico de la provincia de Dalmacia (cf. § 31; que pertenece al sistema vocálico itálico [§ 156]) se halla atestiguado diversas veces a partir del siglo X (por ejemplo, para la ciudad de Ragusa) y se habló hasta el año 1898 en su último reducto de la isla de Veglia (vegliota). Aun hoy vive en calidad de sustrato (cf. § 28) en los dialectos croatas y en topónimos.—El albanés (lengua indoeuropea independiente al oeste de la península balcánica) aparece impregnado de numerosos elementos latinos que se le han ido infiltrando ya desde la antigüedad. La disolución del Imperio romano impidió que se llegase a una romanización propiamente dicha de los albaneses.—El istrio hablado en la costa occidental de la Istria entre Rovigno y Pola es un dialecto italiano (§ 18, 1 b) que pudo primitivamente estar en contacto con el friulés, por un lado (§ 20, 3), y con el dálmata, por otro.

III. Origen de las lenguas románicas (§§ 27-39)

27. Los cambios lingüísticos, lejos de tener nada de extraño, constituyen en la esfera lingüística la correspondencia

---

llas estrellas? / Son ciertamente mis lágrimas, / Que han brotado de mis ojos / Y se han posado en el cielo, / Como se posa al alba / El claro rocío en las flores... / Yo he derramado muchas de ellas / Por la suerte de mi país, / Muchas por aquellos que / Sin hogar vagan lejos de su patria: / Muchas lágrimas de sufrimiento... / Pero lágrimas de dulce gozo / ¡Ay! sólo dos he derramado, / Y éstas son ahora estrellas matutinas.

análoga de los cambios registrados en el campo histórico en general, pues el cambio es propio de la humanidad inmersa en el curso temporal de la historia. La inmutabilidad, ésa sí que sería algo verdaderamente inhumano y en extremo sorprendente.

Cierto que los cambios históricos presentan en todas las esferas humanas variedad de estratos, y el que pretende examinarlos saca al pronto la impresión de que se encuentra ante un proceso muy poco transparente y sumamente complicado. El cambio histórico no se desarrolla conforme a las leyes previsibles y calculables de un experimento físico, sino que representa el resultado de la cooperación de variados factores: «situación», «libre opción», «norma de validez social», etc.

No se puede calcular de antemano el curso de la historia; cabe solamente explicarlo *a posteriori* mediante su comparación con experiencias actuales. Pero esa explicación posterior no puede pretender una seguridad matemática, y sí sólo una seguridad moral como máximo, una probabilidad moral como medida regular apetecible del conocimiento.—Y ello es válido también acerca de la posibilidad del conocimiento en lo que se refiere a los cambios lingüísticos. Un romano, por ejemplo, no podía prever que la palabra *testa*, «casco, fragmento, tiesto», llegaría con el tiempo a suplantar a la palabra *caput* como denominación normal de la «cabeza» en el francés *tête* (§ 583). Hoy podemos reconstruir en cierto modo la trayectoria seguida por esa palabra, tanto desde el punto de vista fonético (§§ 272; 424) como semántico (poniendo a contribución nuestros conocimientos actuales; por ejemplo, el francés *flûte*, que en su acepción vulgar significa «*jambe*»).

Los motivos y condiciones de los cambios lingüísticos son de dos clases: unos se explican preferentemente por razones

de lingüística interna (1), y otros obedecen más bien a causas externas al lenguaje (2) (para los cambios fonéticos
cf. §§ 129-130):

1) Si la lengua fuera un sistema suficientemente moti-
vado en sí y consecuentemente estructurado (como el sistema
de colores verde-amarillo-rojo de los semáforos), entonces
sería ciertamente infrecuente un cambio fundado en causas
internas al lenguaje. Si la lengua fuese un caos de signos
coexistentes sin relación alguna, en ese caso los cambios de
motivación lingüística interna serían, sin duda, más frecuentes, ya que la arbitrariedad tendría abiertas de par en par las
puertas.—Ahora bien, la lengua es, en realidad, un estado de
equilibrio —suficiente para las funciones necesarias de comunicación, pero inestable en sí— entre sistema y caos (cf. arriba,
p. 20 ss.): la inestabilidad del estado de equilibrio hace probable de antemano el cambio de la lengua, y precisamente
como cambio «caótico» frenado y moderado por la capacidad funcional o como cambio «estructural» orientado hacia
esa capacidad funcional. Dada la labilidad del estado de equilibrio, hay que contar siempre en la lengua con un movimiento oscilatorio entre las tendencias caótica y estructural, y ello
principalmente en el plano que más que ningún otro pretende la lengua dominar: el plano de la situación (§ 1). Como
las situaciones, que son las que la lengua trata de dominar
como medio de comunicación, no carecen en absoluto de sor-
presas, la lengua tiene que habérselas y arreglárselas con situaciones «nuevas», lo que vale tanto como decir que tiene
que «innovar» también ella si quiere dominar y someter las
situaciones.—La línea divisoria entre caos y estructura depende del interés de la comunidad (entre hablantes y oyen-
tes):

a) Cada lengua profesional (cf. arriba, p. 24 ss.) organizará más intensamente el dominio de su caudal léxico profesional que la lengua común, que no tiene más que servir el interés comercial. Si la lengua común, por ej., distingue solamente un dominio caótico de los «abetos» y «pinos», la lengua de los empleados forestales organizará este dominio con mayor intensidad por motivos e interés profesionales. Si una rama profesional logra despertar el interés comercial de todos hacia sus secretos y realizaciones, la lengua común acogerá la estructura más organizada de dicha lengua profesional.

b) Las diferenciaciones lingüísticas se realizan de manera moderada o hipercaracterizadora, según las exigencias (normas) (cf. § 129, 4). Entre estas mínima y máxima el cambio lingüístico (§ 584) se desarrolla como un proceso regulado por la dialéctica «libertad/norma». La norma mínima consiste en asegurar suficientemente el éxito de la comprensión e inteligibilidad. Normas superiores son, por ej., la conveniencia social *(aptum)*, que plantea exigencias superiores (éticas, estéticas), la defensa de la propia originalidad (individual, social: «hablar con naturalidad, no tener pelos en la lengua»), etc. La norma (y su contenido) viene impuesta por una autoridad. Ésta se da en su grado máximo con el uso *(usage)* colectivo, que a su vez se basa en la tradición colectiva. Las desviaciones del uso seguido hasta entonces parten también de una autoridad que está representada en los círculos pequeños por un individuo y en los círculos mayores por una capa social. La capa social que ejerce la función autoritaria puede ser la capa superior (la que, por ej., cultiva el latín clásico hasta en la época de los Césares) o la capa inferior. Esta última detentará la autoridad reguladora de la lengua en la medida en que la necesidad de entenderse con ella revista caracteres de especial importancia. Así, por ej., un funcionario de la administración de justicia del tiempo de los Césares en la Galia, pese a hablar personalmente el latín clásico, hablará el latín vulgar regional en el interrogatorio de un analfabeto que no sabe expresarse más que en el latín vulgar regional: la situación creada por la necesidad de entenderse convierte al analfabeto en autoridad lingüística. De esta manera el cambio lingüístico es la consecuencia del desplazamiento del centro de gravedad social. El advenimiento de una nueva capa social de la misma comunidad lingüística (por ej., en la Revolución francesa) o la irrupción de un pueblo de lengua distinta como adstrato (§ 27, 2) representan la realización extrema de este cambio social.

2) Cuando la composición social de una sociedad cambia, hay que contar con el cambio lingüístico. Hasta una sociedad de máxima homogeneidad cambia ya (si bien de manera paulatina) con las nuevas generaciones. La posibilidad del cambio se agudiza sobre todo en el conglomerado social (cf. arriba, p. 24 ss.) y en la vecindad geográfica (cf. arriba, p. 22 ss.):

a) Cuando varía la vecindad geográfica, por ej., por limitar con nuevos vecinos o por intensificación de las relaciones con los ya existentes (con los que, por ej., pueden constituir una comunidad económica), la comunidad lingüística afectada por el cambio formará con la comunidad lingüística vecina una comunidad superior de relaciones, y ésta tendrá consecuencias lingüísticas acordes con el grado de intensidad del intercambio.

b) Si varía el conglomerado social por reajuste de sus capas dentro de la comunidad lingüística, hay que contar con un cambio de la lengua común (cf. § 170 para la Revolución

francesa). Generalmente, la reestructuración de las capas sociales trae aparejado el desplazamiento social de la autoridad
lingüística (cf. arriba, p. 11 ss.).

c) Cuando el conglomerado social cambia por agregación de una comunidad de lengua distinta a la antigua comunidad lingüística, hay que contar con un cambio lingüístico
en múltiples direcciones que reflejará la nueva sociedad de
lengua mezclada. La lengua que vive en contacto promiscuo
con otra (lo que generalmente tiene como consecuencia el
bilingüismo de al menos una de ambas comunidades lingüísticas), se llama lengua adstratística (por ej., el francés en
Bruselas, el albanés en Grecia, el alemánico en el dominio
lingüístico de los grisones, el griego en el sur de la Italia
romana).

Cuando las lenguas que viven en contacto han llegado al
lugar de su recíproca penetración en épocas cronológicamente distanciadas —lo que suele ser el caso más frecuente—, a
la lengua avecindada allí desde antiguo se la llama «lengua
sustratística o sustrato», y a la lengua venida después, «lengua superestratística o superestrato». Se suele hablar de
«sustrato» solamente cuando la lengua respectiva en el espacio lingüístico dado ha desaparecido bajo el influjo de un
«superestrato» victorioso, al que deja algunas huellas, que
son las que únicamente permiten reconocerla (por ej., el
sustrato celta en el francés): el sustrato es, por así decir, una
capa geológica recubierta que requiere especiales métodos
científicos para volver a la luz. Y a la inversa, puede darse
el caso de que lenguas superestratísticas sean absorbidas por
la lengua autóctona victoriosa; por ej., el superestrato franco, que fue absorbido por el francés, y el superestrato árabe,
que lo fue por el español.

28. Hay asimismo estratos y superestratos «intrarrománicos»; es a saber, cuando una antigua capa lingüística románica es desbancada por otra más reciente que se le sobrepone. Así, por ej., bajo los dialectos alpino-lombardos hay un sustrato retorrománico, viniendo así a ser allí el lombardo un superestrato victorioso (§ 21). El dominio galorrománico es singularmente rico en sustratos y superestratos intrarrománicos; en la investigación de éstos el método geográfico-lingüístico (me atrevería a decir «geológico-lingüístico») se ha mostrado especialmente fecundo en resultados (cf. § 2).

29. El origen y agrupamiento de las lenguas románicas comienza propiamente ya con la romanización de Italia y del Imperio. Difieren en cada caso en las distintas partes del Imperio el sustrato prerromano, la época de la romanización y la forma en que fueron romanizadas. En tiempo de los Césares se llega a una amplia diferenciación lingüística de vastos espacios del Imperio; y al finalizar la Edad Antigua se desintegra por fin y de manera completa la unidad lingüística de la lengua vulgar.

A) SUSTRATO (§ 30)

30. Un estudio a fondo de las lenguas románicas descubre numerosos elementos sustratísticos, que en el correr de la historia se han infiltrado y amalgamado con los respectivos idiomas romances. Esto resulta impresionante en lo que respecta al léxico, pero hay que contar también con variados influjos sustratísticos en lo que toca a la fonética, la morfología y la sintaxis de los idiomas románicos. En algunos casos esos influjos son admitidos por todos; muchas veces, sin embar-

go, resultan de difícil comprensión, por cuanto de la mayor
parte de las lenguas sustratísticas apenas conocemos más que
el nombre. Pero las lenguas románicas debieron de ser hon-
damente determinadas en el conjunto de su aspecto por los
sustratos respectivos. Bajo la superficie de la Romania existen principalmente los sustratos siguientes: dialectos itáli-
cos (osco-umbro-sabélico) en el centro y sur de Italia; ilírico
en Apulia, Dalmacia, Venecia; griego en el sur de Italia
(Magna Graecia); etrusco en Toscana, Romaña, norte de Italia, Retia; rético y lenguas alpinas preindoeuropeas en la región alpina; ligur en la parte occidental del norte de Italia
y en el sudeste de Francia; ibérico en el sudoeste de Francia
y en la Península Ibérica; celta en la Galia, en una parte de
la Península Ibérica, en el norte de Italia (con exclusión de
Venecia), en Suiza, en la región subalpina del norte; idiomas
mediterráneos no indoeuropeos en Sicilia, Calabria, Cerdeña,
Córcega; tracio y gético en Dacia.—Acerca de los osco-umbrismos, cf. §§ 156; 430; 594.—Para los orientalismos, cf. § 94.

Es difícil determinar la época en que desaparecieron estos
idiomas prerromanos. En el siglo I a. C. eran todavía lenguas
vivas todos los idiomas prerromanos (con excepción de los
idiomas mediterráneos en Italia). Parece haberse mantenido
más tiempo que ninguna otra lengua el galo (en algunos
puntos de Suiza quizá hasta el siglo v). Frente a la superior
cultura griega, el latín no pudo imponerse en el sudeste del
Imperio; más aún, en el mismo sur de Italia no logró triun-
far más que en parte (c. § 31).

Se han mantenido hasta el presente en sus reductos en la
periferia de la Romania los siguientes idiomas prerromanos:
el vasco en la zona pirenaica occidental, el albanés en Albania, el griego en las extremidades del sur de Calabria (Bova
junto a Reggio) y de Apulia (junto a Otranto). La extensión,

en un tiempo amplia, de estos dominios lingüísticos puede demostrarse por los vestigios que en forma de estratos han dejado en el seno de los idiomas románicos vecinos (vestigios en el léxico sobre todo, pero también, por ejemplo, en la sintaxis). Así, se encuentran vestigios vascos en los vecinos dialectos gascón y aragonés, vestigios albaneses en el rumano (cf. § 24) y muy especialmente vestigios griegos en el sur de Calabria (hasta la línea fronteriza Nicastro-Catanzaro, al norte), en el sur de Apulia (al sur de Tarento) y en el nordeste de Sicilia (Messina), regiones todas ellas cuya romanización no fue completa hasta la época de los normandos; cf. § 31.

B) ÉPOCA DE LA ROMANIZACIÓN (§ 31)

31. La romanización de una región comienza con su incorporación al *Imperium Romanum:*

Siglo III a. C.: Península itálica, Sicilia, Cerdeña, Córcega, litoral dalmático, costa del levante y sur de España.

Siglo II a C.: Alta Italia *(Gallia Cisalpina),* sur de la Galia *(Provincia Narbonensis),* la mayor parte de la Península Ibérica (exceptuando el noroeste), Cartago.

Siglo I a. C.: Galia, región alpina y prealpina *(Raetia, Noricum),* noroeste de la Península Ibérica, Dalmacia, Mesia (orilla derecha del Danubio) y Dardania.

Siglo I p. C.: Panonia, Britania, Campos Decumates.

Siglo II p. C.: Dacia (el año 107 p. C.).

Aunque las diferencias de tiempo en el comienzo de la romanización se extienden hasta aproximadamente medio milenio, son relativamente escasas las diferencias de la latinidad (en que se basan las lenguas romances) que puedan explicarse por causas cronológicas. La mayor parte de tales diferencias debieron de allanarse debido al intenso intercambio que a manera de oleadas inundaba el imperio en tiempo de los Césares.

Los espacios cuya total romanización no se realizó hasta la Edad Media (cf. § 30), tales como el sur de Calabria y de Apulia (sustrato griego) y también de Sicilia (sustrato griego, superestrato árabe), se distinguen claramente, por la impronta medieval de su lengua italiano-colonial, de aquellas otras regiones romanizadas ya en tiempo de los romanos (por ejemplo, norte de Calabria y Campania). No puede, sin embargo, dudarse de la supervivencia de la antigua romanidad también en estos dominios (especialmente en el sur de Apulia y en Sicilia), bien que la colonización medieval haya borrado sus huellas (como las del mozárabe: § 15) (*Archiv.* 191, 1955, pp. 249-250).

c) MODO DE LA ROMANIZACIÓN. EL LATÍN VULGAR (§§ 32-34)

32. Desempeñan papel decisivo en el conjunto del Imperio la administración romana, las guarniciones militares (en conexión con ellas: concesión del derecho de ciudadanía a los provinciales licenciados: *emeriti*), la cultura romana de los centros urbanos, el intercambio comercial, la colonización rural. Hay que añadir también el reparto de tierras a los veteranos y la eliminación de las capas superiores nativas mediante las guerras civiles y las proscripciones en Italia, la voluntaria aceptación de la cultura romana por parte de las clases dirigentes de la Galia, las escuelas y la cultura urbana, especialmente en España y Galia.

Una política de imposición a viva fuerza de su lengua (fruto de las ideologías modernas) no la practicaron los ro-

manos. La aceptación del latín por parte de los habitantes
de las provincias fue un proceso que se desarrolló sin coac-
ción de ningún género y únicamente representa el impacto
lingüístico de la penetración política, comercial y cultural
del Imperio. A la larga, nadie podía sustraerse a la corriente
de vida que, partiendo de Roma, inundaba todo el Imperio.
Si no hubo una política de fuerza para imponer su idioma
por parte de los romanos, tampoco hubo por parte de los
habitantes de las provincias una voluntad organizada o consciente para conservar la lengua nativa (también esa voluntad
es fruto exclusivo de nuestra época).

33.   En el proceso de romanización del Imperio, proceso
que afecta a capas sociales cada vez más profundas, el habla
cotidiana del hombre común (*sermo vulgaris, plebeius, quoti-
dianus, rusticus*), del soldado, del labriego, del comerciante,
del esclavo; en una palabra, el llamado latín vulgar, desempeña un papel más importante a la larga que la lengua literaria de las clases superiores romanas. Incluso la lengua
de que se servían las personas cultas en su trato diario dis-
taba bastante del nivel retórico y gramatical de la lengua
literaria. Por debajo de ésta hay toda una clase de hablas
más o menos vulgares y que raras veces fueron fijadas por
escrito (por ejemplo, Plauto, alrededor del año 200 a. C.;
Petronio y las inscripciones murales de Pompeya, siglo I
p. C.; testimonios de gramáticos en la época imperial, especialmente: *Appendix Probi*, siglo III p. C.; Consencio, siglo V).
El estado a que han venido a parar las lenguas romances
coincide lo bastante con los testimonios antiguos sobre la
forma del latín vulgar como para que podamos considerar
segura su continuación en el romance [23].

---

[23]   Una breve exposición de las particularidades (atestiguadas o de-

34. Ahora bien, el latín vulgar no era una lengua uniforme ni en el aspecto social, ni en el cronológico, ni en el geográfico. Está fuera de duda que el habla cotidiana, igual exactamente que la lengua literaria, se halló sometida a cambios desde los tiempos de Plauto hasta finales de la Antigüedad. El fino observador que es Quintiliano nos informa (*Inst. or.*, 1, 6, 44; 9, 3, 13-18) de una profunda transformación del lenguaje ocurrida en el transcurso de su vida. En lo que toca al aspecto geográfico, a consecuencia y como efecto del intercambio entre todas las partes del Imperio, se originó una pronunciada tendencia a la unificación de la lengua (cf. también § 31) y a la nivelación de las diferencias regionales nacidas del sustrato respectivo. Sin embargo, estas tendencias no se vieron nunca coronadas por el éxito de manera completa: las diferencias regionales heredadas se mantuvieron, y a éstas se añadieron otras nuevas [24], al desembocar la época imperial en la disolución.

D) LA ESTRUCTURA LINGÜÍS-
TICA DEL IMPERIO (§ 35)

35. En la más antigua estructura lingüística del Imperio aparece Italia —según era de esperar— como centro de irradiación. Esa estructura se refleja todavía hoy en el vocalismo románico, y hay un resto de latinidad arcaica (sin duda, republicana todavía) en Cerdeña (con Córcega) y en Lucania-Cala-

---

ducidas) del latín vulgar se encontrará en cada una de las secciones de este manual. Cf. más arriba, págs. 27-28.

[24] Así, por ejemplo, San Jerónimo nos informa (*In Gal.* 2, 3), respecto al siglo IV, de una rápida transformación de la lengua y de una estructura lingüístico-geográfica (no concretada) de la Romania: *cum... ipsa Latinitas et regionibus quotidie mutetur et tempore.*

bria, latinidad en la que hay que incluir asimismo a Africa; Sicilia forma, junto con las estribaciones del sur de la Península, una latinidad con influencias griegas (en razón del adstrato griego); el sudeste de Italia (quizá todo el este de Italia) formaba, con los Balcanes, una latinidad oriental; el centro del sur de Italia formaba, con la Italia central y el resto de la Romania continental, la latinidad más extendida. (Cf. sobre esto más detalles en §§ 154-162.)

Esta distribución queda recubierta por un cambio en la estructura interna del Imperio; el centro de gravedad cultural, económico, y luego también político y militar, se desplaza de Roma y de Italia a las provincias, entre las cuales Galia ocupa una posición directora. Si la romanización del Imperio y su más antigua conformación lingüística habían partido de Italia, ahora se verifica una reestructuración lingüística del Imperio bajo el influjo de la Galia.

1)　La esfera por donde se extiende el influjo lingüístico de la Galia recibe el nombre de Romania occidental [25] (cf. § 6).

Dentro de la Romania occidental se pueden señalar dos zonas lingüísticas parciales que parece se separaron ya una de otra en la época de los Césares.

El centro de la primera zona parcial de la Romania occidental fue evidentemente la *Gallia Narbonensis* (sur de la Galia). Esta zona estaba integrada por *Aquitania* e Iberorromania; pero nótese que la *Aquitania propria* (= Gascuña) se hallaba estrechamente vinculada a la Iberorromania, que era lingüísticamente conservadora (cf. § 13). Esta primera zona

---

[25] Características de la Romania occidental son: sonorización de las consonantes intervocálicas sordas (§ 360), estabilidad fonético-sintáctica del sonido sordo inicial de palabra (§ 578), mantenimiento de la -s latina (§ 536).

abarca, pues, los siguientes idiomas actuales: provenzal (con gascón), catalán, español y portugués. El centro de la segunda zona parcial de la Romania occidental parece haber sido la *Gallia Lugdunensis,* con su poderosa capital *Lugdunum (Lyon).* Formaban parte de esta zona el norte de la Galia, por un lado, y por otro, la Retorromania y el norte de Italia (hasta el Apenino; cf. abajo). Esta segunda zona de la Romania occidental abraza, por tanto, las actuales lenguas (o dialectos): francoprovenzal, francés, retorromano y norteitaliano. La frontera entre las zonas narbonense y lugdunense de la Romania occidental corría a lo largo de una zona de transición al sur del Loira y a lo largo de la actual frontera lingüística provenzal-francoprovenzal (§§ 11, 12).—Dentro de la Galorromania ocupó también la «Belgorromania» una situación especial en el dominio del actual valón (§ 8).

2) Frente a la Romania occidental, orientada hacia la Galia, está la Romania oriental, orientada hacia Italia (cf. § 6).

La frontera entre la Romania occidental y oriental corre a lo largo de los Apeninos (siguiendo aproximadamente la línea que va de La Spezia a Pesaro) y continuaba después más bien hacia Oriente, de manera que servía de divisoria entre el istrio (§ 18, 1 b) y el friulés (§ 20, 3), pertenecientes al románico occidental, por un lado, y, por otro, el dálmata, que forma parte del grupo románico oriental (§ 26). La Romania oriental abarca, pues, el centro y sur de Italia, así como también los Balcanes (dálmata, rumano). La característica principal de la Romania oriental consiste en el cambio de la -*s* latina en -*i* (§ 536).

Respecto al tratamiento de las consonantes sordas intervocálicas en la Romania oriental, se puede señalar una bipartición:

a) En la parte occidental, que abarca la Toscana y corre desde aquí hacia el Sur, las consonantes sordas intervocálicas se debilitan, precisamente mediante espirantización sorda en la mayor parte de la Toscana y mediante sonorización parcial en el resto del dominio [26] (§ 362). Este debilitamiento se produce (a diferencia de la Romania occidental) incluso en comienzo fonético-sintáctico de palabra detrás de vocal (§ 577): así, pues, en fonética sintáctica el comienzo de dicción es inestable.—La parte occidental de la Romania oriental muestra en el fenómeno del debilitamiento en general contactos con la Romania occidental y con el sardo (§ 362), y en el fenómeno de la labilidad en principio de dicción, con el sardo (§ 577).

b) En la parte oriental, que comprende Italia oriental (Apulia) y los Balcanes (dálmata, rumano), no se produce el debilitamiento de las consonantes sordas intervocálicas.

3) El sardo (primitivamente con África y Córcega: §§ 19; 159) conserva por un lado la -*s* latina (§ 537) y por otro toma parte en el fenómeno de debilitamiento de las consonantes sordas intervocálicas (§ 362) y en la labilidad del comienzo de dicción (§ 577), que son propios de la mitad occidental de la Romania oriental.

4) La tripartición de la Romania en Romania occidental / Romania oriental / Cerdeña muestra en sus fenómenos diferenciadores zonas imprecisas de transición (§§ 362; 538-541).—Para los fenómenos de distribución geográfico-lingüística en general, cf. arriba, p. 22 ss.—No es presumible que

---

[26] Una de las variantes de realización del debilitamiento es, por ejemplo, el comienzo sonoro y el final sordo en la articulación de las consonantes etimológicamente sordas (A. Giannini, *Italia dialettale* 15, 1939, p. 54, para el dialecto de Castelnuovo di Garfagnana). Cf. § 74.

todas las innovaciones lingüísticas acaecidas en la época imperial se hayan detenido siempre en la misma línea divisoria; en realidad, basándonos en los fenómenos lingüísticos aducidos, se puede señalar una tupida red de divisorias. Ejemplos de agrupaciones de espacios lingüísticos:

a) Rum. / (fr.-prov.) / resto: §§ 585-588.

b) (Rum.-centroital. - sudital. - retorrom. - picar. - mozár.) / (fr.-francoprov.-norteital.-prov.-cat.-esp.-port.): § 313.

c) (Rum.-ital.-retorrom.-fr.-prov.-cat.) / (sar. - esp. - port.): § 919.

d) (Rum.-fr.-prov.-retorrom.) / (ital.-sar.-cat. - esp. - port.): §§ 740-741.

e) (Rum.-cat.-esp.-port.) / (sar.-ital.-retorrom.-fr.): § 679.

f) (Sar.-lenguas marginales no lat.) / dálm. / resto: § 311.

g) Sar. / (fr.-francoprov.) / resto: § 553.

h) (Sar.-gris.-ital.-val.) / (fr.-prov.-cat.-esp.-port.): § 345.

i) (Norteital.-retorrom.-francoprov.-fr.-prov. - cat.) / (esp. port.): §§ 494, nota; 565.

k) (Sar.-cat.): §§ 743; 770, 1; 790, 1.

l) (Sar.-sudital.): §§ 158-159; 532.

m) (Sar.-sudital.-port.-retorrom.-rum.): §§ 193-197; 274.

n) (Sar.-cat.-esp.-port.-gasc.): § 307.

o) (Sar.-gris.-rum.): § 331.

p) (Ital. orient.-balcán.): §§ 163; 346; 375, nota; 414; 482; 545; 606, nota; 801.

q) El caudal léxico muestra numerosos tipos de distribución de la Romania (G. Rohlfs, *Die lexikalische Differenzierung der romanischen Sprachen*, Munich, 1954).

36. Con ser grande la variedad estructural de la Romania (§§ 31-35) en tiempos de los Césares, aquélla no habría desembocado en la ruptura de la unidad lingüística, a pesar de la «crisis del Imperio» en el siglo III y a pesar de los fenómenos de clara decadencia política, económica y territorial del Imperio aparecidos en los siglos IV-V. Un renacimiento de las fuerzas creadoras de unidad en la administración política, de la seguridad militar, de la organización económica, de la reavivación cultural (eclesiástica), hubiera podido, en circunstancias externas más favorables y con la relativa disponibilidad de fuerzas rectoras, asegurar para otro milenio la vida del Imperio (como pasó en Bizancio). Mientras hubiera subsistido el Imperio político como autoridad aseguradora de la unidad, no se habría llegado a una formación de las lenguas románicas, por muchas que fuesen las diferencias dialectales del lenguaje corriente vulgar (§ 34), que efectivamente existían o que pudiesen crearse con el tiempo.

Así, pues, la disgregación de la unidad política del Imperio constituye el hecho decisivo en lo que se refiere a la disgregación de la unidad del latín vulgar. Esta disgregación la trajeron las tribus germánicas que se lanzaron al asalto del Imperio por el norte y por el este, aquellas tribus y pueblos germánicos a cuya incorporación política (y consiguiente romanización) habían renunciado los romanos bajo la impresión de la derrota de Varo (año 9 desp. de C.).—En la desmembración del Imperio romano participaron los pueblos siguientes:

1) Los alamanes, con su avance a través de los Campos Decumates (siglo III) y su penetración en los territorios de la actual Suiza (siglo V), rompieron la unión entre el galorromano (esto es, el francoprovenzal, cf. § 35) y el retorromano (cf. § 35), introduciendo con ello una fisura decisiva en la estructura lingüística de la Romania. De esta suerte, el retorromano quedó aislado, y como además sufrió por el norte la presión de los bayuvaros y por el sur el impacto de los dialectos italianos de las ciudades norteñas, acabó finalmente por fragmentarse completamente. Unidad retorromana no existe realmente; sólo cabe deducirla (cf. § 21).—Los fenómenos lingüísticos que sobrepasan la cuña formada por la penetración de los alamanes y que, por tanto, unen el provenzal, el francés y el francoprovenzal con el románico grisón (§§ 163; 317; 326; 398; 400; 494; 591, nota), hay que situarlos conforme a esto, en época anterior al siglo V.

2) Los visigodos arrebataron la Dacia (275) al Imperio, iniciando así un aislamiento del románico de los Balcanes, que completarían los eslavos en las centurias siguientes. Los visigodos terminaron asentándose (principios del siglo V) al sur de la Galia (hasta el Loira) y en la Península Ibérica (mediados del siglo V). Perdieron el sur de la Galia en 507, que pasó a manos de los francos, y perdieron España en 711, que cayó en poder de los árabes. Tanto en Francia como en España dejaron una serie de topónimos y términos godos; pero fuera de eso, no ejercieron influjo apreciable en la historia lingüística de la Romania. Así, por ejemplo, la pertenencia de la Septimania (con Narbona) al reino visigodo durante más de un siglo no dejó huellas apreciables en la delimitación geográfica entre el catalán y el provenzal. La fisonomía particular del iberorromano frente al galorromano parece más bien haberse fraguado ya en la época imperial.

Los suevos aparecen ya a comienzos del siglo v asentados en
el noroeste de España (Galicia), y allí dejaron algunas palabras suevas, pero no tuvieron parte en el nacimiento del
portugués (cf. § 16). También las principales particularidades del dialecto gallego hubieron de forjarse ya en la época
del Imperio. En todo caso, esas particularidades nada tienen
que ver con la presencia de los suevos.

3) La frontera entre la Romania oriental y occidental,
desde aproximadamente el final del siglo II p. C., corría a
través de la cordillera de los Apeninos (cf. § 35). La alteración territorial efectuada por los germanos no dejó que se
consolidase esta frontera lingüística que comenzaba ya a per-
filarse. Con ello contribuyeron a que se preparase el futuro
nacimiento de la nación italiana, si bien subsistieron las diferencias lingüísticas que ya entonces separaban el norte y sur
de Italia. En este desarrollo tomaron parte sucesivamente:
el reino de Odoacro (finales del siglo v), el de los ostrogodos
(hasta mediado el siglo VI), los lombardos (desde mediados
del siglo VI), así como el Imperio de Oriente y los Estados
Pontificios, y finalmente los francos. Los lombardos, estable-
cidos como agricultores en el norte, centro y sur de Italia,
dejaron huellas en el léxico. Pero el norte de Italia en el
siglo XII-XIII (prescindiendo de una poesía espiritual escrita
en dialecto lombardo-veneciano) está totalmente orientado,
desde el punto de vista literario, hacia la Galia: la lírica habla en provenzal (cf. § 12), la epopeya en francoitaliano (cf.
§ 18).

4) El núcleo del reino burgundio (lago de Ginebra-cuenca
media del Ródano) coincide con las fronteras del dominio
francoprovenzal (cf. § 12). Parece, pues, que los burgundios
separaron de su unión con el espacio lingüístico nortefrancés
y aislaron por completo la romanidad lugdunense (cf. n.º 5),

que fue separada del retorromano por la penetración de los alamanes (cf. n.º 1). Comparado con el retorromano, el francoprovenzal debe calificarse de progresivo, y de conservador si lo confrontamos con el francés. Ello constituye una clara prueba de la posición central que ocupaba antes de que alamanes y burgundios lo condenaran al aislamiento. Así, pues, estos pueblos participaron en la delimitación geográfica del francoprovenzal. En la formación de este dialecto como conjunto los burgundios no tuvieron apenas parte alguna (prescindiendo de algunos términos y topónimos de origen burgundio).—Sin embargo, el tratamiento de las vocales libres (§ 163) latinas ẹ, ọ (§ 157) en dos zonas del dominio francoprov. separadas entre sí parece indicar que se debe a influencias burgundias y que hubo una adaptación al sistema fonológico (§ 126) burgundio: en estas zonas las vocales libres latinas ẹ, ọ (l ĕ p o r e *léivra*, m ŏ l a *móula*) se confunden en general con las vocales libres latinas ẹ, ọ (t ē l a *téila*, s ō l a *sóula*: cf. §§ 157; 170; 182) y sólo ante -r- conservan su antigua cualidad ẹ, ọ (f ĕ r i t *fiért*, s ŏ r o r *suéra*: cf. §§ 172; 177). Estas condiciones de las cualidades vocálicas corresponden a las del burgundio y gótico (cf. Hafner [véase más arriba § 11, nota 3], pp. 26-30, 47-48). Cierto que queda sin explicar por qué esta reorganización vocálica en las dos citadas zonas del francoprov. afectó sólo a las vocales libres (y no afectó también a las trabadas).

5) Los francos ocuparon el norte de Francia hasta el Loira, y en ese espacio dejaron huellas permanentes en el léxico, topónimos y nombres de persona. La frontera sur del francés, formada por la línea del Loira antes de la llegada de los francos, fue confirmada por éstos; es decir, los francos dejaron que se consolidara, con lo que la bipartición lingüística de la Galia adquirió carácter definitivo. En adelante

el provenzal continuó la romanidad, relativamente conservadora, de la *Narbonense* y *Aquitania* (cf. § 35), al paso que el
francés representa una evolución de la romanidad primitiva
de la *Lugdunense*, romanidad que el francoprovenzal encarna
en forma arcaica (cf. § 11).

Consideradas las cosas en su conjunto, el influjo de los
germanos sobre la sustancia lingüística del románico es sor-
prendentemente escasa, sobre todo si lo comparamos con
el vigor y la variedad de los contingentes germánicos y con
la magnitud de la catástrofe politicomilitar provocada por
los invasores del *Imperium Romanum*.

En el hecho del asentamiento biológico y cultural de los
germanos dentro del *Orbis Romanus*, que indudablemente
quedó con ello acrecentado territorialmente, se ha querido
ver el proceso decisivo por cuya virtud fue posible que la
«cultura antigua» se convirtiese en la «cultura occidental».
Pero lo que no resulta tan evidente es que a las tribus germánicas que guarnecían el Imperio haya que concederles en
la «conformación de los dominios lingüísticos románicos»
una intervención tan importante como para que la sustancia
lingüística de las zonas respectivas hubiera sido transforma-
da por los hábitos lingüísticos de los germanos (como sos-
tienen algunos investigadores respecto al alargamiento de
vocales libres; cf. § 163). Más bien parece seguro que las
variaciones del latín hablado arrancan ya de la época imperial, al paso que la consolidación de esas variaciones y la
mutua delimitación de los respectivos espacios se explican
por la desintegración de la unidad política romana llevada a
cabo por los germanos. A este respecto, es significativa, por
ejemplo, la delimitación del provenzal-francoprovenzal frente
a los dialectos norteitalianos (ligur-piamontés) al pie de la
vertiente oriental de los Alpes occidentales (cf. § 18).

37. Como época decisiva para la consolidación de las diferencias lingüísticas anteriormente adquiridas, hemos de señalar los siglos VI-VIII, época en que la formación latina y el intercambio intrarrománico (especialmente como consecuencia del incipiente feudalismo y de la consiguiente atomización del poder supremo) alcanzaron el nivel más bajo y las hablas regionales quedaron prácticamente sin ningún género de corrección ni norma. De esta manera las lenguas coloquiales de las regiones penetraron también poco a poco en los textos literarios, redactados entonces en latín, y éstos nos llevan hasta los más antiguos textos coherentes en lengua romance (francés, siglo IX; provenzal, siglo XI; italiano, siglo X; español, portugués, retorromano, siglo XII; catalán, siglo XIII; para el rumano, cf. § 22). La distinción de épocas, realizada primero en Francia, entre el empleo de un latín literario entreverado de vulgarismos (latín merovingio; principales representantes: Gregorio de Tours, siglo VI; Fredegario, siglo VII) y el de la lengua popular está condicionada por el incremento de la formación escolar en el Renacimiento carolingio, esto es, por el cultivo consciente del latín literario modélico en los siglos VIII-IX (latín carolingio; autores principales: Alcuino, Einhardo, Rábano Mauro, Lupo de Ferrières, Sedulio Escoto, Walafrido Estrabón y otros). Con ello las lenguas románicas quedaron recluidas sobre sí mismas. Entre la lengua usual romance (heredera, por tanto, del latín vulgar) y el latín literario, que no casaba ya con el habla corriente, se abrió una sima tal que a las personas iletradas el latín literario hubo de parecerles una lengua extraña e incomprensible.

38. Un índice de este estado de cosas lo tenemos en el célebre decreto del Concilio de Tours de 813, por el que se

prescribe al clero la obligación de utilizar en sus predicaciones la lengua popular románica *(rustica Romana lingua)*. Así, pues, la Iglesia se hace bilingüe: es la portadora del latín literario y, al propio tiempo, de las lenguas populares romances [27], cosa que se ve también en las primitivas literaturas románicas. Los clérigos que fijan por escrito sus sermones en romance, dan a estas lenguas populares su primera forma literaria. Tan pronto las lenguas romances comienzan a utilizarse literariamente, ocurre que caen a su vez bajo el influjo formativo del latín literario de entonces —el bajo latín (cf. § 3)— y de sus normas gramaticales y retóricas. A este influjo deben las lenguas literarias romances del Medievo y de la Edad Moderna su desarrollo como instrumentos del espíritu, como portadoras de valores culturales, de la misma manera que las literaturas románicas se hallan vinculadas a las formas de la literatura y liturgia medievales. Lingüísticamente, este influjo se traduce, sobre todo, en los latinismos eruditos del léxico y sintaxis románicos (cf. sobre este punto la última parte de este manual).

39. Es aleccionador el destino del románico de los Balcanes. Aquí se extinguió, evidentemente, la jerarquía latina (cf. § 25), y consecuencia de ello fue que se produjo una quiebra en la cultura. En cambio, en Occidente, la continuidad cultural se mantuvo en la polifonía romance y latino-literaria, interviniendo en esa polifonía incluso la lengua germánica. Y se mantuvo gracias a la pervivencia de la jerarquía latina, auténtico y permanente esqueleto del *Orbis Romanus* del centro y oeste europeos, de jerarquía superior.

---

[27] *La Iglesia es la madre de las lenguas romances* (A. Griera, *Span. Forsch. d. Görres-Ges.* 1, 1928, 142). Esto se aplica también a la literatura.

PRIMERA PARTE

FONÉTICA (§§ 40-582)

SECCIÓN PRIMERA: ELEMENTOS DE FONÉTICA GENERAL (§§ 40-148)

40. La exposición de la lingüística románica debe comenzar con la teoría de los elementos de la palabra (cf. § 3).

La palabra consta de varias partes o elementos (en el caso límite, de uno solo: § 3) que en el acto de hablar se pronuncian uno después de otro y que también el oyente percibe en la sucesión temporal con que se pronuncian. Sin embargo, el hablante tiene ya en su intención el conjunto de la palabra cuando comienza a emitirla, al paso que el oyente solamente puede integrarla en su totalidad de manera retrospectiva (por tanto, en la memoria) una vez acabada de emitir por el hablante, a menos que el contexto le haya permitido adivinarla antes, en cuyo caso no necesita ya sino confirmarla.

La palabra (por ej. lat. a m i c u s) tiene una «significación»: es «signo» de una «cosa» que mediante el signo queda «denominada». La palabra en sí es parte de la oración (§ 3), y ésta a su vez es la expresión lingüística de un pensamiento parcial del discurso: la «cosa» (= palabra) es la pieza de ajedrez cuya función consiste en el movimiento o jugada parcial (= pensamiento).

El elemento de la palabra queda, pues, definido por el hecho de que constituye parte de la sucesión temporal de una palabra, pero carece de la significación que, sin su integración en la palabra como parte directa del discurso, podría tener conforme al sentido [1].

Respecto a su relación con la significación de la palabra, hay dos clases de elementos:

1) Elementos cuya función fija lingüístico-estructural dentro de determinadas clases de palabras consiste en la modificación de su significación.

2) Elementos que carecen de función fija en cuanto a la modificación de la significación de la palabra.

La modificación de la significación producida por la primera clase de elementos aparece (según la división tradicional): como flexión (lat. *amicus, amici;* §§ 583-948) y como derivación (lat. *amicus, amica, amicitia;* § 949).

El elemento mínimo (como parte de la sucesión temporal) de la segunda clase (esto es, sin la función fija de la modificación de la significación) es el sonido (más exactamente: el fonema; cf. § 123), por ej., el sonido (el fonema) -*m*- de la palabra *amicus.*

El fonema posee, claro está, la función de modificar la significación (§ 123): así, los fonemas *p* y *b* de las voces francesas *pain* y *bain* modifican su significación (§ 127). Sin embargo, el contenido de esta modificación de la significación no está fijado desde el punto de vista lingüístico-estructural: la modificación producida por los fonemas es caótica (§ 583) en su contenido, mientras que la modificación obrada por elementos de la flexión y derivación dentro de determinadas clases de palabras es fija desde el ángulo lingüístico-

---

[1] Quedan, pues, excluidos casos como lat. *cantabis = canta bis* (§ 834).

estructural *(amicus, amici, amica, amicitia; inimicus, inimici, inimica, inimicitia).*—En una lengua perfectamente estructurada (cf. arriba, p. 20 ss.) cada fonema debería tener función modificadora de la significación, pero función fija en el plano lingüístico-estructural.

La modificación semántica producida por el fonema no tiene por qué realizarse siempre en el contenido como en la pareja francesa *pain / bain:* basta que dificulte la reconocibilidad de la significación mentada. Por ej., el que en vez del ital. *maturo,* realiza la pronunciación **mafuro,* probablemente se hará entender (por lo mucho que queda del cuerpo de la palabra y por el contexto de la frase). Al dificultar el reconocimiento de la significación, la *-t-* se da a conocer como fonema.

El fonema, que es la parte más pequeña de la sucesión temporal, consta a su vez de partes de fonema (no realizadas ya en sucesión temporal, sino simultáneamente): las notas o características (§ 125). Cierto que la simultaneidad puede relajarse en una «sucesión deslizante» de características (§§ 35, 2 a, nota; 74; 97).—Por debajo de las características están además los fenómenos de la oposición y de la analogía (cf. arriba, p. 20 ss.); pero éstos son ya, en general, el nervio vital del conjunto de la estructura lingüística.

Esta nuestra exposición comienza con la teoría de los sonidos. Como el centro de gravedad ha de gravitar sobre la lingüística histórica (cf. más arriba, p. 26 ss.), la fonética deberá, por ello, ser ante todo una fonética histórica, y tratará de señalar el mantenimiento o cambio de los sonidos latinos en los sonidos de cada una de las lenguas románicas.

Para hacer más comprensible la exposición de la fonética histórica, comenzaremos con un resumen de la fonética general (§§ 40-148).

La teoría de los sonidos recibe el nombre de fonética (para la «fonología», cf. § 122). Se distingue una «fonética articulatoria» (que estudia la intención locutiva del hablante y la producción de los sonidos [mediante los órganos de fonación: pulmones, laringe, boca]) y una «fonética acústica» (que estudia las ondas sonoras que proceden de los órganos fonadores y van al oído del oyente, así como también los procesos que se producen en el oído y conciencia humanos al recibir esas ondas sonoras).

La fonética acústica ha logrado analizar la imagen sonora acústica de las ondas sonoras y transformarla en signos visibles correctos (R. A. Potter, G. A. Kopp, H. C. Green: *Visible Speech*, New York, 1947).

La fonética histórica se ve enfrentada con el problema de la explicación genética de los cambios fonéticos. Como los sonidos son producidos por los órganos fonadores, la fonética genética tendrá que acudir a la fonética articulatoria en busca de información. Ésta es la razón de que en adelante pongamos siempre como base la fonética articulatoria. La presencia de la fonética acústica se limitará a aquellos casos en que resulte imprescindible para la explicación de hechos fundamentales (§ 88).

41. Los sonidos se clasifican en vocales (sonidos en cuya articulación la corriente de aire que viene de los pulmones no encuentra en la cavidad bucal ningún obstáculo que tenga que ser forzado o que produzca rozamiento) y consonantes (sonidos en cuya articulación la columna de aire procedente de los pulmones encuentra en la cavidad laríngea o bucal algún obstáculo).

Las denominaciones de «vocal» y «consonante» no responden originalmente a estas definiciones, sino que pretenden solamente señalar la función de estos sonidos en la sílaba (§ 91): en griego y latín solamente una «vocal» (conforme a la definición articulatoria dada) podía ser cumbre silábica, por tanto, «sonora», mientras que las «consonantes» (conforme a la definición articulatoria dada) no eran más que valle silábico, o parte ascendente o parte descendente de la cumbre silábica; por tanto, un acompañamiento «con-sonante» de la cumbre silábica.

I. Las vocales (§§ 42-46)

42. Cada una de las vocales de una lengua puede distinguirse de las otras por: la cualidad (sonido, timbre), la cantidad (duración de la articulación), la intensidad (§ 114), la altura del tono y la entonación (§ 114).

La cualidad vocálica depende de cuatro factores articulatorios: grado de abertura, posición de la lengua y de los labios (§ 43), y también de la posición del velo del paladar (§ 45).

Respecto a la cantidad, se distinguen, según las lenguas, dos o tres grados: larga *(e* en alemán *Meer)*, breve *(e* en alemán *Herz)* y a veces también semilarga o semibreve (por ejemplo, [a] en español *mano)*. Las cantidades no tienen en todas las lenguas importancia funcional (esto es, fonológica). Por ello, hay que distinguir entre cantidades «con valor fonológico» y cantidades «sin valor fonológico» (esto es, meramente combinatorio-fonéticas); cf. sobre esto § 124.—La cantidad larga se indica en la transcripción (cf. arriba, p. 29 ss.) mediante una rayita horizontal sobrepuesta a la vocal ($\bar{a} = a$ larga) y la cantidad breve se indica por medio de un semicírculo abierto hacia arriba sobre la vocal ($\breve{a} = a$ breve).

43. Hay tres grados principales de abertura (del conjunto de la boca): grande [*a*], medio [*e*] y pequeño [*i*]. Cabe establecer otras diferenciaciones (especialmente frecuentes en el grado medio de abertura). Las variantes se califican de «(relativamente) abierta» y «(relativamente) cerrada»; así, por ejemplo, 'e abierta' en francés *fer* y alemán *Ähre; 'e cerrada'* en francés *chanter* y alemán *Ehre*. Las variantes vocálicas abiertas se indican en este manual mediante una coma suscrita, y las cerradas mediante un punto suscrito: [ẹ] = 'e cerrada', [ę] = 'e abierta'.

Respecto a la posición de la lengua, se trata de si el predorso se acerca a la parte anterior del paladar (vocales 'palatales', de *palatum* «paladar duro [óseo]») o el posdorso se aproxima a la parte posterior del paladar (vocales 'velares', de *velum* «velo del paladar [blado, carnoso]»). Vocales palatales son, por ejemplo, *i, e;* velares, *u, o*. Finalmente, es posible también la vocal neutra (lengua horizontal o elevación de su dorso contra el centro del paladar): vocales dorsales (por ejemplo, *a*). Cf. también § 54.

Respecto a la posición de los labios, se trata de si éstos se redondean o se dilatan (o adoptan una posición neutra)[2]: vocales redondeadas son, por ejemplo, *u, ü, o;* vocales dilatadas son *i, e*. La posición neutral de los labios aparece sobre todo en el grado máximo de abertura [*a*].

44. Los factores de la articulación «grado de abertura, posición de la lengua, posición de los labios» dan, mediante su combinación, el siguiente sistema de escalas de las cualidades vocálicas[3]:

---

[2] Los labios al redondearse avanzan, al dilatarse se retraen.

[3] La disposición de los grados de abertura (§ 43) es tal que sigue el descenso de la mandíbula inferior subsiguiente al grado máximo de abertura: así, la *i* está arriba y la *a* abajo.

Grado de abertura de la lengua	Posición de la lengua		
	Predorso	Dorso	Posdorso
Pequeño	*i/ü* *į/ü*	*î*	*u* *ų*
Medio	*ẹ/ö* *ę/ö*	*ə*	*ǫ* *ǫ*
Grande		*v* *ạ a ą*	

En este sistema de escalas aparecen, pues:

1) Vocales predorsales no labializadas (con los labios retraídos: *i, e*) y labializadas (con abocinamiento de labios: *ü, ö*), así como vocales posdorsales labializadas *(u, o)*, y en uno y otro caso con dos grados principales de abertura (pequeño y medio), que a su vez se diferencian en otras dos variantes respectivas de abertura:

a) El principal grado pequeño de abertura aparece cerrado hasta el extremo en las cualidades [*i, ü, u*] (fr. *fille, mur, mou*). Variantes más abiertas son: [*į, ü, ų*] (norteal. *Mitte, Hütte, Kutte*).

b) El principal grado medio de abertura aparece en las variantes cerradas [*ẹ, ö, ọ*] (fr. *dé, deux, dos*) y en las variantes más abiertas [*ę, ö, ǫ*] (fr. *fer, heure, mort*).

2) Vocales dorsales con los tres grados principales de abertura:

a) La vocal [*a*] se pronuncia como grado máximo de abertura con la lengua en posición horizontal (al. *Dach*). En francés aparece en una variante más palatal [*ạ*] *(chat)*, que se pronuncia con los labios retraídos, y en una variante más velar [ạ] *(âme)*, que propende al redondeamiento o, al menos, tiene posición neutra de los labios (§ 43). Para la transcripción fonética cf. arriba, p. 29 ss.—Una elevación del dorso ocurre en la variante algo más cerrada (no labializada) [v] que posee el portugués (por ej., en ambas *a* de la palabra *cama* «cama»). Generalmente encierra un ligero timbre palatal.

b) El grado medio de abertura [ə] se presenta en numerosas variantes. En alemán se pronuncia con los labios retraídos (o mejor, con los labios indiferentemente [§ 43] relajados: *Mitte)*. También en rumano es sonido no labializado (en la *ă* escrita de *fátă* «muchacha», *făcút* «hecho»).—En francés el sonido es muy redondeado y con timbre claramente palatal hasta el punto de parecerse a una [ọ̈] o [ö] *(rebelle* casi [rọ̈bẹl], *montrez-le* casi [-ọ̈]) y representar de hecho, fonológicamente, la cualidad *ö* (§ 127, 1 a-b).

c) El grado pequeño de abertura [î] ocurre en rumano y se pronuncia con los labios retraídos. Corresponde aproximadamente al ruso Ы en СЫН «hijo». Para darse cuenta de la pronunciación (aproximada), pronúnciese primero la vocal posdorsal labializada [u] y procúrese, durante la pronunciación, retraer los labios (como al pronunciar la [i]). Aunque la [î] no es vocal posdorsal, sin embargo, para nosotros constituye el mejor punto de partida para llegar a reproducir su sonido. Lo que se ha de evitar a toda costa es sustituir ese sonido por el de la vocal predorsal labializada [ü].—La actual ortografía rumana reproduce ese sonido con el signo *î*, mientras que la escritura vacilaba hasta finales de la segunda guerra mundial, por influjo de la etimología latina, entre *â (mân* < m a n u ; § 231) e *î (înflă* < i n f l a t, *fîn* < f e n u ; § 239).

45. Todas las vocales pueden articularse con el velo del paladar cerrado o abierto. Cuando el velo del paladar está cerrado (esto es, apoyado contra la pared posterior de la faringe), toda la columna de aire sale por la boca: vocales orales (francés, *mort, mais*). Si el velo del paladar está, en cambio, abierto (esto es, cuelga en posición fláccida), el aire sale tanto por la nariz como por la boca: vocales nasales (francés *mont, main*). En principio todas las vocales pueden articularse como nasales, pero el número de las cualidades nasales es frecuentemente menor que el de las orales [4]. Además el grado de nasalización puede ser distinto (conforme al grado de abertura del velo del paladar); así, en francés es mayor que en portugués o en el dialecto suabio del alemán. La nasalización de una vocal se expresa en la transcripción mediante la tilde de nasal (˜) sobrepuesto a la vocal; por ejemplo, [ã] en francés *langue*, [ẽ] en francés *main*, etc.

46. En el curso de la historia de la lengua ocurren desplazamientos dentro de cada uno de los factores cualitativos, afectando a:

a) Grado de abertura: abertura por descenso de la mandíbula inferior (por ej., [i̦] > [e̦]: en lat. p ĭ r u m > it. *pe̦ro*) y cierre por elevación de la mandíbula inferior (por ejemplo, [o] > [u]: en fr. ant. *boche* > *bouche*).

b) Posición de la lengua: palatalización (por ejemplo, [u] > [ü]: lat. m u r u > francés *mur*), velarización (por ejem-

---

[4] Las vocales abiertas se nasalizan más fácilmente que las cerradas, pues la posición elevada de la lengua dificulta la bajada del velo del paladar. Esto explica, por ejemplo, que en francés a las orales cerradas extremas [i, u, ü] correspondan las nasales más abiertas [ẽ, õ, ö̃].

plo, [a] > [ǫ]: lat. f l a m m a > sobres. *flomma*), distensión [5]
(por ejemplo, [ę] > [a]: en fr. mod. *pert > part*).

c) Posición de los labios: redondeamiento (por ejemplo, [ę] > [ö] en dialecto catalán) y desredondeamiento
(por ejemplo, [ü] > [i] en sobres. *glina < glüina*).

d) Posición del velo del paladar: nasalización (cf. § 133 a)
y desnasalización (por ejemplo, francés ant. [fãmə] > francés mod. [fam] *femme*).

II. Las consonantes (§§ 47-86)

47. Las consonantes son susceptibles de una diferenciación mayor que las vocales. Tres son los factores que entran
aquí en juego: órgano articulatorio (§ 48), modo de articulación (§ 48) y punto de articulación (cf., por ejemplo, § 53).
Estos tres factores determinan la cualidad de una consonante. Pero hay que añadir también la cantidad (§ 50).

48. Se distinguen cinco órganos articulatorios: labios,
punta de la lengua, dorso de la lengua, úvula, cuerdas vocales. A éstos hay que agregar también los pulmones, que son
los que suministran el aire (cf. § 114).

Cada uno de los órganos de articulación participa en la
pronunciación de cada consonante de manera activa o pasiva
mediante un modo propio de articulación (en la participación meramente pasiva mediante la posición de reposo) que
actúa en el punto de articulación que en cada caso le corresponde. Pero la mayoría de las veces la actividad de un órga-

---

[5] En la extensión completa la lengua queda horizontal (*a:* § 43). Simultáneamente se produce abertura.

no destaca tanto acústicamente que el carácter fundamental del sonido descansa casi exclusivamente en ella y, generalmente también, el sonido recibe su nombre según aquella actuación. Así, por ejemplo, [p] es una 'labial'.

Respecto al modo de articulación (esto es, la manera cómo articula el principal órgano de articulación), se distinguen los sonidos oclusivos [6] (entre los que en un sentido amplio hay que contar también las nasales, que ocupan una posición completamente característica), sonidos fricativos [7] (entre los que ocupan un lugar especial los sonidos silbantes), sonidos combinados oclusivo-fricativos (africados [8]), así como grupos más pequeños de otras consonantes (laterales, vibrantes, etc.).

En las oclusivas, la corriente de aire choca con el obstáculo que forma la oclusión y que debe ser forzado; por ejemplo, los labios cerrados en la articulación de la [p]. Si el velo del paladar está cerrado (cf. § 45), entonces la oclusiva es 'oral o bucal' (por ejemplo, [p]); y si se halla abierto, la oclusiva será 'nasal' (por ejemplo, [m]).—Por tanto, las nasales se distinguen de las oclusivas orales (propias) en que, al articular aquéllas, el paso a la nariz está abierto y, consiguientemente, no se realiza propiamente la explosión de la oclusión (oral).—En las fricativas (que en las lenguas que aquí nos interesan se pronuncian con el velo del paladar cerrado), la columna de aire choca en la boca con el obstáculo, que no le cierra el paso por completo y a través

---

[6] En la antigua terminología también *Mutae*, subdivididas en *Tenues* (§ 49), *Mediae* (§ 49) y *Aspiratae* (§ 69).—En francés, *occlusive* «oclusiva».

[7] En la antigua terminología también *Spirantes*, espirantes (que no hay que confundir con las aspiradas, cf. § 69).—En francés, *fricative* «fricativa»; hoy se les da también el nombre de constrictivas.

[8] Esto es, *(mutae) affricatae* «mudas africadas».

del cual se desliza el aire, produciendo un ruido de fricción; por ejemplo, [f].—En los sonidos combinados de oclusiva y fricativa (africadas), la oclusión va seguida de la correspondiente[9] fricación; por ejemplo, [pf] en el alemán *Apfel*.

Las oclusivas orales son sonidos momentáneos, esto es, audibles solamente en el momento de forzar la oclusión. Por otra parte, son susceptibles de alargarse hasta cierto punto con sólo retardar el momento de forzar la oclusión (cf. § 50). Las oclusivas nasales [m, n, ñ, ŋ] (cf. §§ 52, 53, 56)[10], así como las demás consonantes (fricativas, laterales, vibrantes; cf. §§ 58 ss., 80 ss., 85 s.), son sonidos continuos, esto es, audibles durante todo el tiempo de la articulación y susceptibles de alargarse a voluntad.

49. La articulación de las cuerdas vocales (que acompaña a la articulación principal) desempeña un papel importante en la pronunciación de las consonantes. Se trata del grado de abertura (imprescindible para el paso de la corriente de aire) de las cuerdas vocales. Si éstas se hallan poco abiertas, el aire espirado al rozarlas las pone en vibración y el sonido resultante es sonoro (fr. *sonore*, ing. *voiced*). Por ejemplo, normalmente son sonoras todas las vocales, además ciertas consonantes, como [b, d, g, v], etc. Si, por el contrario, las cuerdas vocales están más que medianamente abiertas, el aire espirado se desliza a través de ellas sin provocar su vibración, y el sonido producido será sordo (fr. *sourd*, ing. *voiceless*). Por ejemplo, son sordos los si-

---

[9] O bien 'homórgana', esto es, pronunciada con el mismo órgano articulatorio.

[10] En éstas el aire puede, a pesar de la oclusión oral, salir sin interrupción por la nariz.

guientes sonidos correspondientes a los sonoros antes citados: [p, t, k, f].

Los sonidos sordos, para resarcirse de la falta de «sonoridad», se articulan frecuentemente con una tensión muscular (de la boca) más enérgica que los sonidos sonoros. Por ello, los sonidos sordos [11] se llaman también *Fortes* [12], y los sonoros, en cambio, *Lenes* [13].

50. Por lo que toca a la cantidad, las consonantes pueden ser breves o largas. Como la larga vale doble tiempo que la breve, a las largas se las llama geminadas (fr. *geminées*). La distinción entre consonantes simples y consonantes geminadas dentro de las lenguas romances es típica, sobre todo, para el italiano. Éste la heredó del latín, pero el número de las geminadas se vio sustancialmente incrementado por el peculiar desarrollo fonético de la lengua. En la escritura, la cantidad larga y la geminación están, generalmente, indicadas por la doble letra: *ecco* 'he aquí', frente a *eco* 'eco, resonancia'.

En las oclusivas largas o geminadas *(ecco)* el forzamiento de la oclusión se retarda, y en las continuas o geminadas es la misma articulación audible la que se alarga *(cassa, canna)*. Para el mantenimiento de la cantidad en la asimilación, cf. § 133.—Para el valor fonológico de la cantidad, cf. § 124.

---

[11] Esta terminología se refiere en su origen (esto es, en el griego antiguo) únicamente a las oclusivas; pero los fonetistas modernos la aplican también a las fricativas.

[12] También *Tenues* («tenues», esto es, no aspiradas; cf. § 69).

[13] También *Mediae*.—La diferencia entre consonantes de pronunciación enérgica o relajada *(Fortes* y *Lenes)* no va vinculada en algunos idiomas de modo necesario con la presencia o ausencia de la voz.

51. Se distinguen atendiendo al órgano que interviene principalmente en su articulación: oclusivas labiales (§ 52), apicales (§ 53), dorsales (§§ 54-56) y una oclusiva laríngea (§ 57).

1. Oclusivas labiales (§ 52)

52. Son éstas: [p] (sorda) y [b] (sonora) en francés *pont, bon*. Estas dos oclusivas se pronuncian con el velo del paladar cerrado (§ 45) (labiales orales). Si al articular la oclusiva labial sonora [b] se abre al mismo tiempo el velo del paladar, nace la labial 'nasal' (o nasal labial) [m].

2. Oclusivas apicales (§ 53)

53. El punto normal de articulación de la oclusiva apical es la cara posterior de los incisivos (de ahí la denominación de oclusivas 'postdentales' o simplemente 'dentales'). Así se producen los sonidos [t] y [d] en francés *temps, dans*.

Por lo que respecta al punto de articulación, la oclusión puede formarse más atrás en los alvéolos (articulación alveolar: inglés *tree*); más aún, la punta de la lengua puede replegarse hacia atrás y formar la oclusión en el paladar (articulación cacuminal, de *cacumen* 'cúspide (del paladar)'), por ejemplo, *ḍ* en calabrés *stiḍḍa* < s t e l l a (transcripción: punto bajo la letra).

Las oclusivas apicales enumeradas hasta aquí se pronuncian con el velo del paladar cerrado. Si al mismo tiempo que pronunciamos la oclusiva apical postdental [*d*] abrimos el velo del paladar, tendremos la dental nasal (o nasal dental) [*n*] en francés *nous*.

3. Oclusivas dorsales (§§ 54-56)

54. El dorso de la lengua se divide en tres partes (cf. § 43): predorso (que comienza inmediatamente después de la proglosis y llega hasta el centro de la lengua), dorso propiamente dicho (sector medio entre predorso y posdorso), y posdorso (o parte posterior de la lengua). El predorso forma oclusión con el paladar anterior (*palatum*, cf. § 43; de ahí, oclusivas «palatales» o más exactamente «prepalatales»). El dorso forma oclusión con el paladar medio (o duro) (de ahí, oclusivas «palatales» o más propiamente «mediopalatales»). El posdorso forma oclusión con el paladar posterior (*velum*, cf. § 43; de ahí, oclusivas «velares»).

55. La oclusión del predorso de la lengua con la parte anterior del paladar produce los sonidos [*č*] (sordo) y [*ǧ*] (sonoro) en sobres. *tgau* [*čáu*] 'cabeza' y sobres. *giginar* [*ǧiǧiná*] 'ayunar'.

Como al forzar la oclusión la lengua no puede desligarse totalmente de la bóveda prepalatina con suficiente rapidez, se oye todavía, una vez rota la oclusión, un sonido fricativo palatal [*ç*, *y*] (cf. § 64). Por ello, las oclusivas [*č*, *ǧ*] son prácticamente casi siempre 'sonidos combinados oclusivo-fricativos' (= africadas; cf. § 76), por tanto, oclusión prepalatal + [*ç*] o [*y*].—Se puede reproducir muy bien el sonido [*č*] en alemán; basta para ello pronunciar la interjección «tja» de manera que la oclusión *t* se forme con la parte anterior de la lengua (como la *j* siguiente) en vez de con su ápice. Estos sonidos aparecen también en la pronunciación popular francesa de las palabras *tiens* [čę̃], *diable* [ǧab].

La oclusión del dorso con el paladar duro [k, g] se pronuncia en el fr. actual *(cabane, gant)* más bien palatal (por tanto, más bien con el predorso), mientras que la pronunciación alemana *(Akazie)* se hace aproximadamente con el dorso. La oclusión del posdorso con el paladar posterior [k, g] ocurre, por ej., en al. *Okular, Mogul* y en ital. *fuoco, agosto.* En muchas lenguas el lugar de la oclusión está en función combinatoria (§ 123) con la posición de la lengua en las vocales vecinas: en al. (análogamente al § 123) depende generalmente de la vocal precedente; en las lenguas románicas de hoy depende en general de la vocal siguiente (en cuanto no se han fonologizado ciertas variantes). En lat. la pronunciación dependía de la vocal siguiente, ya que *c* ante *i, e* tenía en amplias zonas pronunciación prepalatal (§ 312), mientras que *c* ante *a* era mediopalatal (y en una zona reducida avanzó más tarde hacia la pronunciación prepalatal: § 314) y *c* ante *o, u* se mantuvo velar (§ 319).

56. Los sonidos citados hasta aquí (§ 55) se producen con el velo del paladar cerrado. Si al pronunciar la oclusiva sonora palatal [ǧ] abrimos el velo del paladar, se producirá la palatal nasal (o nasal palatal) [ñ] en francés *vigne,* italiano *vigna,* español *viña.* Y si abrimos el velo del paladar en la articulación de la oclusiva velar sonora [g], se produce la velar nasal (o nasal velar) *(ŋ)* en alemán *lang.*

4. *Oclusiva laríngea* (§ 57)

57. Las cuerdas vocales (cf. § 49) pueden asimismo formar una oclusión cuya explosión es perfectamente audible.

Se trata del ataque 'duro', que se antepone en al. (por la mayor parte de los hablantes, pero que es, por ej., infrecuente en Suiza) a las vocales iniciales de palabra o de radical en palabras compuestas, como sustitutivo de la falta de depresión del valle silábico (§ 93): '*Affe, Be'amter, Ver'unglimpfung*. En dialectos sardos ocurre ese sonido como resultado de la -k- latina (§ 401): *su ó'u* «el fuego» (< i p s u f o c u).

B) FRICATIVAS (§§ 58-73) [14]

1. Fricativas labiales (§§ 58-60)

58. Se distinguen fricativas labiales y labiodentales.

59. Las fricativas labiales se forman por fricación del aire entre los labios. Pueden articularse con o sin redondeamiento de los labios.

La fricativa labial no redondeada es [β] (sonora) en español *saber* [*saβér*]. También la variante sorda, que se transcribe por [φ], ocurre, por ejemplo, en japonés. Es posible que constituya la etapa intermedia en el paso de [f] a [h] en el español: *filịu* > *[φilịu*] > español antiguo *hijo* [*hižo*] (español moderno [*iχo*]).

La fricativa bilabial redondeada es [w] (sonora) en inglés *wall*, francés *oui* [15]. En lugar del signo [w] se utiliza también frecuentemente la transcripción [u̯] (cf. § 71).

---

[14] La división de las fricativas corresponde a la de las oclusivas (cf. § 51).

[15] Para la propiedad 'semivocálica' del sonido cf. §§ 70 ss., donde se explica también el sonido [w̃].

60. Las fricativas labiodentales se forman mediante la fricación del aire entre el labio inferior y el borde inferior de los incisivos superiores, siendo imposible en ellas cualquier género de redondeamiento labial. Nacen así los sonidos [v] (sonoro) en francés *vin* y [f] (sordo) en francés *fin.*

2. Fricativas apicales (§§ 61-62)

61. El punto normal de rozamiento es la cara posterior de los incisivos (de ahí fricativas 'postdentales' o simplemente 'dentales'). En ellas son posibles dos posturas de la punta de la lengua: ésta puede dejar pasar un tenue hilo de aire a través de la ranura más o menos estrecha formada por su predorso, o bien da paso a una amplia corriente de aire estando la lengua en posición casi horizontal. En el primer caso se forman las silbantes [s] (sorda) en francés *seul* y [z] (sonora) en francés *zéro.* En el segundo caso se originan los sonidos [ϑ] (sordo) en inglés *thing,* español *ceceo* y [δ] (sonoro) en inglés *the,* español *cada* [16].

62. Como dijimos al tratar de las oclusivas (cf. § 53), también la articulación de las fricativas puede desplazarse hacia atrás. De esta manera se producen la [s] 'alveolar' del inglés y del español, y también la [ṣ] 'cacuminal' del sardo. La posición del ápice de la lengua y su manera de participar en la articulación de [s, z] varía en general en cada lengua (a veces incluso en cada individuo), por lo que no cabe entrar aquí en una caracterización más detallada.—La distinción entre ápice y predorso (§§ 64-65) es poco precisa.

---

[16] Los sonidos [ϑ] y [δ] se pronuncian frecuentemente como 'interdentales' (en vez de como postdentales) cuando la punta de la lengua se introduce un poco entre los dientes.

3. Fricativas dorsales. Consonantes palatalizadas (§§ 63-67)

63. Las fricativas se pueden formar con el predorso o con el postdorso de la lengua (cf. § 54).

64. Al producirse la fricación de la corriente de aire entre predorso y paladar anterior se originan los sonidos [ç] (sordo) en al. *ich* e [y] [17] (sonoro) en al. *Jammer*.

65. Cuando el estrechamiento en que se produce la fricación de la corriente de aire se forma, no entre el predorso y el paladar anterior (§ 64), sino más adelante, entre el predorso y la apófisis dental (los alvéolos) [18], entonces se producen los «sonidos silbantes consonadores» [š] (sordo) y [ž] (sonoro). La descripción que hemos dado se aplica, por ej., a la pronunciación toscana de las palabras *vicino* (§ 389), *fagiolo*, y responde a una línea de desarrollo genético de estos sonidos en románico. Otra línea de desarrollo arranca del sonido fricativo apical [s] (§ 61) (por ej., § 462) y, mediante el ensanchamiento de la acanaladura, la modificación de la posición de la lengua y, frecuentemente también, mediante el repliegue de los labios, llega al resultado [š, ž]. Cuando se ha conseguido el sonido silbante consonador por uno de estos caminos o por ambos, la realización articulatoria puede fijarse en una u otra dirección (fr. *chambre, jambe* [§§ 314; 324; 326]; ital. *coscia*, cat. *cuixa*, port. *côxa* [§ 441]; rum. *beşică* [§ 383]). No podemos entrar aquí en una descripción detallada de la realización fonética.—Cf. § 62.

---

[17] Como semivocal se transcribe también con el signo [i̯], cf. § 71.

[18] La diferencia entre [š] y [ç] consiste también en el hecho de que la silbante [š] se produce al formarse un (ancho) canal en medio de la lengua, cosa que no ocurre con la [ç].

66. Al rozar el postdorso de la lengua con el velo del paladar se originan los sonidos [χ] (sordo) en alemán *ach* y [γ] (sonoro) en español *llaga,* nortealemán *Wagen.*

67. Es posible formar, por ejemplo, una oclusiva [*p*] con los labios y levantar al mismo tiempo el predorso de la lengua hacia el paladar duro, tal como pasa en la articulación de la fricativa [*y*]. De la combinación de ambas articulaciones nace una [*p'*] 'palatalizada' esto es, pronunciada 'con acompañamiento palatal' (transcripción de la palatalización: rayita como exponente detrás de la letra). De la misma manera se puede formar [*t', f', m', n', d', v'*], etcétera. Estos sonidos son frecuentes en el ruso actual; por ejemplo, [*p'yat'*] 'cinco' [19]. Pero desempeñan también en las etapas más antiguas del románico, especialmente del francés, un papel importante. Dentro de las lenguas romances de hoy, los dialectos orientales del rumano son los que ofrecen una variedad mayor de estos sonidos.

4. *Fricativa laríngea. Aspiración* (§§ 68-69)

68. Cuando las cuerdas vocales se hallan un poco más abiertas de lo que se precisa para ponerlas en vibración (§ 49), el aire se desliza a través de éstas (que no vibran), produciendo un ruido fricativo. Y, generalmente, el sonido fricativo así producido queda reforzado mediante el rozamiento del aire contra la bóveda de la cavidad bucal abierta. Es el 'sonido aspirado' [*h*] en alemán *Haus.*

---

[19] Frecuentemente se oye aquí la resonancia (*y*) o [*ç*] cuando se ha roto ya la oclusión del sonido principal.

69. En algunas lenguas, al deshacerse la oclusión de las oclusivas sordas (cf. §§ 51-57), las cuerdas vocales no recuperan inmediatamente su posición normal, de suerte que el aire que sigue saliendo produce una aspiración. Si el forzamiento de la oclusión se realiza rápidamente [20], se produce solamente un sonido fricativo general, y ello debido al aire que sigue pasando por las cuerdas vocales abiertas. De esta suerte, se producen las aspiradas [*p-h, t-h, k-h*] [21], que son tan características en el alemán (en contraste con el francés y, en general, con las lenguas romances): *Paul, Tafel, Kur* (en cambio, no aspiradas en francés *Paul, table, cure*).

5. Semivocales (§§ 70-73)

70. Algunas de las fricativas ya nombradas en parte se designan como semivocales, pues guardan parentesco con determinadas vocales (desde el punto de vista de la historia de la lengua incluso a veces han nacido de estas vocales). Hay que partir de los grados mínimos de abertura vocálica [*i, ü, u*] (cf. § 44); si estrechamos todavía más el grado de abertura, se produce una fricación, es decir, de la vocal nace la correspondiente fricativa. En particular:

71. Si al pronunciar la vocal palatal [*i*] reducimos la distancia que media entre el predorso de la lengua y el paladar duro hasta el punto de que el aire produzca entre

----

[20] Para otra posibilidad, cf. § 79.
[21] Esta es también la pronunciación primitiva de las aspiradas del griego antiguo ϑ, φ, χ. Con el tiempo pasaron a ser fricativas (fonéticamente [ϑ, *f*, χ o *ç*]).

uno y otro una fricación, nacerá la fricativa [y] (cf. § 64) que
como semivocal se transcribe también con el signo [i̯].

72. Si al pronunciar la vocal redondeada velar [u] estrechamos el espacio entre los labios (pero manteniendo la
posición velar de la lengua requerida por la [u]) hasta el
extremo de que el aire provoque entre los labios una fricación, tendremos la fricativa redondeada bilabial con posición velar de la lengua [w] (transcrita también como [u̯],
cf. § 59).

73. Si al pronunciar la vocal redondeada palatal [ü] estrechamos el espacio entre los labios redondeados (pero
manteniendo la posición palatal de la lengua requerida por
la [ü]) hasta el punto de que se origine un rozamiento del
aire entre los dientes, se obtendrá la fricativa redondeada
bilabial con posición palatal de la lengua [ẅ] (transcrita
también [ü̯]) en francés *huit, nuit*. Ambas fricativas [w] y
[ẅ] se distinguen entre sí solamente por la respectiva posición de la lengua —velar o palatal— y el timbre consiguiente.

Desde el punto de vista fonológico, las semivocales se
consideran ya consonantes (por ejemplo, [y] en francés *ail*
[āy]), ya vocales sin acento silábico; por tanto, elementos
del diptongo (por ejemplo, [i̯] en portugués *coisa*).

En la realización fonética de estos fonemas aparecen
grandes diferencias. En algunas lenguas se pronuncian tan
abiertas (especialmente como segundos elementos de diptongo [al. *kaufen;* § 97], pero también como primer elemento [esp. *ié, ué;* §§ 171, 176]) que no llega a producirse ruido
fricativo alguno.

C) COMBINACIÓN DE OCLUSIVAS Y
FRICATIVAS (AFRICADAS) (§§ 74-79)

74.   Una africada (§ 48) no es la unión bifonemática de un
sonido oclusivo con el correspondiente sonido fricativo, pues
tal unión implicaría dos tiempos sonoros (como una geminada: § 50). Una africada es más bien un sonido que se pronuncia en un solo tiempo sonoro de manera que bajo el ángulo de la articulación comienza como sonido oclusivo y
acaba como sonido fricativo.—Por tanto, en el curso de la
pronunciación de un único sonido se modifica el modo de la
articulación en lo relativo al grado de abertura de la boca
(«sucesión deslizante»: § 40).—La transcripción fonética tiene por fuerza que utilizar dos signos (por ej., [ts]: § 75). La
valoración unisónica (monofonemática) de esta combinación
debería indicarse mediante un signo parentético suplementa-
rio, a cuyo empleo renunciamos en esta exposición.

75.   De la combinación de la oclusión respectiva (§§ 52,
53) con la correspondiente fricación (§§ 60, 61) nacen la africada labial sorda [pf] (al. *Apfel),* la africada dental sorda
[ts] (al. *Zimmer)* y la africada dental sonora *(dz)* (ital. *zero).*

76.   Las oclusivas prepalatales [č, ǧ] se articulan normalmente como africadas, cf. § 55.

77.   Si antes de la silbante alveolar [š] (cf. § 65) se pronuncia la oclusiva alveolar correspondiente [22], tendremos la

---

[22]   Y precisamente con el predorso de la lengua, conforme a la articulación de la fricativa š. La oclusiva carece de signo, pues sólo aparece en la africada.

africada dorsal alveolar [ć] (sorda) en italiano *cento*. La africada sonora correspondiente es [ǵ] en italiano *già*.

78. Así, pues, entre [č] y [ć] (e igualmente entre [ǧ] y [ǵ]) la diferencia radica en que [č] se forma más atrás en el paladar duro y sin acanalamiento de la lengua, en cambio, [ć] se forma más adelante en los alvéolos y con acanalamiento de la lengua, produciéndose un claro ruido fricativo. Así, se distinguen sobreselvano *gia* [ǧa] 'ya' e italiano *già* [ǵa] 'ya'.—Español [ć] en *mucho* produce casi la impresión de una [č], pues se articula algo más atrás y con más débil acanalamiento de la lengua que la [ć] claramente silbante en italiano *cento*. En alemán se puede reproducir el sonido [ć] pronunciando la palabra *Peitsche* de manera que la oclusiva [t] se articule no con la punta de la lengua, sino con su predorso (contra los alvéolos).—En la historia fonética de las lenguas romances se puede seguir el proceso de un paulatino avance de [k] a través de [č] hasta llegar a [ć] (y, parcialmente, desembocar por fin en la africada apical [ts]: c e n t u m > logud. *kentu*, románico primitivo *[čentu] > [ćento] (= italiano *cento*) > francés antiguo *cent* [tsā(n)t]; cf. § 312.

79. Las africadas se producen por la demora en forzar la oclusión, demora ocasionada casi regularmente en la [č] por el arqueamiento de la parte anterior del paladar (cf. § 55). La razón de que de la oclusiva de c e n t u m (logud. *kentu*) haya nacido en la Romania una africada (italiano [ć], francés antiguo [ts]) [23] está en la etapa intermedia del románico primitivo [č] (cf. § 312 s.).

---

[23] El proceso se llama también 'asibilación', pues a la oclusiva se ha agregado una silbante.

Igualmente pueden nacer africadas por la demora en forzar la oclusión de las aspiradas (cf. § 69); en este caso se produce una fricación no sólo en las cuerdas vocales, sino también en el punto donde se deshace la oclusión. De [*p-h, t-h, k-h*] resultan así las africadas [*pφ, tϑ, kχ*], que desempeñan un importante papel, por ejemplo, en la prehistoria de la sustitución de consonantes en alto alemán.

D) LAS DEMÁS CONSONANTES (§§ 80-86)

1. Laterales (§§ 80-84)

80. Si al articular una oclusiva se forma la oclusión sólo en el centro, dejando que el aire pase a ambos lados del lugar de la oclusión (ya se produzca un ruido fricativo, ya no se produzca por pasar el aire holgadamente), resultará una lateral.—Prácticamente sólo interesan aquí las laterales apicales y las dorsales.

81. La lateral apical [*l*] se forma por oclusión·postdental (como [*d*], cf. § 53) con la punta de la lengua y dejando siempre un espacio libre a los lados. Es la [*l*] normal en francés *langue*.

La posición de la lengua al articular la [*l*] varía mucho en cada individuo. Algunos hablantes, en vez de en el centro, colocan la lengua en uno de los dos lados, y la corriente de aire sale entonces por el lado opuesto.

82. Las laterales dorsales se dividen en predorsales y postdorsales.

83. La lateral predorsal [*ł*] se forma por oclusión central entre el predorso de la lengua y parte anterior del paladar

(como [ǧ], cf. § 55), quedando abierto un espacio a ambos lados. Es la [ł] palatal en italiano *figlia,* español *Sevilla* [24].

La relajación y finalmente supresión de la oclusión central hace que de la [ł] (difícil de articular por la escasa elasticidad del dorso de la lengua) nazca con toda naturalidad la fricativa palatal [y] como en francés *fille* [fiy] (< francés antiguo [fiłə]), español dialectal y popular [seβiya] *'Sevilla'*.

84. La lateral posdorsal [L] se produce mediante la formación de una oclusión central entre el posdorso y el paladar posterior (a veces también entre el dorso y el paladar duro). Esta [L] «velar» ocurre en al. entre algunos hablantes, por ej., en la palabra *Glas,* al paso que la lateral se forma en el mismo sitio (§ 55) que la *g* precedente.—Es distinta desde el punto de vista articulatorio (pero afín desde el punto de vista acústico) la [L] «velarizada», que se pronuncia mediante el contacto central de la punta de la lengua (§ 81) con los alvéolos (apófisis dental); por tanto, con la punta de la lengua algo retraída y levantando al mismo tiempo el posdorso contra el paladar posterior (como en [u]. § 43): port. *altro,* cat. *altre* (§ 412). La [L] que se pronuncia en el espacio lingüístico de Colonia es también una variante de la [L] «velarizada».

La [L] velar, y especialmente la velarizada, desempeña un importante papel en la historia de las lenguas románicas (y también, por ejemplo, en el ruso); no es muy persistente; antes bien, suele resolverse en la vocal posterior [u]; así, por ej., en latín a l t e r u [aLteru] > francés antiguo *autre* [áutrə].

_____

[24] En it. se pronuncia larga, al paso que en esp., port. y otras lenguas se pronuncia breve.

2. Vibrantes (§§ 85-86)

85. Mediante la vibración de la punta de la lengua, que es elástica, contra el cielo de la boca detrás de los incisivos, se produce la vibrante apical postdental [r] en italiano y español *ramo*[25]. Una variedad del sonido consiste en un solo golpe de la lengua contra la zona alveolar; la [r] así producida se distingue en varias lenguas de la [r] redoblada (cantidad con valor fonológico, cf. § 124): español *pero, perro.*

86. Frecuentemente la vibración de la punta de la lengua se sustituye por la vibración de la úvula; así, generalmente, en alemán y en la pronunciación (oficial) del francés (*r grasseyé*).

En la articulación de la *r* uvular se acaba frecuentemente por descuidar la vibración de la úvula, de suerte que no queda más que un sonido fricativo que acústicamente apenas se distingue de la fricativa velar [ɣ] (cf. § 66).

Laterales (§§ 80-84) y vibrantes (así como las nasales *m, n)* tienen también la denominación conjunta de *liquidae* ('líquidas fluidas'). Cf. Platón, *Cratilo*, p. 434 c; Mar. Victorin., *Gramm.* VI 32, 10 Keil; E. Brock, *Trivium* 2, 1944, p. 205, nota.

III. La sílaba (§§ 87-113)

87. Existen diferentes teorías acerca de la naturaleza de la sílaba. En lo que sigue expondremos la opinión que

---

[25] El punto en que vibra la punta de la lengua puede estar también más atrás (alvéolos, zona prepalatal). Para la posición del dorso, cf. 223.

encuadra mejor en la explicación de los fenómenos fonético-históricos. Más detalles en **R. H.** Stetson, *Motor Phonetics*, Amsterdam, 1951.

A)   SÍLABA Y GRADO DE PERCEPTIBILIDAD (§§ 88-96)

1. Concepto del grado de perceptibilidad (§§ 88-90)

88. Para comprender la naturaleza de la sílaba hay que echar mano de la fonética acústica (cf. § 40). Es aquí donde el concepto de perceptibilidad sonora desempeña un papel.

89. El grado de perceptibilidad de un sonido depende principalmente de la intensidad con que se articula (cf. § 114). Es claro que una [a] articulada con intensidad máxima tiene un grado de perceptibilidad mayor que una [a] emitida con un impulso débil o simplemente susurrada [26]. La distribución de una mayor o menor intensidad desempeña el papel principal en la acentuación de la palabra, cf. § 114 ss.

90. Aunque pronunciemos todos los sonidos con la misma intensidad (aproximada), sin embargo no tienen todos el mismo grado de perceptibilidad. Y es que en este caso aparece el grado de perceptibilidad propio de cada sonido (esto es, la perceptibilidad que por sus cualidades específicas corresponde a cada sonido). Es evidente, por ejemplo, que una [t] posee una perceptibilidad propia menor que

---

[26] Para el susurro las cuerdas vocales tienen que adoptar una posición especial que excluye la producción de la voz.

una [*a*]. Por lo que toca a las lenguas que nos ocupan, podemos establecer la siguiente escala aproximada de perceptibilidad (de menor a mayor):

1er. grado: oclusivas orales [*p, t, k, b, d, g*].
2.º grado: fricativas sordas [*f, s, ç, š*].
3er. grado: fricativas sonoras [*v, z, ž, y*].
4.º grado: oclusivas nasales [*m, n, ñ, ŋ*].
5.º grado: laterales y vibrantes [*l, ḷ, L, r*].
6.º grado: semivocales: [*i̯, u̯, ü̯*].
7.º grado: vocales en el siguiente orden [27]:

    a) Vocales de pequeño grado de abertura [*i, u*].
    b) Vocales de grado medio de abertura [*e, o*].
    c) Vocales de máximo grado de abertura [*a*].

2. El grado de perceptibilidad en la palabra (§§ 91-92)

91. La sucesión de los distintos grados de perceptibilidad sonora en la palabra semeja una curva con sus subidas y bajadas, con sus cumbres y sus valles de perceptibilidad, por ejemplo:

m a s t i c a r e
4-7c-2-1-7a-1-7c-5-7b

a r t e s
7c-5-1-7b-2

m a t r e m
4-7c-1-5-7b-4

Naturalmente que no todas las cúspides son igual de altas ni igual de profundos todos los valles: 'cúspide' y 'valle' son

---

[27] Las vocales nasales tienen un grado mayor de perceptibilidad que las correspondientes vocales orales.

relativos; esto es, dependen del contorno. Esto se ve bien comparando entre sí dos palabras alemanas como

$$[m \, o \, n \, a \, t]$$
4-7b-4-7c-1

$$[a \, t \, nt \, a \, t]$$
7c-1-4-1-7c-1

donde la [n] es valle de perceptibilidad en [monat] y cumbre en [atntat]. Pues bien, se suele dar el nombre de sílaba a la cúspide de perceptibilidad junto con la zona del valle que le pertenece. La cúspide de perceptibilidad en cuanto 'cúspide silábica' es el soporte principal de la sílaba.

92. La cúspide silábica está formada generalmente por una vocal (pues las vocales poseen un grado de perceptibilidad superior al de las consonantes), pero puede también estar representada por una consonante, cf. [atntat] y la interjección alemana

$$[p \, s \, t]$$
1 2 1

donde la s constituye la cumbre silábica [28]. A veces entre la cumbre y el punto más profundo del valle hay todavía una 'bajada'; y entre el valle y la cúspide puede haber también una 'subida': por ejemplo, bajada en *masticare (s), artes (r)*; subida en *matrem (r)*.

---

[28] Dado el grado relativamente escaso de perceptibilidad propia y para destacarla la cúspide silábica se pronuncia aquí con gran intensidad y también con cantidad más larga (suma de perceptibilidad, cf. § 95).

3. El límite silábico (§§ 93-94)

93. La sílaba comienza (en las lenguas que nos interesan) con el punto más profundo del valle, y abarca (dado el caso) la subida, (necesariamente) la cúspide así como la bajada, si la hubiere. Con el próximo punto más bajo del valle comienza la nueva sílaba [29]:

$$p \; ar / t \; i \; / r \; e$$
$$\text{1-7c-5 / 1-7a / 5-7b}$$

$$l \; a \; / t \; r \; o \; / n \; e \; s$$
$$\text{5-7c / 1-5-7b / 4-7b-2}$$

En inicial absoluta la sílaba puede comenzar también directamente con la cúspide; por ejemplo, italiano y español *o-ro*. Para el alemán, cf. § 57.

Nótese que tiene valor de regla completamente natural el hecho de que una sílaba pueda comenzar con un grupo de consonantes capaz de ir (en la lengua respectiva) al comienzo de palabra, por tanto:

$$p \; a \; / t \; r \; e \; m$$
$$\text{1-7c / 1-5-7b-4}$$

(cf. *tres*), pero:

$$c \; a \; p \; / s \; a$$
$$\text{1-7c-1 / 2-7c}$$

(pues ninguna palabra genuinamente latina comienza por *ps-*); asimismo:

$$p \; a \; r \; / t \; e \; m$$
$$\text{1-7c-5 / 1-7b-4}$$

---

[29] El límite silábico se indica aquí y en lo que sigue con una rayita transversal.

Respecto a la situación del límite silábico, se distinguen dos clases de estructura silábica: las sílabas que terminan con la vocal de la cúspide silábica se llaman «abiertas» (*pa-te-re*); en cambio, las sílabas con bajada (*par-tim*) se llaman «cerradas». La vocal de una sílaba abierta (la «vocal libre») se halla en posición «libre», y la vocal en sílaba cerrada (la «vocal trabada») se halla en posición «trabada».

94. Gracias al concepto de cúspide de perceptibilidad y cúspide silábica se comprende, por ejemplo, la *i* protética del latín vulgar ante *s* + consonante en principio de dicción (latín vulgar i s c r i p t a, francés antiguo *escrite*, cf. § 353). En medio de dicción, por ejemplo:

$$p\ i\ s\ /\ c\ a\ /\ r\ e$$
$$\text{1-7a-2 / 1-7c / 5-7b}$$

la *s* pertenece a la sílaba precedente, pues dicha letra posee un grado de perceptibilidad mayor que la siguiente [*k*]. En principio de dicción de palabras como

$$s\quad c\quad r\quad i\quad p\ /\ t\quad a$$
$$\text{2 - 1 - 5 - 7a - 1 / 1 - 7c}$$

el grupo [*sk*] no puede repartirse entre dos sílabas, y la primera sílaba de tales palabras comienza, por tanto, con sonoridad descendente (desde [*s*] hasta [*k*]). Y ello es posible porque la bajada de [*s*] a [*k*] no es tan pronunciada como para que la [*s*] pueda despertar la impresión de que forma una cúspide sonora totalmente válida. Por esta razón, alemán *Skala* e italiano *scala* son palabras bisílabas, no trisílabas. Pero hay muchos idiomas que no toleran que las sílabas comiencen con cúspides secundarias. Los que hablan esos idiomas consideran fácilmente la [*s*] inicial ante conso-

nante como sílaba independiente y propenden a fortalecer
la supuesta cúspide silábica mediante la adición de un elemento vocálico. Al propagarse la lengua latina por el Imperio fueron conquistados seguramente muchos hablantes que,
por influjo de su primitiva lengua nativa, propendían a dar-
les a las palabras latinas que aprendían el tratamiento des-
crito. De esta manera la lengua familiar general creó formas
como

$$i \quad s/c \quad r \quad i \quad p/t \quad a$$
$$7a - 2 / 1 - 5 - 7a - 1 / 1 - 7c$$

(cf. también sirio *esṭasin* < στάσιν, etc.).

4. *Perceptibilidad, cantidad, estructura silábica* (§§ 95-96)

95.　Pero el sonido producido hay que considerarlo también en el tiempo; por tanto, en unión con la 'cantidad' de
los sonidos. La totalidad sonora producida en la articulación
de un sonido o conjunto de sonidos es lo que se llama suma
de la plenitud sonora o suma de la perceptibilidad. Una $[\bar{a}]$
larga tiene, naturalmente, una mayor suma de plenitud sonora y más peso en el habla que una $[\breve{a}]$ breve, aunque la perceptibilidad presente en cada momento de la articulación sea
igual en ambos sonidos. Igualmente varios sonidos emitidos
uno tras otro tienen una suma de perceptibilidad mayor que
cada sonido singular de igual grado de perceptibilidad propia. Por tanto, suma de perceptibilidad = grado de perceptibilidad + cantidad.

Respecto a la suma de perceptibilidad, se pueden establecer frecuentemente en la historia de la lengua ciertas tendencias igualatorias. Así, por ejemplo, en la mayor parte de las
regiones de la Romania se pronunciaron cerradas las largas
latinas (con valor fonológico, cf. § 124) y abiertas las breves:

t ē l a (italiano *tẹla*), pero b ĕ n e (italiano *bẹne*); cf. sobre esto § 156. Tenemos nivelación de la suma de la perceptibilidad: cantidad larga + grado menor de perceptibilidad = cantidad breve + grado mayor de perceptibilidad.

96. Se pueden igualmente comprobar tendencias niveladoras de la cantidad en la estructura de la sílaba (cf. § 93). En algunas regiones de la Romania (por ejemplo, en la Galia) —una vez que hubo desaparecido la conciencia de la cantidad latina con valor fonológico (cf. § 124)— las vocales tónicas en posición libre se pronunciaron largas (y en el curso de la ulterior evolución se alargaron en diptongo, cf. § 107); en cambio, se pronunciaron breves en posición trabada (independientemente de su anterior cantidad latina): **pēra* (< latín p ĭ r a) > francés antiguo *peire*, francés moderno *poire*, pero *mĕttere* (< latín m ĭ t t e r e) > francés *mettre*; cf. para esto § 163. Se trata de una nivelación de la cantidad silábica: consonante + vocal larga (sílaba abierta) = consonante + vocal breve + consonante (sílaba cerrada).

B) EL DIPTONGO (§§ 97-108) [30]

1 Diptongos descendentes y ascendentes (§§ 97-99)

97. Un diptongo es la combinación de dos vocales en una sílaba [31], por ejemplo, alemán 'kaufen':

$$[k \; á \; o \; / \; f \; \partial \; n]$$
$$1\text{-}7c\text{-}7b \; / \; 2\text{-}6b\text{-}4$$

---

[30] Para una orientación más amplia, cf. P. Menzerath, *Der Diphthong, Eine kritische und experimentelle Untersuchung*, Bonn, 1941.

[31] En contraposición al hiato (cf. § 109) o reparto de dos vocales consecutivas entre dos sílabas.

Un diptongo es generalmente «monofonemático», es decir, mediante la «sucesión deslizante» de las características (§ 40) forma un único fonema (al. *kaufen*), mientras que un hiato (fr. *trahir*) es «bifonemático» como sucesión de dos fonemas.—Con relación al grado de sonoridad, los diptongos pueden constar de elementos de igual sonoridad (aproximada) [*ee* (§ 107); *ui*] o de sonoridad (claramente) distinta [*au*].

La vocal con mayor grado de perceptibilidad se articula también en general con mayor intensidad (más detalles en el § 99); al propio tiempo, es cúspide silábica.

98. Si la vocal con menor perceptibilidad (e intensidad) en el diptongo se halla detrás de la cúspide, esto es, en la bajada o distensión, el diptongo es 'descendente' o decreciente: *áu, ái, éi*. En él, pues, el elemento del diptongo que sigue a la cúspide forma la bajada o distensión (cf. § 92).

Si en el diptongo la vocal de menor perceptibilidad (e intensidad) se halla antes de la cúspide, esto es, en la subida o tensión, el diptongo es 'ascendente' o creciente (*iá, ié, uó*). En él el elemento del diptongo que precede a la cúspide forma la subida o tensión (cf. § 92).

99. Los diptongos ascendentes, según el grado de perceptibilidad propia, pueden pronunciarse como descendentes mediante una mayor intensidad sobre su primer elemento. Así, los diptongos *ie, uo*, que son de por sí ascendentes, se pronuncian en algunos dialectos suditalianos como descendentes al acentuar su primer elemento: *íe, úo*. Es fácil comprobar que ciertas lenguas tienen tendencia a ajustar la distribución de la intensidad al carácter propiamente ascendente de tales diptongos, cf. §§ 111 s., 198 nota.

2. *Diferenciación y asimilación en el diptongo* (§§ 100-108)

100. En la historia de la lengua se pueden establecer, en lo que mira a la cualidad de los elementos del diptongo, dos tendencias fundamentales contrapuestas: diferenciación = disimilación (c. § 135) y asimilación (cf. § 132 ss.).

A) DIFERENCIACIÓN (§§ 101-107)

101. La diferenciación de los dos elementos del diptongo entre sí puede alterar cada uno de los dos elementos, y esta alteración puede referirse al grado de perceptibilidad (= grado de abertura de la vocal) o a la articulación labio-lingual.

α) En diptongos ascendentes (§§ 102-103)

102. El diptongo ascendente [*ié, uó*] es la sucesión de un grado de abertura pequeño y de otro mayor (grado de perceptibilidad).—Si la diferenciación de los dos elementos del diptongo afecta al grado de perceptibilidad, resulta evidente su finalidad de destacar y reforzar la cúspide silábica frente a la distensión o bajada (cf. § 92). Y ello puede conseguirse por dos caminos: abertura de la vocal de la cúspide y cierre de la vocal de la distensión.

Abriendo la vocal de la cúspide, los diptongos [*ié, uó*] producen los diptongos fuertemente diferenciados [*iá, uá*], que encontramos, efectivamente, en dialectos españoles en vez de [*ié, ué*]. Encaja asimismo aquí el cambio del francés moderno de [*ụé*] a [*ụá*] en *toi* (cf. § 131).—Está muy extendido el cierre del primer elemento, que justo por ello se convierte en fricativo [*i̯, u̯*], como, por ejemplo, en fr. moderno, donde [*i̯é, u̯á*] reemplazaron a los más antiguos [*ié, ụé*]:

pied [*pié*], *toi* [*tuá*]. Con ello la subida o tensión puede convertirse en consonante regular (§ 92).

103. La diferenciación de la articulación labio-lingual afecta a los fenómenos de desredondeamiento, redondeamiento, palatalización y velarización. Palatalización y desredondeamiento de la vocal de la cúspide ocurre, por ejemplo, en el cambio [*uó*] > [*ué*] en el español (cf. § 176). Desredondeamiento (y anterior palatalización) del primer elemento del diptongo ocurre en el cambio de [*uó*] > [*ió*] (pasando por [*üó*]) en dialectos italianos.

β) En diptongos descendentes (§§ 104-107)

1) *Diferenciación de diptongos ya existentes* (§§ 104-106)

104. Las posibilidades de diferenciación de los diptongos descendentes corresponden a las mencionadas en el § 101.

105. En diptongos descendentes como [*éi, óu*] la vocal de la cúspide puede abrirse (resultado: [*ái, áu*]), como efectivamente sucede en dialectos de Apulia. Por otra parte, cabe también cerrar la distensión, con lo que el elemento de la distensión del diptongo pasa a ser sonido fricativo [*éi̯, óu̯*], e incluso a veces termina por convertirse en sonido oclusivo.

Los diptongos cuyo elemento distensivo se ha convertido en oclusiva se llaman diptongos 'endurecidos', y ocurren especialmente en dialectos retorromanos, francoprovenzales y provenzales: *téila* > *tegla* (pasando por [*teila, teγla*], cf. § 170). El elemento de la distensión del diptongo se ha convertido así en consonante regular (cf. § 92).—El proceso inverso ocurre, por ej., en la vocalización de la [*L*] (§ 84).

106. Diferenciación de la articulación labio-lingual (conforme al § 101) ocurre, por ejemplo, en el cambio francés

[*ei*] > [*oi*] (velarización y redondeamiento de la vocal de la cúspide: francés antiguo *treis* > *trois*), [*ou*] > [*eu*] (palatalización y desredondeamiento de la vocal de la cúspide: francés antiguo *dous* > *deus*, cf. § 182).

2) *Diptongación de monoptongos por alargamiento* (§ 107)

107. Cuando los monoptongos se articulan muy largos, es frecuente que la intensidad decrezca algo al final de la articulación. De esta suerte el comienzo del monoptongo se diferencia ya algo de su final; el monoptongo tiene fácilmente perceptibilidad decreciente: t ē l a > *tēᵉla*. No falta sino un paso más para que la diferenciación iniciada aparezca también en el grado de abertura de la distensión: *tēᵉla* > *téila*. El monoptongo quedó así «alargado» en un diptongo deçreciente («diptongación por alargamiento»). El nuevo diptongo puede diferenciarse más conforme a los §§ 104 ss.

B) ASIMILACIÓN, MONOPTONGACIÓN (§ 108)

108. El proceso opuesto a la diferenciación es la eliminación de las diferencias mediante reajuste recíproco (asimilación, cf. §§ 132 ss.) dé los elementos del diptongo: la monoptongación. Así, el proceso nos puede llevar de [*au*], pasando por [*ọu*] y [*ọᵒ*], hasta [*ọ*] (francés antiguo *autre*, francés medio [*ọutrə*, *ọᵒtrə*], francés moderno [*ọtrə̃*]); igualmente [*üę́*] > [*üọ̈*] > [*ö*] (francés antiguo *puet* > [*püöt*] > francés moderno -*eux* [*ö*]).—También es posible la monoptongación con sólo reforzar la cúspide y eliminar la distensión: latín a u > sardo *á* (t a u r u > *taru*), francés antiguo *ai* > borgoñón *a* (*faire* > *fare*).

c) DESAPARICIÓN DE SÍLABAS (§§ 109-113)

1. Fusión de una serie vocálica bisílaba (§§ 109-112)

109. Una vocal que sigue a una consonante puede considerarse ya como ápice de sílaba, aun cuando vaya seguida de otra vocal que —por su perceptibilidad— es también ápice silábico independiente («serie vocálica bisílaba» o «hiato»): latín:

$$fi \ / \ li \ / \ a$$
$$\text{2-7a / 5-7a / 7c}$$

La evolución, empero, suele desembocar (y así, en el latín vulgar) en la formación de una sílaba en que quedan unidas ambas vocales («serie vocálica en diptongo», cf. § 97). La vocal más sonora constituye, naturalmente, la cúspide silábica: latín vulgar [32] (primeramente)

$$fi \ / \ lia$$
$$\text{2-7a / 5-7a-7c}$$

La vocal menos sonora [i] ocupa la subida o tensión del diptongo, y esa serie vocálica constituye un diptongo «ascendente» (cf. § 98). Pero entonces entra en juego la tendencia aludida en el § 102, esto es, la tendencia a debilitar la sonoridad del elemento tensivo para que así resalte más el ápice silábico: latín vulgar:

$$fi \ / \ lia$$
$$\text{2-7a / 5-6-7c}$$

---

[32] Así también en poesía: *Laviniaque venit litora* (Virg., *Eneid.*, 1, 2).

De la misma manera el latín

$$a \: / \: r \: a \: / \: n \: e \: / \: a$$
$$\text{7c} \: / \: \text{5-7c} \: / \: \text{4-7b} \: / \: \text{7c}$$

pasa en latín vulgar a

$$a \: / \: r \: a \: / \: n \: e \: a$$
$$\text{7c} \: / \: \text{5-7c} \: / \: \text{4-7b-7c}$$

El diptongo *ea*, en virtud de la reducción del elemento tensivo (cf. § 102), se convierte en *ia*:

$$a \: / \: r \: a \: / \: n \: i \: a$$
$$\text{4-7a-7c}$$

El desarrollo desemboca por fin (igual que *fili̯a*) en

$$a \: / \: r \: a \: / \: n \: i̯ \: a$$
$$\text{4-6-7c}$$

110. Este desarrollo afecta, mediante la analogía combinatoria de fonemas, en el latín vulgar a todas las series vocálicas del tipo

cons. + *i* + vocal
cons. + *e* + vocal

El resultado es siempre

cons. + *i̯* + vocal

Por tanto: *filiu* > *fili̯u, malleu* > *malli̯u*, etc. (cf. § 251).

111. Surge una cierta complicación cuando la *i* o la *e* llevan acento:

$$fi \: / \: l\acute{\imath} \: / \: o \: / \: lus$$
$$\text{5-7a} \: / \: \text{7b}$$

En este caso, la evolución desemboca primero en un diptongo descendente *ío*, cuyo acento se transfiere a la vocal más sonora *o* (diptongo ascendente, cf. § 99): *ió;* después el elemento tensivo del diptongo se reduce a *i̯* como en *fili̯a:*

$$fi \;/\; li̯ó \;/\; lus$$
$$5\text{-}6\text{-}7b$$

En a r a n é o l a la evolución desemboca igualmente en *arani̯óla,* aunque no se puede probar que *o* posee mayor perceptibilidad que *e: -éolus* fue arrastrado por el desplazamiento acentual, fonéticamente fundamentado, de *-íolus >
-iólus* (cf. § 110: analogía combinatoria).

112. Otro tanto hay que decir de la evolución del francés antiguo *reïne >* francés medio *réine* (francés moderno [*rɛn*]). La etimología latina

$$re \;/\; gí \;/\; na$$
$$5\text{-}7b \;/\; 1\text{-}7a$$

era trisílaba. En su evolución hacia el francés cayó la *g;* de ahí francés antiguo

$$re \;/\; i \;/ne$$
$$5\text{-}7b \;/\; 7a$$

Su carácter trisilábico está garantizado por la tradición; el «hiato» (esto es, el límite silábico entre vocales) es el último vestigio de la *g* desaparecida que constituía la sima silábica. Pero este estado dura poco; ambas vocales se sienten por los hablantes como una sílaba única. Al mismo tiempo, la vocal más sonora *e* atrae sobre sí paulatinamente la

mayor intensidad, y el diptongo se hace descendente: *éi*
(cf. § 99); por tanto,

$$r \; é \; i \; / \; ne$$
$$5\text{-}7b\text{-}7a$$

2. Debilitamiento de la intensidad (§ 113)

113. El debilitamiento de la intensidad en sílabas inacentuadas puede llegar al extremo de la desaparición de
las respectivas sílabas, cf. sobre esto §§ 119 ss.

IV. El acento (§§ 114-121)

114. El acento consiste en la mayor intensidad con que
se pronuncia la sílaba, especialmente la cumbre silábica.
Además, entendemos por acento la altura de tono y la entonación al pronunciar la sílaba, especialmente la cumbre silábica. Altura musical y entonación tienen valor fonológico
(§ 123) dentro de la palabra, por ej., en griego antiguo y en
chino. En latín, tal como sirvió de base a las lenguas románicas, la altura musical y la entonación dentro de la palabra
no desempeñan ningún papel de importancia fonológica.

Dentro de una palabra polisilábica, hay un decurso de la
intensidad: no todas las sílabas se pronuncian con la misma
intensidad. Y asimismo hay dentro de una oración multi-
membre un decurso de la intensidad de orden superior: no
todas las palabras de la oración se pronuncian con la misma
intensidad (§§ 575; 705; 723-725). Además, en el acento de la
frase, altura musical y entonación desempeñan un papel se-

mánticamente importante, por cuanto, por ej., la altura musical puede servir para la expresión de los afectos y la entonación de una oración enunciativa se distingue de la entonación de una oración interrogativa.—En lo que sigue (§§ 115-121) se tratará solamente del acento de la palabra (cf. además § 124).

A) LA SÍLABA TÓNICA (§ 115)

115. La máxima intensidad recae sobre una sílaba de la palabra. Esa sílaba es la «sílaba con acento principal o tónica», y su cumbre se llama «vocal con acento principal o tónica»: *cám-pus (a* vocal tónica).

La sílaba tónica es el centro dinámico de la unidad de la palabra. En torno a la sílaba tónica se agrupan las sílabas no tónicas (deuterotónicas: § 116) como su cortejo. La mayor intensidad propia del acento de la sílaba tónica se llama por esto acento «centralizador».—A veces varias palabras (cada una de las cuales designa una «cosa»: §§ 3; 40) forman juntas una unidad fonético-sintáctica muy estrecha, como la que de ordinario sólo corresponde a la unidad de la palabra. Esa estrecha unidad fonético-sintáctica se llama *mot phonétique* (§§ 576; 723) y está «centralizada» mediante una sílaba tónica.—Para la formación de un *mot phonétique* a base de una serie de palabras libres hasta entonces, cf. § 159, 7.

Atendiendo al lugar que la sílaba tónica ocupa en la palabra, cabe clasificar éstas en:

1. Oxítonas, cuando llevan el acento en su última sílaba *(ultima)*. Entran aquí, naturalmente, los monosílabos como *te, rem;* pero también las palabras con más de una sílaba, como i l l í c (> italiano *lì),* i l l á c (> italiano y francés *là),* italiano *città,* francés *cité,* español *ciudád,* etc.

2. Paroxítonas, cuando llevan el acento en la penúltima sílaba *(paenultima)*. Entran aquí la mayor parte de las voces latinas: l a n a (italiano *lana*, español *lana*), etc.

3. Proparoxítonas, cuando llevan el acento sobre la antepenúltima sílaba *(antepaenultima)*: t é p i d u s italiano *tièpido* [33].

El lugar del acento se rige en latín por la llamada ley de las tres sílabas. Según ésta, en las voces con más de dos sílabas el acento sólo puede recaer sobre la *antepaenultima* cuando la *paenultima* es breve (esto es, abierta [cf. § 93] y con vocal breve): *tépidus*, pero *mercēde, inéptus* [34].

B) LAS SÍLABAS INACENTUADAS (§§ 116-121)

116. Las sílabas átonas (y sus ápices) se pronuncian con menor esfuerzo intensivo que la sílaba tónica. Pero nótese que existen varias posibilidades en la gradación del esfuerzo intensivo.—Según su posición con relación al acento principal, se distinguen ante todo sílabas protónicas y sílabas postónicas.

---

[33] En ital. y rum. hay proproparoxítonos, esto es, palabras con el acento principal sobre la sílaba anteantepenúltima: ital. *índicano* (<í n d i c a n t : §§ 528; 533; 553; 797); rum. *púrecele* como *mot phonétique* formado de p ú l i c e i l l e (§§ 744-745).

[34] Una sílaba es larga cuando su vocal tónica es larga (larga por naturaleza, por ej., *mercēde*) o la sílaba es cerrada (larga por posición, por ej., *aptus*). Los términos *naturā* y *positione* son imitación de los términos griegos φύσει (por naturaleza) y θέσει (por atribución). Un grupo de consonantes 'forma posición' cuando cierra la sílaba (cf. § 93), por ej., *-pt-* en *ap-tus*.

1. Sílabas protónicas. Acento secundario (§ 117)

117. La primera sílaba protónica (inicial de palabra) lleva el acento secundario[35]; esto es, se articula con una intensidad inmediatamente inferior a la de la sílaba que lleva el acento principal: *mànére, sànitáte, mànducáre, vìridiáriu, àntecessóre.*

Las otras sílabas se llaman «intertónicas», pues van encuadradas entre el acento principal y el secundario *(mànducáre, àntecessóre)*. Se articulan con escaso esfuerzo intensivo (sílabas «átonas o inacentuadas»).

2. Sílabas postónicas (§ 118)

118. Los paroxítonos tienen una sílaba postónica *(cánem, manére)*, y dos los proparoxítonos *(tépidus)*. Las sílabas postónicas tienen escasa intensidad (sílabas «átonas»); sin embargo, aun aquí cabe establecer una gradación en el caso de que sean dos las sílabas postónicas (cf. § 121).

3. Tratamiento de las sílabas átonas (§§ 119-121)

119. Sílabas 'átonas' son aquellas (protónicas o postónicas) que no tienen acento principal ni secundario, cf. §§ 117, 118.

120. La distribución del esfuerzo intensivo sobre cada una de las sílabas de la palabra puede ser muy desigual, es decir, el acento principal puede destacarse al máximo;

---

[35] Como símbolo se suele emplear el *accentus gravis.*

en cambio, las sílabas átonas pueden articularse con una intensidad muy débil. El debilitamiento de la intensidad es debilitamiento de la perceptibilidad (cf. § 89), y las vocales átonas quedan reducidas a un soplo, un susurro, y finalmente enmudecen por completo. Este desarrollo está especialmente extendido en el románico occidental (cf. § 35) y apareció muy pronto en francés (§§ 272-291): t e p i d u > fr. *tiède*, a m i c u > fr. *ami*.

121. Merece atención especial el tratamiento de los proparoxítonos, que pueden tener una distribución de intensidad «descendente» o «reascendente». Se habla de distribución «descendente» de la intensidad cuando la primera sílaba postónica se pronuncia con un esfuerzo intensivo algo más fuerte («acento secundario fácil») que la segunda; por tanto, la intensidad «va descendiendo» siempre a partir de la sílaba que lleva el acento principal: *tépìdus*. Esta manera de repartir la intensidad acarrea frecuentemente en románico la total desaparición de la última sílaba postónica (la de articulación menos intensa), manteniéndose la primera sílaba postónica: t e p i d u > prov. *tébe*. Se habla de distribución «reascendente» de la intensidad cuando la primera sílaba postónica se pronuncia con el mínimo de esfuerzo intensivo y, en cambio, se articula más intensamente la última sílaba postónica («acento secundario fácil»): *tépidùs*. Esta manera de repartir la intensidad acarrea frecuentemente en románico la desaparición de la primera sílaba postónica («sílaba media de los proparoxítonos»), conservándose la última sílaba postónica: t e p i d u > francés *tiède*, s a p i d u > francés *sade*, etc.—El desplazamiento del acento sobre la *paenultima* (cf. § 152), así como la decisiva

influencia de la vocal media en la armonización de la vocal tónica (cf. § 188) presuponen «distribución descendente de la intensidad».

V. Fonología (§§ 122-128)

A) SONIDO Y FONEMA (§§ 122-124)

122. El número de sonidos y variantes de sonidos que podemos pronunciar es indefinido. Ahora bien, cada idioma posee sólo una pequeña selección de los sonidos posibles, y el sistema de selección es distinto en cada lengua. En todos los idiomas los significantes lingüísticos (palabras, formas, frases) constan de sonidos. En sí los sonidos carecen de toda significación [36], pero constituyen la materia prima, los elementos con que se forman los soportes de la significación.

La ciencia que estudia los sonidos en su calidad de elementos de significación en una lengua se llama Fonología. La Fonología es una «ciencia de funciones», cuyo objeto es la función significativa de los sonidos en un idioma; en cambio, la Fonética estudia las realidades externas, físico-fisiológicas (acústicas y articulatorias [cf. § 40]) de los sonidos del lenguaje.

123. El sonido en cuanto elemento portador de significación en una lengua se llama fonema. ¿Es fonema todo

---

[36] Esto no excluye que un cuerpo significativo pueda estar constituido por un sonido único: lat. *i*, fr. *haut* [ǫ], etc —En la onomatopeya un sonido único puede ser portador de un matiz significativo 'estilístico'.

sonido de una lengua? Si se comparan las palabras alemanas *ach* [aχ] e *ich* [iç], el fonetista encontrará en ellas los sonidos [χ] y [ç], muy distintos entre sí desde el punto de vista articulatorio y acústico (cf. §§ 64, 66). ¿Son también fonemas distintos? No; pues su presencia depende de la clase de la vocal precedente, ya que [χ] aparece solamente después de vocal velar y [ç] sólo detrás de vocal palatal (cf. también *Loch* [-χ], *Löcher* [-ç-]. Los dos sonidos son «variantes combinatorias» (esto es, dependientes del contorno fonético) de un fonema 'fricativo dorsal', el cual puedo «realizarse» como [χ] o como [ç]. Se dice también: los dos sonidos son sólo 'variantes fonéticas' o 'variantes sin valor fonológico' de un fonema; a también: en el fonema 'fricativo dorsal' la característica fonética de 'articulación velar o palatal' carece de valor fonológico. Por tanto, los sonidos de un idioma no son todos fonemas, ni cada fonema de una lengua corresponde a un determinado sonido, sino que puede ser una abstracción, por así decir, que dispone de varios sonidos fonéticos como posibilidades de realizarse. Cf. § 129.

Así, por ejemplo, en español hay una fricativa bilabial replegada [β] y una oclusiva bilabial [b]; la fricativa aparece en medio de dicción *(saber* [saβer]; *el vino* [el βino]), la oclusiva en comienzo de dicción *(vino* [bino]). Desde el punto de vista fonético, se trata, sin duda, de dos sonidos; pero uno y otro representan, fonológicamente, un solo fonema «consonante bilabial no redondeada», el cual puede realizarse mediante oclusión o fricación. Si dos sonidos son sólo variantes de un fonema o representan dos fonemas distintos, es cosa que decidirá el estudio de la igualdad o desigualdad de la función semántica (= significativa) de los sonidos respectivos. Así, las consonantes iniciales del alemán *Kasse* y *Gasse* son

seguramente dos fonemas distintos, y también las del alemán
Bass y *was*, pues sirven para diferenciar la significación.
En cambio, no hay pareja de voces españolas en que la diferencia fonética de [*b*] y [β] juegue un papel para diferenciar la significación.

124. Pero no sólo puede tener valor fonológico la cualidad de los sonidos; también puede tenerlo su cantidad. Así,
por ejemplo, en latín, la cantidad de las vocales tenía valor
fonológico, es decir, diferenciaba significaciones: *pōpulus*
'pobo', *pŏpulus* 'pueblo'. A veces pasa lo mismo en francés:
maître, mettre (cf. § 127). El italiano conoce el valor fonológico de las cantidades de las consonantes: *pala* 'pala',
palla 'pelota'. Igualmente el español: *pero / perro.*—Lo contrario de la cantidad con valor fonológico es la cantidad
sin valor fonológico, que puede estar condicionada por razones combinatorias (por ej., cuando la cantidad vocálica depende de la estructura silábica: § 96) o estilísticas (por ej., en
la voluntad de expresión personal condicionada por la situación).—En muchas lenguas hay un decurso de intensidad
(§ 114) con valor fonológico dentro de la palabra (esp. *cánto*
[presente], *cantó* [pret. indef.]).

B) EL SISTEMA FONOLÓGICO (§§ 125-128)

125. La relación de afinidad entre los diversos fonemas
de un idioma es distinta. Así, por ejemplo, los fonemas alemanes [*k*] *(Kasse)* y [*g*] *(Gasse)* tienen en común las notas
de «consonante, linguodorsal, oclusiva», pero se diferencian
en la nota de «voz» ([*k*] sorda, [*g*] sonora): guardan, pues
estrecho parentesco entre sí. En cambio, los fonemas ale-

manes [g] *(Gasse)* y [f] *(Finger)* sólo tienen la nota común de «consonante», al paso que se diferencian en las notas de «órgano articulatorio» (dorso de la lengua, labios), «modo de articulación» (oclusión, fricación), «voz» (sonora, sorda): el parentesco entre ambos fonemas es muy lejano.

126. Si se ordenan así todos los fonemas de una lengua según su grado de parentesco, resulta el sistema fonológico de esta lengua ordenado según (cf. arriba, p. 20 ss) oposiciones (§ 127: *pain / bain*) y analogías (§ 127: *p b m / t d n*). Cada lengua posee su propio sistema fonológico, del que el hablante no tiene conciencia, pero que, no obstante, constituye una realidad fundamental de cada lengua, en la misma medida, por ej., que el sistema de los elementos químicos es una realidad de la naturaleza.

Es obvio que la interpretación fonológica de los hechos fonéticos no es la misma en todos los fonólogos. Se pueden distinguir dos variantes en la interpretación: una de ellas considera con valor fonológico un máximo [37] de la escala de cualidades fonéticas ('maximalistas', por ejemplo, el francés G. Gougenheim); la otra reduce la escala fonológica de cualidades de los maximalistas a un mínimo ('minimalistas', por ejemplo, los daneses L. Hjelmslev y K. Togeby). Los maximalistas se mantienen cerca de la realidad lingüística concreta; los minimalistas rinden tributo a una abstracción, llevada hasta sus consecuencias extremas, y a

---

[37] Naturalmente, sólo en cuanto no aparecen casos claros de diferencias de realización meramente fonéticas (combinatorias). Así, incluso para los más acérrimos maximalistas, los sonidos alemanes [χ] y [ç] no son dos fonemas, sino sólo variedades combinatorias de un fonema (cf. § 123).—Por otra parte, algunos maximalistas consideran también los hábitos fijos de realización como elementos (marginales) del sistema fonológico.

la que no se le puede negar justificación ni fecundidad científicas. Así, por ejemplo, para los 'maximalistas' las voces francesas *beau, bon,* o *patte, pâte, pente* se diferencian por cualidades vocálicas distintas [*bo, bõ; pạt, pạt, pāt*] con valor fonológico. Un 'minimalista' auténtico se propondrá aquí esta cuestión: '¿Qué debo hacer para reducir a un mínimo las cualidades maximalísticas y descubrir así la estructura más profunda del sistema fonológico?'. Es posible la reducción del número de las cualidades; basta para ello explicar ciertas diferencias cualitativas como resultado de una combinación de cualidades que no se revela inmediatamente en la realización debido a un hábito fonético latente, sino que únicamente se deja aprehender como realidad profunda por el intérprete estructural de los hechos fonéticos. De esta manera, la articulación [*bõ*] se resuelve en el [*bon*] estructural; es decir, la vocal nasal [*õ*] no es más que la combinación de una [*o*] (oral) con una [*n*] 'latente', y la combinación [*on*] se realiza, en virtud del hábito latente, mediante la cualidad [*õ*], que no tiene valor fonológico. Francés *beau, bon* son, pues, [*bo, bõ*] en sentido maximalista, [*bo, bon*] en sentido minimalista. La diferencia estructural entre *bon* y *bonne* (femenino) se mantiene en el sentido de que *bonne* [*bọn* en la teoría maximalista] se explica [38] en la opinión minimalista como [*bonə*] con [*ə*] 'latente'. La diferencia entre *patte, pâte, pente* [*pạt, pạt, pāt* para un maximalista] se explica por los minimalistas en el sentido de que [*ā*] maximalística representa la combinación minimalística [*an*] (con [*n*] latente) y [*ạ*] maximalística representa la combinación minimalís-

---

[38] Pero en [*bonə*] la [*n*] no es latente, pues se halla en medio de dicción ante vocal.

tica [aə] (con [ə] [39] latente): *patte, pâte, pente* = [patɔ̀,
paətə, pantə]. Por este procedimiento logran los minimalistas reducir la escala cualitativa de las vocales francesas a
nueve cualidades [*i, ü, u, ẹ, ę, ö, o, a, ə*] [40]. Ahora bien, la
reducción exige una detallada y rigurosa formulación de las
leyes de latencia: estas leyes son hábitos firmes de realización, estrechamente vinculados a la estructura fonológica
de cuño minimalista. Hay lenguas con gran 'tensión latente'
(por ejemplo, el francés) y otras con escasa tensión latente
(por ejemplo, el italiano).

127. A continuación vamos a exponer el sistema fonológico del francés según la opinión maximalista.

I. Vocales (cumbre silábica: §§ 44; 91).

	oral			nasal	
i/ü					
		u			
ẹ/ö̈		ọ		ẽ/ö̃	õ
ę/ö̈	(ə)	ọ			ã
	ạ	ạ			

II. Semivocales (ascenso de la cumbre: §§ 70-73; 92)

y w̃ w

III. Consonantes (valle silábico, ascenso de la cumbre,
descenso de la cumbre: §§ 47-86; 91-92):

---

[39] Hay que observar que (desde el punto de vista de la historia y
del estado de la lengua) a [ə] no le corresponde una realidad fonética,
sino sólo abstracta.

[40] Cf. *Zeitschrift f. Phonetik u. allg. Sprachw.* 6, 1952, pág. 340.

A) Labiales (§§ 52; 58-60):

p b m
f v

B) Apicales y dorsales (§§ 53-56; 61-67; 80-85):

1)   t d n
                              l
                             (r)

2)   k g
                              y ñ

3)   s z
                           š ž

C) Sonido uvular (§ 86): *R.*
D) Para el sonido aspirado *h,* cf. §§ 68; 334.

IV. *Observaciones y ejemplos.*—El sistema fonológico no es independiente de las costumbres de combinación de fonemas (§ 126), como demuestra la división de los fonemas según la función posible en la sílaba de acuerdo con las costumbres (como cumbre silábica, valle silábico, ascenso y descenso silábicos). El sistema está orientado a las realizaciones consuetudinarias en las combinaciones de fonemas. En particular:

A) El sistema de las vocales (§ 127, I) (empleadas en la estructura de la palabra como cumbre silábica) muestra una distribución en vocales orales y nasales (§ 325), y en la escala de las vocales nasales hay menos oposiciones que en la de las vocales orales (§ 45). Las posibilidades de oposición de las vocales ofrecidas por el sistema quedan limitadas por la simplificación del sistema (1) y por las condiciones de la estructura de la palabra (2):

1) Hay simplificaciones del sistema (§ 130, 1) como resultado de la desfonologización (§ 129, 5) de todas las características formadoras de oposición entre dos fonemas opuestos en el sistema en todas las condiciones de combinación. Las simplificaciones del sistema tienen en fr. dirección horizontal (en el sentido del sequema del § 127, 1) y afectan a las oposiciones *a̦/a̦* y *ē̦/ŏ̦*:

a) La oposición *a̦/a̦* (*patte/pâte; battit/bâtit*), que se basa en una antigua oposición de cantidad *ă/ā* (§ 186), se realiza hoy cada vez con menos cuidado. La razón está en el hecho de que el fr. escrito lo hablan cada día mayor número de hablantes para quienes la oposición entre dos cualidades de *a* resulta extraña, por venir ellos de un dialecto regional (§ 130, 2).

b) El sistema de las vocales nasales, en virtud de un proceso que cada día gana círculos más amplios de la sociedad, se empobrece en la oposición *ē̦/ŏ̦*, pues muchos hablantes sustituyen *ŏ̦* por *ē̦*: *brun = brin* [*bRē̦*]; *jeun* [*ž̌ē̦*]; *lundi* [*lē̦di*]. También aquí hay que buscar la razón en el adstrato dialectal (§ 130, 2). Cf. §§ 45; 235.

2) Las condiciones de la estructura de la palabra (§§ 128; 130) son decisivas para los fenómenos de reducción en la esfera de los grados medios de abertura oral *e, ö, o*. La reducción consiste en la desfonologización de la diferencia entre un grado mayor y menor de abertura.—Los fenómenos siguen (prescindiendo de la inclusión de la *ə*) una dirección vertical (en el sentido del esquema del § 127, 1):

a) En posición prototónica (§ 115), la desaparición y mantenimiento de las oposiciones basadas en el grado de aber-

tura dentro de la esfera de los grados de abertura media depende de la alternativa «final de dicción/medio de dicción»:

α) La oposición ę/ẹ se funda en una antigua oposición de
las cantidades ĕ/ē (§ 186). Su realización varía según se trate
de final de dicción (I) y de medio de dicción (II) (§ 129, 3 *b*):

I) En final de dicción la oposición se realiza mediante
las cualidades ę/ẹ *(dais/dé);* cf. § 186. Por lo demás, una
parte de los hablantes deja perder, por resabios dialectales
(§ 130, **2**), la oposición y sustituye ẹ por ę *(billet, j'avais*
con [ę]).

II) En medio de dicción sólo se realiza como cualidad ę,
y la oposición se reproduce cuantitativamente como ē/ĕ
(maître/mettre; cf. §§ 186; 424). Por lo demás, la oposición
cuantitativa (por resabios dialectales: § 130, 2) va desapareciendo ampliamente en favor de la nivelación.

β) La oposición ö̧/ö̈ no existe en final de dicción, donde
sólo se realiza ö̈ (§ 186). En medio de dicción no tiene valor
fonológico fuera de la oposición *jeune/jeûne*, pues se rige
por la consonante siguiente (§ 186). El *rendement* (§ 128, 3)
de esta oposición queda, pues, limitado a un par de palabras.
Este vacío de oposición lo llena, en los finales de dicción dentro de la frase, la oposición ə/ö̈ (cf. abajo, II *b*) propia de
la posición no prototónica, pues en fonética sintáctica ə puede aparecer también en posición prototónica *(j'ignore ce que
vous dites/j'ignore ceux que vous dites).*—Para el final de
dicción en final de oración cf. § 44, 2 *b (montrez-le).*

γ) La oposición ǫ/ọ procede de una anterior oposición
de las cantidades ō/ŏ (§ 186). Su realización tiene condiciones distintas en final de dicción (I) y en medio de dicción (II):

I) En final de dicción no existe la oposición, pues sólo
se realiza ọ (§ 186: *sot, haut).*

II)   En medio de dicción no existe la oposición ante [-z]
(donde sólo se realiza ǫ: *chose*) ni ante [-r] (donde sólo se
realiza ǫ: *mort, flore, maure*). Ante otras consonantes se realiza, por un lado, mediante la combinación de la breve con
la abertura, y, por otro, de la larga con el cierre: *pomme/
paume; sotte/saute; cotte (cote)/côte*.

b) En posición no prototónica (§ 116) se producen las
siguientes reducciones:

α) La oposición ę/ę no tiene existencia fonológica. La
realización fonética reparte las cualidades ę y ę, distintas sólo
en matices, según puntos de vista combinatorios (*presser*
[-ęsę], *pressait* [-ęsę]; cf. § 134).

β) La vocal dorsal ə es de hecho una vocal predorsal labializada (§ 44, 2 *b*) y se opone como cualidad abierta (en vez
de ȫ) a la ȫ cerrada. La oposición ə/ȫ aparece en los ejemplos *comme je dis/comme jeudi; de tristes personnages/deux
tristes personnages.*—La vocal dorsal ə es «inestable» *(insta-
ble)*, por cuanto, en virtud de determinadas condiciones combinatorias *(loi des trois consonnes* «ley que evita el encuentro de tres consonantes»), se realiza como ə o como «cero
sonido»: *je le jure* [žəlžür] (§ 724, 4 *a*).

3) Se produce un cierto desplazamiento de la realización
fonética en el sistema por efecto de un movimiento paralelo
hacia adelante: como la vocal dorsal labializada ə pasó a
vocal predorsal labializada (§ 44, 2 *b*), así también la vocal
predorsal labializada (abierta, breve) ǫ *(pomme, pommier)*
pasó a vocal dorsal labializada (abierta, breve), lo que un alemán, que pronuncia ǫ como vocal posdorsal (*Mord*), percibe
acústicamente por el hecho de que la ǫ francesa adquiere
cierto color de ȫ.—También las oclusivas palatales francesas
[k, g] acusan un desplazamiento hacia adelante (§ 55).

4) Series de ejemplos de las vocales: [a̜, a̧, ã] *patte, pâte, pente; battit, bâtit; badaud, bandeau.*—[e̜, ȩ, ẽ, i] *dais, dé, daim, dit; médit, midi; téter, tinter.*—[ö̜, ö̧] *jeune, jeûne.*—[ö̧, ṏ] *jeu, jeun.*—[e, ö] *des pains, deux pains.*—[ə, ö] *de tristes personnages, deux tristes personnages.*—[ö, ü] *deux, dû; meulette, mulette.*—[o̜, o̧, õ, u] *pomme, paume; mot, mont, mou; coté, côté, conter, coûter; beauté, bonté.*

B) El sistema de las semivocales [y, ẘ, w] (*rien, huit, moi*) no tiene actualmente más que un valor fonológico restringido, pues las semivocales se emplean también como variantes combinatorias de las vocales no prototónicas [i, ü, u] ante una vocal siguiente. Queda todavía contraste fonológico en oposiciones como *il noua* [nuá]/*il noie* [nwá], así como en la poesía clásica (*les passions* [pasiõ] / *nous passions* [pasyõ]).—La semivocal [y] es idéntica a la consonante [y] (§ 127, III B 2): únicamente varía su empleo en el cuerpo de la palabra.

C) Series de ejemplos de las consonantes: *pain, bain, main, fin, vin; teint, daim, nain, lin, Rhin; requin, regain (gain); seille, saigne; ils sont, ils ont; champ, gens; came, canne, cagne.*—La sustitución de [r] por [R] es un cambio de característica (§ 129, 4 c).

El sistema fonológico es el más profundamente estructurado entre todas las esferas de la lengua (mediante oposiciones y analogías: cf. arriba, p. 20 ss). En cambio, la morfología sólo está estructurada en clases arbitrariamente delimitadas (p u e r, p u e r i frente a p a t e r, p a t r i s; § 583). La derivación se halla estructurada sólo en zonas reducidas: mientras que la oposición fr. *chien* 'perro'/*chienne* 'perra' posee un rico trasfondo de analogías (*Parisien / Parisienne*), una oposición conceptual análoga como *lièvre* 'liebre macho' / *hase* 'liebre hembra' resulta totalmente caótica en la formación de palabras.

Los fonemas modifican la significación (fr. *pain / bain*), pero sin función estructural fija (§ 40): el contenido de la modificación es caótico (§ 583). Precisamente esta libre y arbitraria disponibilidad de los fonemas para el cuerpo de la palabra (las limitaciones en § 128) sólo es posible cuando el sistema fonológico está a su vez estructurado plenamente en lo posible: cuando los significantes son ya arbitrarios, el sistema de los elementos de que pueden estar compuestos todos los significantes, ha de estar estructurado al máximo si no se quiere que la lengua se precipite por completo en el caos. Los fonemas no son portadores de significación; por tanto, están a cubierto del caos procedente de la situación (cf. arriba, p. 20 ss.): los fonemas son formas sin contenido que están disponibles para cualquier clase de contenidos. En el sistema de fonemas el hombre es realmente dueño de la situación: el sistema fonológico estructurado constituye el arma penetrante que el hombre se ha forjado con sus propias manos para poder con ella intentar aproximarse al caos de la situación. El sistema fonológico es una conquista eminentemente espiritual del hombre, y esa conquista corresponde, dentro de las realidades naturales, al poder caminar erguido y al poder disponer a voluntad de sus manos y, dentro de los logros culturales, al descubrimiento e invención de los instrumentos de trabajo.

Cada lengua tiene un sistema fonológico propio y original (aunque condicionado por la historia: § 129). Así, por ej., el sistema vocálico latino (§§ 154; 294) es muy distinto del sistema vocálico francés (§ 127): en lat. no existen fonemas palatales labializados [*ü*, *ö*] ni vocales nasales, sino sólo cinco vocales orales (*a, e, i, o, u*); éstas, por lo demás, presentan diferenciación con valor fonológico en las dos variantes respectivas de cantidad.

128. El sistema fonológico (§§ 125-127; 583) es un almacén de que puede disponer el discurso (§ 1) para la combinación de los fonemas en cadenas fonemáticas que se desarrollan en sentido temporal.

Pero nótese que discurso, oración, palabra (§ 3), encadenamiento de fonemas y su clasificación no son, primordialmente, asunto del análisis fonológico (ajeno al conjunto), sino del análisis conceptual (§ 3). Lo que lleva al análisis fonológico de la palabra, que representa una combinación de fonemas, es sólo el hecho de estar compuesta aquélla de elementos (§ 40).

Los fonemas no tienen, al combinarse, ninguna función significativa estructuralmente fija (§ 127): su combinación no está ligada a la significación. Sin embargo, hay una limitación en esta combinación; y esa limitación obedece, en último término, a la visión panorámica («legibilidad») del cuerpo de la palabra.

En primer lugar, existe una relación entre la extensión media de la palabra y la riqueza de fonemas del sistema. Un sistema que constase de sólo un fonema (p), tendría que repetir ese fonema para la formación de las palabras (p «trabajar», pp «trabajar afanosamente», ppp «trabajar todavía más afanosamente», $pppp$ «estar cansado de trabajar», etc.). La repetición necesariamente múltiple haría que las palabras resultasen punto menos que indistinguibles para la inteligencia del oyente. Para aumentar su distinción, el hablante repartiría, sin duda, la serie de diez p en varios ritmos parciales (por ej., en tres p). Pero con ello el ritmo vendría a ser un nuevo elemento cuasifonemático del sistema. El ritmo es-

taría representado por una pequeña pausa y por la repartición de la intensidad; pero de esa manera surgiría el fenómeno de la «apofonía», pues el primer fonema, por ej., de
cada ritmo se pronunciaría con mayor intensidad que los
fonemas siguientes, etc. Y así surgirían nuevos fonemas, ya
que la «*p* fuertemente acentuada» se distinguiría de la «*p*
acentuada más débilmente», etc.—De donde resulta que un
sistema relativamente rico en fonemas puede permitirse cuerpos de palabras más cortos que un sistema relativamente
pobre en fonemas. Y así, no es todo obra de la casualidad
si al fr. *mûr* corresponde el it. *maturo*: el sistema fonemático fr. es más rico que el sistema it.

La combinación de los fonemas para formar una cadena
fonemática que se desarrolla temporalmente en la palabra
está, pues, regulada por el ritmo decursivo. La unidad del
ritmo decursivo de la palabra es la sílaba (§ 91). En sí, el ritmo decursivo de la palabra es una serie silábica centraliza-
dora (§ 115) y organizada. Tanto en la formación de sílabas
(I) como en la serie de ellas (II), cada lengua tiene un mecanismo propio fundado en el uso:

1) La sílaba (§ 91) mediante el resalto acústico de la cumbre silábica (vocálica en las lenguas que nos ocupan) facilita
la percepción del oyente, igual que mediante la sucesión del
cerrar y abrir la boca favorece la locución del hablante. Con
ello, quedan excluidas combinaciones contrarias en este sentido a la sílaba (más de dos vocales: *aaa;* más de dos consonantes: *ppp;* para las geminadas, cf. § 50).—Además, las posibilidades de formación de sílabas en cada lengua quedan
más limitadas en virtud de costumbres establecidas en función de la frecuencia con que aparecen:

a) En fr., ante ciertas consonantes, desaparecieron determinadas oposiciones vocálicas (§ 127, IV A 2 *a* β γ).

b) En algunas lenguas románicas se alargaron antiguamente las vocales en posición libre y se abreviaron en posición trabada, lo que finalmente podía ocasionar una separación fonológica de las vocales (§§ 163; 168-170: fr. *vendre /
croire* frente al lat. vēndere, crēdere).

2) La palabra en cuanto serie de sílabas presenta en cada
lengua limitaciones consuetudinarias de las posibilidades de
combinación de fonemas, y ello tanto respecto al contacto de
sílabas en medio de dicción (*a*), como con relación a la configuración de los límites de la palabra (*b*), a la distinción condicionada por el acento entre sílaba prototónica y sílabas no
prototónicas (*c*) y a la interdependencia de las sílabas de una
palabra (*d*).—En particular:

a) El contacto de sílabas en el interior de una palabra
se limita a los tipos sancionados por el uso. Así, por ej., en
fr. antiguo, no respondía a la costumbre el contacto entre
una sílaba acabada en -*rt* y otra que comenzase por *m-* (**fortment*); en cambio, sí casaba con el uso el contacto de una
sílaba acabada en -*r* y otra comenzando con *m-* (*dormir*)
(§ 510).

b) La configuración de los límites de la palabra afecta
al comienzo y final de dicción. En muchas lenguas no es posible un comienzo de palabra con cumbre secundaria (§ 94).
En muchas lenguas hay una delimitación consuetudinaria de
los tipos de final de dicción (§§ 127, IV A 2; 527; 564; 568;
569; 571).

c) En muchas lenguas hay una estandardización de los
tipos consuetudinarios de formación de sílabas orientada según el grado de intensidad (§§ 127, IV A 2 *a*; 290 para it. *álbero, núvola;* §§ 324, 330 para esp. *helar, enero*).

d) En varias lenguas hay una mutua dependencia de las
vocales de las sílabas de una palabra (§§ 193-199: «armoniza-

ción»), o también del comienzo de sílabas consecutivas
(§ 134).

3) El aprovechamiento *(rendement)* práctico de las posibilidades de formación de sílabas y de la formación fonemática de palabras facilitado por el mecanismo consuetudinario
no es total en ninguna lengua. Así, el francés muestra (debido a la brevedad de las palabras) un *rendement* relativamente grande (§ 127, IV A 4, C), al paso que el italiano (por la
extensión y el volumen de sus palabras) no aprovecha sino escasamente sus posibilidades (§ 583.)—Cuando una posibilidad
queda así desaprovechada en general, puede entonces, mediante el mecanismo de la costumbre, cobrar categoría de imposible.

VI. Los cambios fonéticos (§§ 129-148)

A) LEYES FONÉTICAS (§§ 129-135)

129.   El cambio fonético es un fenómeno del cambio lingüístico (§ 27) en general. Que los sonidos de una lengua pueden cambiar en el transcurso del tiempo es una realidad generalmente comprobada.

No hay, por ej., duda alguna de que a las voces francesas
tête, laine, dortoir, corresponden las voces latinas t e s t a
(§§ 272; 424), l a n a (§§ 235; 272), d o r m i t o r i u m (§§ 209;
253; 272; 292; 510) y de que las palabras fr. salieron de las correspondientes lat. Además, la significación de las voces lat.
l a n a , d o r m i t o r i u m se conservó, al paso que t e s t a
acusa un cambio de significación (§ 583). De donde se ve que
el cambio puede afectar tanto a la palabra material como a
su significación.

Ahora bien, es característico el hecho de que el cambio fonético es con mucho el más regular dentro de los cambios lingüísticos: hay «leyes fonéticas», no ciertamente en el sentido de series de fenómenos de validez universal (para todas las lenguas) y previamente calculables conforme a leyes naturales, sino en el sentido de complejos de fenómenos comprobables a posteriori y que dentro de una lengua acusan una sorprendente analogía (§ 136). Así, la vocal -a- de las palabras lat. p a n e, n a n u, m a n u, v a n u, g r a n u, comparada con la de las voces fr. *pain, nain, main, vain, grain,* muestra una correspondencia análoga en todas ellas.

El cambio fonético tiene, pues, «estructura», en cuanto tiene analogía (cf. arriba, p. 20 ss.). El hecho sorprendente de que haya leyes fonéticas se explica, pues, porque el sistema fonológico es, de todas las esferas de la lengua, la más amplia y profundamente estructurada (§ 127).

Funcionalmente, el sistema fonológico de la lengua estructurado al máximo está orientado a la inmutabilidad. Pero como la inmutabilidad no responde a la realidad humana (§ 27), el cambio de la esfera lingüística más estructurada ha de ser a su vez estructurado: el cambio fonético es «ley fonética», porque —aunque se origina en la combinación de fonemas (§ 137, 3)—, en último término, afecta al sistema fonológico.

El fonema se define por la suma de sus características fonológicamente válidas (§ 123). Pero en cada lengua hay usos arraigados de realización fonética (§ 126, nota) que pueden ser importantes para el enjuiciamiento del cambio fonético:

1) Hay características sin valor fonológico (§ 123), y ello en dos variedades:

a) Una característica concomitante es una característica fonética que acompaña siempre a una característica de valor fonológico. Así, por ej., encajaba aquí, en una parte de la Romania, la abertura que acompañaba a las vocales breves y el cierre que acompañaba a las largas (§ 156; como en alto alemán).

b) Una característica condicionada combinatoriamente es una característica cuya aparición va vinculada a determinadas combinaciones fonemáticas (§ 123).

2) Hay, condicionada combinatoriamente, una neutralización de características de valor fonológico. Así, en fr. se neutraliza la oposición ǫ/ǫ en final de dicción (§ 127, IV A 2 *b* γ). La asimilación (§§ 132-134) es una neutralización combinatoria de características. Así, en lat., las características propias de la consonante *d*: «articulación apical, explosiva, sonora» quedan neutralizadas ante *f* siguiente (§ 133 a: *adferre, afferre*) y sustituidas por las características propias de la *f*: «articulación labial, fricativa, sorda». La neutralización puede, pues, aparecer apareada con una sustitución combinatoria de la característica.

a) El hecho de que la condición combinatoria se refiera, por un lado, a características sin valor fonológico (arriba, 1 *b*), y por otra parte pueda neutralizar características de valor fonológico (arriba, 2), arroja dos posibilidades:

a) La característica sin valor fonológico condicionada combinatoriamente puede presentarse supletoriamente en características de valor fonológico, como la alternativa característica «predorsal/posdorsal» se presenta en la característica de valor fonológico «dorsal» (§ 123). No se produce ninguna neutralización de características fonológicamente válidas.

b) Mediante el juego conjunto entre una característica condicionada combinatoriamente, de un lado, y de otro, la neutralización de otra característica resulta un valor fonológico representativo de ambas características: cada una de las dos características representa en cada caso una característica principal abstracta. Así, en la *e* francesa (§ 127, IV A 2 a α) la alternativa de característica principal «fuerte/débil» se realiza al final de dicción mediante la alternativa «abierta/cerrada» y en medio de dicción mediante la alternativa «larga/breve».

4) En la realización fonética de las características (tanto de las de valor fonológico como de las que carecen de él) hay un margen de tolerancia (margen de licencia), que es una función de la interdependencia combinatoria entre fonema y contexto (fonemático y conceptual) (§ 584). Un fonema pronunciado indistintamente no constituye un peligro para la comprensión de un contexto (fonemático y conceptual) inteligible en su conjunto. El margen de tolerancia se extiende entre la reproducción escasamente caracterizadora de las características y la reproducción hipercaracterizadora de esas características:

a) La reproducción escasamente caracterizadora de las características se contenta como máximo con la inteligibilidad del contexto (fonemático y conceptual). El resultado extremo es la desaparición de la característica. Reproducción escasamente caracterizadora y, en caso dado, desaparición de la característica se presentan en dos esferas extensivas:

α) En la esfera combinatoria (§ 128) el fenómeno se limita a condiciones combinatorias: el perfil característico de la cadena fonemática en decurso temporal queda difuminado. El resultado (cf. también § 127, IV A 2) es una asimilación (parcial o total) entre fonemas próximos mediata o inmediatamente de la cadena fonemática en decurso temporal (§§ 133-134).

β) En la esfera del sistema (§ 127, IV A 1) el fenómeno puede afectar a un fonema en general independientemente de las condiciones combinatorias (que fueron quizá decisivas en un principio, pero que después, por efecto de la analogía de combinación de fonemas [§ 137, 2] acabaron por perder su valor). Puede entonces arrostrarse incluso el peligro de un malentendido (fr. *brun = brin* [*bRē*]; § 127, IV 1 *b*), cuando se espera que el contexto (§ 548) (de fonemas y conceptos) lo impida.

b) La reproducción hipercaracterizadora aspira como mínimo a la inteligibilidad del contexto (de fonemas y conceptos). Su resultado extremo es la acumulación de características. Reproducción hipercaracterizadora y, en caso dado, acumulación de características se presentan en dos esferas extensivas:

α) En la esfera combinatoria (§ 128), el fenómeno se limita a condiciones combinatorias: el perfil de la cadena de fonemas en decurso temporal queda diferenciada de manera hipercaracterizadora. El resultado es una disimilación entre fonemas próximos mediata o inmediatamente en la cadena fonemática (§ 135).

β) En la esfera del sistema (§ 127) el fenómeno puede afectar en general a un fonema independientemente de las condiciones combinatorias (que fueron quizá decisivas en un principio, pero que después, por efecto de la analogía de combinación de fonemas [§ 137, 2] acabaron por perder su valor). La hipercaracterización sistemática de características se practica especialmente cuando, por efecto de una tupida escala de fonemas o de una habitual brevedad de las palabras, la inteligibilidad de una cadena fonemática quedaría en peligro con una caracterización descuidada de cada uno de sus fonemas. De ahí, por ej., la reproducción clarísimamente caracterizadora de las características en francés frente a la más descuidada caracterización en alemán, que posee menos fonemas emparentados y palabras más largas.—La hipercaracterización acaba por crear a las características de valor fonológico, características concomitantes (cf. arriba, 1 *a*) suplementarias (sin valor fonológico). Cuando la acumulación de características (redundancia de características) así nacida se ha hecho habitual, entonces permite a su vez una caracterización más parca de las características: el hablante puede elegir entre las características que corren paralelas (por ej., entre breve y pronunciación abierta: § 156) y preferir así el distintivo históricamente secundario (el grado de abertura: § 156) al distintivo históricamente primario (la cantidad: § 155). Así se llega —vistas las cosas históricamente— a una permutación de distintivos o características, proceso éste frecuentísimo en la evolución de las lenguas.—También el cambio ū > ü tiene como motivo la hipercaracterización (§ 184).

c) Hay una mutación de característica que mantiene el fonema, pero que trastrueca su lugar en el sistema. Así, la *r* fr. ha sustituido el distintivo «apical» por el distintivo «uvular» (§§ 127; 307; 384).

5) Toda modificación de la realización fonética es ya un cambio fonético. Fases decisivas y modificadoras de la estructura en el cambio fonético son la fonologización (a) y la desfonologización (b):

a) La fonologización afecta a una característica hasta ahora sólo fonética:

α) Mediante el trueque de características se fonologizan (cf. arriba, 4 *b* β) características concomitantes (cf. arriba, 1 *a*). Con esto guarda íntima relación la mutación de características (cf. arriba, 4 *c*).

β) Las características combinatorias (cf. arriba, 1 *b*) se fonologizan por la falta de un trueque vivo entre las variantes combinatorias de fonemas. Así la oposición de las vocales *ę/ei* en la pareja de voces primitivas fr. *męttet* (< m ĭ t t i t)/*deivet* (< d e b e t) era una oposición, condicionada por la estructura silábica (§ 163), por tanto, sin valor fonológico, de dos realizaciones del mismo fonema «vocal media cerrada palatal» (§ 157). Pero como entre ambas variantes fonéticas de este fonema no ocurre ningún trueque vivo por condiciones combinatorias del cuerpo de la palabra (mientras que sí se da, por ej., en al. *Loch/Löcher* para *-ch-*: § 123), desaparece la conciencia de la unidad de este fonema. Las pronunciaciones *ę* y *ei* se conciben más bien como hechos caóticos y tradicionales de las palabras materiales, y como tales se mantienen, aun cuando la estructura silábica experimente modificación (fr. antiguo *męt/deit*). Para el fr. antiguo, por tanto, *ę* y *ei* son fonemas distintos (cf. también fr. mod. *met/ doit*).—También la [ç] alemana muestra tendencia a la fonologización, pues el neologismo *Frauchen*, pese a su vocal velar, se pronuncia con [ç] (§ 123) porque el sufijo se pronuncia siempre en otras palabras con [ç] (tipificación del sufijo).

b) La desfonologización afecta a una característica con valor fonológico hasta entonces:

α) El trueque y mutación de características (cf. arriba, 5 *a* α) no introduce modificación en el estado numérico de fonemas de un sistema, ya que la característica desfonologizada queda reemplazada por una nueva característica fonológica.

β) La neutralización de características de valor fonológico (cf. arriba, 2) limita el *rendement* (§ 128, 3) del sistema fonológico, pero no introduce modificación en el sistema mismo. Así, por ej., en lat. (cf. arriba, 2) se mantiene el fonema *d*, sólo que ante *f* se realiza como *f*.

γ) La desfonologización de una característica sin sustitución de ésta lleva a la confusión de dos fonemas opuestos hasta entonces en el sistema. Así se explica la confusión de los fonemas fr. *ẽ* y *õ* en *ẽ* (§ 127, IV 1 *b*) y la confusión de los fonemas lat. *ĭ*, *ē* en *ẹ* y *ŭ*, *ō* en *ọ* (§ 156).

6) El fonema ocurre, de un lado, como algo concreto en la cadena fonemática de decurso temporal (§ 128), y de otro, es una realidad lingüística abstracta del sistema (§ 127). El cambio fonético ocurre de manera concreta en el discurso (§ 1), esto es, en la cadena fonemática de decurso temporal o, mejor dicho, en una larga y muy ramificada serie de discursos de distintos hablantes. Cada realidad del discurso guarda relación con la realidad abstracta del sistema. De ahí que el cambio repercuta en el sistema. Hay que distinguir dos zonas de penetración del cambio fonético:

a) El cambio fonético (sea meramente fonético, sea fonologizado) sigue estando (en la zona de pequeña penetración) condicionado combinatoriamente (cf. arriba, 2, 4 *a* α, 4 *b* α, 5 *b* β; cf. §§ 127, IV A 2; 186-240). Se llama abreviadamente «cambio fonético condicionado».

b) El cambio fonético (sea meramente fonético, sea fonologizado) abarca, en la zona de total penetración, todas las posibles realizaciones de un fonema (cf. § 127, IV A 1, 3, C), por tanto, afecta directamente al sistema de fonemas. El origen de tal cambio no tiene por qué radicar en el sistema mismo, sino que puede arrancar de las primitivas y más reducidas condiciones combinatorias ampliadas por la analogía de combinación. Así, el cambio *ū* > *ü* arrancó probablemente de determinadas condiciones combinatorias (§ 184, nota) y se utilizó después para descargar el sistema mediante hipercaracterización (§ 129, 4 *b*) por el camino de la analogía (§ 137, 3 *a*).

c) Al cambio fonético que afecta directamente al sistema de fonemas se le suele llamar «espontáneo», queriéndose indicar con ello la ausencia de una condición combinatoria limitadora y sin atribuir a los hablantes ningún género de espontaneidad. Pero el término «espontáneo» nada pretende decidir acerca del origen del fenómeno (si comprende de antemano todas las realizaciones del sonido [§ 127, IV A 1] o si se debe a una ampliación de las condiciones, primitivamente más reducidas, de combinación), pues el término mienta de manera totalmente mecánica el resultado de la comprensión total de un fenómeno.—El término «espontáneo» se emplea también, indebidamente, para los cambios fonéticos condicionados combinatoriamente, y ello porque se toma «espontáneo» como sinónimo de «(fenómeno) que se produce en condiciones dadas y relativamente amplias» (la a libre y prototónica lat. pasa en fr. espontáneamente a *e* ante consonantes orales [con excepción de las palatales (§ 209) y velares (§ 403)]: cf. § 175). Sin embargo, conviene evitar esta ampliación absurda del término.

130. Como ocurre en los cambios lingüísticos en general (§ 27), así también en los cambios fonéticos hay condiciones más bien de lingüística interna (§ 129) y otras más bien externas al lenguaje (§ 131) (cf. §§ 30; 36, 4; 127, IV A).

La lingüística estructural (cf. arriba, p. 20 ss.), una de cuyas ramas es la fonología (§ 122) orientada a los sonidos, dedica su atención a las condiciones y motivos de los cambios fonéticos basados en razones de lingüística interna. Cf. sobre esto, A. Martinet, *Économie des changements phonétiques*, Berna, 1955; H. Weinrich, *Phonologische Studien zur roman. Sprach-*

geschichte, Munster (Westfalia), 1958; H. Weinrich, *Phonem-kollisionen und phonologisches Bewusstsein (Phonetica,* tomo cuarto, suplemento, Basilea, 1959, pp. 45-58); H. Weinrich, *Sonorisierung in der Kaiserzeit?* (Z 76, 1960, pp. 205-218); K. Baldinger, Z 74, 1958, pp. 440-480.

Las condiciones y motivos del cambio fonético basados en razones de lingüística interna no son de subestimar. Pero no se puede negar la realidad y efectividad del cambio fonético basado en condiciones y motivos de lingüística externa: el hecho de que el lenguaje en general dice relación a la situación (cf. arriba, p. 20 ss.) hace que no aparezca como improbable el que circunstancias y condiciones externas a la lengua penetren hasta la zona de los sonidos (relativamente ajenos a la situación y, por ello, relativamente estructurados hasta el máximo por razones de lingüística interna: § 127, IV C).

131. En cuanto fenómeno del lenguaje (cf. arriba, p. 19 ss.), el cambio fonético está sometido a las condiciones históricas generales de espacio y tiempo, así como de medio social. La descripción —y, a ser posible, la motivación— de los cambios fonéticos, de su regularidad y de su origen, propagación y extensión temporal, espacial y social es misión de la fonética histórica [41].

Las condiciones de espacio (esto es, de la consistencia espacial y social de una comunidad lingüística) repercuten, por ejemplo, en el hecho de que el cambio k > *ch* [*ć, š*] ante *a* está limitado a determinados dialectos (entre ellos el de la Île-de-France [cf. § 8], que es la base de la lengua

---

[41] La exposición que ofrecemos en este volumen de la fonética histórica románica sólo pretende alcanzar ese objetivo de manera imperfecta y sumaria.

literaria francesa); por tanto, francés *chanter*, pero picardo
canter, gascón *cantar*, así como español y portugués *cantar*,
italiano *cantare*, etc.—Las condiciones de tiempo se manifiestan, por ejemplo, en el hecho de que el cambio francés
$k > ch$ se realiza únicamente dentro de una época determinada (aproximadamente hasta el siglo VIII), y en que, por
ejemplo, algunos cultismos como *chapitre* todavía participan en él (cf. § 143), al paso que préstamos más recientes
como *cantate* (siglo XVIII), *cantatrice* (siglo XVIII), *carbone*
(siglo XVIII), etc., mantienen la *k-* inicial.—A esto se añade
—y ello se aplica a cualquier cambio lingüístico— la condición del medio social. Así, por ejemplo, el cambio del diptongo francés [u̯é] > [u̯á] (escrito *oi*, por ejemplo, *roi*)
arranca en el siglo XVI de las capas populares inferiores, y
esta nueva pronunciación es condenada como incorrecta por
las clases dirigentes. La pronunciación [u̯á] acaba finalmente por imponerse como obligatoria y general gracias a la
relajación social y la Revolución, a finales del siglo XVIII.

Debido a la acción conjunta de estas condiciones, el cambio fonético aparece como un proceso en extremo complejo que se desarrolla, no en un espacio abstracto, sino en el
habla concreta de hablantes concretos y de comunidades
lingüísticas concretas; un proceso que, en la circunstancia
espacial, temporal y social dada, se traduce en frases y
palabras concretas; un proceso, por tanto, que sólo se puede deslindar y comprender mediante métodos de cautelosas
aproximaciones. Cada palabra ha realizado su especial evolución fonética, condicionada por razones espaciales, cronológicas y sociales. La Fonética histórica viene así a desembocar en la historia de la palabra concreta, cuyo objeto está
constituido por la formación fonética y semántica de las
palabras. La Fonética histórica como conjunto (y especialmen-

te la Fonología) representa la armazón en que se apoya la abstracción de la historia de las palabras. En los problemas particulares, aquélla misma se hace parte de la historia de las palabras, suministrando en la investigación de éstas puntos de apoyo respecto al lugar, la cronología y el medio social. Así, la voz francesa *abeille* 'abeja' (< latín a p ĭ c u l a) es sorprendente, pues en vez del resultado normal francés de la -*p*- latina intervocálica, esto es -*v*-, presenta -*b*-. Ahora bien, -*b*- es el resultado normal en los dialectos del sur de Francia. Un romanista suizo, J. Gilliéron, pudo señalar, tras amplia investigación, cómo el francés literario [42] llegó a tomar prestado de la Provenza el nombre de la abeja.—Antes se contentaba uno con comprobar que la forma de esta o aquella palabra constituía una 'excepción'; pero se ha podido mostrar que toda desviación lingüística y toda aceptación de elementos extraños tienen un motivo específico.—De esta manera la Fonética proyecta luz sobre la peregrinación —generalmente basada en la historia real— de las palabras en el espacio, tanto en el pequeño marco de la peregrinación de uno en otro dialecto como también en el marco más amplio de su peregrinar de una lengua a otra.—Las palabras italianas *giardino*, *gioia*, y también las españolas *jardín*, *joya*, revelan en su contextura fonética su calidad de préstamos tomados del francés (*jardin*, *joie* < germánico-galorromano *g a r d - i n u , latín g a u d i a); el cambio de *g* ante *a* en *j* [ǵ, ž] no ocurre en italiano ni español, pero sí en francés.

Tales comprobaciones nos proporcionan otros tantos puntos de apoyo en que fundamentar la historia de las palabras, que, con ayuda de la filología (fijación de la forma pre-

---

[42] La palabra *abeille* es extraña a los dialectos rurales fr., que utilizan diversas expresiones autóctonas, entre las cuales la más frecuente es *mouche à miel*.

cisa y significación en los primeros documentos históricos, que hay que precisar espacial y cronológicamente), y de la historia de las instituciones y de la cultura, ha de proseguir en la resolución de los problemas planteados.

El hecho de la delimitación temporal de las 'leyes fonéticas' ha suscitado la distinción entre estados lingüísticos 'primarios' (= latinos) y 'secundarios' (= de cada lengua románica en particular), los cuales reciben siempre en el desarrollo ulterior un tratamiento distinto. Así, por ejemplo, el diptongo 'primario' a u de c a u s a se transforma en *o (chose)* en francés antiguo, mientras que *au* 'secundario' (< al ante consonante) suena *au* en francés antiguo (s a l t a t > *saute*), cf. §§ 217, 244 [43].

132.   Un fenómeno de la combinación de fonemas (§§ 128; 129, 4 *a*) es la asimilación; esto es, el ajuste entre sonidos próximos. Se distingue la asimilación en contacto, entre sonidos inmediatamente próximos, de la asimilación a distancia de sonidos no inmediatamente próximos. Por su grado, la asimilación puede ser total (esto es, ajustar la articulación total de un sonido a otro) o parcial (esto es, afectar sólo a una parte de la articulación total de un sonido).

133.   En la asimilación en contacto se distingue:

a)   Asimilación anticipadora; es decir, la articulación de un sonido siguiente queda afectada ya por la articulación del sonido precedente [44] (en terminología musical: 'anticipación'). Así, en la pronunciación del latín n o c t e en Italia,

---

[43]   Hay, pues, una 'cronología relativa' en el cambio fonético; cf. también §§ 188, 210, 235, 291, 320, 345-346, 519-524, 554, 564-572.

[44]   La asimilación anticipadora se llama también 'regresiva', pues 'reacciona' (según la imagen escrita) sobre un sonido precedente.

la oclusión de la *t* se formó ya antes de forzar la oclusión de la *k*, que de esta manera dejó prácticamente de percibirse. El tiempo necesario para la oclusiva *k* se mantuvo [45], quedando así únicamente una oclusiva *t* alargada y geminada: italiano *notte*. Se trata aquí de una asimilación total. En la pronunciación del francés *médecin*, la disposición sorda de las cuerdas vocales, necesarias para articular la [*s*], se anticipa ya en la articulación de la sonora *d* inmediatamente anterior, quedando así convertida en sorda: [*metsẽ*]. Se trata aquí de una asimilación parcial. También la nasalización francesa (cf. § 46 d) es una asimilación anticipadora parcial (§ 235).

b) Asimilación persistente; es decir, la articulación de un sonido se mantiene [46] (total o parcialmente) en la pronunciación del sonido siguiente (en terminología musical: 'retardo'). Así, en la pronunciación de latín s o m n u en el norte de la Galia, la oclusión labial se sostenía, incluso formada ya la oclusión de la *n*. Finalmente, el forzamiento de la oclusión de *m* acababa por apagar completamente la de la *n:* francés *somme*. Se trata de asimilación total.

c) Asimilación doble; es decir, un sonido sufre el influjo del sonido precedente y del siguiente (combinación de la asimilación anticipadora y de la asimilación persistente). En francés *la haie* [*lahẹ*] las cuerdas vocales se hallan en disposición sonora en la [*a*] (cf. § 49), adoptan la disposición aspiradora en la [*h*] (cf. § 68), y vuelven a la posición sonora en la [*ẹ*]. La posición de aspiración entre las dos

---

[45] En la asimilación total se producen, pues, frecuentemente cantidades largas (cf. § 50): it. *notte*, *figlia* [*fiƚƚa*, cf. § 133 *d*], que posteriormente se abrevian en varias lenguas.—Más detalles sobre -ct- en § 432.

[46] La asimilación persistente llámase también 'progresiva' porque su acción obra sobre un sonido siguiente (según la imagen escrita).

posiciones sonoras se adopta cada vez con menos esfuerzo y escrupulosidad, hasta que finalmente se omite por entelo: [lae̩]. Se trata de una asimilación total.—En latín m a t u r u la -*t*- se pronuncia con dispositivo sordo, al paso que las vocales vecinas *a* y *u* se articulan con dispositivo sonoro. En la Romania occidental el dispositivo sordo de la -*t*- se realizaba cada vez con menos escrupulosidad, hasta que acabó por suprimirse totalmente y la -*t*- pasó a -*d*-: Romania occidental *maduru* (cf. § 360). Se trata de una asimilación parcial.

d) Asimilación recíproca; es decir, del mutuo influjo de dos sonidos próximos resulta en su lugar un sonido completamente nuevo. Así, por ejemplo, en latín vulgar *fil̨ia* (cf. § 109) tenemos la sucesión inmediata de una lateral apical *l* (cf. § 81) y de una fricativa dorsal *i̩* (cf. § 64). Primeramente se palataliza la *l*, es decir, se pronuncia con acompañamiento de *i̩* (cf. § 67): [fil'i̩a]. Finalmente, en lugar de la [*l'*] palatalizada y de la [*i̩*] fricativa, se articula una [*l̷l̷*] lateral palatal (lateral dorsal): [fil̷l̷a] (italiano *figlia*, cf. § 83). Así nace también de latín vulgar a r a n i a (cf. § 109), pasando por [aran'i̩a], la pronunciación [arañña] (italiano *ragna*, cf. § 56; español *araña*).

134. La asimilación a distancia ocurre sólo en forma esporádica —a diferencia de la asimilación en contacto, que encontramos por doquiera en la historia de la lengua.—En el consonantismo, la asimilación a distancia ocurre en inicial de sílaba (esto es, en el valle silábico, cf. § 93); así, en el cambio de francés antiguo *cerchier* (<c i r c a r e)> francés moderno *chercher*, donde el sonido inicial de la primera sílaba se ha regido por el de la segunda (asimilación anticipadora a distancia).—En el vocalismo el caso más frecuente

de asimilación a distancia es la metafonía, en la que la cualidad de una vocal (grado de abertura, posición de la lengua, posición de los labios) influye sobre la vocal de una sílaba próxima [47]. Es muy frecuente la metafonía anticipadora. Así, por ejemplo, en el sur de Italia la vocal tónica *ǫ* del sufijo *-ǫsus*, plural *-ǫsi* sufre metafonía por influjo de la vocal final *-u* o *-i* (asimilación en el grado de abertura), naciendo así las formas suditalianas *-usu, -usi*.—Metafonía persistente aparece a veces en la pronunciación frecuente [*ȫrȫpēē*] en vez de francés *européen* (asimilación en la posición de la lengua).

135. A la asimilación se opone el fenómeno, más raro, de la disimilación. Ésta nace de la necesidad de la *variatio*, y consiste en el mantenimiento, supercaracterización o incluso creación de diferencias articulatorias entre sonidos vecinos. Se distingue la disimilación en contacto y la disimilación a distancia (cf. § 129, 4 *b*).

Un fenómeno no infrecuente de disimilación en contacto consiste en la disimilación palatal. Así, por ejemplo, debido a la evolución fonética del francés, en las voces *l a x i c a r e*, *i n t o x i c a r e* entraron en contacto dos palatales [*š, ć: las'-ćier, entos'ćier*] [48]; pues bien, la primera palatal [*s'*] se despalatalizó [*s*], y así nacieron las formas del francés antiguo *laschier* (francés moderno *lâcher*), *entoschier*.—Tenemos, por ejemplo, disimilación a distancia en la evolución de f o r m o-s u > español *hermoso* (disimilación de la posición de la lengua en vocal protónica). Para la disimilación palatal a distancia, cf. § 208 -a r i u.

---

[47] Como la metafonía 'armoniza' las vocales, se la llama también 'armonización'.

[48] De aquí hubieran debido nacer fr. ant. *laischier* (fr. mod. *laicher*), *entoischier*.

Para algunos fenómenos generales en los cambios fonéticos, cf. también §§ 46, 79, 95 s., 100-113, 119-121, 825 (disimilación haplológica).

B) ANALOGÍA (§§ 136-140)

136. La analogía es —junto con la oposición— el principio estructural del lenguaje, pues éste consiste en un estado de equilibrio entre estructura y caos (cf. arriba, p. 20 ss.). En los cambios del lenguaje la analogía es una tendencia a la intensificación del carácter estructural del lenguaje.

La analogía actúa en todas las esferas de la lengua; por tanto, en la fonología (§ 137), en la morfología (§ 138), en la formación de palabras (§ 139), en la sintaxis.

La terminología tradicional circunscribe la «analogía» a la morfología, la formación de palabras y la sintaxis, y llama «ley fonética» (§ 129) a la analogía fonológica.

Naturalmente, no es de esperar que la analogía obre en todas las esferas de la lengua en la misma dirección: de ahí que surjan conflictos entre la analogía fonológica (cuyo resultado tenemos, por ej., en fr. ant. *muert, prueve*: §§ 138, 178) y la analogía morfológica (que reemplaza fr. ant. *prueve* por fr. mod. *prouve*: § 138).

137. En la fonología (§§ 125-128; 136) la analogía como dinámica del cambio actúa tanto en el sistema de fonemas (1) como también en la combinación de fonemas (2):

1) El sistema de fonemas (§§ 125-127) de todas las lenguas muestra como sistema propiedad analógica (§ 583: analogía de fonemas), tal, por ej., en el paralelismo del grado de abertura palatal y velar de las vocales (§§ 127; 154; 156). El impacto de la analogía sobre los cambios lingüísticos se acu-

sa, por ej., en el hecho de que en el transcurso del tiempo se unen en fr. las vocales palatales labializadas *ọ̈* y *ọ̈* (§§ 127; 178; 182) a la vocal palatal labializada *ü* (§ 184).

2) La «analogía combinatoria de fonemas» consiste en que las combinaciones de fonemas originadas por el cambio fonético que no responden a las costumbres de combinaciones fonemáticas hasta entonces existentes (§ 128), son sustituidas por otras combinaciones fonemáticas usuales.—Así, en ital., el cambio fonético pl- > *pị-* (§ 41) de p l e n u origina la forma **pịẹno*, en la que aparece la inusitada combinación [-*ịẹ-*]. Esta combinación es, pues, sustituida por la combinación [-*iẹ-*] usual (it. *pịẹde*: § 172), resultando la forma *pịẹno* (cf. también it. *fịẹvole*, § 170).—De igual manera el moderno fr. evita la combinación desusada [-*kịẹ-*] (*tabaquière*) sustituyéndola por la combinación corriente [-*tịẹ-*] (cf. *litière*, § 208), de donde la forma *tabatière*. Cf. también §§ 407; 516. Encaja asimismo aquí la tipificación de finales de dicción (§§ 568; 571; cf. § 128, 2 *b*).

3) La analogía combinatoria de fonemas (cf. arriba, número 2) puede reobrar sobre el sistema de fonemas en cuanto se fonologizan las variantes combinatorias (§ 130, 1 *a*). El camino de la fonologización pasa por la modificación (y, las más de las veces, la ampliación) de las condiciones de combinación de un cambio combinatorio:

a) La pronunciación *ü* de la *ū* del lat. clás. no es en un principio más que una variante armonizadora (§ 184, nota) de la *ū* ante -*ī* final de dicción (como en al.). La analogía morfológica acaba finalmente por ampliar esta condición (**mü- ros* según **müri*, **füerunt* según **füi*) hasta el extremo de que toda *ū* es reemplazada por *ü* (§ 184).

b) La representación de las vocales ĕ, ŏ del lat. clás. por los diptongos *ie, uo* va ligada originariamente a la condición armonizadora (-ī o bien -u en la sílaba final de dicción; -i- o bien -u- en la sílaba medial de los proparoxítonos: §§ 193-194). La desaparición de la cualidad de las vocales átonas en amplios espacios lingüísticos (§ 274) hace que la condición armonizadora se convierta en poco transparente e inoperante.

En el contacto inmediato entre vocal tónica y vocal final de dicción es donde únicamente se mantuvo la cualidad del sonido final de dicción y con ello la condición armonizadora (§§ 200-201). Pero la posición en contacto es una posición libre (§ 93). Como en amplios dominios lingüísticos las vocales en posición libre se alargaron (generalmente diptongándose: § 163), los diptongos armonizadores en contacto *ie, uo* (francés primitivo **miei,* fr. ant. *Dieu:* §§ 200-201) se consideraron como diptongos alargados en posición libre y como tales aplicados sobre todo a la posición libre (fr. ant. *pié, muele:* §§ 172; 178). Cf. también § 198.—Sobre la diptongación en románico (§§ 163; 170; 172; 177-178; 182; 192-202) cf. últimamente, F. Schürr, *VII Congreso Internacional...,* tomo II, Barcelona, 1955, pp. 151-163, y *Revue de linguistique romane* 20, 1956, pp. 107-114, 161-248.

c) Acerca del fenómeno de la modificación de las condiciones en general cf. §§ 741 (fr. ant. *cest, cel* frente a fr. moderno *ce, celui*), 745.

138. La analogía en la morfología (§§ 136; 583) puede comprender el radical («nivelación de radicales») o la terminación («transferencia de formas, asociación de formas» en la formación de formas, «transferencia de sufijos» en la formación de palabras).

La nivelación radical consiste en dejar de lado la gradación o variedad radical.—Mediante el distinto desarrollo fonético en posición tónica y átona la vocal radical aparece en francés con distinta cualidad fonética ('apofonía'); por tanto, m o r i t > francés antiguo *muert*, francés moderno *meurt* [mö̈r], pero *m o r ú m u s > francés antiguo, *morons*, francés moderno *mourons* [mur-]. Esta gradación apofónica del radical existía en francés antiguo también en los verbos de la primera conjugación; por tanto, p r o b a t > francés antiguo *prueve*, *p r o b - ú m u s > francés antiguo *provons*. Pues bien, en los verbos de la primera conjugación se ha impuesto en francés moderno la nivelación del radical, y precisamente, en este caso, se generalizó la cualidad vocálica del radical átono *(prouvons): je prouve* (en cambio, la antigua vocal tónica subsiste en el sustantivo *la preuve*) [49]. Inversamente, tenemos una generalización de la cualidad de la vocal tónica, por ejemplo, en el verbo *demeurer, nous demeurons* (francés antiguo todavía *demorons*, pero *je demeure*). Pero en estos casos hay que preguntarse, naturalmente, cómo (en oposición a *meurt-mourons*) se ha producido un ajuste general del radical, y cómo se ha producido, precisamente, determinada nivelación radical *(je prouve, nous demeurons)*. Comprobar el hecho de un rejuste del radical es tarea fácil; lo difícil es averiguar la razón del cambio.

En la transferencia de formas se aplica la terminación flexional de palabras que ocurren con frecuencia a grupos enteros de palabras de igual categoría. Así, en francés y en dialectos retorromanos y norteitalianos se generalizó en la primera persona plural de los verbos la terminación -ŭ m u s (con u breve tónica > latín vulgar ǫ). Esta terminación nació en la conjugación consonántica al desplazarse el acento (p é r d i m u s) sobre la terminación por analogía con las otras

---

[49] También los sustantivos pueden verse alcanzados por el reajuste radical; así, fr. mod. *roue* según *rouer, rouette* (cf. § 178).

conjugaciones (c a n t á m u s, v i d é m u s, a u d í m u s). Nótese que latín clásico -ĭ- ante -m-, como vocal medial en los proparoxítonos, vacila [50] entre el timbre -i- y -u-: m á x ĭ m u s =
m á x u m u s, p é s s ĭ m u s = p é s s u m u s [51]. Al desplazarse
el acento, esta vocal de cualidad vacilante recibió el acento:
la antigua vacilación de la vocal se refleja en la Romania en
que una parte de los idiomas prefirió la vocal palatal (p e r-
d ĭ m u s > esp. *perdémos*, ital. dial. *perdę́mo*); en cambio, en
otros dominios (francés, etc.) se impuso[52] la variante velar
(p e r d ŭ m u s > fr. *perdons*). Además, en el primer caso
(español e italiano dialectal), la terminación palatal podía
apoyarse en la segunda conjugación (v i d é m u s > esp. *vemos*, italiano dialectal *vedę́mo); en el segundo caso (francés, etc.), la terminación velar podía apoyarse en s ŭ m u s
(fr. ant. *soms*) y v o l ŭ m u s (fr. *voulons*) < v ó l u m u s,
así como en la misma vocal de la tercera persona plural
p é r d u n t (que coincide con la vocal de v o l u n t, s u n t). La
terminación -ŭ m u s acabó por desplazar casi por entero
en francés, en la época preliteraria, las primitivas terminaciones v i d - é m u s, c a n t - á m u s (fr. *voyons*, *chantons*).—
Cf. § 879.

139. Influjo fonético de voces emparentadas por su significación lo tenemos, por ejemplo, en latín vulgar, cuando
en vez de g r a v i s aparece la forma analógica *g r e v i s
(francés *grief*), creada según el modelo de su antónimo
l e v i s. De igual modo el latín vulgar crea, en vez de s i n i s-

---

[50] Detrás de -l- es firme la -u-: v ó l u m u s, pues la -l- velar (§ 385)
y la -u- se apoyan una a otra.

[51] La pronunciación fonética podía ser [*ü*] o [*ĭ*]: cf. Quintiliano,
Inst. orat., 1, 4, 8.

[52] Así lo explica W. Hermann, *Archiv f. d. Stud. d. Neuer. Sprachen* 191, 1955, pág. 224.—Cf. también §§ 798; 879.

t e r, la forma s i n e x t e r (por analogía con su antónimo
d e x t e r), que es la base de francés antiguo *senestre*, español *siniestro*, etc. Y, por el mismo procedimiento, en vez de
r e d d e r e el latín vulgar dijo *r e n d e r e (francés *rendre*,
italiano *rendere*, etc.), creación analógica provocada por su
antónimo p r e n d e r e (< p r e h e n d e r e). En muchos idiomas románicos el vocalismo de d e ọ r s u m se transformó
en *d e ụ r s u m (francés antiguo *jüs*, italiano *giù*, español
yuso) por influjo analógico de su antónimo s ụ r s u m (francés antiguo *süs*, italiano *sù*, español *suso*). En provenzal se
creó al lado de *escrit* (< s c r i p t u) la forma *escrich*, analógica de *dich* (< d i c t u), etc.

Estos cambios analógicos —y ello vale para el reajuste de formas (cf. § 137), pero especialmente para el influjo
de palabras afines por su significación— no se realizan generalmente por vía estrictamente intelectual, esto es, mediante la sola imagen que las respectivas palabras y formas tienen en nuestro recuerdo, sino que se producen en la conexión sintáctica del habla viva (razón por la que es con frecuencia difícil encontrar en la literatura escrita una prueba
y mucho menos la primera prueba analógica de tal conexión
sintáctica); y así, g r e v i s pudo formarse no sólo por simple analogía con su antónimo l e v i s, sino también por conexión sintáctica, por ejemplo, en la pregunta **utrum levis
an grevis?* Dígase lo mismo de: **rendo quod prendidi*, etc. [53].
Cf. además §§ 624; 649; 659; 718.

Una especie de la influencia de palabras de significación
afín (cf. § 138) la tenemos en la etimología popular, la cual
puede también transformar la consistencia fonética de las
palabras heredadas.

---

[53]   Cf. Ed. Hermann, *Lautgesetz u. Analogie*, Berlín (Weidmann), 1931.

La etimología popular consiste en la tendencia a relacionar la significación de las palabras poco claras, etimológicamente, para el sentido de la lengua con otras palabras del mismo idioma, insertando así las primeras en una familia etimológica. La etimología popular afecta, sobre todo, a palabras aisladas, sin familia lingüística, y muy especialmente a los préstamos. Además, esta adscripción a una familia realizada por la etimología popular puede incluso repercutir sobre la forma fonética de la palabra en cuestión.— Así, por ejemplo, n u p t i a e aparece en francés como *noces* y en italiano como *nozze*. La evolución estrictamente fonética hubiera dado francés **nouces*, italiano **nozze*. La modificación vocálica se debe a una ingerencia de la voz n ŏ v u s (cf. esp. *novio*) (ingerencia comprobable en amplias zonas de la Romania), con la que la etimología popular relacionó n u p t i a e, voz que había quedado aislada etimológicamente tras la desaparición del verbo n u b e r e.—El alsaciano *sûrkrût* aparece en francés en 1755 como *sorcrote*, pero por etimología popular se relaciona pronto con *chou* y reaparece (1788) en la forma *choucroute*.—El préstamo m e l a n c h o l i a se hace en italiano *malinconia*, relacionado por etimología popular con *male*. La palabra *hamacu*, procedente del Caribe (francés *hamac*) se etimologiza en alemán bajo la forma *Hängematte*.

140. Hay también en la lengua resistencias frente a la analogía, y consisten en que la lengua se aferra profundamente a la *consuetudo* (§ 130, 3), bien que no sea ése solo el terreno en que se manifiestan activas aquellas resistencias.

La analogía puede encontrar resistencias en la realidad, hostil a la analogía. Por ej., el posdorso de la lengua no tiene la misma elasticidad que su predorso. Por ello, en algunos dominios lingüísticos (§ 184) el sonido *ü*, nacido en un principio por razones combinatorias (§ 137, 3), se utilizó para descargar la escala de las vocales posdorsales. El sistema de los fonemas (de un lado, *i̦, e̦, e̦; de otro, o̦, o̦;* además, *ü*) cobró así una estructura desigual.

La resistencia frente a la analogía puede, además, tener también su origen en la voluntad de variación o en la necesidad inconsciente de variación experimentada por el hablante. Esto se aplica, por ej., a la disimilación (§ 135). Dentro de la estilística se explica también así el zeugma (H. Lausberg, *Handbuch der lit. Rhetorik,* Munich, 1960, §§ 701-708; cf. también más abajo, § 819, 2 a la frase de Tácito, *Ann.* 15, 38).

c) VOCES POPULARES Y CULTISMOS (§§ 141-148)

141. Por 'palabra popular' (*mot populaire*) se entiende la palabra que ha vivido en tradición ininterrumpida dentro del latín vulgar y en boca de los pueblos románicos, incluso en sus capas inferiores.

Las palabras populares han recorrido, pues, todas las fases evolutivas de la lengua hablada en su aspecto fonético, y representan la fuente principal para la investigación de los cambios fonéticos. El núcleo de todas las lenguas romances consiste en las palabras populares, y dentro de éstas forman un grupo preferente, como es lógico, los términos concretos de la vida campesina (v a c c a fr. *vache,* b o v e fr. *boeuf,* c a r r u c a francés *charrue,* c a n e francés *chien,* etcétera).

142. Por palabra culta (*mot savant*) se entiende una palabra que no ha vivido en tradición ininterrumpida en boca

de los pueblos románicos, sino que ha sido utilizada únicamente en círculos cultos, conocedores del latín literario
(durante la Edad Media, principalmente el clero) [54]. Cuando
las lenguas romances populares alcanzaron capacidad para
la expresión literaria (cf. § 37), los cultismos irrumpieron
también en el contexto románico, convirtiéndose así en voces populares y ajustándose forzosamente en muchos aspectos a los hábitos de pronunciación del pueblo [55].

Así, francés antiguo *clementia* (siglo IX) muestra aún ín-
tegra la forma de la palabra en latín; pero esa forma dejó
paso a *clémence* (desde el siglo XIII), que se ajustó a los hábitos de pronunciación del pueblo francés.—Cierto que la
plena inteligencia y, sobre todo, el empleo activo de los cultismos estuvo largo tiempo reservado a las personas letra-
das. La incorporación total de las voces cultas a la lengua
popular es el resultado de la elevación de la cultura del
pueblo; y hace tiempo que cultismos como *nation, idée* han
dejado de sentirse como cuerpos extraños en el caudal léxico
francés —a costa, ciertamente, de perder ciertos matices
de su significación—. Así, pues, una palabra culta no se reconoce hoy en que su uso sea exclusivo de las personas cultas (el cultismo *condition*, por ejemplo, se utiliza en todas

[54] Lo que decimos aquí y en lo que sigue no se aplica al román. de
los Balcanes. En éste, a los cultismos corresponde en cierta manera
el 'neologismo' moderno, cf. § 148, nota.

[55] No se deben incluir los cultismos en las categorías de 'extran-
jerismos' o de 'préstamos'. Un extranjerismo es una palabra tomada
de otro idioma, cuya calidad de extraña sienten aún los hablantes
(al. *kategorie*, fr. *waterproof*). Un préstamo es una palabra tomada de
otro idioma, cuyo origen extraño no sienten ya los hablantes (por
ejemplo, al. *Pfütze* < lat. p u t e u s). Los cultismos del románico no proceden de una lengua extraña, sino de la superestructura latina, siempre
presente.—La imitación por los cultos del lat. literario ('latinismo') no
se limita en román. al léxico, sino que comprende también la morfología, la composición y derivación, la sintaxis, etc.

partes); la identificación de un *mot savant* es posible únicamente mediante el análisis histórico de la forma fonética
y del contenido semántico e histórico-cultural de la palabra
respectiva.

143. Los cultismos admitidos en fecha temprana (en
algunos casos ya antes del siglo VIII) dentro de la lengua
popular y que de esa manera sufrieron una gran parte de
las transformaciones fonéticas románicas, se llaman semicultismos. Así, por ejemplo, francés *aveugle* (francés antiguo
avuegle) < a b o c u l i s realizó la diptongación ǫ > *ue* (cf.
§ 178), pero no la palatalización de cl > *l* (cf. o c u l u > francés antiguo *ueil*, francés moderno *oeil*). Se trata, pues, de
un ejemplo de voces semicultas de fecha temprana (con anterioridad al siglo VIII). Asimismo, francés *chapitre* < c a p i-
t u l u muestra la palatalización de la *k*- inicial ante *a* (como
en c a b a l l u > *cheval*), pero los otros sonidos de la palabra la delatan como *mot savant*: la *a* con acento secundario
hubiera debido pasar a *e* (cf. *cheval*), la *p* a *v* (cf. c a p i l-
l o s > *cheveux*), la *ĭ* breve a *ę* (cf. c a p i l l u > francés antiguo *chevel*); el grupo -'tul- hubiera debido desarrollarse
así: -tl- > -cl- > *l* (cf. v e t u l u > *veclu* > *vieil*), y la *u* final debió desaparecer por entero (cf. *vieil*); en una palabra, la
forma fonética popular debía haber sido **cheveil*. Las palabras que nos han servido de contraste y que presentan un
desarrollo fonético 'regular' *(cheval, cheveux, vieil)* pertenecen, justamente, al léxico cotidiano del pueblo. En cambio,
del *capítulo* se hablaba entre los clérigos; la palabra es,
pues, por su fonetismo y su significación, un claro *mot savant* [56]. Otros cultismos o semicultismos en francés son: *titre*,

---

[56] La misma palabra latina pervive como palabra hereditaria en
el it. *capecchio* 'estopa' y en el sudit. *capicchio* 'pezón'. Estos significa-

épître, diacre, page 'página', *image, ange, humble.* Cuán profundamente penetró el latinismo en la sustancia del fr. se ve
por la fecundidad de la derivación latinizante (*-ation, -ition,
-ateur, -able, -ible, -aire*).

Como el francés no tiene proparoxítonos (cf. § 121), los
proparoxítonos latinos como *mots savants* o se abrevian
(*ange, humble*), o mediante el desplazamiento del acento
(que ocurre también en la pronunciación medieval del francés) se convierten en paroxítonos (s p í r i t u s *esprít* [§ 146],
c á n d i d u s *candíde*).

144. La identificación de los cultismos mediante criterios fonéticos donde más fácil resulta es en los idiomas
cuyo caudal heredado ha sufrido profundas transformaciones fonéticas, por ejemplo, el francés. En cambio, la tarea
resulta a veces difícil en italiano, pues su léxico popular ha
experimentado relativamente pocas modificaciones fonéticas.
Una palabra como italiano *civiltà* 'cultura' apenas deja tras-
lucir su carácter culto en su contextura fonética. Por ello,
hay que conceder aquí atención especial a los criterios histórico-culturales.

145. Los criterios semánticos e histórico-culturales son
asimismo los que tienen la última palabra en todas las lenguas para la identificación de los 'cultismos meramente semánticos'. Son éstos palabras populares por su fonetismo
en las que, a través de la historia cultural, se les han injer-
tado las acepciones de sus etimologías latinas o de otras
correspondencias latinas. Así, por ejemplo, mientras que italiano *giudizio* se revela como cultismo por su misma textura

---

dos son especializaciones de la idea fundamental 'cabecita; parte semejante a la cabeza en un objeto pequeño'.

fonética (-*izio* en vez del fonético -*eccio* que era de esperar),
en la forma fonética del francés *jugement* no se ve que en
esta voz se introdujo el contenido significativo del latín *iudicium* en numerosos matices y por vía erudita. Asimismo
la voz *sagesse* acogió la significación de latín *sapientia*, etcétera. Esta latinización semántica es un fenómeno común a
toda Europa, y como tal se puede comprobar también en
alemán.

146.   Los cultismos fonéticos, una vez acogidos en el léxico románico, no realizaron todos los cambios fonéticos
ulteriores. No hay que olvidar que el latín (exceptuados los
Balcanes) se halla 'omnipresente' en el románico; esto es,
el latín es más o menos familiar a una gran parte de los hablantes románicos, que lo conocen de algún modo —aunque
no sea más que por su participación en el culto divino—.
Así, puede ocurrir que préstamos como francés *esprit* (<s p i-
r í t u m con acentuación medieval), *chaste* (< c a s t u m) hayan conservado su -*s*- en la pronunciación, pese a que se hallan
atestiguados desde el siglo XII (y probablemente penetraron
en el francés todavía más temprano), debiendo haber perdido su -*s*- en el siglo XIII (cf. t e s t a > *teste* > *tête*).

147.   Ocurre a veces el caso interesante de que una palabra pervive en románico como término popular, y al propio
tiempo se tomó otra vez del latín en calidad de cultismo.
Estas formas dobles reciben el nombre de 'dobletes' (francés *doublets*, italiano *allòtropi*). Pero obsérvese que la voz
popular presenta, por una parte, una forma con desarrollo
fonético regular, y por otra parte ofrece a veces una significación desarrollada independientemente y por cuenta propia, al paso que el término erudito, tanto desde el punto de
vista semántico como fonético, se mantiene lógicamente más

cerca de su modelo latino y muestra una significación más estricta y especializada, cuya necesidad motivó el préstamo. De esta manera se contraponen cultismos y popularismos, por ejemplo: francés *rançon* 'rescate' / *rédemption* 'redención' (r e d e m p t i o); *heur* (*bonheur*) 'felicidad' / *augure* 'augurio' (a u g u r i u); *août* 'agosto' / *auguste* 'augusto' (a u g u s t u); *forge* 'fragua' / *fabrique* 'fábrica' (f a b r i c a); *frêle* 'tierno, enfermizo' / *fragile* 'frágil, quebradizo' (f r a g i l e); *hôtel* 'hotel, ayuntamiento, etc.' / *hôpital* 'hospital' (h o s p i t a l e); *parole* 'palabra' / *parabole* 'parábola' (p a r a b o l a); *raide* 'tieso' / *rigide* 'rígido, inflexible' (r i g i d u); *cercueil* 'ataúd, féretro' / *sarcophage* 'sarcófago' (s a r c o p h a g u); *chétif* 'enclenque' / *captif* 'prisionero' (c a p t i v u); *peser* 'pesar' / *penser* 'pensar' / *panser* 'vendar' (p e n s a r e); *pitié* 'compasión' / *piété* 'piedad' (p i e t a t e); *prêcheur* 'reprendedor' / *prédicateur* 'predicador' (p r a e d i c a t o r e); *entier* 'entero' / *intègre* 'íntegro, insobornable' (i n t e g r u); *sevrer* 'desacostumbrar' / *séparer* 'separar' (s e p a r a r e); *poison* 'veneno' / *potion* 'poción' (p o t i o n e); *serment* 'juramento' / *sacrement* 'sacramento' (s a c r a m e n t u).—En italiano: *cagione* 'causa' / *occasione* 'ocasión' (o c c a s i o n e); *frale* 'caduco' / *fragile* 'quebradizo' (f r a g i l e).—En español: *cadera* / *cátedra* (c a t h e d r a); *enebro* / *junípero* (término científico, i u n i p e r u); *fragua* / *fábrica* (f a b r i c a); *palabra* / *parábola* (p a r a b o l a); *hostal* / *hospital* (h o s p i t a l e). Ofician también como fuente de dobletes otras lenguas o variantes dialectales románicas: m a c u l a > it. *macchia* «mancha» (palabra popular), *maglia* «malla» (< fr. *maille* < lat. m a c u l a); esp. *mancha* (palabra popular), *mácula* (cultismo), *malla* (<fr. *maille*); t i t u l u > esp. *título* (cultismo), *tilde* (< fr. ant. *title* < lat. t i t u l u); t a b u l a > fr. *table* «mesa» (pasando por *t a b b l a: § 423), *tôle* «palastro» (pasando por *t a wl a: § 374); c a t h e d r a > fr. *chaire* «cátedra», *chaise* «silla» (en virtud de un cambio más general, escalonado dialectal y socialmente, pero que no llegó a imponerse en todas partes, *-r-* > [*-z-*] en el siglo XVI: *Paris* > [*pazi*]; § 384).—Un fenómeno afín está constituido por los «représtamos» tomados del ing. por el fr., tales como fr. *challenge* «competición deportiva por el título de campeón» < ing. *challenge* «desafío, reto» < fr. ant. *chalonge* «pleito, litigio» < c a l u m n i a «calumnia».

148. La coexistencia de voces populares y cultas da al léxico románico un cierto carácter de abigarramiento: es aquella polifonía cultural latino-románica, que constituye una nota característica de la Europa occidental (cf. § 39); es un distintivo de una cultura rica que sabe unir y transformar el pasado y el presente [57], de un sentido vital expresamente orientado en sentido histórico y para el que resulta imprescindible mantener viva la conciencia del pasado en el presente. Pero esta polifonía en ninguna parte de la Romania ha desembocado en una disonancia tan crasa como en Grecia (δημοτική = [lengua literaria basada en la] lengua popular, καθαρεύουσα = lengua literaria erudita, historizante) [58]. Las razones de ello hay que buscarlas para la Romania en el saludable papel conservador y tradicionalista desempeñado por el clero latino (cf. § 39), así como en las condiciones externas (continuidad político-social, lucha contra el poderío de los turcos).

---

[57] También, por ej., las lenguas de la India de hoy buscan sus cultismos en el sánscrito.

[58] En el rum. la superabundancia de neologismos fr. ·(cf. § 22) desde el s. XIX ha originado asimismo una sima lingüístico-social que es igualmente la repercusión actual de una discontinuidad histórico-cultural.

SECCIÓN SEGUNDA: FONÉTICA HISTÓRICA ROMÁNICA (§§ 149-582)

CAPÍTULO PRIMERO

EL ACENTO (§§ 149-153) [1]

I. Diferencias acentuales entre el latín vulgar y el literario (§§ 149-150)

149. En latín vulgar y en las lenguas románicas la vocal tónica se encuentra, por regla general, en la misma sílaba que en el latín literario (por ejemplo, m a t ú r u > italiano *matúro*, español *madúro*, francés antiguo *mëúr*, etc.). Sin embargo, hay que admitir para el latín vulgar y las lenguas románicas las siguientes diferencias (en gran parte, atestiguadas ya en la Antigüedad) de acentuación respecto al latín literario:

1. En la lengua literaria el grupo consonante + *r* (*muta cum liquida*) no forma posición (cf. § 115), y el acento carga, consiguientemente, en palabras como t é n e b r a e, í n t e g r u m, sobre la antepenúltima sílaba. En cambio, en latín vulgar (y también en la lengua poética desde el principio, a voluntad del poeta) ese grupo consonántico forma

---

[1] Para la teoría general del acento cf. §§ 114 y ss.

posición. Por tanto, en latín vulgar (y a voluntad en poesía)
se acentúa t e n é b r a e, c o l ú b r a (cf.
§ 238), t o n í t r u,
i n t é g r a, c a t (h) é d r a [2] (> español *tiniéblas, culébra, tro-
nído, entéro, cadéra;* francés *ténèbres, couleuvre, tonnerre,
entier,* francés antiguo *chaiere* > francés moderno *chaire,*
etcétera) [3].

2. Cuando la *antepaenultima* y la *paenultima* constan de
la serie vocálica íĕ, íŏ, éŏ, el acento avanza en latín vulgar sobre la penúltima. Para la explicación fonética cf. § 111. La
lengua poética tardía toleró también esta acentuación adop-
tada por la pronunciación vulgar. Así, pues, el latín vulgar
acentuó m u l i é r e, f i l i ó l u, a r a n e ó l a, P u t e ó l i,
l i n t e ó l u (> español *mujer, hijuelo, arañuela, Pozuelo, lenzuelo;* suditaliano *mogliére,* italiano *figliuolo, ragnuola, Pozzuoli, lenzuolo;* francés antiguo *moillier,* francés *filleul, linceul)* frente al latín literario m u l í e r e m, etc.

Por virtud de este desplazamiento del acento viene a hallarse una vocal breve en la sílaba abierta de la *paenultima,*
cosa que es imposible, según las leyes de acentuación latinas
(cf. § 115). Si a pesar de ello se originaron tales formas, la
explicación hay que buscarla en el hecho de que en la época
del desplazamiento acentual había desaparecido ya el sentido
de la cantidad vocálica (cf. § 155). Esa vocal se trata en románico igual que la vocal (ẹ, ọ) abierta (por ser breve en
latín clásico); por tanto, f i l i ọ l u > italiano *figliuolo,* etcétera; cf. § 164. En cambio, en el sur de Italia se encuentran

---

[2] Las nuevas vocales tónicas se tratan en lat. vulg. como las breves del lat. literario, y como tales siguen la evolución ulterior
(cf. §§ 156 y ss.); así, lat. clás. t é n ĕ b r a s > lat. vulg. t e n ẹ b r a s >
esp. *tinieblas* (cf. § 164), etc.

[3] A esto responde *p u l l í t r u (norte-)it. *pulédro,* mientras que el
fr. *poutre,* corso *poltro,* esp. *potro* presuponen la acentuación *p ú l l i-
t r u, que parece haberse apoyado en el nom. sing. *p ú l l i t e r.

vestigios de que en la época del desplazamiento del acento el sentido de la cantidad estaba todavía vivo [4]: latín f i l í o - l u s pasó aquí en muchos sitios a f i l i ō l u s , y después la ö (como ō primitiva) > ǫ [5]: napolitano *figliulo* [6], *caiǫla* 'gabbia' (< c a v e o l a).—Para p a r i e t e > p a r ę t e , cf. § 251.

3. La acentuación M é r c u r i (genitivo de M e r c ú - r i u s) en la designación del día de la semana M é r c u r i d i e s (rumano *miércuri*, español *miércoles*, italiano *mercoledi*, corso *márcuri*, francés *mercredi*) hay que considerarla como pronunciación potestativa ya en latín, según la ley de las tres sílabas (cf. § 115).

4. La terminación - e r u n t de la tercera persona plural del perfecto tiene —según prueba también la lengua poética— ĕ breve [7], de suerte que el acento carga sobre la sílaba anterior a la terminación conforme a la ley de las tres sílabas (cf. § 115); por tanto, d í x e r u n t , f é c e r u n t , f ú e - r u n t , m í s e r u n t , c a n t á v e r u n t > c a n t á r u n t ; cf. italiano *dìssero, fècero, fùrono, mìsero, cantàrono;* francés antiguo *distrent, firent, furent, misdrent, chantèrent.*

5. Por analogía con las formas de acentuación radical b a t t o , b a t t i s , etc. (< b a t t u o , etc., cf. § 251) se formó un nuevo infinitivo b á t t e r e en vez de b a t t ú e r e (c r é - d o - c r é d e r e); de ahí, italiano *báttere*, francés, *battre*, etcétera.

---

[4] Más aún, en el dominio con vocalismo sardo las cantidades se mantuvieron quizá largo tiempo en todo su valor, cf. § 158.

[5] Cf. el tratamiento de au > ǫ monoptongado en lat. vulg. cf. § 243, nota) y en parte el de ae > ę (cf. § 242).

[6] Aquí ǫ dio *u* por metafonía (cf. § 199).

[7] La pronunciación literaria f e c ē r u n t se basa probablemente en el influjo analógico de la terminación -ē r e (f e c ē r e), en la que ę era de por sí larga.

6. En la mayor parte de los *verba composita*, que en latín clásico llevaban el acento sobre la preposición, el latín vulgar introduce la acentuación radical: r e c í p i t (italiano *riceve*, francés *reçoit*), d e m ó r a t (italiano *dimora*, francés *demeure*), i m p l í c a t (italiano *impiega*, francés *emploie*), r e n é g a t (italiano *riniega*, francés *renie*). Este proceso se llama 'recomposición', esto es, una tendencia a hacer perceptibles los elementos del compuesto mediante una desmembración acentual de la palabra. Así se comprende que en parte se llegara incluso a sustituir la cualidad vocálica del radical, frecuentemente debilitada en los compuestos latinos, por la cualidad vocálica del verbo simple: así, d i s - p l á- c e t (francés *déplaît*, italiano *dispiace*) en vez de d í s - p l i- c e t; c o n - t é n e t (francés *contient*, italiano *contiene*) en lugar de c ó n - t i n e t.—Cuando no se tenía ya conciencia de los elementos del compuesto, no se echaba mano tampoco de la 'recomposición': c ó l l o c a t (italiano *córica*, francés *couche*, español *cuelga*), s é p a r a t (francés *sèvre*). Cf. además §§ 579-581.

7. En el románico primitivo se unían en algunos casos dos palabras consecutivas en un *mot phonétique* (§ 115), lo que acarreó a veces desplazamientos del acento.

a) En el dialecto gascón de la Alta Bigorra (*Archiv f. d. Studium der Neueren Sprachen* 192, 1956, p. 220) se conservó un tipo de futuro que demuestra haberse formado de c a n- t á r e h á b e t mediante la fusión de ambas palabras en el primitivo *c a n t á r a b e t (gasc. *cantára* «cantará»), pues la -ă- de h ă b e t era breve (§ 115). Después todas las personas del futuro tomaron en este dialecto gascón la misma acentuación, mientras que en las demás lenguas románicas fue decisivo el tipo acentual *c a n t a r á b e o, *c a n t a r é m u s, *c a n t a r é t i s, de suerte que las formas más antiguas *c a n-

tárabes, *cantárabet, *cantárabent fueron des-
plazadas por las formas analógicas *cantarábes, *can-
tarábet, *cantarábent (§ 846).

b) Como de decórum ést resultó la forma decó-
rust, de *cantaísti la forma cantásti (§ 824), de éc-
cum ístum la forma *eccústu (§ 740, B), así también
de léva íllum resultaría la forma ensamblada *levállu
(§ 728) y de décem et nóvem la forma decétnove
(§ 767, 1 c).—Cf. además §§ 700; 708, nota; 744.

c) Un estado de la lengua en el que la ā lat. conservaba
todavía su cantidad larga, al paso que ū, ō habían perdido
ya su cantidad (§ 155), parece estar indicado por algunos
ejemplos en los que la ā atrae hacia sí el acento que, según
las leyes de acentuación (§ 115) correspondería a la ū o a la
ō de la sílaba siguiente: dies cenae purae (*Vetus Latina*, Luc. 23, 54) > *dies de cenā pūra (§ 587) > sar. *kenápura* «viernes»; hā hōra > prov. *ára* (con elisión de la
o), fr. *or* (con evolución áo>o como en aurum>or; § 243);
hinc hā hōra > fr. *encore;* mātūru > rum. *mátur*
(cf. § 153).

d) Las palabras rum. *nu* (< non; § 532) y *ce* (< quid;
§ 747, 1) como iniciales de oración pueden atraer a sí el acento principal, convirtiéndose entonces la palabra siguiente
(verbo sustantivo) en enclítica (§ 723) de la inicial de la
oración. Este empleo (potestativo, por tanto, todavía libre)
podría quizá hallarse ya en germen en el lat.: quid facis?
cé faci?; non scio *nú stiu*. El uso no depende hoy de las
condiciones del acento latino: habétis *avéţi* (§ 870); quíd
habétis? *ce áveţi?* [*cávets*].

150. El cambio de conjugación, casi románico común, de
algunos verbos de la 2.ª y 3.ª conjugación (respondére >

r e s p ó n d e r e ;   c á d e r e > c a d é r e : § 790, 1-2) no se ha de considerar como desplazamiento acentual, puesto que se trata de un fenómeno más amplio de morfología (§ 790, 3).

II. Diferencias acentuales entre las lenguas románicas (§§ 151-153)

151. Es frecuente el desplazamiento del acento en el hiato (primario o secundario); y entonces, en la formación del diptongo, la vocal más abierta es la que suele quedarse con el acento (cf. § 112). Así, entre otros ejemplos, *reíne*, *gaíne* (< r e g í n a , v a g í n a) son trisílabos en francés antiguo, pero se hicieron pronto bisílabos, pasando el acento a la vocal más sonora: *réine*, *gáine* (de donde francés moderno [r̨ẽn, g̨ẽn]). Así es cómo hay que explicar también el desplazamiento del acento en español *réina* < r e g í n a, *Diós* < D é u s .

152. En los proparoxítonos, algunos dialectos provenzales y norteitalianos desplazan el acento sobre la penúltima (cf. § 121): provenzal *manéga* < m á n i c a , *perséga* < p é r s i c a (al lado de *mánga*, *pérsega*), bergamasco *manéga* < m á n i c a .

En algunos dialectos francoprovenzales y norteitalianos ocurre que en los paroxítonos las vocales tónicas de menor grado de abertura *(i, u, ü;* cf. § 44) pierden su acento en favor de las vocales más sonoras (cf. § 90) de las sílabas vecinas: francoprovenzal *épna* < e s p ī n a , *fárma* < f a r ī-n a , *dzérna* < g a l l ī n a , norteitaliano (Valtelina) *gálna* <

g a l l ī n a , francoprovenzal *lná* < l u n a, piamontés *fariná* < f a r ī n a.

153. ' Otra fuente del cambio acentual radica en el desconocimiento de los sufijos o en la transformación analógica de finales de palabra. Así, en galorromano, s ó r e x , s ó r i c e m (que pervive, por ejemplo, en rumano *şoárece*, italiano *sórcio*) se transformó en *s ó r i x , *s o r ī c e m , de donde francés *souris*, provenzal *soritz.*—El griego συκωτόν 'hígado relleno de higos' se transformó en latín en f i c a t u m , vacilando la acentuación entre f í c a t u m (italiano *fégato*, español *hígado*, francés *foie*) y f i c á t u m (rumano *ficát*). Sobre la 3.ª pers. pl. de los verbos en dialectos franceses cf. § 798.

En los temas rumanos en *-ur-* (< latín *-ur-* o *-ul-*) se observa vacilación entre la acentuación proparoxítona y paroxítona[8]: por un lado, p ó p u l u s > *popór* 'pueblo'; por otro, m a t ú r u s > *mátur* 'maduro' (§ 149, 7 *c*).

---

[8] Cf. S. Puşcariu, *Zeitschrift f. roman. Philologie* 27, 1903, p. 741.

CAPÍTULO II

VOCALISMO (§§ 154-296)

I. Las vocales tónicas (§§ 154-248)

A) EL SISTEMA VOCÁLICO LATINO (§§ 154-155)

154. El latín literario tenía las siguientes vocales:

$$\begin{array}{ccc} \breve{\iota}\,\bar{\iota} & & \breve{u}\,\bar{u} \\ \breve{e}\,\bar{e} & & \breve{o}\,\bar{o} \\ & \breve{a}\,\bar{a} & \end{array}$$

y los diptongos *ae, oe, au* [1]. En las vocales simples es característica la distinción estricta de cantidades, heredada del indoeuropeo, con valor fonológico (cf. § 123): *mălum* 'desgracia', *mālum* 'manzana'; *pŏpulus* 'pueblo', *pōpulus* 'pobo', etcétera.

155. El sentido para una fina distinción de las cantidades desapareció en la latinidad posterior, probablemente

---

[1] Para la pronunciación de los diptongos cf. §§ 241-248.

desde la época de propagación del latín a las comunidades lingüísticas de la península italiana, acostumbradas como estaban a otros sistemas vocálicos [2] ('sustrato', cf. § 30). Sobrevino el llamado 'colapso' del sistema cuantitativo, y se reorganizó el vocalismo, ahora sin cantidades.

A partir de esa fecha, las vocales sólo se distinguen por su cualidad. Ahora bien, el paso del sistema cuantitativo al meramente cualitativo, ni siquiera en la propia península italiana se realizó de una manera uniforme, y ello nos permite echar una mirada retrospectiva sobre la más antigua distribución lingüística de la Península y del Imperio latinizados.

B) EL DESARROLLO DE LAS VOCALES LATINAS SIMPLES EN EL ROMÁNICO (§§ 156-240)

1. Los primitivos sistemas cualitativos románicos (§§ 156-162)

A) EL SISTEMA LLAMADO 'DEL LATÍN VULGAR' (§§ 156-157)

156. Se puede conjeturar que primeramente en el dominio dialectal osco-umbro (centro y sur de Italia) se acostumbraba a pronunciar abiertas las breves latinas y cerradas las largas (cf. § 95); además —una vez desaparecidas las cantidades— que se hacía coincidir la i̯ abierta con la ẹ ce-

---

[2] Sobre una posibilidad de explicación muy digna de tenerse en cuenta, cf. § 242.—Cf. ahora H. Weinrich, *Phonologische Studien...*, Munster (Westfalia), 1958; *Phonetica*, 4, suplemento, 1959, pp. 45-58.— Acerca de las huellas de las antiguas cantidades, cf. §§ 149, 2, 3, 7; 157; 163; 472, nota; 494.

rrada, y la ʉ abierta con la ǫ cerrada. De este modo surgió
el 'sistema cualitativo itálico' (atestiguado desde el siglo III
p. C., pero seguramente más antiguo):

Cantidad en latín clásico: ī ĭ ē ĕ ā ă ŏ ō ŭ ū

Cualidad en latín vulgar: i̦ ẹ ę   a ǫ ọ ʉ

Esta pronunciación de las vocales se impuso también en
la pronunciación vulgar de la ciudad de Roma y se extendió sobre una vasta zona del occidente del Imperio. El 'sistema cualitativo itálico' alcanza la siguiente extensión en el
románico: Italia central, parte norte del sur de Italia (Campania, Abruzzos, norte y centro de Apulia hasta Brindis,
norte de Lucania), norte de Italia, Dalmacia, Istria, Retorromania, Galorromania, Iberorromania.

Como —prescindiendo del rumano (cf. § 161)— todas las
lenguas literarias románicas se basan en este sistema, éste
desempeña un papel fundamental en la enseñanza actual de
las lenguas romances. Por ello, con frecuencia se le designa,
abusivamente, como el sistema vocálico 'del latín vulgar'
sin más, aunque consta que jamás hubo un sistema vocálico unitario en el latín vulgar (cf. § 155), teniendo, por tanto,
los sistemas que a continuación (§§ 158-162) vamos a presentar igual derecho al calificativo de 'latino-vulgares'.

157. En la citada zona geográfica del sistema cualitativo
itálico forman la base de la ulterior evolución (cf. §§ 163 siguientes) las siguientes formas latino-vulgares (selecciona-
mos los ejemplos):

Cant. en lat. clás.	Cual. en lat. vulg.	Ejemplos
ă ā	a	pater, mater (sin diferencia de cantidad)
ĕ	ę	fęsta, hęrba, pęde, dęce(m).
ē	ẹ	vęndẹmia, fẹmina, mẹ(n)sa, ẹsca
ĭ	ẹ	pẹper, nẹve, mẹttere, pẹsce
ī	ị	fịlia, spịna, mịlle, scrịptum
ŏ	ǫ	pǫrta, ǫcto, rǫta, nǫve(m)
ō	ọ	cognọsco, sọle, scọpa, vọce
ŭ	ọ	bọcca, mọsca, nọce, crọce
ū	ụ	ụnu, mụsculu, nụllu

Algunos fenómenos del consonantismo se remontan ya al período en que las cantidades latinas se conservaban aún intactas. Así, latín -ll- tras vocal larga por naturaleza se simplifica en -l- en norteitaliano, retorromano, francoprovenzal, francés, provenzal y catalán, al paso que -ll- tras vocal breve por naturaleza se mantuvo (en ese período) como -ll- (reduciéndose a -l- mucho más tarde, en el proceso de abreviación general de las geminadas). Esta diferencia se comprueba claramente en el tratamiento ulterior de las vocales. Al paso que las vocales de s t ē l l a > s t ē l a (norteitaliano y sobreselvano *steila*, francés *étoile*), ō l l a > *o l a (francés antiguo *eule*) son tratadas como en posición libre (cf. §§ 163-185), en c a p ĭ l l u (norteitaliano *cavẹl*, sobreselvano *cavegl*, francés antiguo *chevẹl*) y c ŏ l l u (norteitaliano *cọl*, francés antiguo *col*) las vocales reciben el tratamiento como en posición trabada.—Cf. también § 163.

B) EL SISTEMA ARCAICO EN CERDEÑA, LUCANIA Y ÁFRICA (§§ 158-160)

158. El 'sistema vocálico itálico' (cf. § 156) no cuajó en Cerdeña; más bien parece que esta región se mantuvo fiel durante más tiempo al sistema de las cantidades latinas[3] (cf. § 154), pero sin diferenciar en todo caso las cantidades mediante distintos matices cualitativos. Las cantidades vinieron finalmente a desaparecer también en Cerdeña, con lo que las cantidades correspondientes (por ejemplo, ī ĭ) se fundieron en una cualidad única (por ejemplo, i). Surgió así el sistema arcaico:

Cantidad en latín clásico: ī ĭ ē ĕ ă ŏ ō ŭ ū

Cualidad en sardo: i   e   a   o   u

Este sistema arcaico[4] se encuentra en el campidanés y logudorés (así como en el nuorés); además en el galurés y corso del sur. En el corso central y del norte, así como en sasarés, el sistema vocálico sufrió una profunda transformación —sin duda por influjo del toscano—.

159. El sistema vocálico arcaico se conservó —sin unión geográfica con Cerdeña— incluso en una zona retirada de la Península italiana (franja norte de Calabria, sur de Lucania), y en una faja montañosa (Monte Papa, Monte Pollino) que va desde el Golfo de Policastro hasta el mar Jónico (desem-

---

[3] También sería posible que los sardos no distinguieran correctamente desde el principio las cantidades lat. Pero el caso de *kenápura* (cf. § 149, 7 *c*) prueba que el sardo pronunció en algún tiempo aquellas cantidades.

[4] Las cualidades *e* y *o* se pronuncian abiertas o cerradas, según el contorno fonético, cf. § 193. En la región de Lucania (§ 159) *eo* se pronuncia según las condiciones metafónicas *ę ǫ*, o bien *ẹ ọ (ie, ou)* (§ 194).

bocadura del Agri).—También el latín africano tenía vocalismo 'sardo' (cf. § 158), como prueban los gramáticos (San Agustín, *Doctrina christ.*, 4, 10; Consencio, p. 11, 8. 19, edición de M. Niedermann, 1937) y las palabras que han quedado en berberisco (*akiker* < c i c e r, *ulmu* < u l m u). Asimismo, los préstamos latinos del vascuence (*pike* < p i c e, *urka* < f u r c a) revelan un vocalismo 'sardo-africano'.

160. Ejemplos para la evolución de las vocales en sardo y lucano del sur:

Cant. lat.	Sardo	Lucano del sur
ē	*bẹne, fẹle, ẹrva* (< h e r b a)	*fẹle, ẹrva* (< h e r b a)
ĕ	*kadẹna, kẹra, mẹse, fẹmina*	*catẹna, crẹta, cẹra, mẹse, fẹmmina, vẹn- nẹmma* (<vindemia)
ĭ	*nie, pighe, pira, sidis*	*nive, pice, pira, site, pipe*
ī	*filu*	*filu*
ŏ	*bọna, rọda, nọe* (<n o v e m)	*rọta, nọve, fọssa, pọrta*
ō	*sọle, iscọba*	*sọle, nipọte, frọnte*
ŭ	*rughe* (< c r u c e) *nughe* (< n u c e) *puttu* (< p u t e u) *bukka, furca*	*cruce, nuce, duce* (< d u l c e) *vucca* (< b u c c a) *vutte* (< b u t t e)
ū	*muru*	*muru*

c) EL SISTEMA DE COMPROMISO EN LUCANO ORIENTAL
Y ROMÁNICO DE LOS BALCANES (§ 161)

161. Ambos sistemas vocálicos (cf. § 156 y § 159) entraron en contacto en el sur de Italia. En el sudeste de Italia

se llegó a la formación de un sistema de compromiso, consistente en adoptar el 'sistema itálico' (cf. § 156) para las vocales palatales, mientras que en las vocales velares se mantuvieron, al parecer, durante más tiempo las cantidades del latín clásico, acabando finalmente por fundirse sin diferencia cualitativa como en el 'sistema arcaico' (cf. § 158) [5]:

Cantidad en latín clásico: $\bar{\imath}$ $\breve{\imath}$ $\bar{e}$ $\breve{e}$ $\bar{a}$ $\breve{a}$ $\breve{o}$ $\bar{o}$ $\breve{u}$ $\bar{u}$

Sistema de compromiso: i $\underset{.}{e}$ $\underset{.}{\varepsilon}$ a o u

Este sistema de compromiso se ha conservado hasta el día de hoy en una zona-reducto de la montaña del este de Lucania (en torno a Castelmezzano, al oeste de Matera). Hay que suponer que antiguamente abarcaba una zona mucho más vasta y que llegaba a la costa del Adriático, pues continúa al otro lado del Adriático en el románico de los Balcanes, y aún hoy constituye la base del vocalismo rumano. Ejemplos:

---

[5] Por esto y por otros indicios (cf. § 205: *mucho / estrecho*) se puede deducir que en la zona del 'sistema cualitativo itálico' (cf. § 156) el olvido de las cantidades del lat. clás. y el paso a las cualidades del lat. vulg. se produjo antes en las vocales palatales que en las velares. Por tanto, el sistema de compromiso se desglosó del 'sistema itálico' en una etapa anterior, que fue común a ambos. Es característico el mantenimiento por más tiempo de las cantidades en las vocales velares, lo que se compagina muy bien con el hecho de que la diferenciación de los matices cualitativos de las velares (ϱ, φ, u) es fonéticamente más difícil que la de los matices palatales ($\underset{.}{e}$, $\underset{.}{\varepsilon}$, i); cf. también § 165. No se pueden ignorar tampoco ciertas vacilaciones entre *o* y *u* en el sistema de compromiso: a u t u m n a > rum. *toamnă*, c o t e > rum. *cute*. Son los primeros preludios de la (futura) desmembración del sistema.—Cf. § 377, nota.

Cant. lat.	Lucano oriental	Rumano
ĕ (> ę)	*sętte, fęle, pęde* [6]	> *ie* (cf. § 197):
		fiere (< f e l e)
		fier (< f e r r u)
		piept (< p e c t u)
ē (> ę)	*stęlla, vennęgna*	*dęs* (< d e n s u)
	(< v i n d e m i a), *cręta,*	*stęle* (< s t e l l a e)
	męse, cannęla [6]	*męse* (< m e n s a e)
		cręsc (< c r e s c o)
		cręd (< c r e d o)
		-ęre (inf.)
ĭ (> ę)	*lęnga, vęrde, nęve,*	*vęrde* (< v i r(i)d e)
	pępe [6]	*lęmn* (< l i g n u)
		nęgru (< n i g r u)
		cęrc (< c i r c u)
		plęc (< p l i c o)
ī (> i)	*fila* (< f i l a t), *scrittu,*	*fir* (< f i l u)
	-itu, -ita, -i (-i r e)	*scris* (< *s c r i p s u)
		-it, -ită, -ire
ŏ ⎫ (> o)	*ǫtto, cǫre* [6]	*pǫrc* (< p o r c u)
ō ⎭	*nepǫte, sǫle*	*cǫrn* (< c o r n u)
		-ǫs (< -o s u)
		nǫd (< n o d u)
		cunǫsc (< c o g n o s c o)
ŭ (> u)	*cruce, nuce, surda,*	*cruce, nucă, surd,*
	munge (< m u l g e r e),	*mulge, furcă*
	furca	
ū (> u)	*luna, unu, muru*	*lună, un, mur*

---

[6] Las cualidades de *e* y *o* fueron reorganizadas secundariamente en el este de Lucania: cierre de las vocales libres y abertura de las trabadas (cf. § 163).

162. En Sicilia, en Calabria [7], en el sur de Apulia (al sur de Brindis), esto es, principalmente en una región de fuerte adstrato o sustrato griego (cf. § 30), la reducción del vocalismo cuantitativo del latín clásico se realizó de manera que primeramente latín clásico ē ō coincidieron con latín clásico ĭ ŭ en las cualidades *i̥ *u̥ (en vez de en las cualidades ę ǫ, como en el 'sistema itálico'; cf. § 156); después *i̥ *u̥ se confundieron con latín clásico ī ū (> i̥ u̥) en las uniformes *i u*:

Cantidad del latín clásico: ī ĭ ē ĕ ă ŏ ō ŭ ū

Cualidades sicilianas: i ę a ǫ u

Ejemplos sicilianos, calabreses y del sur de Apulia.—Latín ĕ: *fęle, sętte;* latín ē: *stilla, crita, cannila;* latín ĭ: *nive, pipe, virde;* latín ī: *filu;* latín ŏ: *ǫttu, cǫre;* latín ō: *nipute, sule;* latín ŭ: *cruce, nuce;* latín ū: *muru.* Cf. supra, pp. 23-24.

2. La evolución ulterior de las vocales en cada una de las lenguas (§§ 163-240)

A) OJEADA GENERAL SOBRE LA EVOLUCIÓN 'ESPONTÁNEA' [8] (§§ 163-185)

α) Posición libre y trabada como condición del tratamiento vocálico (§ 163)

163. Al principio no tiene importancia en el desarrollo de las vocales en románico el que se hallen en posición libre

---

[7] Exceptuada la faja extrema del norte, que forma parte del sistema arcaico (cf. § 159).

[8] Para el término cf. § 131.

o trabada. Este estado arcaico se mantuvo en sardo, iberorromano, provenzal, dialectos suditalianos del oeste (Lazio,
Campania, Calabria, Sicilia) y románico de los Balcanes (exceptuado el vegliota). La pronunciación actual en las lenguas
iberorrománicas y rumana acusa en las vocales una brevedad
igual tanto en posición trabada (esp. *căldo*) como en posición
libre (esp. *clăro*).

En cambio, en otras regiones se originó un distinto tratamiento de las vocales, según que éstas estuvieran en posición
libre o trabada. Al paso que las vocales en posición trabada
se pronunciaron generalmente breves y no experimentaron,
en términos generales, modificaciones ulteriores, en posición
libre se alargaron (cf. § 96) y en muchas lenguas y dialectos
acabaron por resolverse en diptongos (cf. § 107). Esta evolución la encontramos en francés, francoprovenzal y, en mayor
o menor medida, en retorromano, en italiano del Norte, en
vegliota y parte oriental del sur de Italia (Las Marcas, Abruzzos, Apulia [9], Lucania), donde el fenómeno aún hoy se puede
observar en viva propagación y variado desarrollo de un lugar a otro; prueba de que aquí es relativamente reciente. El
punto por donde irrumpió desde el norte de Italia hay que
buscarlo en Las Marcas.

También el toscano (y con ello el italiano literario) se vio
afectado por este fenómeno, pues en toscano los diptongos
ié, *uó*, nacidos de *ę*, *ǫ* bajo condiciones originariamente distintas, fueron generalizados ampliamente en posición libre
(cf. §§ 137, 3 *b c;* 198).

El estado arcaico de tratamiento igual de las vocales en
posición trabada o libre abarca, pues, o abarcó primitivamente: sardo y corso, el grueso de la Romania oriental, una zona
conservadora de la Romania occidental (Iberorromania, pro-

---

[9] Exceptuado el extremo sur.

venzal; cf. § 35). El estado secundario de tratamiento discri-
minatorio en posición trabada o libre es al principio una
característica de la 'progresiva' zona norte de la Romania
occidental (Galia Lugdunense, Retorromania, norte de Italia,
cf. § 35), así como de una zona de la Romania oriental (vegliota, Las Marcas, Abruzzos, Apulia) lindante con el Adriático.—Los comienzos de la distinción de cualidad según la posición libre (con vocales largas) o trabada (con vocales breves) se remontan ya a la época del sistema latino de cantidades (cf. § 154), como demuestra la vacilación latina entre
c ū p a / c ŭ p p a, s ū c u s / s ŭ c c u s, b ā c a / b ă c c a, etc.[10].
En el dominio norte del alargamiento de vocales libres (norte
de Italia, retorromano, francoprovenzal, francés) las largas
heredadas del latín pasan directamente a las largas por alargamiento románicas, como prueban los casos s t ē l l a > s t ē l a,
ō l l a > *ō l a (cf. § 157); hay que explicarlas por la incompa-
tibilidad de una vocal larga con sílaba cerrada (conforme a
los casos c ū p a / c ŭ p p a). Mientras los dominios del sur
(italiano *stella*, español *estrella*, rumano *oală* <-ll-, español
olla) mantienen la independencia arcaica de la cantidad vocálica respecto a la estructura silábica, en el dominio norte la
vocal latina larga por naturaleza nos lleva directamente, mediante la reducción de la geminada -ll- > -l-, a las largas románicas por alargamiento (§ 494). Si no era posible una reducción de las consonantes, que permitía la geminada -ll- (y era
el caso más frecuente), se mantenía la cualidad de la vocal
(§ 157) condicionada por la cantidad larga del latín clásico
(s c r ĭ p t u, ẹ s c a, f ọ r m a, f ụ s t e: §§ 116; 169; 181; 185).
La reducción -ll- > -l- se remonta, pues, a una época primitiva
de fluctuación en la dirección evolutiva de las condiciones
del vocalismo.

---

[10] Cf. G. Rohlfs, *Hist. Gramm. d. it. Sprache*, I, 1949, p. 382.

β) Cuadro sinóptico (§ 164)

Cant. del lat. clás.	ī	ĭ	ē	ĕ	ā	ŏ	ō	ụ	ū
1. Sardo		i		ẹ/ę	a		ọ/ǫ		u
2. Rumano	i		ẹ/ęá	ié/iá	a		ọ/ǫá		u
3. Cual. del 'lat. vulg.'.	i		ẹ	ę	a		ǫ	ọ	ụ
a) Port.	i		ẹ	ę	a		ǫ	ọ	u
b) Esp.	i		e	ié	a		ué	o	u
c) Cat.	i		ẹ	ę	a		ǫ	ọ	u
d) Prov.	i		ẹ	ę	a		ǫ	ǫ(> u)	ü
e) Fr. ant. { tr.	i		ẹ	ę	a		ǫ	ǫ(u)	ü
{ lib.	ɪ		éi(>ói)	ié	e		ué	óu(>éu)	ü
Fr mod. { tr.	i			ẹ/ę	a		ó/ọ̈	u	ü
{ lib.	i		ụá(ẹ)	įẹ/iẹ	ẹ/ę		ǫ/ö		ü
f) Sobres. { tr.	ẹ		ę	iá	a		ǫ	u	ę
{ lib.	i		éi	ę	a		ǫ	u	i
g) Ital. { tr.	i		ẹ	ę	a		ǫ	ǫ	u
{ lib.	i		ẹ	ié(ẹ)	a		uǫ́(ǫ)	ǫ	u
h) Vegl. { tr.	e		a	įa	ụa		ụa	a?/o(u)	o
{ lib.			ai	i	ụǫ(u)		u	au	oi

γ) Aclaraciones y ejemplos (§§ 165-185) [11]

165. Observación previa: paralelismo entre el sistema fonético y cambio fonético.—Los destinos de los grados de abertura palatales y velares corren paralelos en gran escala: *u* es tratada en amplia medida como *i*, *ọ* como *ẹ*, *ǫ* como *ę*. Pero como, por otra parte, el postdorso de la lengua es me-

---

[11] En las listas de ejemplos que presentamos a continuación no siempre podemos explicar, por razones de espacio, formas excepcionales. Estas formas aberrantes sólo en apariencia contradicen al cuadro sinóptico del § 164, ya que están sometidas en su respectivo idioma a condiciones especiales (del contorno consonántico o de la estructura silábica).

nos elástico que el predorso, resulta más difícil para la articulación destacar las diferencias de timbre de las vocales posteriores que las de las palatales. Esto explica ciertas faltas de paralelismo en el tratamiento vocálico, que llegan hasta la reducción del número de vocales velares: mantenimiento por más tiempo de las antiguas cantidades de las vocales velares (conjeturalmente) en toda la Romania (cf. § 161), limitación a dos cualidades velares en el 'sistema de compromiso' (cf. § 161), deslizamiento de *u* a *ü* (cf. § 184).

1) *Latín* ī (§ 166).

166. La ī larga del latín clásico se conserva, en general, como *i.*—Particularidades: en posición trabada se abre en *e* en sobres. y vegl. [12]. En posición libre se alarga en diptongo decreciente (*iy, ei, ai, oi*) (cf. § 107) en algunos dialectos de la parte sudoriental de Italia (Las Marcas, Abruzzos, Apulia); y lo mismo en retorromano y dialectos francoprovenzales, donde el segundo elemento del diptongo descendente se 'endurece' en oclusiva [13] (cf. § 195). En vegl. la i̢ del latín vulgar en posición libre diptonga en *ai*, en posición trabada se abre en *e*.

Ejemplos: t r a b a d a : i s c r i p t u sardo *skrittu*, rumano *scris* (*s c r i p s u), portugués, español *escrito*, catalán, provenzal, francés antiguo *escrit*, francés moderno *écrit*, sobres. *scret*, italiano *scritto.*—m i l l e rumano *mie* (m i - l i a), portugués, español, catalán, provenzal, francés *mil*, sobres. *mélli*, italiano *mille*, vegl. *mel.*—f i l i a sardo *fidza*,

---

[12] Por su brevedad (cf. § 95). Así también en otros dialectos retorrom. e it.

[13] La tendencia a endurecer los diptongos procedentes de alargamiento (cf. § 105) es una de las características comunes al retorrom. y francoprov., especialmente el de Valais (cf. § 36).

rumano *fie*, portugués, provenzal *filha*, español *hija*, catalán *filla*, francés *fille*, sobres. *feglia*, italiano *figlia*, vegl. *feła*.

Libre: filu sardo *filu*, rumano *fir*, portugués *fio*, español *hilo*, catalán, provenzal, francés, sobres. *fil*, italiano *filo;* diptongación: apul. *fịilə*, *feilə*, *failə*, *foilə;* en los dialectos del grisón central y en alto engad. filu *fikl*, vivu *vikf*, viva *vigva*, etc.—itu, -ita, -ire sardo *-i(δ)u*, *-iδa, -ire;* rumano *-it, -ită, -ire;* vegl. *-áit, -ér* (cf. § 223); portugués, español *-ido, -ida, -ir;* catalán, provenzal *-it, -ida, -ir;* francés *-i, -ie, -ir;* sobres. *-iu, -ida, -ir;* italiano *-ito, -ita, -ire.*—subtilis sardo *suttile*, rumano *supțire*, portugués, catalán, provenzal, francés antiguo *sotil*, italiano *sottile.*—Vegl. *dáik* < dico, *ráipa* < ripa.

2) Latín ĭ (§ 167)

167. La ĭ breve del latín clásico coincide en sardo con la ī del latín clásico en la cualidad *ị* (cf. § 158). En rumano y en las lenguas del 'sistema cualitativo itálico' la ĭ y la ē del latín clásico coinciden en la cualidad *ẹ* (cf. §§ 156; 161). Para el desarrollo ulterior en cada lengua cf. §§ 168-170.

Ejemplos: Trabada: mitto sardo *minto*, portugués *mẹto*, español *meto*, provenzal, francés antiguo *mẹt*, francés moderno *mets*, sobres. *méttel*, italiano *mẹtto*, vegl. *mat* (mittit).—spissu sardo *ispissu*, rumano *spes*, portugués *espẹsso*, español *espeso*, catalán *espẹs*, provenzal, francés antiguo *espẹs*, francés moderno *épais*, sobres. *spess*, italiano *spẹsso.*—illa sardo *iḍḍa*, rumano *eá* (cf. § 197), portugués *ẹlla* (§ 195), español *ella*, catalán *ẹlla*, provenzal *ẹla*, francés antiguo *ẹlle* (francés moderno *ẹlle*), sobres. *ella*, italiano *ẹlla*, vegl. *jala.*—capillu portugués *cabẹlo*, español *cabello*, catalán *cabẹll*, provenzal *cabel*, francés antiguo *chevẹl* (francés moderno *cheveu*, cf. § 217), sobres. *cavegl*, italiano *capẹllo.*—s i l v a portugués *sẹlva*, español *selva*, catalán *sẹlva*, provenzal, italiano *sẹlva*, francés antiguo *seuve*, sobres. *selva.*—l i g n u, l i g n a sardo *linna*, rumano *lemn*, portugués *lẹnha* (§ 204), español *leña*, catalán *llẹnya*, provenzal *lẹnha*, francés ant. *legne*, sobres. *lenna*, italiano *lẹgna*, vegl. *laŋk.*— p i s c e sardo *piske*, rumano *peşte*, portugués *pẹixe* (§ 204), español *pez*, catalán *pẹix*, provenzal *pẹis*, sobres. *pèsch*, italiano *pẹsce*, vegl. *pask.*—v i r d e (§ 282) sardo *birde*, rumano *verde*, portugués, italiano *vẹrde*, español *verde*, catalán *vẹrt*, provenzal *vẹrt*, francés *vert*, sobres. *verd.*

L i b r e : s i t e sardo *sidis*, rumano *sete*, portugués *sẹde*, español *sed*, catalán *sẹt*, provenzal *sẹt*, francés *soif*, sobres. *seit*, italiano *sẹte.*—n i v e sardo *nie*, rumano *nea*, francés antiguo *neif, noif*, sobres. *neif*, italiano *nẹve*, vegl. *nai;* cf. § 238.—f i d e español *fe*, catalán *fẹ*, portugués *fẹ*, francés *foi*, sobres. *fei*, italiano *fẹde*, provenzal *fẹ.*—p i l u sardo *pilu*, portugués, italiano *pẹlo*, español *pelo*, catalán *pel*, provenzal *pel*, francés *poil*, sobres. *peil*, rumano cf. § 239, vegl. *pail.*—p i p e- r e sardo *pibere*, esp. ant. *pebre*, catalán *pẹbre*, provenzal *pẹbre*, francés *poivre*, sobres. *pliver*, italiano *pẹpe.*—v i d e t sardo *viete*, rumano *vede*, portugués *vẹ*, español *ve*, catalán *vẹu*, provenzal *vẹ*, francés *voit*, sobres. *vesa*, italiano *vẹde.*— p i s c e sardo *pighe*, portugués *pẹz*, español *pez*, provenzal *pẹtz*, francés *poix*, sobres. *peisch*, italiano *pẹce.*—p i r a sardo *pıra*, portugués, catalán, provenzal, sobres. (§ 224), italiano *pẹra*, francés *poire*, vegl. *paira*, español *pera.*

3) Latín ē (§§ 168-170)

168. La ē larga del latín clásico se confunde en sardo con la ĕ del latín clásico en una cualidad *e* (§ 158), que, según la vocal final, se realiza como *ẹ* o como *ẹ* (cf. § 193). En rumano y en las lenguas del 'sistema cualitativo itálico' (cf. § 156) latín clásico ē se funde con latín clásico ĭ en la cualidad ẹ. La cualidad del latín vulgar ẹ (< latín clásico ĭ, ē) se conserva en rumano [14], italiano, provenzal, portugués; en español *e* (< latín vulgar ẹ) se pronuncia medio abierta [15]. El cat. muestra condiciones paradójicas, pues la ẹ lat. está representada por ẹ (c a t e n a *cadẹna*, s ĭ c c u *sẹc*) y la ẹ (§ 171) por ẹ (h ẹ r b a *hẹrba*). Estas condiciones vocálicas valen para la zona oriental (§ 14) de la Península. En las Baleares, a la ẹ lat. (> barcelonés ẹ) responde una vocal dorsal ə (§ 44). La zona occidental de la Península conserva la ẹ lat. en su ẹ *(cedẹna, sẹc)*. Hay que contar con que la ẹ lat. diptongó en época preliteraria (como en esp.: § 171) en *ie* y más tarde monoptongó en ẹ (cf. análogamente § 198, nota), pasando después la ẹ lat. a ẹ en la zona oriental catalana de la Península y a ə en las Baleares. En Córcega ocurre parecida permutación de cualidades (ẹ > ẹ; ẹ > ẹ).

En un amplio dominio (francés, francoprovenzal, retorromano, dialectos norteitalianos, sudeste de Italia, vegl.; cf. § 163) latín vulgar ẹ en posición trabada evolucionó en forma distinta que en posición libre. En particular:

169. En posición t r a b a d a latín vulgar ẹ (< latín clásico ĭ, ē) se conservó primeramente en francés como ẹ; pero a partir del siglo XII-XIII se abrió en ẹ. Desde entonces (así en francés moderno) se borró toda diferencia entre

---

[14] Sobre la relación entre rum. *e* y *ea*, cf. § 197.
[15] La mayor abertura de la *e* esp. (< lat. vulg. ẹ) frente a la ẹ extremadamente cerrada de port. e it. se basa en el hecho de que en esp. lat. vulg. ẹ diptongó en *ié* (§ 164) y lat. vulg. ẹ quedó, por tanto, como única cualidad *e*, sin tener que distinguirse ya de lat. vulg. ẹ, como es el caso en it. y port. Dígase otro tanto de la pronunciación de esp. *o* (< lat. vulg. ọ), cf. § 179. Aquí la diptongación de lat. vulg. ọ > esp. *ué* (§ 176) ofreció la posibilidad de pronunciar lat. vulg. ọ más abierta.

francés antiguo ẹ (< latín vulgar ẹ) y francés antiguo ę (< latín vulgar ę; cf. § 172).—En sobreselvano, así como en muchos dialectos retorromanos e italianos, latín vulgar ẹ se abrió también en ę.

Ejemplos (cf. también § 167): ē s c a sardo ę́sca, rumano *iască* (§§ 191, 197), catalán ę́sca, provenzal, italiano ę́sca, francés antiguo *esche*, francés moderno *èche* (escrito también *aiche*).— s t e l l a portugués *estrẹla*, español *estrella*, catalán *estẹla*, provenzal *estẹla*, italiano *stẹlla*, francés, sobreselvano cf. § 170, vegl. *stalla;* s t e l l a e rumano *stele.*— v e n d e r e, v e n d o sardo *bẹdere*, portugués *vẹndo*, español *vendo*, catalán *vẹndre*, provenzal *vẹndre*, sobres. *vẹnder*, italiano *vẹndere*, rumano *vinde*, francés *vendre* (§ 230 siguientes), vegl. *vandro*.

170. En posición l i b r e, lat. vulg. ẹ (< lat. clás. ĭ, ē) en fr., francoprov., grisón y ladino central, en dialectos norteit., en dialectos del sudeste de Italia (Las Marcas, Abruzzos, Apulia), diptonga en *ei*. A su vez, en algunas regiones este diptongo monoptonga de nuevo (generalmente en ẹ); en otras zonas prosiguió desarrollándose en *ai, oi* (cf. § 105). En una parte de los dialectos retorrom. el diptongo *ei* evoluciona a *eg* (en posición final y ante cons. sorda a *ek*), esto es, se 'endurece' (cf. § 105): n e v e *nekf*, t e l a *tegla*.—En vegl. el resultado es *ai*.

En la lengua de la île-de-France (y en fr. oriental) *ei* se disimila en *oi* (cf. § 106). En cambio, el normando y los dialectos fr. occidentales mantienen *ei*, que más tarde monoptonga de diversas maneras en ẹ.—En el dialecto de la île-de-France el diptongo *ói* se realiza pronto como [óe] [16]. En el

---

[16] El movimiento diptongal queda, pues, sólo indicado, no llevado hasta el fin, cf. al. *Laib* [*láep*]; cf § 73, final.

s. XIII, como consecuencia de una tendencia a eliminar los diptongos decrecientes, el acento se desplaza sobre el segundo elemento [*oé*]. Similar es todavía la pronunciación de la época clásica [*ué̯, u̯é*]. La pronunciación popular [*u̯á*], atestiguada ya en el s. XVI, adquiere obligatoriedad con la Revolución. La ortografía se mantuvo en *oi*. En algunos casos el diptongo [*u̯e̯*] monoptongó en [*e̯*] (por ej., en la terminación del impers. -e(b)a n t > -*oient* [17]): en estos casos la ortografía actual se ha decidido por *ai* (-*aient*), aunque el s. XVIII escribe todavía casi exclusivamente *oi*.—En otros casos (por ejemplo, *craie* < c r e t a, *claie* < *c l ē t a, *falaise* < franco *f a l i-s a, *rets* < r ē t e s) se trata probablemente de pronunciaciones [*e̯*] tomadas del normando u otros dialectos occidentales.—La evolución histórica descrita del diptongo está documentada en sus fases principales por testimonios directos o indirectos. Así, la pronunciación *ói* se deduce de las asonancias en que *ói* rima con *o* (cf. también al. *Franzose* < *françois* [§ 290]), la pronunciación *oé* y *ué* está atestiguada por testimonios de gramáticos (cf. también al. *Oboe* [*siglo* XVIII] < *haut-bois* [-*we̯*]).

Ejemplos (cf. también § 176): v e l u sar. *be̯lu*, port. *ve̯o* (§ 220), esp. *velo*, cat. *ve̯l*, prov. *ve̯l*, fr. a. *voil* (fr. m. *voile*), sobres. *vel* (cultismo), it. *velo*, vegl. *vaila*.—(h a b-)-ē r e rum. -*ere*, port. prov. sobres. (§ 224) -*e̯r*, esp. -*er*, cat. -*e̯r*, fr. *oir*, it. -*e̯re*.—(h a b-)-ē b a t rum. -*eá*, fr. a. -*oit* (fr. m. -*ait*), sobres. -*eva*, it. -*e̯(v)a*, vegl. -*aja*.— -ē t u m, -ē t a [18] sar. -*e̯du*, rum. -*et*, port. -*e̯do*, esp. -*edo*, -*eda*, cat. -*eda*, prov. -*e̯da*, fr. a. -*oi*, -*oie*

---

[17] El punto de partida de la desaparición de la [*u̯*] parece estar en los finales radicales en labial: *avoient, devoient*, etc. (cf. fr. ant. *avuec* > *avec*, cf. § 189).

[18] Sufijo para indicar conjunto de árboles: a r b o r-, n u c-, o l i v-, s a l i c-, u l m e t u m, etc.

(fr. m. *-aie*), it. *-ęto, -ęta*, vegl. *-áit.*—s t ē l (l) a (§ 157) fr. *étoile*, sobres. *steila.*—c r ē d e r e, c r ē d i t sar. *cręere*, rum. *crede*, port. *crę*, esp. *cree*, cat. *creure*, prov. *cręire* (§ 420), fr. *croire*, sobres. *crei*, it. *crędere.*—t ē l a sar. *tęla*, rum. *teară*, port. *teia*, esp. *tela*, cat. *tęla*, prov. it. *tęla*, fr. *toile*, sobres. *teila.*— f l ē b i l e prov. *fręvol*, fr. a. *foible* (fr. m. *faible*), it. *fięvole* (*ię* en vez de *ię;* cf. § 137, 2).

4) *Latín ĕ* (§§ 171-172)

171. La ĕ breve del lat. clás. se funde en sar. con el resultado de lat. clás. ē en una cualidad *e*, que se realiza como *ę* o *ę* (§ 193) según la vocal final. En rum. y en las lenguas del 'sistema cualitativo itálico' (§ 156), pasa primeramente a *ę*. En rum., vegl., istrio y esp. esta *ę* diptonga en *ié* (cf. § 198), en cat. da generalmente *ę* cerrada (cf. § 168): es probable que cat. *ę* haya nacido por monoptongación de *ie*, cf. § 168. En port., prov. y sobres. se mantiene o sucumbe a las condiciones fonéticas usuales (§§ 192-202). Para el rum., cf. § 197; para el sobres., § 172.

172. El desarrollo de la *ę* depende de la estructura silábica (sílaba abierta o cerrada) en fr., francoprov., dialectos norteit. y en toscano (e it. literario), y precisamente en estas regiones se generaliza el diptongo *ię* en sílaba abierta (diptongo que primitivamente dependía de otras condiciones [cf. § 198]), mientras que en sílaba cerrada aparece el monoptongo *ę* [19]. El it. literario, y especialmente los dialectos toscanos, muestran todavía claros vestigios de las condiciones primitivas, cf. § 198. En vegl., el diptongo *ie*, que procede de lat.

---

[19] Desde el s. XIII desapareció aquí, en fr., la diferencia entre *ę* (<lat. ĕ) y *ę* (< lat. ĭ, ē), cf. § 169.

vulg. ę (cf. § 171), se monoptonga en *i* en posición libre, y da *i̯a* en posición trabada.

Ejemplos: T r a b a d a : f e r r u sar. *fęrru*, rum. *fier*, port. *fęrro* (§ 273), esp. *hierro*, cat. (§ 223) prov. *fęrre*, fr. *fęr*, sobres. *fier*, it. *fęrro*, vegl. *fi̯ar.*—h e r b a sar. *ęrva*, rum. *iarbă*, port. *hęrva*, esp. *hierba*, cat. *hęrba*, prov. *ęrba*, fr. *herbe*, it. *ęrba*, sobres. *jarva*, vegl. *i̯árba.*—p e l l e sar. *pęḍḍe*, rum. *piele*, port. *pęlle*, esp. *pi̯el*, cat. *pęll*, prov. fr. a. *pęl* (fr. m. § 218), it. *pęlle*, sobres. *pial*, vegl. *pi̯al.*—s e l l a sar. *sęḍḍa*, rum. *şea* (§§ 214, 498), port. prov. it. *sęlla*, cat. *sęlla*, fr. *selle*, esp. § 204, sobres. *siála.*—s e p t e m sar. it. *sętte*, rum. *şapte* (§ 214), port. *sęte*, esp. *siete*, cat. prov. fr. a. *sęt* (fr. m. *sept*, § 428), sobres. *siat*, vegl. *s(i̯)ápto.*—m e r d a sar. port. cat. prov. it. *męrda*, esp. *mierda*, sobres. vegl. *miarda* (§ 196), fr. *merde.*—f e s t a sar. port. prov. it. *fęsta*, esp. *fiesta*, cat. *fęsta* fr. *fête*, sobres. vegl. *fiásta*. En sobres. la ę lat. en posición trabada, ante el hecho de que ę en posición trabada se abría en ę (§ 169: m ĭ t t e r e *mętter*), pasó por hipercaracterización al diptongo *iá* (f ę s t a *fiásta*; cf. *Archiv* 187, 1950, pp. 295-307).

L i b r e : p e d e sar. port. prov. *pę*, esp. *pie*, cat. *pęu*, fr. *pied*, sobres. *pei* (§ 377), it. *piede*, vegl. *pi.*—p e t r a sar. port. *pędra*, rum. *piatră*, esp. *piedra*, cat. *pędra*, prov. *pęira* (§ 420), fr. *pierre*, sobres. *pędra*, it. *pietra*, vegl. *pitra.*—m e t u port. *mędo*, esp. *miedo*, prov. *męt.*—m e t e r e prov. *męire*, sobres. *męder*, it. *mietere.*—f e l e (§ 189) sar. *fęle*, rum. *fiere*, port. cat. prov. *fęl*, esp. *hiel*, fr. *fiel*, sobres. *fęl*, it. *fiele.*—m e l e (§ 189) sar. *męle*, rum. *miere*, port. cat. prov. sobres. *męl*, esp. fr. *miel*, it. *miele*, vegl. *mil.*—b e n e sar. it. *bęne* (§ 198), esp. *bien*, vegl. *bin*, rum. *bine*, sobres. *bein*, prov. *bę(n)*, cat. *bé*, port. *bem*, fr. *bien*: cf. §§ 230 ss.

5) *Latín* ā, ă (§§ 173-175)

173. Lat. clás. ā, ă permanece en sar., rum., port., esp.,
cat., prov., sobres. e it. como *a*. En vegl. —como, por ej., en
los dialectos de los Abruzzos— se velariza y aparece en posición libre como ŭǫ [20], en posición trabada como *u̯a*.

174. En fr. se conserva en posición trabada, mientras que
en posición libre se palataliza en *e·* La palatalización de la *a*
en posición libre constituye la característica más importante
en la diferenciación entre fr. y prov. (que, junto con el francoprov., mantiene la *a*, § 210). En fr. a., la *ę* procedente de a
se distinguía por su cantidad larga de la *ę* breve (§ 172) procedente de latín *ĕ*, y de la *ę* (§ 169) procedente de latín
ĭ, *ē*; por ej., *pert* < p a r e t 'aparece' con *ę* larga, pero *pert*
< p e r d i t 'pierde' con *ę* breve. Parece que en el transcurso
de la época del fr. a. la *ę* larga (< lat. vulg. a) adoptó cualidad cerrada. En fr· m. se han borrado las diferencias cualitativas de la *e;* por tanto, *mer* < m a r e como *perd* < p e r-
d i t, *lavé* < l a v a t u como *pied* < p e d e m (cf. también
§§ 127, 186).—En fr. m. la imagen escrita trata a veces de
acercarse mediante la grafía *ai* al lat., por ej., fr. m. *aile*,
clair = fr. a. *ele*, *cler* (< a l a, c l a r u). En las formas verbales se ha llegado con frecuencia en fr. m. a una nivelación
radical: fr. m. *il lave* según *laver,* pero fr. a. regularmente
leve < l a v a t. De igual manera hay que explicar también la
conservación de la *a* en *mal* (fr. a. también *mel*): primitivamente coexistían una forma tónica *mel* y una átona *mal*, y
ésta acabó poco a poco por desterrar a aquélla. La mayor
parte de las palabras en que se conservó *a* en posición libre,
sin embargo, son términos cultos, por ej., *grade* al lado del

---

[20] En monosílabos secundarios y en oxítonos como *u*.

fonéticamente regular *degré; rare, avare* (fr. a. todavía las formas populares *rer, aver*), etc. El sufijo -a l e aparece en doble forma: en forma popular como -*el*, en forma culta como -*al;* sin embargo, la forma culta acabó por propagarse también al uso popular, y hoy ambas formas tienen un uso igual de corriente.

El proceso de palatalización de la *a* libre > *e* quizá pasó en fr. por la etapa intermedia (no atestiguada) **ai*, que se habría mantenido ante nasal (§ 235). En ese caso, la monoptongación de **ai* > *ę* correría paralelamente a la de *au* > *ǫ* (§ 243).

175. La palatalización de *a* > *ę*, además de en fr., se encuentra también en retorrom. (por ej., en alto engad.) y en dialectos norteit., en el sudeste de Italia (Las Marcas, Abruzzos, Apulia) y hasta en la colindante Toscana (Arezzo). Pero a veces, en estas regiones, la palatalización no depende de la posición libre, sino de otras condiciones (por ej., cualidad de la vocal final, vecindad de consonante palatal).

Ejemplos: T r a b a d a: c a b a l l u sar. *caḍḍu*, rum. *cal*, port. *cavalo*, esp. *caballo*, cat. *cavall*, prov. *caval*, fr. *cheval*, sobres. *cavagl*, it. *cavallo*, vegl. *kavúl.*—v a c c a sar. *bakka*, rum. *vacă*, port. esp. cat. prov. *vaca*, fr. *vache*, sobres. it. *vacca.*—p a r t e sar. rum. port. esp. it. *parte*, cat. prov. fr. sobres. *part*, vegl. *puart.*—p a s s u sar. *passu*, rum. *pas*, port. it. *passo*, esp. *paso*, cat. prov. fr. *pas*, vegl. *puas.*—a r b o r e sar. *árbore*, rum. *árbore*, port. *árvore*, esp. *árbol*, cat. prov. fr. *arbre*, sobres. *árver*, it. *álbero*, vegl. *iuárbal.*—c a l d u (cf. § 282) sar. *caldu*, rum. *cald*, it. *caldo*, cat. *calt*, prov. *calt, caut*, fr. *chaud* (§ 217), sobres. *cauld* (cf. § 413), esp. y port. *caldo*.

L i b r e: l a t u s 'lado' rum. *lat*, port. esp. *lado*, prov. *latz*, fr. a. *lez* (fr. m. *lez* 'junto a': *Plessis-lez-Tours*), it. *lato.*—l a t u

'ancho' sar. *ladu,* rum. prov. *lat,* fr. *lé,* sobres. *lad,* it. *lato.*—
(c a n t-)-a t u, -a t a, -a r e sar. *-a(δ)u, -aδa, -are;* rum. *-at, -ată,*
-are; port. esp. *-ado, -ada, -ar;* cat. prov. *-at, -ada, -ar;* fr. *-é,*
-ée, -er; sobres. *-au* (§ 379) *-ada, -ar;* it. *-ato, -ata, -are;* vegl.
-ut, -uọta, -ur.—m a r e sar. rum. it. *mare;* port. esp. cat. prov.
sobres. *mar;* fr. *mer,* vegl. *muọr (mur).*—p a t r e, m a t r e
port. esp. it. *padre, madre;* cat. *pare, mare;* prov. *paire, maire*
(§ 420); fr. *père, mère.*—s a l e sar. it. *sale,* rum. *sare;* port.
esp. cat. prov. sobres. *sal;* fr. *sel.*—Vegl. *pluk* < p l a c e t,
-un < -a n u.

6) *Latín* ŏ (§§ 176-178)

176.   Lat. clás. ŏ breve se funde en sar. y rum. con lat.
clás. ō (§ 179) en una cualidad *o,* que —según la vocal final—
aparece en sar. como ọ u ọ y en rum. como ọ, o bien *oa*
(cf· §§ 193-197). En las lenguas del 'sistema cualitativo itálico'
(§ 156) lat. clás. ŏ pasa a lat. vulg. ọ abierta, la cual se mantiene en port., cat., prov. y sobres. (o bien se somete a las
condiciones fonéticas del contorno, §§ 192-202); en cambio,
en esp. diptonga en (*uo* >) *ué* (§ 198). También en vegl., lat.
vulg. ọ diptonga generalmente en *uo* (§ 198): el resultado
es *u* en posición libre, *ụa* en posición trabada.

177.   En fr., francoprov., esporádicamente en retorrom.
(ladino central) y dialectos norteit., además de en Toscana
(y lengua literaria italiana), lat. vulg. ọ recibe un tratamiento distinto según la estructura de la sílaba: en posición trabada se mantiene, en posición libre diptonga en *uó.* Se trata
de la misma generalización de un diptongo primitivo (§ 198),
que ya pudimos observar en el caso del cambio *ẹ > ié* (§ 172).
Este proceso de generalización se puede comprobar aún, sobre todo, en los dialectos norteitalianos.

178. En fr. a. el diptongo *uó* se disimiló en *ué* (§ 103). Este diptongo *ué* se distingue rigurosamente, al principio, del diptongo eu (< ō, cf. § 182). Posteriormente, ambos diptongos monoptongaron en [ö], y precisamente sin diferencia cualitativa [21]. Los antiguos diptongos *ue* y *eu* se han unido en la ortografía actual en la forma *eu;* un resto de la antigua grafía *ue* se ha conservado tras *c* y *g* con la finalidad de expresar gráficamente la recta pronunciación de estas dos consonantes; así *cueille, cercueil, orgueil.*

Ejemplos: T r a b a d a: c o l l u port. *cǫlo* (§ 274), esp. *cuello,* cat. *cǫll* (§ 204), prov. y fr. a. *cǫl* (fr. m. § 217), it. *cǫllo,* vegl. *kual.*—g r o s s u rum. *grǫs,* port. *grǫsso* (§ 195), cat. prov. y fr. a. *grǫs* (fr. m. § 186), sobres. *gries* (§ 196), it. *grǫsso,* vegl. *gruáss.*—f o s s a sar. port. cat. sobres. it. *fǫssa,* rum. *foasă,* esp. *huesa,* fr. *fosse.*—c o s t a sar. port. cat. prov. sobres. e it. *cǫsta,* rum. *coastă,* fr. a. *cǫste* (fr. m. §§ 424, 186), esp. *cuesta.*—o s s u sar. *ǫssu,* rum. *ǫs,* port. *ōsso* (§ 195), esp. *hueso,* cat. prov. y fr. a. *ǫs* (fr. m. [*ǫs;* pl. *ǫ*]), sobres. *ies* (§ 196), it. *ǫsso.*—f o r t e sar. port. it. *fǫrte,* rum. *foarte,* esp. *fuerte,* cat. prov. fr. *fǫrt,* sobres. *forz* (< -is), vegl. *fuart.*—p o r c u sar. *pǫrcu,* rum. *pǫrc,* port. *pǫrcu* (§ 195), esp. *puerco,* cat. prov. fr. *pǫrc,* sobres. *piertg* (§ 196), it. *pǫrco,* vegl. *puark.*—m o r t e sar. port. it. *mǫrte,* rum. *moarte,* esp. *muerte,* cat. prov. fr. sobres. *mǫrt,* vegl. *muart.*—p o r t a port. cat. prov. sobres. it. *pǫrta,* rum. *poartă,* fr. *porte,* vegl. *puarta,* esp. *puerta.*—p o r t u sar. *pǫrtu,* port. *pǫrto,* esp. *puerto,* cat. prov. fr. *pǫrt,* friul. *puart* (§ 223), it. *pǫrto.*—d o r m i t sar. *dǫrmi,* rum. *doarme,* port. it. *dǫrme,* esp. *duerme,* cat. prov. *dǫrm,* fr. *dǫrt,* sobres. *dorma,* vegl. *duarmi.*—

---

[21] La diferencia entre [ö̦] abierta y [ö̧] cerrada que practica el fr., es independiente de la base etimológica, § 186.

m o l l e sar. *mọḍḍe,* rum. *moale,* port. it. *mọlle,* esp. *muelle,* cat. *mọll,* prov. y fr. a. *mọl* (fr. m. § 217).

L i b r e : r o t a sar. port. cat. prov. sobres. *rọda,* rum. *roată,* esp. *rueda,* fr. a. *ruede* (fr. m. § 137), it. *ruota.*—p o t e t (§ 136) sar. *pọtet,* port. *pọde,* esp. *puede,* cat. prov. *pọt,* fr. a. *puet* (fr. m. *peut*), sobres. *pọ,* it. *può (puote).*—n o v u sar. rum. *nọu,* port. *nọvo* (§ 195), esp. *nuevo,* cat. prov. *nọu,* fr. a. *nuef* (fr. m. *neuf*), sobres. *niev* (§ 196), it. *nuovo,* vegl. *nuf.*— n o v e m sar. *noe,* rum. *nouă,* port. it. *nọve,* esp. *nueve,* cat. prov. *nọu,* fr. *neuf,* sobres. *nov,* vegl. *nu(f).*—m o r i t sar. *mọr:di,* rum. *moare,* port. *mọrre,* esp. *muere,* cat. prov. *mọr,* fr. a. *muert* (fr. m. *meurt*), sobres. *miera,* it. *muore.*—m o l a rum. *moară,* port. *mọ* (§ 385), esp. *muela,* cat. prov. *mọla,* fr. *meule.*—*c o r e (§ 189) sar. *koro,* cat. prov. *cọr,* fr. *coeur,* it. *cuore.*—Vegl. *fuk* < f o c u, *luk* < l o c u.

7) *Latín ō* (§§ 179-182)

179. Lat. clás. ō larga se funde en sar. y rum. con lat. clás. ŏ en una cualidad *o,* que aparece en forma distinta se-gún la vocal final (cf. §§ 193, 197). En las lenguas del 'sistema cualitativo itálico' (§ 156) lat. clás. ō se confunde con lat. clás. ŭ en una cualidad *o* del lat. vulg., que se mantiene en port., cat., prov. a. e it. En esp., la *o* se pronuncia medio abierta (cf. § 168). En prov. m. avanza a ocupar el puesto de la *u,* al quedar éste libre por el cambio *u > ü* (escribiéndose *ou*); así también en vegl., donde la evolución posterior da *au* en posición libre, *u* en posición trabada.—Ejemplos, cf. §§ 181-182.

180. En un vasto dominio (fr., francoprov., retorrom., dialectos norteit., sudeste de Italia, cf. § 163), lat. vulg. *ọ* en posición trabada siguió un desarrollo distinto que en posición libre. En particular:

181. En posición t r a b a d a o̯ se hace *u* en fr. a., es decir, el sonido avanza a ocupar el lugar de la *u*, que había quedado libre por el cambio *u* > *ü* (§ 184). La escritura del fr. a. vacila entre *o* y *u* (*boche, buche*). Desde el s. XIII se impone la grafía más cómoda *ou* (*bouche*), cf. § 217. El cambio o̯ > *u* ocurre también frecuentemente en otras regiones donde *u* pasa a *ü* (cf. § 184), así en retorrom. (por ej., en sobres.) y en algunos dialectos norteitalianos.

Ejemplos (cf. también § 183): o l l a rum. *oală*, esp. *olla*, cat. *o̯lla*, prov. *o̯la* (fr. a. *o̯ule*, cf. § 157).—f o r m a (con significación concreta) sar. *fo̯rma*, port. *fo̯rma* (pero, como abstracto, *fo̯rma* 'forma': cultismo), esp. *horma*, cat. prov. it. *fo̯rma*, fr. a. *furme* (fr. m. *fo̯rme*: cultismo), sobres. *fuorma* (§ 223).—c o r t e (§ 251) port. it. *co̯rte*, esp. *corte*, cat. prov. y fr. a. *cort*, fr. m. *cour*, sobres. *cúort* (§ 223).—c o g n o s c e r e (c o g n o s c o) sar. *kono̯skere*, rum. *cunoaşte* (*cunosc*), esp. *conozco*, prov. *conoiser* (§ 425), fr. a. *conoistre* (§ 509), sobres. *enconúscher*, it. *cono̯scere*.

182. En posición l i b r e o̯ diptonga primeramente en *ou* en el dialecto de la Île-de-France, y después éste se disimila en *eu* (cf. § 106). Finalmente, *eu* pasa al monoptongo [ö], que es también el resultado de *ue* (cf. § 178). Encontramos asimismo diptongación en *eu* en picar., champ. y dialectos del sur. En picar. y champ. deja de funcionar la diptongación bajo determinadas condiciones, cf. § 199. Los dialectos orientales no disimilaron *ou* en *eu*. El norm. y los dialectos occidentales muestran ya desde el principio el monoptongo [u] (grafía norm.: *u*), que puede proceder del más antiguo *ou* (< o̯), pero que quizá nació directamente de o̯ (ocupando el puesto de la *u*, vacante por el paso de *u* > *ü*). La pronunciación *u* se encuentra también en retorrom. (por

ej., en sobres.) y en dialectos norteit.—La diptongación de
ǫ > *ou* (y, ulteriormente, *au, eu*, etc.) se encuentra asimismo
en retorrom. (aquí, en parte, con diptongo 'endurecido':
c r ǫ c e > *krǫkš, krukš,* cf. § 105), y dialectos del norte y
sudeste de Italia (Las Marcas, Abruzzos, Apulia).—En vegl.
tenemos diptongación en *áu.*

Ejemplos (cf. § 183): c o t e rum. *cute* (§ 161), cat. prov.
cǫt, fr. *queux* (< c o t i s), engad. *cut.*—v o t u m, v o t a port.
cat. *bǫda* 'boda', esp. *boda,* prov. *vǫt,* fr. *voeu,* it. *vǫto.*—
s o l e sar. *sǫle,* rum. *soare,* port. *sǫl* (§ 220), esp. *sol,* cat.
prov. *sǫl,* it. *sǫle,* vegl. *sául.*—s c o p a sar. *iscǫba,* port. *es-*
cǫva, esp. *escoba,* prov. *escǫba,* fr. a. *escouve,* sobres. *scua,*
it. *scǫpa.*—v o c e sar. *bǫghe,* rum. *boace,* port. *vǫz,* esp. *voz,*
prov. *vǫtz,* sobres. *vusch,* cat. fr. § 565 y ss.—f l o r e sar.
flǫre, rum. *floare,* cat. prov. *flǫr,* fr. *fleur,* sobres. *flur,* it.
fiore, port. esp. § 341.—(a q u-)o s u sar. *-ǫsu,* rum. *-os,* port.
-ǫso, esp. *-oso,* cat. prov. *-ǫs,* fr. *-eux,* sobres. *-us,* it. *-oso,*
vegl. *-áus.*—Vegl. *seráur* < s o r o r e.

8) *Latín ŭ* (§ 183)

183. Lat. clás. ṳ se funde en sar. y rum. con lat. clás. ū
en una cualidad *u* (cf. § 158 y ss.). En las lenguas del 'sistema
cualitativo itálico' (§ 156) lat. clás. ŭ se funde con lat. clás. ō
en una cualidad ǫ. Para el desarrollo ulterior cf. § 179.

Ejemplos: T r a b a d a: b u c c a sar. *bucca,* rum. *bucă,*
port. cat. prov. *bǫca* (prov. m. *bouco*), esp. *boca,* fr.
bouche, sobres. *bucca,* it. *bǫcca,* vegl. *buka.*—f u r c a sar.
furca, rum. *furcă,* port. prov. cat. *fǫrca* (prov. m. *fourco*),
esp. *horca,* fr. *fourche,* sobres. *fúortga* (§ 314), it. *fǫrca.*—
d u l c e sar. *dulche,* rum. *dulce,* port. *dǫce,* cat. *dǫls,* prov.
dǫls, sobres. *dultsch,* it. *dǫlce,* esp. *dulce* (cultismo), fr. § 217.
s u r d u sar. *surdu,* rum. *surd,* esp. *sordo,* cat. prov. y fr. a. *sǫrt,*

fr. m. y prov. m. *sourd*, sobres. *súord*, it. *sọrdo*, port. *surdo*
(cultismo).—v u l p e sar. *gurpe*, rum. *vulpe*, prov. *vọlp*, sobres. *úolp*, it. *vọlpe*.—u r s u s rum. *urs*, esp. *oso*, cat. *o(r)s*,
prov. *ọrs*, fr. *ours*, sobres. *úors*, it. *ọrso*.—l u m b u sar. *lumbu*, port. it. *lọmbo*, esp. *lomo*, cat. *llom*, prov. *lọmb*.—m u s-
c a sar. *musca*, rum. *muscă*, port. cat. prov. it. *mọsca*, esp.
mosca, fr. *mouche*, sobres. *mustga*.—p u l v e r e (*p u l v u s,
*p u l v o r a) sar. *prúere*, rum. *púlbere*, esp. *polvo*, cat. *pọls*,
prov. *pọldra*, sobres. *puorla* (§ 514), it. *pọlvere*, port. *pọ*,
fr. § 217.

L i b r e : g u l a sar. *bula*, rum. *gură*, vegl. *gáula*, esp. *gola*,
cat. prov. it. *gọla*, fr. *gueule*, sobres. *gula*.—l u t u sar. *ludu*,
rum. *lut*, port. *lọdo*, esp. *lodo*, cat. *llọt*, prov. *lọt*, it. *lọto* (pronunciación dialectal).—c r u c e sar. *rughe*, rum. *cruce*, prov.
crọtz, sobres. *crusch*, it. *crọce*, vegl. *kráuk*, esp. port. *cruz*
(cultismo), cat. fr. §§ 565 y ss.—n u c e (*n u c a) sar. *nughe*,
port. *nọz* y esp. *nuez* no claros, prov. *notz*, sobres. *nusch*,
it. *nọce*, rum. *nugă*, cat. *nọga*, vegl. *náuk*.

9) *Latín ū* (§§ 184-185)

184.   La ū larga del lat. clás. se mantiene como *ụ* en sar.,
rum., port., cat. e it. En cambio, se convierte en *ü* en fr.,
francoprov., prov., en grisón y en una parte del ladino central, en dialectos galoit. (Piamonte, Lombardía, Liguria, oeste
de la Emilia) y esporádicamente también en dialectos sudit.
(Apulia, Lucania), así como en dialectos port. En sobres. (y
también esporádicamente en otras zonas), la *ü* se desredon-
dea inmediatamente en *i* (§ 46), y esta *i* en posición trabada se
abre en *e* en sobres. como la *i* primitiva (§ 166). En engad. se
mantiene *ü*.—La escritura mantiene en fr. y prov. *u* desde
muy antiguo, con lo que queda dificultada la datación del
cambio, que no parece haber alcanzado hasta la Edad Media

su actual extensión geográfica. Es digna de tenerse en cuenta la hipótesis de que se basa en un sustrato celta. Como, además de en el celta insular, ocurre también en muchas otras lenguas (por ej., en griego, sueco, albanés), hay que asignarle más bien un origen 'espontáneo': parece condicionado por la sobrecarga de la escala de cualidades velares (resulta más difícil distinguir las vocales posteriores que las anteriores), y el deslizamiento de *u* a *ü* descargaría la escala velar. La sobrecarga de la escala de cualidades velares parece haber tenido parte en la eliminación de las cantidades lat. (§ 155), apareciendo tres vocales velares (*ǫ, ọ, ụ*) en vez de dos (*o, u*), cf. § 156 [22]. Es característico de este cambio el que aparezca también en vegl., que pertenece al 'sistema cualitativo itálico' y que, en oposición al rum., posee con ello un cúmulo de cualidades velares que pudieron ser la causa del paso de *u* a *ü*. Esta *ü* influye sobre k-, palatalizándola (§ 320); la pronunciación de *ü* se alargó y diptongó en *oi* en vegl. (cf. § 163): ū n u *join*, ū d u *joit*, ū v a *joiva*. El diptongo en sílaba cerrada secundaria tiende a la reducción: m a n d ū- c a t *manoŋka* (**-oika*), ū n d e c i m *joŋko;* igualmente detrás de silbante, por razones de disimilación: c ū l u *ćol*, a n- g u i l l a *angola*, q u i n d e c i m *ćoŋko* (§ 346). La etapa [*ü*] está asegurada también aquí por la palatalización de *c* y *g* (cf. § 320). La gran antigüedad del cambio *u > ü* se transparenta también en el hecho de que es siempre independiente de la posición trabada o libre. Un impulso para el cambio *u > ü* parece proceder del griego, pues la pronunciación

----

[22] Obsérvese la vacilación en eliminar la cantidad de las velares, § 161. En valón lat. ū se mantiene como [*u*] (*ploume* < p l u m a). Sólo en contacto con -i final se convierte en [*ü*]: i l l u i *lu* [*ü*]. Esta es quizá en galorrom. la condición originaria para la palatalización ū > *ü;* cf. *Archiv. f. d. Stud. d. Neueren Sprachen* 192, 1956, pág. 220.—Comp. § 137, 3 *a*.

[kündeke] de q u i n d e c i m en vegl. (y también en la región adriático-balcánica) es evidentemente un grecismo fonético (§ 346) y, por otro lado *[kündeke]* y *[külu]* < c ū l u representan seguramente estadios contemporáneos de pronunciación: en ambos casos aparece la palatalización (vegl. *ćoŋko, ćol*).

185. La diptongación de *u* en posición libre (resultado: *uu, ou, au, eu*) se realiza también en el sudeste de Italia (Las Marcas, Abruzzos, Apulia), además de en dialectos retorrom., donde —así como también en dialectos francoprov. (Valais)— ocurren diptongos 'endurecidos' (cf. § 105): m u- r u retorrom. *mikr,* francoprov. (Valais) *muk.* Para el vegl. cf. § 184.

Ejemplos: T r a b a d a: f ū s t e sar. port. esp. *fuste,* rum. *fuşte,* cat. prov. y fr. a. *fust* (prov. y fr. a. *[ü]*), fr. m. *fût,* sobres. *fischt,* it. *fusto.*—n ū l l u, -a sar. *nuḍḍa,* cat. *null,* prov. fr. engad. *nul,* vegl. *noła* (< *n u l l i a).

L i b r e: d u r u sar. *duru,* vegl. *doir,* port. esp. it. *duro,* prov. cat. fr. *dur* (prov. fr. *[ü]*), sobres. *dir.*—m u r u sar. *muru,* rum. *mur,* port. esp. it. *muro,* cat. prov. fr. *mur* (prov. fr. *[ü]*), sobres. *mir.*—c u n a esp. *cuna,* sobres. *tgina.* c u l u sar. *culu,* rum. *cur,* port. *cú,* esp. it. *culo,* cat. prov. fr. *cul* (prov. fr. *[ü]*), sobres. *tgil,* vegl. *ćol.*—(b a t t-)-u t u, -u t a, (i u n c t-)-u r a sar. -u δ u, -u δ a, -ura; rum. -uta, -ută, -ură; port. esp. -udo, -uda, -ura; cat. prov. -ut, -uda, -ura (prov. *[ü]*); fr. -u, -ue, -ure; sobres. -iu (§ 379), -ida, -ira; it. -uto, -uta, -ura; vegl. -óit, -óita, -óira.—p u l i c e sar. *púlighe,* rum. *púrece,* port. esp. *pulga* (< -i c a), cat. *pussa,* fr. *puce,* sobres. it. *pulce.*—t u sar. *tue,* rum. port. esp. cat. prov. it. fr. *tu* (prov. fr. *[ü]*), sobres. ti, vegl. *toi.*—Vegl. *lóik* < l u c e t, *króit* < c r u d u.

B) CONDICIONES DEL CAMBIO VOCÁLICO (§§ 186-240)

α) Influjo de la estructura de la palabra (§§ 186-191)

1) *La posición de la vocal en la sílaba* (§ 186)

186. Para el desarrollo de la vocal es importante en algunas lenguas el que la vocal se halle en latín en posición trabada o libre. Esta condición del cambio vocálico se ha estudiado ya en los §§ 163 y ss.

En algunas lenguas reviste asimismo importancia para la ulterior evolución de la vocal el que ésta se halle en posición libre o trabada en la respectiva lengua románica. Y obsérvese que respecto a la contextura silábica de la palabra las condiciones han cambiado con frecuencia frente al lat. como consecuencia de la caída de vocales, consonantes y sílabas (§§ 272 y ss., 360 y ss.). Así, por ej., la vocal tónica de lat. b o v e está en sílaba abierta; la del fr. *boeuf*, en sílaba cerrada.

Es muy conocida la reorganización de las cualidades vocálicas en el fr. m. literario. En efecto, aquí fr. a. ẹ̄ (< lat. a), ẹ (< lat. ĕ), ẹ (< ĭ, ē) se funden en una cualidad fonológica *e;* fr. a. *ue* (< lat. ŏ) y *eu* (< lat. ō) coinciden en una cualidad fonológica *ö* (cf. §§ 169-183). La cualidad *e* del fr. m. se pronuncia abierta en sílaba trabada ([ę]: *mer, mère, fête, elle, aile, vert, fer, herbe, miel*), y generalmente cerrada en final de dicción ([ẹ]: *-é* < -a t u, *-er* < -a r e, *pied* < p e d e); solamente se pronuncia abierta en final de dicción, cuando la consonante final enmudeció relativamente tarde (*t* en *met* < < m i t t i t) o cuando había una sucesión de vocales monoptongadas relativamente tarde *(monnaie)*. La cualidad *ö* es siempre cerrada en final de dicción (*meut, veut, boeufs, oeufs, -eux*); en medio de dicción la pronunciación abierta o cerrada está condicionada por la naturaleza de la consonante siguiente (abierta: *oeuf, boeuf, oeuvre, fleur;* cerrada *-euse, meute* [23]). La cualidad *o* no admite en final de dicción otra pronunciación que la cerrada *(mot, dos* [24]). El desarrollo de las vocales nasales en fr. depende asimismo de la estructura de la sílaba fr. *(un, vin;* pero *une, épine,* cf. §§ 235-236). La oposición *ą/ą̄* es fonológicamente válida (§ 127) y se basa en una anterior oposición cuantitativa ă/ā, que a su vez es resultado de condiciones combinatorias, por cuanto *a* se alargó como compensación de la desaparición de *s* (*pas, pâte*: §§ 424; 572) y de la desaparición de la nasalización (*flamme, âme, femme*: § 235).

2) *Las vocales en hiato* (§ 187)

187. En lat. clás. las vocales tónicas en hiato son breves. El desarrollo ulterior en románico descansa en esta base, pero muestra algunas perturbaciones y tendencias niveladoras.

1) La palabra d i e s muestra en todas partes la base *í*: rum. *zi,* it. *dì,* eng. sobres. fr. a. y prov. a. *di,* cat. esp. y port. *día.*

2) En las regiones que distinguen la ŭ y la ū del lat. clás. (§§ 156-157) la secuencia - ŭ i se armoniza en - ų i (§ 199): c ų i, f ų i, d ų i (§ 763) > it. prov. a. y fr. a. *cui, fui, dui* (it. a.); port. esp. a. y cat. *fúi* (esp. mod. *fuí*: § 905).

---

[23] Al propio tiempo subsisten aún restos de diferenciaciones más antiguas que dependen de la estructura silábica del fr. a.: *filleul* [-ọ̈l en sílaba cerrada], *filleule* [-ọ̈l(ǝ) en sílaba abierta], *meule* [-ọ̈-], *veule* [-ọ̈-]. La lengua moderna tiende en estos casos a la abertura (así también en *seule* según *seul*).

[24] En medio de dicción, hay dos cualidades fonológicas *o*: *ǫ* (*pomme, sotte, cote*) y *ọ* (*paume, saute, côte*). Comp. § 127.

3) En it., las series del lat. clás. ǐ + vocal, ĕ + vocal se fusionan en el tipo i̯ + vocal: v ǐ a, s ǐ a m (§ 885), m ĕ u, m ĕ a > it. *via, sia, mio, mia.* De acuerdo con esto, la secuencia ǔ + vocal da en it. la base u̯ + vocal (t u u, t u a, d u a e > it. *tuo, tua, due).*

4) Las series del lat. clás. -ǐa, -ĕa (v ǐ a, m ĕ a, s ǐ a m < s ǐ m) se funden en fr. en el tipo -e̦a (fr. *voie,* fr. a. *moie, soie;* §§ 751; 885), en prov. en el tipo -i̯a (prov. *via, mia, sia).* La secuencia del lat. clás. -ĕu (D ĕ u, m ĕ u m) da, en cambio, en fr. y prov. el tipo -e̦u (fr. y prov. *Dieu,* fr. *mien,* prov. *mieu;* § 200). Nótese que la diptongación *Dieu, mieu (mien)* responde a las antiguas condiciones de armonización (§ 200). Las formas de t u u s se ajustaron analógicamente a m e a (m i a)/m e u m, pues t ǔ a pervive como t o̦ a (prov. *to̦a,* fr. a. *toue)* y t u̯ a (prov. *tua),* al paso que t u u m se disimiló análogamente en t o̦ u m (fr. a. *tuen)* o se transformó completamente en *t e̦ u m (prov. *tieu).* Semejante tipificación de las formas ocurre también en otras lenguas: m e̦ a (rum. *meá),* m i̯ a (it. *mia)* frente a m e̦ u (rum. *mieu),* m e̦ i (rum. it. *miei).*

5) Lat. v ǐ a muestra en todas partes *i,* excepto en fr. *(voie):* it. engad. sobres. prov. cat. esp. y port. *via,* francoprov. *vi* (§ 275).

3) *Las vocales en proparoxítonos* (§ 188)

188. El tratamiento difiere a veces del que reciben en paroxítonos. Así, en fr., lat. vulg. e̦ o̦ libres ante consonante oral —como en paroxítonos— diptongan (t e̦ p i d u *tiède,* s e̦ d i c a *siège,* p e̦ d i c a *piège,* l e̦ p o r e *lièvre,* j o̦ v e n e (§ 238) fr. a. *juefne,* fr. m. *jeune),* y ante nasal [25] deja de fun-

---

[25] En los proparoxítonos hay que contar con la duplicación de la nasal (quedando así la sílaba cerrada), como se ve por el sar. (g e n e-

cionar la diptongación (como en posición trabada): g e n e r u *gendre*, t e n e r u *tendre*, t r e m u l a t *tremble*, c o m i t e *comte*, d o m i t a t *dompte*. Las demás vocales se tratan en fr. siempre como en posición trabada: s a p i d u *sade*, d (u) ǫ- d e c e *douze*. Las razones radican generalmente en la cronología del cambio fonético: la diptongación (o alargamiento) de la vocal en *piège* es, por ej., anterior a la síncopa (cf. § 286), mientras que *sade* muestra que la síncopa (y, por tanto, la abreviación de la vocal tónica) es anterior al cambio de *a* libre en *e* (§ 174).—En it. t e p i d u *tiepido*, F a e s u l a e *Fiesole*, p o s t e r u l a *postierla* muestran la diptongación esperada en posición libre.—En las lenguas con armonización vocálica la vocal medial de los proparoxítonos es a veces decisiva para la cualidad de la vocal tónica (cf. §§ 193, 194, 197). Esto nos permite deducir la acentuación 'descendente' de los proparoxítonos (cf. § 121).

4) *Nombres monosílabos* (§ 189)

189. Los monosílabos acabados en consonante se incrementaban [26] en lat. vulg. mediante una -*e* paragógica, que todavía se conserva en rum. e it. Conforme a esto, la vocal tónica se trata como en posición libre, esto es se alarga en las regiones citadas en el § 163: s a l fr. *sel*, it. *sale;* f e l rum. *fiere*, it. *fiele;* m e l fr. *miel*, it. *miele;* r e m fr. *rien;* s p e m it. *speme, spene;* c o r it. *cuore*, fr. a. *cuer* (fr. m. *coeur*), esp. a.

---

r u *ghenneru*, h o m i n e *ommine*) y algunos dialectos sudit. (*yénneru, ómmine*).

[26] El incremento tiene apoyos en la flexión: según *mare, maris* se formó *sale, salis*, etc. La vocal paragógica podía tener el timbre *o* de la vocal tónica: c o r sar. *kǫro*. La forma hipotética *h o c o > fr. a. *poruec*, etc. (cf. abajo) quizá haya que interpretarla como una manera de caracterizar y destacar el ablativo mediante la desinencia -ō Cf. §§ 561-563.

cuer; t r e s fr. *trois;* t r a (n) s fr. *très.* Para los monosílabos terminados en vocal, cf. § 190.

La evolución de h ŏ c tiene dos posibilidades. En primer lugar, puede desaparecer la -c final: en este caso queda como final ŏ, y, por tanto, se abrevia (§ 190): e c c e h o c it. *ciò,* fr. a. *ço* (> fr. *ce* por la posterior atonicidad), p e r h o c it. *però* (con desplazamiento posterior del acento). Pero también puede mantenerse la -c final, y entonces puede recibir una *-o paragógica. De *h ọ c o nace fr. a. *-uec* en p r o h o c *poruec,* a b h o c *avuec* (fr. m. *avec,* cf. § 170), s i n e h o c *senuec.* La evolución está en oposición con la del § 401, sin duda a causa de la diferencia netre -o y -u (§ 274).

5) *Final de dicción* (§ 190)

190. En final de dicción de monosílabos los grados mínimos de abertura (ị ụ ẹ) se tratan como en posición libre: m e it. *me,* fr. *moi;* q u ĭ d rum. *ce,* it. *che,* fr. *quoi;* t u , cf. § 185; s i (c) rum. *și,* it. fr. *si.* En cambio, -a y -ŏ finales (§ 189) parecen haberse abreviado, quedando así -a en fr. como *-a:* j a m fr. a. *ja* (fr. m. *déjà).* En rum. -a aparece como -ă: d a *dă,* f a (c) *fă,* y aún d a t *dă,* s t a t *stă.* Como muestra la contraposición con d a b a t *da,* s t a b a t *sta,* la antigua -a pasó a -ă frente a la *a* larga procedente de la contracción de -a b a-. Cf. la relación correspondiente de j u r a v i t *jură* y j u r a- b a t *jurá,* de j u r a m u s *jurăm* y j u r a b a m (como j u r a- b a m u s>) *jurám,* de l a v a t *lă* y l a v a b a t *lá.*

6) *Inicial de dicción* (§ 191)

191. A *i o e* iniciales de palabra se les antepone en rum. una [y] (que, por lo demás, no se expresa en la ortografía usual): i l l e *el* [*yel*], i l l a *ie* [*yiye*]. Así también en vegl. (incluso ante *a-* y *u-*): ịál < i l l e, ịuárbul < a r b o r e, ịóiva <

u v a , *ióin* < u n u. Ante *uá* aparece incluso *g-*: *guápto* <
o c t o.—En algunos dialectos sudit. se les antepone una
[γ] a las vocales *a, o, u,* y una [y] a las vocales *e, i*: h o m i-
n e > [γ*ómmine*], i l l u [*yillu*].—Cf. además § 231.

β) Armonización (§§ 192-201)

192. Sobre la naturaleza de la armonización, cf. § 134. La
armonización más antigua de la Romania consiste en la modificación de la vocal tónica por la vocal final perteneciente
a otra sílaba (a r m o n i z a c i ó n a d i s t a n c i a), cf. §§ 193-
199. En las regiones de la Romania en que las vocales finales
de dicción se debilitaron o perdieron su cualidad en época
temprana (§§ 272-274), la vocal final no pudo generalmente
seguir influyendo sobre la cualidad de la vocal tónica. La
armonización se manifiesta entonces sólo en un caso especial: a saber, cuando la vocal final está en hiato con la
vocal tónica, conservando así su antigua cualidad (cf. §§ 248,
278). En vez de armonización a distancia, hay entonces a r-
m o n i z a c i ó n e n c o n t a c t o (cf. §§ 200-201). Desde este
punto de vista se comprende también el influjo respectivo
de una consonante o semivocal inmediatamente subsiguien-
tes sobre la vocal tónica, y también aquí se trata de armonización en contacto (cf. §§ 204-208). Se halla muy extendida la
armonización de la vocal tónica por una -i en hiato de la sílaba siguiente (cf. § 201).

1) *Armonización a distancia* (§§ 193-199)

193. En sar. *e o* (< lat. ĕ ē, ŏ ō, cf. § 158) se pronuncian
cerradas (*ẹ ọ*) cuando en la sílaba final lat. hay -ĭ o -ŭ; en
cambio, se pronuncian abiertas (*ę ǫ*) cuando la sílaba final
contiene otra vocal lat. (-e, -a, -o). Ejemplos:

Lat. ĕ ē: gĕneru *ghęneru*, cĕntum *kęntu*, tĕmpus *tępus*, caelu (§ 241) *kęlu*, vĕni *vęni*, vĕnit *vénit*, vērum *vęru*, dirēctu *deręttu*; pero pĕde *pęδe*, sĕptem *sętte*, dĕcem *dęke*, *quaeret (en vez de -it) *kęret*, vēndo, *vēndes, *vēndet (en vez de -ĭs, -ĭt) *ęndo, ęndes*, *ęndet*, catēna *katęna*, crēdere *krédere*, tēla *tęla*.

Lat. ŏ ō: cŏrpus *kǫrpus*, sŏcru *sǫkru*, bŏnu *bǫnu*, lŏcu *lǫku*, nŏvu *nǫvu*, nōdu *nǫδu*, nōbis *nǫis;* pero ŏcto *ǫtto*, bŏna *bǫna*, nŏvem *nǫve*, nŏva *nǫva*, -ōre -*ǫre*, sōle *sǫle*, cōda (§ 243) *kǫa*.

En los proparoxítonos las vocales mediales o finales *i, u* tienen influjo armonizador sobre la vocal tónica (cf. §§ 121, 188): generu *ghęneru*, pertica *pęrtia*, merula *męrula*, hŏmines *ǫmmines*, *cŏrnĭna *kǫrrina* 'cuchillo cachicuerno'.

194. En amplios dominios del sur de Italia lat. vulg. *ę ǫ* (< ĕ ŏ; cf. §§ 159 y ss.) se armonizan ante una -ī o -ŭ en sílaba final [27], y el resultado es en algunas zonas —como en sardo (cf. § 193)— *ę ǫ*, pero en la mayor parte de los dominios da por resultado el diptongo *ie* o *uo*.

Ejemplos: ventu > *vientu (vęntu)*, lectu > *liettu (lęttu)*, seru > *sieru (sęru)*, nervu > *niervu (nęrvu);* *denti (plur.) > *dienti (dęnti)*, *pedi (plur.) > *piedi (pędi)*, pero en sing. *dęnte, pęde;* collu > *cuollu (cǫllu);* corvu > *cuorvu (cǫrvu)*, corpu > *cuorpu (cǫrpu)*, focu > *fuocu (fǫcu);* vetulu, -i > *viecchiu, viecchi (vęcchiu, vęcchi)*, pero vetula, vetulae > *vęcchia, vęcchie;* novu, -i > *nuovu, -i (nǫvu, -i)*, pero nova, novae > *nǫva, -e* (igualmente novem > *nǫve);* nostru, -i > *nuostru, -i (nǫstru, -i)*, pero nostra, -ae > *nǫstra, -e;* grossu, -i > *gruossu, -i (grǫssu,*

---

[27] Sobre la conservación de la -ŭ final como -ų en lat. vulg. cf. § 274.

-i), pero g r o s s a, -a e > *grǫssa, -e;* m o r t u u, -i > *muortu,*
-i, pero m o r t u a, -a e > *mǫrta, -e* (igualmente m o r t e m >
mǫrte). Para los dialectos españoles, cf. G. Rohlfs, *Archiv* 190,
1954, págs. 322-324.

En algunos dialectos sudit. la vocal medial *-i-* o *-u-* (aunque la *-u-* haya nacido secundariamente de *-o-;* cf. § 253) tiene
el mismo efecto armonizador sobre la vocal tónica en los
proparoxítonos: p e c o r a (a través de *-u r a*) > *piécura,*
p e r t i c a > *piértica,* p e c t i n e > *piéttine,* p e r s i c a > *piérsica,* h o m i n e > *uómmine* (cf. § 188.)

195. En portugués encontramos el correspondiente tratamiento de lat. vulg. ẹ ǫ (< lat. clás. ĕ ŏ, cf. § 164), que ante
-ŭ final lat. se cierran en *ẹ ǫ,* y en los demás casos [28], en
cambio, aparecen como *ę ǫ.*

Ejemplos: p ŏ r c u > *pǫrco* (pero p ŏ r c ō s > *pǫrcos,*
p ŏ r c a > *pǫrca,* p ŏ r c a s > *pǫrcas*), sufijo *-ĕ l l u > -ẹlo*
(pero *-ĕ l l ō s > -ẹlos, -ĕ l l a > -ẹla, -ĕ l l a s > ẹlas*); *grǫsso*
(pero *grǫssos, grǫssa, grǫssas*), *mǫrto* (pero *mǫrtos, mǫrta,*
mǫrtas; m o r t e m > *mǫrte*). — En cambio, lat. vulg. ẹ ọ
(cf. lat. clás. ē, ĭ, ō, ŭ, cf. § 164) se mantienen como cualidades cerradas, aun cuando la vocal final es *-a, -e, -o:* q u ē-
t u > *quẹdo, quẹdos, quẹda(s);* t ō t u > *tọdo, tọdos, tọda(s).*
Cierto que en algunos casos se ha borrado la distinción rigurosa entre lat. ẹ ọ y ę ǫ; así, en el sufijo *-ō s u,* que en masc.
sing. suena regularmente *-ǫso,* al paso que las demás formas
revelan perturbación analógica: *-ǫsos, -ǫsa(s).*

196. Parecidos fenómenos ocurren en retorromano. Así,
en sobres., lat. vulg. ę ante *-ŭ* [29] final lat. se hace *ie* (en

---

[28] Para la diferencia de lat. *-ŭ* (> lat. vulg. *-ų*) y *-ō* (> lat. vulg.. *-ǫ*)
cf. § 274.

[29] Para la diferencia de lat. *-ŭ* y *-ō,* cf. § 274. Que lat. *-ŭ* dio en las

final de dicción: *i),* lat. vul. ǫ se hace *ie* (pasando por **uo,*
*üö), cf. § 184. En cambio, se mantienen lat. vulg. ę ǫ ante
lat. -ō, -a, -e finales. (Más detalles en § 172).

Ejemplos: -ĕllu > -*i* (cultellu > *cuntschi,* avicel-
lu > *utschi),* pero -ĕllōs > -*ęls* > -*ials* (cf. § 172; *cuntials,*
utschals); hŏrtŭ > *iert* (pero hŏrtōs > *orts),* ovu > *iev*
(pero ovos > *ovs),* mortuu > *miert* (pero mortuos >
morts), grossu > *gries* (pero grossos > *grǫss,* grossa > *grǫssa).*

El mismo fenómeno de armonización se puede señalar,
esporádicamente, también en el norte de Italia, sobre todo
ante -ī final de dicción.—El provenzal muestra asimismo un
antiguo diptongo armonizador en la forma *ier* (al lado de
er) < hĕrī.

197. Condiciones parecidas, bien que más complicadas
en la casuística, se dan también en rumano.

La ǫ procedente de lat. ō y ŏ (cf. § 161), ante lat. -ŭ e -ī
finales de dicción, dio el diptongo *uo,* que después monoptongó en ǫ. (Cf. análogamente §§ 730, 3; 733, 1 a; 761).

Ejemplos: -ōsu > -*ǫs,* -ōsi > -*ǫși* (§ 383), grŏssŭ >
grǫs, grŏssī > *grǫși,* pŏrcŭ > *pǫrc,* pŏrcī > *pǫrci,*
ŏssu > *ǫs,* nŏstru > *nǫstru,* lŏcu > *lǫc,* rŏdunt >
rǫd. Como en rum. -o lat. final pasa temprano a *u* (cf. § 272),
ésta produce el mismo efecto: ŏctō *ǫpt,* cognōsco
cunǫsc, rŏgo *rǫg.*

Ante otras vocales latinas finales de dicción (-a, -e) se
mantuvo la primitiva abertura de la ǫ (<lat. ō ŏ), y finalmente —apoyándose en la primitiva correspondencia cerrada

condiciones señaladas en § 274 lat. vulg. -ŭ lo prueba el consonantismo
de porcu sobresel. *piertg* (< **[püerčü],* pues la palatalización sobreviene sólo ante -*ü* (< -ŭ); cf. § 320.

uo— se realizó mediante el diptongo abierto *oá* (**gruossu*, **groassa*). Ejemplos: -ōs a -*oasă*, -ōs a e -*oase*, g r ŏ s s a *groasă*, g r ŏ s s a e *groase*, p ŏ r c a *poarcă*, p o r c a e *poarce*, ōll a *oală*, h o s p e s *oaspe*, h o s t e *oaste*, c o g n ō s c e r e *cunoaşte*, -ō r e -*oare*, s ō l e *soare*, **pŏtet poate*, r ŏ t a *roa-tă*, n o s t r a *noastră*, n o s t r a e *noastre*, m ŏ l a *moară*, **cŏ-*q u e t *coace*, r ŏ g a t *roagă*, o s s a *oase*.—En los proparoxí-tonos es decisiva la vocal medial (cf. § 188): **hŏminī *oámenĭ*, **hŏspĭtī *oáspeţ*.

Lat. vul. ę procedente del lat. ĭ y ē se mantiene en rum. ante lat. -ī y -ŭ finales de dicción: d i r ē c t u *drept*, d i r ē c t i *drepţi*, d e n s u *des*, n ĭ g r u *negru*, n ĭ g r i *negri*, c ĭ r c u *cerc*, c r ē d u n t *cred*. Igualmente ante lat. -o, que se había convertido en -*u* (cf. § 272): c r e s c o *cresc*, l ĭ g o *leg*. Ante otras vocales finales lat. (-a, -e) lat. vulg. ę se abre en *eá*, que en el neorrumano se ha rearmonizado otra vez en *e* ante -*e* final rum.: d i r ē c t a *dreaptă*, l ĭ g a t *leagă*, n ĭ g r a *neagră*, l e g e *lege* (en rum. a. todavía *leage*), v i d e t *vede* (rum. a. *veade*), -ĭs c i t -*eşte*.

Lat. vulg. ę (cf. § 161) procedente de lat. ě ae diptongó, ante -ī -u lat. finales de dicción (así como ante rum. -*u* < lat. -ō, cf. § 272), en *ie*: f ě r r u *fier*, p ě c t u *piept*, h ě r ī *ierĭ*. Ante otras vocales finales (-a, -e) ę fue sustituida originaria-mente, apoyándose en la correspondencia cerrada *ié*, por el diptongo más abierto *iá*, el cual, en rum. m., se ha rearmo-nizado de nuevo en *ié* ante -*e* final de dicción: p ě t r a *pia-tră*, p ě t r a e *pietre* (rum. a. *piatre*), t e r r a *ţară* (a través de **ţiară*, cf. § 214), p e r d i t *pierde* (rum. a. *piarde*), f e l e *fiere*, m e l e *miere*, e q u a *iapă*, e q u a e *iepe*.—En los pro-paroxítonos es decisiva la vocal medial: p e d i c a *piédecă*, l e p o r e *iépure*, p é c t i n e *piéptene* (cf. § 188).

198. La armonización, estudiada en los §§ 193-197, de lat. vulg. ę ǫ con el antiguo resultado *ie,* *uo* o ę ǫ da la impresión —ya que se encuentra en zonas arcaicas de la Romania— de un fenómeno acusadamente antiguo. Pudiera en sus orígenes haber sido común de toda la Romania [30].

Obsérvese que la generalización de los diptongos *ie,* *uo* (< lat. vulg. ę ǫ) en cualquier posición en esp. (§§ 171, 176), dalmát. (§§ 171, 176) y en dialectos it. (venec., sicil.), parece aludir a una temprana desaparición de las cualidades en final de dicción, especialmente, de lat. -ī y -e, -ŭ y -ō (cf. §§ 272-274). En rum. los diptongos armonizadores cerrados *ié,* **uó* desembocaron en la formación analógica de correspondencias más abiertas *iá,* *oá* (cf. § 197). Una desaparición de la primitiva armonización parece encontrarse en toscano (y en el it. literario): aquí la diptongación quedó limitada a la posición libre; y se generalizó en ésta —sin tener en cuenta la vocal final de dicción—; sing. *piede* como plur. *piedi,* fem. *nuova* como masc. *nuovo,* pero *grǫsso* como *grǫssa* (cf. §§ 172, 177). Huellas de las antiguas condiciones de armonización se descubren todavía en algunas palabras, aisladas desde el punto de vista flexivo, en que no se realizó la diptongación, como *bęne, nǫve* < n o v e m (pero *nuove* < n o v a e como *nuovo* < n o v u), tosc. *męle, fęle* (pero literario *miele, fiele*). El cat. parece haber generalizado el diptongo *ie* para lat. vulg. ę (cf. § 171).

199. En amplios dominios del sur de Italia (Nápoles, Abruzzos, Campania, Lucania, Apulia), ante -ī o -ŭ lat. finales

---

[30] La acentuación primitiva (conservada en dialectos sudit.) de los diptongos parece haber sido *ie, úo.* En la mayor parte de las regiones el segundo elemento, más abierto, atrajo a sí el acento (*ié, uó*), cf. § 99. La armonización monoptónguica (ǫ, ę) nació quizá de la armonización diptónguica.

de dicción las vocales de lat. vulg. ę ǫ (< ĭ ē, ŭ ō; cf. § 156) se armonizan en *i u*, al paso que ante otras vocales finales (-a, -e, -o) lat. vulg. ę ǫ se mantienen: c o g n ō s c ī s *canusci;* r ŭ s s u *russu,* r ŭ s s i *russi,* r ŭ s s a, -a e *rǫssa, -e;* n e p ō t e *nipǫte,* *n e p ō t i (plur.) *niputi;* s ŭ r d u, -i *surdu, -i,* s ŭ r- d a, -a e *sǫrda, -e;* f l ō r e *fiǫre,* *f l ō r i (plur.) *fiuri;* s ō l u, -i *sulu, -i,* s ō l a, -a e *sǫla, -e;* p l ē n u, -i *činu, čini,* p l ē n a, -a e *čena, -e;* m ē n s e *mẹse,* *m e n s i *misi;* s ĭ c c u *siccu,* s i c c a *sẹcca;* v ĭ r i d e *vẹrde,* *v i r i d i *virdi;* -ō s u *-usu,* -ō s i *-usi,* -ō s a *-ǫsa,* -ō s a e *-ǫse;* c o g n ō s c o *canǫsco.*

En algunas zonas del sur de Italia (Abruzzos, Las Marcas) y del norte de Italia, así como en vastos dominios de la Romania extraitaliana (entre ellos Galorromania e Iberorromania), esta armonización es efectuada mediante -ī final (pero no mediante -ŭ final, que, por tanto, debió de haber desaparecido con anterioridad): v i g ĭ n t ī prov. *vint,* fr. *vingt,* port. *vinte,* sudit. *vinti* (pero tosc. *vẹnti);* f ē c i prov. fr. *fis,* esp. *hice,* port. *fiz* (pero tosc. *fẹci);* (f e c-)-ĭ s t ī prov. *-ist,* fr. *-is,* esp. *-iste* (pero port. *-ẹste,* tosc. *ẹsti);* c o g n ō v (u) ī fr. a. *conui.*—En la flexión nominal el fenómeno quedó las más de las veces anulado en Galorromania, así c a p i l l ī prov. *cabẹl,* fr. a. *chevẹl* (pero, aisladamente, prov. a. todavía *cabil).* Cf. §§ 187, 491, 905 nota.

En champañés el alargamiento diptónguico de ǫ libre en *ou* (> *eu;* cf. § 182) queda anulado por una a lat. final de dicción; así s ō l u *seul,* s ō l a *sǫle;* n e p ō t e *neveu,* c ō d a *coe* (cf. también § 224).—Otras manifestaciones, generalmente recientes, de la armonización se encuentran, con extensión local, en muchos dialectos románicos.

2) *Armonización en contacto* (§§ 200-201)

200. Ante u lat. inmediatamente subsiguiente, o ante u lat. separada de la vocal tónica únicamente por una velar *(k, g)*, lat. vulg. ẹ ọ diptongan en fr. y prov. [31] en *ié* o *ué* (pasando por *uo: en algunos dialectos prov. se conserva aún esta pronunciación).

Ejemplos: D e u prov. fr. *Dieu*, M a t t h ẹ u (§ 241) fr. *Mathieu*, y analógicamente A n d r ẹ u (en vez de A n d r e a s) fr. a. *Andrieu*, m ĕ u m prov. *mieu*, fr. *mien* (§ 187, 4), l ĕ g u̯ a fr. *lieue*, t r ĕ g u̯ a fr. a. *trieue*, s ĕ q u o fr. a. *sieu*, G r a e c u (§ 241) fr. a. *Grieu*, f ŏ c u prov. *fuoc*, *fuec*, l ŏ c u prov. *luoc*, *luec*, fr. *lieu* (< *lueu, disimilación). A veces (especialmente en formas dialectales) reaparece una reducción o disimilación de los diptongos así nacidos: fr. a. *Deu*, *Dїu* (al lado de *Dieu);* fr. *feu* < **fueu;* fr. a. *leu*, *liu* (junto a fr. mod. *lieu*), j o c u fr. *jeu.* En prov. *u* secundaria procedente de lat. v, b (§ 568) produce el mismo efecto: f e b r e *fieure;* g r e v e (§ 138) *grieu;* n o v u *nuou, nueu;* o v u *uou, ueu;* m o v e t *muou, mueu.*

La diptongación en contacto con *u* parece ser un último vestigio de la antigua diptongación ante -ŭ final (§ 198). Al borrarse las cualidades en final de dicción, la cualidad de -*u* final en hiato y de -*u* detrás de las velares fue la que más tiempo resistió en realidad (§ 248), de suerte que la diptongación de la vocal tónica en estas condiciones pudo conservar su primitivo carácter de armonización (§ 198). Parece que después el fr. generalizó en posición libre los diptongos *ié, ué*, vinculados originariamente a la armonización (cf.

---

[31] No todos los dialectos prov. participan en la diptongación tratada en §§ 200-201; por tanto, prov. *fọc, lọc, grẹu, vendẹi, folha* al lado de *fuec, luec, grieu, vendiei, fuelha*, etc.

§ 198). También en prov. se pueden observar los primeros impulsos para una generalización: así, según el masc. *nueu* < n o v u se formó un fem. *nueva* (junto al regular *nǫva*).— Cf. § 137, 3 b.

Ante lat. -ī inmediatamente siguiente o ante -i̯ (§ 67), contenida en un grupo palatal (§ 205) inmediatamente siguiente, ę, ǫ del lat. vulg. diptongan, en fr. y prov., en *ie* y *ue* respectivamente (pasando por *uo*: en algunos dialectos prov. todavía pervive esta pronunciación).

Ejemplos: m e i prov. *miei*, v e n d e (d) i (§ 894) prov. *vendiei*, fr. a. *vendi* (fr. m. *vendis*); f e r i o prov. *fier;* m e r e o prov. *mier;* m o r i o prov. *muer,* fr. a. *muir.*—La armonización ante grupo palatal está extendida por amplios dominios (§ 205).

La diptongación en contacto ante -ī es el último vestigio de la antigua diptongación ante -ī final de dicción (§ 198).— El prov. *ier* < h e r i muestra todavía la antigua condición.

201. La diptongación producida en el contacto vocálico de los tipos D e u *Dieu,* m e i *miei* (§ 200) se basa en la más general armonización a distancia ante -i y -u (§ 198). La posición libre del contacto vocálico forma el puente previo para la generalización de esta forma de diptongación de ę ǫ en posición libre (§ 137, 3 b). El contacto palatal del tipo m e i *miei* forma el puente previo para la generalización de la armonización ante grupos palatales (§ 205).

γ) Influjo de las consonantes vecinas (§§ 202-240).

202. Los influjos de las consonantes son generalmente manifestaciones de la asimilación en contacto (§ 133).

1) *Influjo de las palatales* (§§ 203-214)

203. En lo que sigue trataremos sucesivamente: 1. Sobre el influjo de consonantes palatales sobre las vocales que las preceden en la cadena fónica (§§ 204-209); 2. Sobre el influjo de consonantes palatales sobre las vocales que las siguen en la cadena de fonemas (§§ 210-214).

204. En esp. y port. ante grupos palatales (cons. + i̯, k + cons., -lt- [cf. § 413]) lat. ŭ inflexiona en *u̯* (en vez de pasar a *ǫ,* cf. § 183).

Ejemplos: l u c t a esp. *lucha,* port. *luta* [32]; a (u) s c u l t a t esp. *escucha,* port. *escuta;* m u l t u esp. *mucho,* port. *muito* [33]; u n g u l a esp. *uña,* port. *unha;* p u g n u esp. *puño,* port. *punho;* p l u v i a esp. *lluvia,* port. *chuva;* t u r b i (d) u esp. *turbio,* port. *turvo* [34]. El port. *vergonha* es, sin duda, un galicismo (fr. *vergogne* < v e r e c u n d i a).

De parecida forma lat. vulg. ę (< ĭ, ē) inflexiona en *i̯:* s ē p i̯ a esp. *jibia* (§ 472), port. *siba;* v ĭ n d ē m i̯ a esp. *vendimia,* port. *vindima;* l ĭ m p i (d) u esp. *limpio,* port. *limpo.* En el caso de t ĕ p i (d) u esp. y port. *tibio,* la ę del lat. vulg. inflexionó también en *i* (a través de esp. *ie,* port. *ę*). En cambio, no funcionó la inflexión en s t r ĭ c t u esp. *estrecho,* port. *estreito.*

---

[32] En esta palabra ocurre la vocal *u̯* también en fr. a. *luite* y fr. m. *lutte* (pero it. *lǫtta*), sin duda por falsa restitución de la vocal tónica sobre formas deuterotónicas como l u c t a r e *lottare* (§ 250).

[33] Hay que contar también aquí la inflexión de lat. ŭ en *u̯* en s u l c u esp. *surco* (dialectalmente también *suco;* pero cat. *solc,* it. *sǫlco*).

[34] La *i* inflexiona, pues, también en hiato secundario (tras la caída de la -d-, cf. § 377).—Como en cat. el grupo -lt- no evoluciona palatalmente, ante ese grupo no funciona en cat. la inflexión: *escolta, molt;* pero *lluyta, ungla, puny, pluja.*

En florentino (y en el it. escrito) lat. ĭ, ŭ ante grupos de nasal y palatal inflexionan en i̯, u̯.

Ejemplos: p u g n u *pugno,* u n g e r e *ungere* (también *ugnere*), u n g u l a *unghia,* p u n g e r e *pungere,* t ĭ n e a *tigna,* v i n c e r e *vincere,* f i n g e r e *fingere* (cf. también § 417) [35]. Igualmente ante [*ski*] y [*ł*]: m ĭ s c u l a t *mischia,* c ĭ l i u m *ciglio,* t ĭ l i a *tiglio.*—En otros dialectos it. (también tosc.) no funciona la inflexión: napol. *ógnere* < ŭ n g e r e, *tęglia* < t ĭ- l i a, etc.

Ante [*ł*] ocurre la inflexión también en fr.: c ĭ l i u *cil* (pero prov. *celh,* esp. *ceja*), **tĭliu* fr. a. *til,* fr. m. diminutivo *tilleul* (pero prov. *telh*).— Está muy extendida la inflexión ante grupos palatales en b e s t i a, o s t i u m (§ 202), c ō g i t a t > román. occid. **cūjdat,* fr. *cuide,* esp. *cuida;* d ĭ g i t u > d i j t u > **dītu* > it. *dito,* arag. y astur. *dido,* cat. *dit* (pero castell. *dedo,* fr. *doigt*).

Una antigua inflexión de lat. ē, ō en lat. ī, ū ante el grupo -s t i̯- aparece en b ē s t i a > b ī s t i a (it. *biscia* 'serpiente marina, hidra'); ō s t i u m > ū s t i u (it. *uscio,* engad. *üsch,* fr. *huis,* prov. *uis,* esp. a. *uço;* rum. *uşă* < ū s t i a).

205. En la Romania occidental (§ 6), lat. ę, ǫ (§ 157) ante grupos palatales (cons. + i̯; cons. palatal + cons.; §§ 422; 430-478) se armonizan en *ie, uo* o en ǫ (cf. § 198).

Esta condición armonizadora es en románico occidental una ampliación y especialización de la antigua armonización a distancia de la -ī final de dicción (§ 198): mientras que el efecto armonizador de la -ī se perdió en v ĕ n t ī, g r ŏ s- s ī (§ 194), en cambio lo conservó la -ī de m e ī (§ 201) por hallarse en contacto. La condición del contacto se aplicó después a la [*y*] (§ 67) contenida en grupos de consonantes pala-

---

[35] It. *vergogna* es quizá un galicismo, cf. § 205.

tales. Esta condición armonizadora del románico occidental tiene ramificaciones, dentro del románico oriental (§ 6, II), en los Abruzzos *(Archiv* 191, 1955, p. 248).

Ejemplos (cf. el cuadro del § 207): 1. de la ę lat.: p e i o r / p e i u s, m e d i u, m e l i o r / m e l i u s, v e c l u, s p e c l u, l e c t u, p e c t u s, s e x: sobres. *pir, miez / mezs / mesa* (§ 196), *meglier, vegl,* —, *letg, pęz, sis;* engad. *pêr / pês, mez, meglder / megl,* —, *let, pet, ses;* fr. a. ⟨fr. m.⟩ *pire / pis, mi, mieldre / mielz ⟨mieux⟩, vieil,* —, *lit, piz ⟨pis⟩, sis ⟨six⟩*; prov. *pieir / pieitz, miei, mielher / miehls, vielh, spęlh, lieit, pieitz, siéis;* cat. —, *mig,* —, *vęll, espill, llit, pit, sis;* esp. —, —, —, *viejo, espejo, lecho, pecho, seis;* port. —, *meio, velho, espelho, leito, peito, seis;* cf. además m e r e o, f e r i o > prov. *mier, fier.*—2. de lat. ǫ: t r o i a, h o d i e, i n o d i o, m o d i o, p o d i u, f o l i u / f o l i a, m o r i o, c o r i u, p o s t i u s, o c l u, c o c t u, o c t o, n o c t e, c o x a: sobres. —, *oz,* —, —, —, *fegl / feglia, mierel,* —, —, *egl, cotg, otg, notg, queissa;* engad. —, *hoz,* —, *möz / mozza* (§ 196), *fögl /föglia, mour,* —, —, —, *ögl, cot, ot* (bajo engad.) / *och* (alto engad.), *not, cossa;* fr. a. ⟨fr. m.⟩ *truie, hui, ennui, mui ⟨muid⟩, pui, fueille ⟨feuille⟩, muir, ⟨meurs⟩, cuir, puis, ueil ⟨oeil⟩, cuit, huit, nuit, cuisse;* prov. *trueia, uei, ennuei, muei, puei, fuelha, muer, cuer, pueis, uelh, cueit, ueit, nueit, cueissa;* cat. *truja, avúy, enúig,* —, *puig, fulla, moro, cuyr, puix, ull, cuyt, nit, cuixa;* esp. —, *hoy, enojo, moyo, poyo, hoja, muero, cuero, pues, ojo, cocho, ocho, noche,* —; port. —, *hôje, enôjo, môio,* —, *fôlha, moiro (morro), coiro, pois, ôlho,* —, *oito, noite, côxa.*

Resulta, pues, el siguiente cuadro:

1) La armonización diptónguica con el resultado *ie, uo (ue)* aparece:

a) En fr. *(vieil, fueille)* y prov. *(vielh, fuelha).*—Para el desarrollo ulterior con la agregación de una *i* cf. § 207.—En prov. se puede encontrar también la anterior pronunciación *uo (fuolha)* en vez de *ue*. Por lo demás, en esta diptongación de contacto no participan todos los dialectos prov. (*velh, folha*). Quizá los dialectos que no diptongan participaron alguna vez en la armonización monoptónguica (cf. abajo, 2), que después se abandonó ("regresión"; cf. abajo, 1 d).

b) En cat., donde los diptongos previos que hay que suponer *ie, ue* fueron reducidos a *i, u (pit, fulla).*—El cat. distingue en el vocalismo entre -l̦i- antiguo (f o l i̦ a *fulla*) y antigua -ll- (c o l l u *cǫll*: cf. 497).

c) En dialectos esp. (leon., arag. y parte del cast.) donde todavía se conserva actualmente *(fuella, pueyo)*.

d) En retorrom., aunque aquí se produjo con frecuencia una regresión del fenómeno. Pruebas de la diptongación son: sobres. *pir, sis, feglia, egl, queissa* y engad. *fóglia*. El movimiento de regresión resulta claro confrontando sobres. *queissa* y engad. *cossa*: la regresión se debe evidentemente a una nivelación en los tipos de la estructura material de las palabras, nivelación que tomó como modelo las correspondencias de la armonización a distancia (§ 196). Como, por ej., *queissa*, cuya forma se debe a la palatal -x-, contradecía a la correspondencia de armonización a distancia (§ 196; *grossa*), se transformó en *cossa*.

2) La armonización monoptónguica con el resultado *ę, ǫ* aparece:

a) En port., donde actualmente, por otra parte, sólo es reconocible en *ǫ*, que se pronuncia cerrada *(fólha)*, al paso que la *e* de cualquier procedencia (por tanto, también la *e* de *vejo* < v i d e o) ante consonantes palatales se pronuncia en port. mod. fuertemente abierta como vocal dorsal [*v*].

b) En una zona del cast. y en el esp. escrito, donde la pronunciación no es ya cerrada, puesto que lat. *ę, ǫ* dipton-

garon en las demás ocasiones en *ie, ue* (§§ 171; 176), no era
necesaria ya una distinción basada en el grado de abertura
(§ 168, nota).—Este estado de apariencia paradójica deberá
quizá explicarse por razones de cronología fonética (§ 131,
nota), pues ę, ǫ ante palatal inflexionaron antes en ẹ, ọ, de
suerte que la posterior generalización de los diptongos *ie, ue*
como continuadores de ę, ǫ, no pudo alcanzar ya a estas vocales inflexionadas.—La -ll- (§ 497) pronunciada palatalmente
no rige aún para el tratamiento de ę, ǫ como grupo palatal:
c a s t e l l u, s e l l a, c o l l u > esp. a. *castiella, siella, cuello*.
En esp. mod., el grupo *-iell-* pasó a *-ill-* (§ 133 c): esp. mod.
castillo, silla.

3) La armonización ante grupos palatales coexiste con la
armonización-a distancia, operante (§ 198), en román. gris.
(§ 196) y en port. (§ 195). La regresión en gris. de la armonización condicionada por palatal hay que explicarla por la
escisión entre las dos condiciones de armonización (cf. arriba, 1 d).

206. En la Romania occidental (cf. § 205) la [y] (§§ 67; 205)
contenida en los grupos de consonantes palatales pasa a veces como *i* a la sílaba precedente, cuya cumbre (§ 91) se convierte así en diptónguica. Varían en las respectivas lenguas:
1, la suerte de los diptongos así formados (§ 207); 2, los grupos palatales que dan una *i* a la sílaba precedente (§ 208).

207. Los diptongos (o triptongos, cuando la sílaba es ya
diptónguica según el § 205) formados por la agregación de
una *i* (§§ 206; 208) se desarrollan conforme al siguiente cuadro:

Lat.vulg.	ę+i	ẹ+i	a+i	ǫ+i	ọ+i	u+i
Sobres...	e	i	ai, e	uei	u, uo	e (§ 184)
Engad. . .	ai	e	ai	ö, o	uo	ü
Fr.a.....	ei>oi	*iei>i	ai	*uei>ui	oi	ui
Fr. m. . .	[ua], [ę] (§ 170)	i	e	[w̌i]	[ua], [ę]	[w̌i]
Prov. . . .	ei	ęi/iei	ai	ǫi/uoi/uei	ǫi	ui
Cat.	ei>ę	*iei>i	ei>ę	*uei>ui>u	oi>o	ui
Esp.	e	e	e	oi, ue	o	u
Port. . . .	ei	ei	ei	oi	—	ui, u

Ejs.: 1. lat. ę: s t r i c t u, d i r e c t u, t e c t u, c r e s c i t, n i g r u, c e r e v i s i a, (f r a n c-)-i s c e / -i s c u: sobres. *stretg, dretg, tetg, crescha, ner,* —, *-estg;* engad. *stret, dret, tet, cręch, nair,* —, *-ais-ch* (bajo engad.), *-as-ch* (alto engad.); fr. a. ⟨fr. mod.⟩ *estreit* ⟨*étroit*⟩, *dreit* ⟨*droit*⟩, *teit* ⟨*toit*⟩, *creist* ⟨*croît*⟩, *neir* ⟨*noir*⟩, *cerveise* ⟨*cervoise*⟩, *-eis* ⟨*-ois, -ais*⟩; prov. *estreit, dreit, teit, credis, neir, cervęza, -es;* cat. *estręt, dręt,* —, *crēix, negre, cervęsa, -ęs;* esp. *estrecho, derecho, techo, crece, negro, cerveza, -és;* port. *estreito, direito* (port. a.) *teito, cresce, nêgro, cerveja, -êz.*—2. lat. ę: § 205.—3. lat. a: h a b e o a i o (§ 870; cf. corso [*áyu*]), r a d i u, l a c t e, f a c t u, f r a x i n u, n a s c i t, b a s i a t, a r e a: sobres. *hai,* —, *latg, fatg, fráissen, nescha,* —, *era;* engad. *he* (alto engad.) / *ha* (bajo engad.), *raz, lat, fat, fraischen, nascha,* —, *era;* fr. a. ⟨fr. mod.⟩ *ai, rai, lait, fait, fraisne* ⟨*frêne*⟩, *naist, baise, aire;* prov. *ai, rai, lait, fait, fraisse, nais, baiza, aira;* cat. *hę, raig, llęt, fęt, fręixe,*

naix / neix, besa, era; esp. *hé, rayo, leche, hecho, fresno, nace, besa, era;* port. *hei, raio, leite, feito, freixo, nasce, beija, eira.*
4. lat. o: cf. § 205.—5. lat. o: c o g n o s c i t, a n g u s t i a, d o r-
m i t o r i u: sobres. *enconuscha, anguoscha,* —; engad. *cugnuoscha, anguoscha,* —; fr. a. ⟨fr. mod.⟩ *conoist ⟨connaît⟩,
angoisse, dortoir;* prov. *conois, angoissa, dormidor;* cat. *coneix, angoixa,* —; esp. *conoce,* —, —; port. *conhece,* —, —.
6. lat. u: f r u c t u, l u c t a (§ 204), u s t i u (§ 204): sobres.
fretg, lutga, esch; engad. *früt, luotta, üsch;* fr. a. ⟨fr. mod.⟩
fruit, luite ⟨lutte⟩, huis; prov. *fruit, loita, uis;* cat. *fruyt, lluyta,* —; esp. *fruto, lucha,* (esp. a.) *uço;* port. *fruto, luta,* —.
Cf. además m u l t u port. *muito* (§ 204).—Para la explicación
de las formas, cf. también § 208.

El sufijo (c a b a l l-, c a r b o n-, b o v-, c a p r-) -a r i u s da
rum. *-áriu,* it. *-aio* (*-aro* : § 465), sar. [*-ardzu*], sobres. *-er,* engad. *-er,* cat. *-er,* esp. *-ero,* port. *-eiro,* forma que era de esperar (basada quizá en la palabra-modelo a r e a 'era'), al
paso que en fr. aparece como *-ier* (en vez de **-air*): p r i m a-
r i u *premier,* b o v a r i u *bouvier.* Ello es tanto más sorprendente cuanto que palabras de formación análoga (v a r i u
vair, a r e a *aire* : § 207) no presentan ninguna particularidad
especial. La explicación hay que buscarla en el hecho de que
-a r i u s se agregaba frecuentemente a los temas en i̯- (v i r i-
d i a r i u, l e v i a r i u, s o r t i a r i u, o s t i a r i u, c o n s i l i a-
r i u) y en otros casos venía a quedar con frecuencia tras
grupos palatales (v e r v e c a r i u, p o r c a r i u, v a c c a r i u,
a r c a r i u, l a c t a r i u, l o c a r i u): pues bien, en esos grupos la i̯ tras r desapareció por disimilación palatal (§ 135),
resultando las formas v i r i d i a r i u > *v i r i d i a r u, v a c-
c a r i u > *v a c c a r u. Sobre esta base la a tras palatal daba
regularmente *ie* (§ 210): así resultaron en fr. (fr. a.) *verger
(vergier), léger (legier), sorcier* (ya en las *Glosas de Reiche-*

nau [s. VIII]: *sorcerus*), *huissier, conseillier, berger (bergier), porcher (-ier), vacher (-ier), archer (-ier), laitier, loyer*. La forma *-ier*, justificada tras palatal, se generalizó después para todos los casos (*bouvier* por **bouvair* según *bergier*), debiéndose comparar con esta generalización la de la forma sufijal *-ien* < -a n u (§ 210), nacida también tras palatal (así, por ej., *Tyrolien* según *Parisien*).—La exactitud de la explicación de la forma sufijal *-ier* mediante disimilación palatal se comprueba por el desarrollo paralelo de la palabra i n t ę̣- g r u (§ 149, 1), que dio **entieiru* y pasó a *entier* por disimilación palatal.—El sufijo *-ier* penetró como francesismo también en el prov. (prov. *premier* junto a la forma autóctona regular *primeir*) y en el it. (it. *cavaliere*).—Respecto al francoprov., cf. H. Stimm, RF 72, 1960, p. 459.

208. El círculo de los grupos palatales que prestan una *i* a la sílaba precedente (§§ 206, 2; 207) varía en las distintas lenguas. Hay que distinguir en cada caso los "grupos palatales permeables" (1) y "grupos palatales impermeables" (2):

1) Los grupos palatales permeables dan una *i* a la sílaba precedente. A estos grupos pertenecen según los ejemplos de los §§ 205, 207, las siguientes combinaciones en las lenguas indicadas:

a) Indudablemente, en toda la Romania occidental (§ 206), los grupos -i̯i̯- (§ 471), -ks- (§ 439), -ri̯- (§ 465).—El grupo -ri̯- es también "permeable" en la zona románica oriental del sur de Italia (a r e a *aira*).

b) Lo mismo también, en toda la Romania occidental (§ 206), aunque con resultados no tan claros, los grupos -ct- (§ 433), -di̯- (§ 456), -sti̯- (§ 455), -si̯- (§ 459).

c) En sobres., fr., prov., cat. los grupos -ssi̯- (§ 462), y sc^{e,i} (§ 425).

d) En port. el grupo -lt- (§ 204).

e) En cat., probablemente, el grupo -li̯- (§ 464).

f) En fr. las consonantes palatales simples g[e,i] (§ 395), g[a] (§ 400), c[e,i] (§ 390), c[a] (§ 398): l e g e, r e g e, p l a g a, p i c e, d e c e, v o c e, c r u c e, n u c e, l u c e n t, p a c i s, b r a c a, p a c a t: fr. a. *lei, rei, plaie, peiz, dis, voiz, croiz, noiz, luisent, pais, braie, paie.*

2) Los grupos palatales impermeables no dan *i* a la sílaba precedente. A estos grupos pertenece, por ej., el grupo -li̯- (§ 464) en todas partes (exceptuado el cat.: arriba, 1 e). No debe inducirnos a error el hecho de que en la ortografía francesa la palatal -*l*- se transcriba con el grupo de letras -*ill*-. Es clara la diferencia entre n o c t e > *nueit* > fr. *nuit* (§ 206) de un lado, y de otro, f o l i a > fr. a. [*fü̯éle*] (escrito *fueille*, fr. mod. *feuille*). En el fr. a. *fueille* no hubo nunca un triptongo y sí sólo la secuencia del diptongo *ue* y la lateral palatal -*l*-.—En champ. ẹ ante *l̯* se disimila en *o* (c o n s i l i u *consoil*, m i r a b i l i a *mervoille*, frente a fr. *conseil, merveille*), es decir, se trata como en el diptongo ẹi (§§ 170; 207).

209. Respecto al tratamiento de las vocales en fr., todavía se deben tener en cuenta los hechos siguientes:

1) Grupos palatales (cons. + i̯; cons. palatal + cons.; §§ 422; 430-478) constituyen una consonancia múltiple, esto es, traban (§§ 93; 163) la vocal precedente: p a l e a > *paille* (fr. a. [*pálə*]), c o n s ï l i u *conseil* [fr. a. *kõnsẹ́l*], m i r a b ĭ l i a > *merveille* [fr. a. *mervẹ́lə*], r u b e u > *rouge*, f e n u c l u > *fenouil* [fr. a. *fənúl̯*] (como b u c c a > *bǫche* [*búćə*], escrito *bouche* [§§ 183; 217, nota]).

2) Al combinarse con la *i* procedente de un grupo palatal permeable (§§ 207; 208, 1), las vocales libres y trabadas quedan muy pronto fuera de la línea de evolución vigente

en otros casos para las vocales libres y trabadas (§ 163), y ello porque los diptongos formados por la agregación de la *i* se desarrollan independientemente: v o c e *voiz* (frente a f l o r e *fleur*: § 182), p a c i s *pais* (frente a m a r e *mer*: § 175), p a-c a t *paie*. También por esta razón se ha de considerar el diptongo de p ĭ c e *peiz*, no como representante de la ę libre (-ę r e -*oir*: § 170), sino como diptongo ę + i.—De igual manera los diptongos *ie, ue* ante grupos palatales (§ 205) no se han de considerar, según suelen hacer con frecuencia las gramáticas francesas, como si las vocales ante grupos pala-tales recibiesen el mismo tratamiento que en posición libre. La inversa es, precisamente, lo exacto (cf. arriba, 1). Los dip-tongos *ie, ue* ante grupos palatales son más bien un fenóme-no de armonización que (como se ve por su extensión geo-gráfica: § 205) es anterior a la generalización de los dipton-gos *ie, ue* en posición libre (§ 201).

3) La diferencia de vocales entre f e n ŭ c l u, g e n ŭ-c l u fr. a. *fenouil, genouil* (fr. m. *genou*), por un lado, y por otro, c o g n ǫ s c e r e, d o r m i t ǫ r i u fr. a. *conoistre* (fr. m. *connaître*), *dortoir* se explica por las indicaciones de los §§ 208, 2; 209, 1-2: *fenouil* muestra, por ser -*l*- impermeable, el desarrollo normal de la ǫ trabada (§ 183), mientras que *conoistre* entra en el desarrollo independiente del diptongo en *i*.

4) Acerca de las vocales ante [ñ] cf. § 236.

210. En fr. la a libre se convierte en *ie* [i̯é] mediante pa-latal precedente (< lat. k, g o < grupo palatal).

Ejemplos de fr. a.: c a p u (t) *chief*, c a r u *chier*, c a p r a *chievre*, j u d i c a r e *jugier*, b a s i̯ a r e *baisier*, c o n s i l i̯ a r e *conseillier*, t r a c t a r e *traitier*, p a c a r e *paiier* [36], m e d i e t a-

---

[36] La primera de las dos *i* procede de lat. -k-, cf. § 398.

t e [37] *meitié > moitié,* a m i c i t a t e [38] *amistié,* p i e t a t e [39]
pitié, v i n d i c a r e *vengier,* t a l i̯ a r e *taillier.*

Desde finales del s. XIII el diptongo *ié* se simplificó en *e*
detrás de silbante [*š, ž*], detrás de [*l̦*] y [*ñ*], así como en las
terminaciones verbales; por tanto, fr. m. *chef, cher, chèvre,
juger, baiser, traiter, conseiller* [40], etc.; pero fr. m. con *ié*:
moitié, amitié, pitié.—Para *chrétien, chien* cf. § 235 (priori-
dad cronológica del influjo palatal).

Para la clasificación dialectal de la Galorromania es importante el hecho de que el francoprovenzal (§ 11) participa
en este tratamiento de la a libre tras palatales ⟨> *ie*⟩, al paso
que a libre permanece sin modificación bajo otras condiciones (§ 174). En cuanto a lat. a libre se contraponen:

Lat.	Prov.	Francoprov.	Fr.
c a r r i c a r e..	*charjar* *(cargar)*	*chargier* [41]	
p o r t a r e . . .		*portar*	*porter*

---

[37] A través de **mei̯tate* (§§ 293, 456), donde *t* fue palatalizada por *i̯*.

[38] A través de **amis'tate* (§§ 293, 390), donde *t* fue palatalizada por *s'*.

[39] A través de **pi̯i̯tate*, donde e postvocálica intertónica (cf. § 293)
pasó a *i̯*, y la *t* siguiente fue palatalizada (desarrollo 'semiculto').

[40] En fr. a. es regla estricta que, por ej., *traitier* y *chanter*, que
forman rima en fr. m., no pueden rimar entre sí. Dialectalmente las
antiguas condiciones o se mantienen en parte, o se reconocen aun
hoy en las formas actuales, por ej., valón *magnî 'manger'*, pero *tchanter 'chanter'.*—La *Canción de Roldán* en fr. a. (Laisse 159) muestra
asonancia entre *ie* (*laissiét* < l a x a t u, *pied* < p e d e; § 172) y *e* (*ester* < s t a r e; § 174).

[41] La actual pronunciación francoprov. es [*tsardzí*]. Para el francoprov., cf. 260 y 275.

211. El diptongo *ie*, procedente en fr. de a libre tras palatal (§ 210), se combina con una *i* siguiente y forma el triptongo **iei*, que se simplifica en *i* (cf. también § 201): j a c e t > **jieist* (§ 390) > *gist*, fr. m. *gît;* c a c a t > *chieie* (§ 398) > *chie.*

212. Una palatal precedente convierte en fr. en *i* (probablemente pasando por el triptongo **iei*) la ẹ libre del lat. vulg.: c ē r a *cire*, m e r c ē d e *merci*, p l a c ē r e *plaisir.*

213. Cuando en rum. aparece ante *a* una *i*, la *a* pasa a *e* si la sílaba final contiene una *e* o una *i* [42]: c l a v e > [kịaịe] > *cheie* [kịeịe] (cf. § 341), t a l i a r e > *tăiere* [təịere] 'el cortar' (pero infin. apocopado: *tăiá* 'cortar').

La palabra ịa n u a (logud. *yanna*, calabr. *yánna*, port. *janela* 'ventana' < -e l l a) tiene una forma secundaria **ịe n u a* (calabr. *yenna*, campid. *enna*), que revela una inflexión de ịa- en ịe- (cf. § 259).

214. En it., el primer elemento del diptongo *ie* es absorbido por la silbante precedente, y lo mismo en rum., el primer elemento de los diptongos *ié, iá, eá*: c a e l u (§ 241) it. *cielo* [ćelo], rum. *cer;* g e l u it. *gelo*, rum. *ger;* g e m e r e it. *gemere*, rum. *geme;* q u a e r i t rum. *cere* (§ 346); s a g ī t t a rum. *săgeată* [səǵatə]; c ē p a rum. *ceapă* [ćapə]; s e x (e m), s e p t e m rum. *şase, şapte*. En rum. también [ts] produce este efecto: t e r r a > **[tsierra]* > **[tsiarra]* > *ţară* (cf. §§ 197, 309).—Cf. también fr. mod. *gel* < fr. a. *giel* < g e l u (cf. § 210).

---

[42] La combinación ịa se trata, pues, como un diptongo, cf. § 210.

2) *Influjo de las velares* (§§ 215-222)

215. La *u* procedente de *l* ante consonante (§ 413) se combina con la vocal precedente para formar un diptongo, que lleva a resultados distintos en cada una de las lenguas respectivas (§§ 216-220).

216. En esp. a + l ante consonante en algunas palabras (cf. § 413) da *o* (pasando por *au*): a l t e r u *otro*, s a l t u 'bosque' *soto*, c a l c e *coz*, t a l p a (*-u) *topo*. En port. se conserva la etapa intermedia *ou*: *outro, souto, couce*. (Pronunciación de Lisboa [ǫ]; cf. § 243).

217. En fr. a. se mantienen al principio los diptongos *au*, *ǫu, ọu, ęu*, nacidos de vocal (trabada del lat. vulg.) + *l* ante consonante: a l t e r u *autre*, a l t u *haut*, a l b a *aube*, p ŏ l l i c e *pǫuce*, c ŏ l (a) p (h) u *cǫup*, f ŏ l l i s *fǫus*, m u l t u *mǫut*, p u l s a t *pǫusse*, p u l v e r e *pǫudre*, d u l c e *dǫuz*, ĭ l l o s *ęus*, c a p ĭ l l o s *chevęus*. Desde el s. XIII *ọu* y *ǫu* [43] monoptongan en [u] [44], *eu* [45] en [ö]. Finalmente, en el s. XVI también el diptongo *au*, a través de las fases intermedias [ǫu, ọu], alcanza la pronunciación monoptónguica [ǫ]. La grafía mantuvo la antigua escritura (*coup, eux, autre*) [46].

218. Ofrece un desarrollo particular en fr. el diptongo *ęu* procedente de *ę* (trabada del lat. vulg.) + l ante consonan-

---

[43] En picar. *ǫu* da *au*: cǫup > *caup*, s o l (i) d o s > *sǫus* > *saus*.

[44] El *ǫu* procedente de las combinaciones con *l* (d u l c e *dǫuz*) se distingue del *ǫu* diptongado (> *eu*: d u o s *deus*, cf. § 182).

[45] En champañés, *ęu* da *au*: i l l o s > *aus*.

[46] Una vez realizada la monoptongación de los antiguos diptongos *ọu, ǫu* en [u], la grafía *ou* podía utilizarse para toda pronunciación [u], aunque nunca hubiera habido diptongo: *bouche*, cf. § 181. Así se evitó la ambigüedad de la grafía *u*, que podía leerse también como [ü] (cf. § 184).

te [47]: entre ambos elementos del diptongo se desarrolla un 'sonido puente', el cual —como elemento más sonoro (§ 99)— atrae sobre sí el acento: *ę́u > ę́au > ęáu.* En el dialecto de la île-de-France desaparece después paulatinamente el primer elemento del triptongo, y el resto del desarrollo corre paralelo al del diptongo *au* (§ 217). El resultado es desde el s. xvi [ǫ], pero la grafía se mantiene en *eau*: franco h ę l m (u) *hęl-me > heume > heaume,* b e l l u s y b e l l o s *beaus* (pero b e l-l u y b e l l i > *bel,* cf. nota anterior), a p p e l l e t *apeaut* (pero a p p e l l o *apel*), -e l l u s, -e l l u, -e l l i, -e l l o s, -e l l a, -e l l a s > (*chast-*) *-eaus, -el, -el, eaus,* (*chap-*) *-ele, -eles.* Estas son las condiciones del fr. a.; el fr. m. ha hecho entrar en juego diversas nivelaciones, en el nombre, por regla general, *-eau* (*le château*).—Dialectalmente, tal en picar. y champ., el primer elemento del triptongo sufre inflexión en *i* (cf. § 102), de suerte que resulta *iau*: *biaus, chastiaus* [48].

219. También las vocales libres del lat. vulg. —una vez que han realizado las modificaciones normales de las vocales libres (§§ 164-185)— pueden venir a estar, por la pérdida fr. de las vocales finales (§ 272), ante el grupo *l* + consonante. Entonces, entre la *ē* larga cerrada del fr. a. (< lat. vulg. a, cf. § 174) y la *u* se desarrollaba el sonido de transición *ę,* que atrajo a sí el acento, con lo que el primer elemento del triptongo se cerró en *i* (cf. algo semejante en § 102). El resultado

---

[47] La combinación surge en fr. con singular frecuencia por caída de la vocal final de dicción: b e l l u s > *bęls,* cf. §§ 272, 506. Cuando la vocal final lat. no va seguida de consonante, la *l* se mantiene hasta hoy como lateral apical: b ĕ l l u *bel* (por ej., *bel esprit*).—El desarrollo de *ęu* en *ęau* muestra la 'vocal puente', cf. § 513.

[48] Esta pronunciación es, según Molière, campesina, y como tal la pone en boca de la criada (*Femmes Sav.,* 2, 6: *tous vos biaux dictons*).

es *ieu*: p a l u s y p a l o s > *pieus* [49], t a l i s y t a l e s > *tieus*,
h o s p i t a l i s > *ostieus* [50].—Y correspondientemente se desarrolla (dialectalmente) un sonido puente *e* entre *i* y *u*:
a x i l e s > *aissieus* (fr. m., por analogía, *essieu* también en
sing.). En cambio, en franco parece que la *l* se convirtió en *i*:
f i l i u s > *fils* [*fis*] junto al dialectal *fius* y *fieus*.—El diptongo *ie* (< lat. vulg. ẹ, cf. § 172) se combina con *u* en el triptongo *ieu*: c a e l o s (§ 241) *cieus* (escrito *cieux* en fr. m.;
c a e l u da regularmente *ciel*).—El diptongo *ue* (< lat. vulg.
ọ, § 201) se une con *u* en el triptongo **ueu*, el cual se disimila en *ieu* (cf. también § 200) [51]: o c u l o s *uelz* > *ueuz* (§ 508)
> *ieuz* (escrito *yeux* [52] en fr. m.).

220.   En otras lenguas se desarrollan igualmente sonidos
de transición ante *l* (aunque ésta no haya avanzado hasta *u*),
especialmente en dialectos prov. y retorrom.: en prov. en-
tre *i* y *l* (f i l u prov. m. *fieu*, *fial*), en grisón entre *e* y *l*, con
lo que el primer elemento se cierra en *i* (cf. § 218) [53]: a v i-
c e l l o s sobres. *utschials*.—En port. la *-l* velarizada final
abre la vocal anterior (cf. § 569): *sọl*.

221.   En prov. se desarrolla entre *i* y *u* un sonido de
transición *e*: r i (v) u > *riu* > *riéu*, v ī v i t > prov. a. *viu*
(§ 565) > prov. m. *viéu*.—En prov. la *u* final secundaria (pro-

---

[49]   Pero p a l u y p a l i > *pel*. En fr. m. ha prevalecido la forma *pieu*
en sing., por analogía con el plur. *pieux*.

[50]   Pero t a l e > *tel*, h o s p i t a l e > *ostel*. En fr. m. no se usan
ya más que los plurales analógicos *tels*, *hôtels*.

[51]   El champ. desarrolla *ieu* en *iau*: o c u l o s > *iauz*.

[52]   En cambio, o c u l u regularmente > *ueil* (escrito *oeil* en fr. m.)
Para fr. *feu*, *lieu*, *jeu*, cf. § 200.

[53]   Entre *i* y *l*, así como entre ẹ y *l*, no se desarrolla en grisón el
sonido de transición, pues *l* queda palatalizada por estas mismas vocales: a p r i l e > *avregl*, c a p i l l i > *chiavegl*.

cedente de -v-, cf. § 565) influye sobre la vocal tónica dipton-
gándola, cf. § 200.

222. A q u a dio en fr. a. *ewe* (junto a *aive*, § 483), de donde más tarde surgieron *eaue* (con sonido puente como en
beaus, § 218), fr. m. *eau*.

3) *Influjo de la r* (§§ 223-229)

223. El sonido vibrante apical *r* se pronuncia con el dorso de la lengua en posición horizontal (apoyado) (§ 85). Por
ello suele influir sobre las vocales vecinas abriéndolas.

224. Una *r* siguiente impide en champ. la diptongación
de *ọ* libre (> *ou* > *eu*, cf. § 182): f l o r e > *flor*, d o l o r e >
dolor. Por tanto, en champ. el efecto de la *r* es el mismo que
el de la *a* (§ 199).—En sobres., la *r* siguiente impide la diptongación de *e* libre en *ei*: (h a b-)-e r e > (*av*-)-*er*.

225. Entre los s. XIII y XVI (especialmente en el s. XV) se
puede comprobar en fr. la tendencia a abrir en *a* la *e* ante *r*
trabada: l a c r i m a > *lairme* > *lerme* > *larme* (desde el
s. XIII), p e r d i t > *pert* > *part*, v i r g a > *verge* > *varge*,
f i r m a s > *fermes* > *farmes*. En el s. XVI sobreviene vacilación entre *er* y *ar* (ante consonante). En la mayor parte de
los casos prevaleció la antigua pronunciación *er* (fr. m. *perd*,
verge, *fermes*); a veces se impuso *ar* (fr. m. *larme*, *boulevard* < neerl. *bolwerk*). La vacilación llevó a sustituir en
algunas palabras la pronunciación antigua (etimológica) *ar*
por *er*: c a r n e > *charn* > *char* (§ 571) > *cher* (escrito *chair*
en fr. m.), franco *g a r b a > *jarbe* > *gerbe*, a s p a r a g i
(cultismo) > *asparge* > *asperge*.

226. En algunos dialectos fr. orientales [*ü*] ante *r* se abre en [*ö*]. De uno de esos dialectos proviene fr. m. *beurre* (fr. a. *burre* < b ú t y r u).

227. En fr. se desarrolla desde el s. XIII el sonido puente *e* entre *i* y *r* trabada: v i r g i n e (cultismo) > *virge* > *vierge*, c e r e u > *cirge* (§ 212) > *cierge*. Así también en prov. m. m y r r h a (cultismo) > prov. m. *miérro*.

228. La dificultad de pronunciar la semivocal palatal *i* después de *r* explica que en it. y rum. el diptongo *ie* (< lat. ĕ, § 164) se reduzca a *e*: p r e c a t it. *prega*, g r e v e (§ 138) it. *greve*, rum. *greŭ*, p r e t i u rum. *preţ*. Esto mismo vale para *ia* > *a*: p r a e d a *pradă* (cf. §§ 241, 197).

229. En rum. el efecto de abrir (o velarizador) de la *r*-inicial o de la *-rr-* medial sobre las siguientes vocales palatales cerradas es tan acusado que *i* da *î* y *e* da *ă*: r i p a *rîpă*, r i d e t *rîde*, r i v u *rîu*, r e u *rău*. Si sigue una nasal, entonces *ă* se cierra en *î* (cf. § 231): c u r r e n d o *curînd*.

4) *Influjo de las nasales* (§§ 230-237)

230. En román. una vocal puede ser influida por una consonante nasal siguiente (m, n) de dos maneras: modificación del grado de abertura (cf. § 46) y nasalización (anticipación en la bajada del velo del paladar, cf. §§ 46, 133).

En las inscripciones de la época imperial se puede observar ya la tendencia a cerrar las vocales (principalmente la *o*) ante nasal (f r u n t e, p u n e r e). Esta tendencia continúa en amplios dominios de la Romania.

231. En rum. ante n libre o trabada (fuera de -nn-) y
ante m trabada (fuera de -mm-) las vocales se cierran hasta
el grado mínimo de abertura:

Lat.	ī	ĭē	ĕ	ă	ŏō	ŭū
Rum.		*i*		*î*		*u*

Ejemplos: quīnque *cinci*, vīnu *vin*, lĭmpidu *limpede*, plēnu *plin*, dĕnte *dinte*, campu *cîmp*, lana *lînă*,
quando *cînd*, bonu *bun*, cómparat *cúmpără*, ponit
pune, lūna *lună*.—En vez de *i* aparece *î* en principio de dicción (§ 191) y en medio de dicción (§ 239) tras ciertas consonantes: inflat *înflă*, implet *împle*, sinu *sîn*, frenu
frîu.

La doble nasal (-nn-, -mm-) carece de este efecto de abrir
la vocal anterior: penna *pană* (< *peană*, cf. § 239), annu
an, scamnu *scaun*, domnu *domn*. La evolución de gēna
> *geană* quizá se apoyó en la de penna. Es sorprendente
(por ŭ > *o*, cf. § 161) autumna *toamnă*. Ante -m- libre la
evolución vacila: por un lado homo *om*, pomu *pom;* por
otro nome(n) *nume*.

232. En it. ŏ ante m, n trabadas da ǫ: comite *cǫnte*,
complet *cǫmpie*, concha *cǫnca*, ponte *pǫnte*. En cambio, ĕ sólo entre m y n trabadas da ę: mentum *męnto*,
mentit *męnte* (pero dente *dęnte*).—También en esp. ŏ
ante nasal trabada se cierra a veces en ǫ: comite *conde*,
abscondit *esconde*, homine *hombre* (pero ponte
puente, fonte > *fuente*, fronte *fruente* > *frente* con el
desarrollo normal del lat. vulg. ǫ, cf. § 176).

233. En retorrom. —según cada dialecto— se pueden
comprobar diversos efectos de las nasales sobre la cualidad

de las vocales. Sirva de ejemplo el sobres., en el que lat. vulg.
i̯ ẹ ǫ u̯ se desarrollan como ante consonantes orales (cf. § 164):
lī n u *glin*, vī n u *vin*, f a r ī n a *frina*, q u ī n d e c i m *quén-disch*, p l ē n u *plein*, f ē n u *fein*, c a t ē n a *cadeina*, f ē m i n a
femma, ĭ n d i c e *éndisch* 'nidal', lĭ g n u *lenn*, d ō n u *dun*,
r o t u n d u *rodund*, l ū n a *glina*, ū n d e c i m *éndisch*. Latín vulgar ẹ y ǫ se cierran en *ẹ *ǫ y participan por tanto de la suerte de lat. vulg. ẹ ǫ (bĕ n e *bein*, tĕ m p u s
temps, dĕ n t e *dent*, hŏ m o *um*, bŏ n a *buna*, pŏ n t e
punt), a menos que (ante -*u* final) no se hubieran armonizado
anteriormente en *ie* o *uo*: el resultado es entonces *ie* (cf.
§ 196) para ambos diptongos: cĕ n t u *tschien*, bŏ n u *bien*.
Lat. vulg. a se oscurece en *au* ante n en posición libre lat., y
en ǫ ante n en posición trabada lat.: c a n e *tgaun*, m a n u
maun, a n n u *onn*, g r a n d e *grond*, f a m e *fom*, f l a m m a
flomma, c a m e r a *combra*. Ante el grupo nasal + velar aparece una vocal puente *u*, y ésta se combina con la vocal tónica: l o n g u > *luongu* (§ 196) > *liengu* > *lieung* > *liung;*
c ī n q u e *tschun* (pasando por *tschiun*).

234. En prov. lat. vúlg. ẹ, ǫ ante nasales libres o trabadas se cierran en ẹ, ǫ; lat. vulg. a se velariza en ạ: b e n e *bẹ*,
b o n u *bǫ*, v e n t u *vẹn*, p o n t e *pǫn*, p a n e *pạ* (no rima con
d a t *dạ*). Además las vocales se nasalizaron, y más tarde en
numerosos dialectos volvieron a desnasalizarse (cf. § 46):
b e n e > *ben* [*bẹ̃n*, *bẹ̃ŋ*, *bẽ*] > *bẹ* [*bẹ̃*].

235. En fr. toda vocal es nasalizada primitivamente por
m o *n* siguientes. Además la evolución de la cualidad de la
vocal depende de la estructura de la sílaba lat.: en posición
trabada lat. las cualidades se mantienen al principio, mientras que en posición libre lat. aparece la diptongación (lo que
concuerda con las tendencias evolutivas de las vocales orales

también: §§ 163-183). En posición trabada lat. resulta primeramente:

Lat. vulg. . .   i̯   ẹ ę   a   ǫ ọ

Fr. a. . . . . .   ī (> ē) ē (> ā) ā   ō

En el desarrollo ulterior *ē* dio *ā* (en picar. se mantiene la
articulación *ē*) por un lado; por otro, *ī* pasó a *ē* [54].
Ejemplos: c i n q u e *cinq* [fr. a. *tsīŋk*, fr. m. *sēk*], f ĭ n-
d e r e *fendre* [fr. a. *fę̄ndrə*, más tarde *fādr*], l ĭ n g u a fr. a.
lengue [*lēŋgə*, más tarde *lāŋgə*], fr. m. *langue*, c ĕ n t u m
cent (fr. a. *tsę̄nt*, más tarde *tsānt*, fr. m. *sā*), m e m b r u
membre, c a n t a t *chante*, p l a n t a *plante*, l ŏ n g u *long*,
ŭ n d a *onde*, p l u m b u *plomb*.

En cuanto a la cronología (cf. § 291) es importante el hecho de que las vocales en sílaba primitivamente abierta en
lat. son tratadas como si estuvieran en posición trabada cuando la sílaba abierta en los proparoxítonos se hizo cerrada por
geminación de la nasal (cf. § 188): s ē m i t a *sente*, c ĭ n e r e
cendre (cf. § 513), t ĕ n e r u *tendre*, g ĕ n e r u *gendre*, c a m e-
r a *chambre*, v a n i t a t *vante*, n ŭ m e r u *nombre*, c o m i t e
comte.

En posición lat. libre resultó primeramente:

Lat. vulg. . .   i̯   ẹ   ę   a   ǫ   ọ   u̯

Fr. a. . . . . .   ī   ēi   iē   āi   uē   ō   ū̯

Ejemplos de fr. a.: p ī n u *pin* [*pīŋ*], s ĭ n u *sein*, f r ē n u
frein, b ĕ n e *bien*, p a n e *pain*, f a m e *faim*, b o n u *buen* [55],

---

[54] Faltan ejemplos de lat. u̯.
[55] El diptongo nasal *ue* del fr. a. sólo aparece en esta palabra y
en los nominativos c o m e s *cuens*, h o m o *uem* y *s ǫ u m *suen*. Pos-

m a (n) s i o n e *maison,* u n u *un* [*ũŋ*].—El desarrollo posterior de las cualidades depende de la estructura de la sílaba
en fr. a. (y fr. m.): si la sílaba en fr. a. es cerrada, la
nasalización se mantiene hasta hoy. Además, los diptongos
nasales *ai* y *ei* monoptongan en *ẽ; ĩ* y *ũ* se abren en *ę̃* y *õ*.
Las consonantes finales nasales -*m* y -*n*, que todavía se pronunciaban en fr. a., desaparecen, de suerte que viene a ori-
ginarse otra vez en fr. m. una sílaba abierta. Así, lat. f a m e
(a en sílaba abierta) > fr. a. *fãim* (*ãi* en sílaba cerrada) >
fr. m. *fę̃* (*ę̃* en sílaba abierta). Así también: fr. a. *pin* (cf. arriba) > fr. m. [*pę̃*], fr. a. *un* > fr. m. [*õ*], etc.—Si, en cambio,
la sílaba es abierta en fr. a., entonces ocurre desnasalización: los diptongos nasales *ai* y *ei* monoptongan en *ę*. Las
vocales nasales *ĩ, ũ, õ* se convierten en vocales orales (*i, ü, o*).
Ejemplos: -ī n a -*ine,* l ī m a *lime,* p l ē n a *pleine* [*plęnə*]
(pero p l ē n u *plein*), S t ĕ p h a n u *E(s)tienne,* p l a n a *plaine,* c o r ō n a *couronne,* p ō m a *pomme,* u n a *une,* p l u m a
plume.—En los proparoxítonos lat. a n i m a, f e m i n a, h o-
m i n e las vocales son tratadas primeramente, a causa de la
geminación de la nasal, como en posición trabada (cf. arriba); por tanto, no están sujetas a la diptongación; [*ē*] se
abre en [*ã*]: fr. a. *anme* [*ãmə*], *femme* [*fãme*], *homme*
[*õmə*]. La nasalización se pierde después (como en sílaba
primitivamente abierta); así, fr. m. [*amə, famə, ǫmə*] como
[*plęnə, pǫmə*], etc. En algunos casos también el diptongo
nasal *ei* (como el oral, cf. § 170) avanza hasta *oi* (> *u̯ẽ, u̯á*):
a v e n a *aveine* > *avoine;* f ē n u *fein* > *foin;* m i n u s *meins*
>*moins* (pero p l e n u *plein,* p e n a *peine,* v ē n a *veine,* m ĭ-
n a t *meine* [fr. m. *mène,* etc.]). No se conoce la razón de ello,

---

teriormente la forma tónica *buen* fue reemplazada por la forma protónica *bon* (cf. § 575) y los nominativos por los casos oblicuos c o m i-
t e *comte,* h o m i n e *homme.*

§ 240.—Muestran influjo de la palatal *chien, chrétien;* cf.
§ 210.

236. Ante [ñ] palatal (< -ni̯-, -gn-, cf. § 463) las vocales nasalizan también en fr. Las cualidades vocálicas se desarrollan
primitivamente como en posición trabada (cf. § 164), pues
los grupos consonánticos palatales cierran la sílaba (cf. § 209).
Sin embargo, hay que notar las siguientes excepciones: 1.
La *ẽ* procedente de *ę* no se abre en *ã* (§ 235): t ĭ n e a *teigne.*
2. Lat. ĕ diptonga en *ié* (cf. § 201) [56].
En cuanto al desarrollo ulterior de las cualidades vocálicas, es decisiva la estructura de la sílaba en fr. a.—Si la *ñ,*
por pérdida de la vocal, viene a quedar final de dicción o
ante consonante, desarrolla ante sí una *i,* y ésta se combina
en diptongo con la vocal (§ 209), teniendo el diptongo pronunciación nasal. En cuanto a la *ñ* desaparece en la pronunciación (como *n;* cf. § 235). Así b á (l) n e u *bain,* i n g ĕ n i u
engin (*i* < *iei,* cf. § 201), d i g n e t fr. a. *deint,* t e s t i m o n i u
témoin, j u n i u *juin.*
En cambio, entre vocales se mantiene la *ñ* (grafía: fr. a.
-*ign*- o -*gn*-, fr. m. casi exclusivamente -*gn*-) y la vocal se desnasaliza (cf. también § 235). Así, m o n t a n e a *montagne* (fr.
a. también *montaigne* [mõntãñə]), v ĕ n i a t fr. a. *viegne,* t ĭn e a *teigne,* v i n e a *vigne,* *c a r o n e a *charogne* (fr. a. también *charoigne* [ćarõñə]). El desarrollo de una *i* (pronunciada) ante *ñ* intervocálica es dialectal, o en cada caso concreto tiene motivos especiales: *chataigne* [fr. m. šatęñə] es,
sin duda, dialectal, mientras que *témoigne, baigne,* parecen

---

[56] Esperaríamos también, por ello, la diptongación ǫ > *ue* (cf. n o ct e *nueit > *nuit,* § 201). El único ejemplo pertinente l o n g e *loin* muestra, empero, que en el fr. preliterario se había cerrado en ǫ lat. ŏ ante
nasal trabada (como en prov., it. y parcialmente en esp., cf. § 232), por
tanto, no le alcanzó ya la diptongación.

haber sido influidos en su vocal por los radicales *témoin*, *bain*, fonéticamente correctos. El nombre propio *Montaigne* se pronuncia hoy corrientemente [-ẹñ(ə)], ya que la grafía histórica -*ign*- (para [ñ]) no se emplea apenas ya y, por esa razón, se la interpreta falsamente (*ai* = [ẹ]).

237. En portugués las vocales quedan nasalizadas por la nasal siguiente. La nasalización se mantiene hasta hoy en posición trabada: *campo, tempo, tenca, cinco, longo, onda, nunca* (que hay que pronunciar nasales: [kãmpu, tẽmpo, etc.]). Tras una vocal en posición libre lat. la -*n*- cayó, pero no sin haber nasalizado antes la vocal tónica. La nasalización de la vocal tónica se mantiene hasta hoy cuando la vocal tónica pasó a ser portadora de la sílaba final al fundirse con la vocal final lat.: b e n e *bem*, [aproximadamente *bẽĩ*], b o n u *bom* [bõ], u n u *um* [ũ], l a n a *lã*, m a n u *mão* (con diptongo nasal). Por lo que se refiere a la cualidad de los diptongos nasales así formados, nótese que en final absoluta (pero no ante -*s*) las terminaciones -*anu*, -*ane*, -*one* coinciden en port. m. en -*ão*: m a n u *mão*, c a n e *cão*, r a t i o n e *razão* (pero plur. *mãos, cães, razões*). La -*a* final de dicción sólo se combina con la vocal tónica *ã* para dar *ã* (l a n a *lã*), mientras que en otras circunstancias se produce hiato y con ello se desnasaliza la vocal tónica: b o n a *boa*, l u n a *lua*. Tras vocal palatal suele desarrollarse una -*i̯*- antihiática (a v e n a *aveia*), la cual conserva carácter nasal [ñ] detrás de *i* acentuada (v i n u *vinho*, f a r i n a *farinha*). El fem. *uma* es una formación analógica del regular *um* (< u n u).

   5) *Influjo de las labiales* (§§ 238-240)

238.   Ya en lat. vulg. -*v*- (-b-) abría la ō o ŭ precedentes: ō v u m > *ǫ v u > it. *uovo*, esp. *huevo*, fr. a. *uef* (fr. m.

oeuf); j ŭ v e n e m > *jǫvene* > fr. a. *juefne* > *juene*, fr. m.
jeune (pero j ǫ v e n e it. *giǫvane*, esp. *joven*); c ó l ŭ b r a >
colǫ́bra (§ 149) > *colǫ́bra* > sar. *kolǫ́ra*, fr. a. *coluevre*
(fr. m. *couleuvre*), esp. *culebra* (< *culuebra*).—Port. *nęve*,
esp. *nieve* indican abertura regional de lat. vulg. ę en ę (cf.
§ 176).

239. En rum. las labiales ensordecen las siguientes *e*
(< lat. vulg. ę ante -u final, cf. § 197) y *ea* (< lat. vulg. ę ante
-a final, cf. § 197), resultando el cambio *e* > *ă*, *ea* > *a*, respectivamente: p ĭ l u *păr*, f ē t u *făt* 'muchacho', v ĭ s c u *văsc*,
*mē l u *măr* 'manzana', m ē (n) s a *masă*, f ē t a *fată* 'muchacha', v ĭ r g a *vargă*, v ĭ t t a *bată* 'franja de paño'. Sin embargo, las vocales finales claras -*e* e -*i* impiden este oscurecimiento: p ĭ l i *peri*, f ē t i *feţi*, m e s a e *mese*, f ē t a e *fete*, etc.
Cuando la vocal tónica lat. ĕ, ē, ĭ va seguida de una nasal
(cf. § 231), la vocal tónica ante -u o -a finales da en rum. a.
ă y en rum. m. se cierra en *î*: f ē n u *fîn*, v ē n a *vînă*, m o-
n u m e n t u *mormînt*, v ē n d o *vînd* (rum. a. todavía *făn*,
vănă, *mormănt*). En cambio, cuando la vocal final tiene timbre claro (-*i*, -*e*), la vocal tónica da en rum. a. *e* y en rum. m.
se cierra en *i*: m e n t e *minte*, b e n e *bine*, V e n e r i s (d i e s)
Víneri, v ē n d i s *vinzĭ*, v ē n d i t *vinde* (en rum. a. todavía
mente, bene, Veneri).

240. Entre dos labiales parece que lat. a se oscureció en
f a m e (it. *fame*, fr. *faim*, esp. *hambre* < *famine) en algunas lenguas, resultando ǫ: *fǫme > rum. *foame*, port. *fome*.
Al efecto oscurecedor de la labial atribuyen algunos el desarrollo anómalo de las vocales en fr. *foin, moins, avoine* (cf.
§ 235). La ę del fr. a. en v ĭ d u a *vęve* se redondea en [ö]
entre las dos labiales (fr. m. *veuve*).

c) LOS DIPTONGOS LATINOS
EN ROMÁNICO (§§ 241-248)

1. Los diptongos ae, oe (§§ 241-242)

241. Los diptongos lat. ae, oe monoptongan ya en lat.
vulg. en el s. I p. C.: ae > ę (más raramente ẹ), oe > ẹ.
Ejemplos de ae > ę: q u a e r i t it. *chiede*, esp. *quiere*, fr.
quiert; c a e l u m it. esp. *cielo*, fr. *ciel;* l a e t u s it. *lieto*,
fr. a. *lié;* c a e c u it. *cieco*, esp. *ciego*, fr. a. *cieu.*—Ejemplo de
oe > ẹ: p o e n a it. *pẹna*, fr. *peine*, esp. *pena.* La pronunciación ẹ de ae en lat. vulg. aparece en b l a e s u fr. a. *blois*,
prov. *blẹs;* s a e t a it. *sẹta*, fr. *soie*, esp. *seda.* P r a e d a vacila entre ę (it. *pręda*, rum. *pradă*, cf. § 228) y ẹ (fr. *proie*).

242. La monoptongación de ae originó una ę̄ larga abierta, sonido no conforme con el sistema vocálico del lat. vulg.
(cf. §§ 154, 156). La pronunciación esporádica de ae como ẹ
(§ 241) parece representar el intento de una nivelación cualitativa del nuevo sonido ajustándolo a las normas del sistema vocálico del lat. vulg. (cf. nota siguiente, y recuérdese la
vacilación en -i o l u s, § 149, número 2). Pero, en general, se
conservó la cualidad abierta de la nueva larga ę (c ę l u m), la
cual se fundió con la ę̆ (d ę̆ c e m) breve abierta del sistema
vocálico del lat. vulg., formando así una oposición fonológica
con la ę̄ (c ę̄ n a) larga cerrada del sistema del lat. vulg. Con
ello quedaba roto el principio cuantitativo (cf. la grafía de
Pompeya *aedo* en vez de *edo* 'yo como'). Esto parece que dio
ocasión al 'colapso de las cantidades' (cf. § 155), precisamente
en la serie palatal del sistema vocálico. En cambio, en la serie
velar no se efectuó una monoptongación paralela de au > ǭ

en lat. vulg.[57]. Así se explica que el colapso de las cantidades afectó antes y en zonas más amplias a la serie palatal que a la serie velar (§ 161, nota).

2. El diptongo *au* (§§ 243-246)

243. El diptongo lat. *au* se conservó en lat. vulg.[58]. Dentro de la Romania se encuentra todavía como *au* diptongal en el sur de Italia, en grisón (excepto el engad., en que monoptongó en *o*), en rum., en prov. *a y*, en parte, todavía en prov. m. (por ej., en gascón). Como diptongo *ou* aparece en la mayoría de los dialectos del prov. m., así como en port., donde la grafía *ou*, que antes se pronunciaba como verdadero diptongo, suena hoy corrientemente *o* (dialectalmente todavía se pronuncia *ou* o con su disimilación *oi*). En el resto de la Romania (norte de la Galia, España [excepto Portugal, pero incluyendo Cataluña, que en esto se opone al prov.], norte y centro de Italia) au monoptonga en *o̦*. En sar. au dio *a*.

Ejemplos[59]: a u d i t rum. *aude*, prov. a. *au*, sobres. *auda*, port. *ouve*, it. *ode*, fr. a. *ot*, esp. *oye;* p a u c u prov. a. sobres. *pauc*, port. *pouco*, sar. *pagu*, it. esp. *poco*, cat. *poc;* t a u- r u rum. sobres. prov. *taur*, sar. *trau*, port. *touro*, it. esp.

---

[57] La monoptongación de au > o̦ es desarrollo particular de cada lengua, cf. § 243. En los pocos casos de monoptongación dialectal ya en lat. vulg., en vez de au aparece la cualidad larga cerrada o̦ (cf. § 243. nota), que encaja plenamente en el sistema vocálico latino-vulgar. En el protónico o r i c u l a (§ 253) hay aféresis del artículo (cf. § 270): i l l a a u r i c u l a > i l l'u r i c u l a.

[58] En las palabras c o̦ d a, f o̦ c e s (it. *co̦da, fo̦ci;* fr. *queue*) prevaleció, en vez de la pronunciación de Roma c a u d a, f a u c e s, el monoptongo dialectal o̦ (antiguo-umbro).

[59] It. *pòve̦ro*, esp. y port. *pobre* son galicismos (cf. también § 244).

toro (sudit. *tauru*); a u r u rum. prov. sobres. *aur*, port. *ouro,*
esp. it. *oro,* fr. *or;* p a u p e r prov. *paubre,* sobres. *pauper,*
sar. *pabaru,* it. *povero,* fr. a. *povre* (fr. m. -*au*- mera grafía);
c a u s a prov. *cauza,* sobres. *caussa,* esp. it. *cosa,* fr. *chose;*
l a u r u 'laurel' rum. *laur* 'estramonio', sar. *laru* 'laurel', prov.
laur, port. *louro* [esp. *lauro,* cultismo], it. *alloro,* cat. *llor.—*
El rum. *áu* se pronuncia en dos sílabas (§ 97, nota); por tanto, no es ya un fonema, sino una combinación de fonemas
(§ 128). El verbo *auzí* < a u d i r e lleva, en las formas con
acento sobre el radical, una acentuación basada en una falsa
etimología, pues la *a*- inicial de la palabra, que forma sílaba
independiente, fue considerada como prefijo (cf. *apucá* 'coger', *apúcă* 'él coge'; § 269).

244. Incluso en las lenguas que monoptongan au en ǫ
se pueden reconocer a veces rastros de la antigua pronunciación *au* en el comportamiento de las consonante vecinas.

Así, la k- y g- iniciales de c a u s a, g a u d i a se palatalizan
en fr. igual que, por ej., en c a m e r a *chambre,* g a l e a *jaille*
(frente a c o m i t e *comte,* g o m p h u *gond,* cf. § 319).

En esp., una consonante sorda después de lat. au permanece sorda en vez de sonorizar —como hacen las consonantes intervocálicas en los demás casos (cf. § 360)—. La u de
au se comporta, pues, como una distensión sonora consonántica (§ 98): p a u c u *poco,* a u c a (< a v i c a, cf. § 245) *oca,*
c a u t u *coto,* f a u t u *hoto,* corresponden a a r - c u *arco,* a l-
t u *alto* (y s a l - t u 'bosque' *soto*), pero no a s e c a t *siega,*
v i t a *vida.* Proceden de la misma manera el cat. (p a u c a
poca, a u c a *oca*), el engad. (p a u c a *pocha,* a u c a *ocha*), y
una parte del francoprov. Estos idiomas comparten en esto
los hábitos de las lenguas conservadoras de *au:* port. *pouco;*
prov. *pauca, auca;* sobres. *pauca.—*El fr. sonoriza también

detrás de lat. au: p a u c u *peu,* a u c a fr. a. *oe* (cf. § 246;
fr. m. *oie* es dialectal).

245. En lat. vulg. la contracción de las combinaciones
-ávi- + cons., y -ávu- (-ábu-) + cons. provoca un nuevo au,
que no se distingue en su evolución ulterior del antiguo au.
Ejemplos: f a b u l a **f a u l a* it. *fola* 'charlatanería', prov.
faula, fr. a. *fole* (fr. *fable,* cult.); p a r a b u l a (παραβολή)
*p a r a u l a prov. *paraula,* it. *parola,* fr. *parole* (pero esp. *palabra* < **p a r a v l a*); a v i c a **a u c a* prov. *auca,* it. esp. *oca,*
fr. a. *óe* (§ 244); c a n t a v i t **c a n t a u t* it. *cantò,* esp. *cantó.* Entra también aquí f a b r i c a **f a v r i c a* (§ 421) **f a u-
r i c a,* fr. *forge.*
Para un *au* secundario nacido dentro del fr. cf. § 217.

246. Cuando en fr. la *o* (< lat. vulg. au) queda ante vocal por caída de consonantes (§§ 377-401), dicha *o* se convierte durante la época del fr. a. en [*u*] (escrita *ou,* cf. § 181):
l a u d a t *loue,* a v i c a fr. a. *oue* (fr. m. cf. § 244).—La *o*
(< au) forma con *i* siguiente el diptongo *oi* en fr., y este
nuevo diptongo evoluciona como el *oi* procedente de otras
fuentes (§ 170): g a u d i a *joie* (cf. § 456).

3. El diptongo ai (§ 247)

247. En lat. vulg. la pérdida consonántica en la prim. pers.
del perf. -avi origina una serie vocálica primeramente bisílaba -ai, que más tarde diptonga (§ 97); en una parte de las
lenguas este diptongo es tratado paralelamente al diptongo au (§ 243): rum. *cântai,* port. *cantei,* esp. *canté.* En it. y fr.
la monoptongación se vió retardada por la bisilabicidad primitiva: la terminación de it. *cantai* puede aun hoy medirse

como bisílaba en la actual métrica it. En el fr. *chantai* la terminación es originariamente diptónguica. La pronunciación del fr. m. es monoptónguica [ẹ] [60].

4. Los otros diptongos (§ 248)

248. En lat. vulg. (y potestativamente en la lengua poética) una vocal tónica se combina con *i* o *u* inmediatamente siguientes (incluso después de caída la consonante) para formar un diptongo; es decir: la combinación, que era bisílaba, pasa a ser monosílaba: c u i, f u i, d e u m, m e u m, c a n t a i (§ 97). Los diptongos así surgidos se mantuvieron o evolucionaron en las lenguas román.: it. *cui, fui;* fr. a. *cui, fui,* etc. (cf. también §§ 187, 278).

Es singularmente interesante el desarrollo de tales diptongos en fr., pues aquí el último elemento del diptongo se mantiene como *i* o *u* (cf. § 278), y se puede seguir además la formación de nuevos diptongos a consecuencia de la caída de consonantes en fr. Así, -avu dio ya en lat. vulg. -au, y este diptongo evoluciona en fr. hacia el diptongo ọu (pronunciado hoy [u]): c l a v u *clou,* P i c t a v u *Poitou,* A n d e g a v u *Anjou* (pero P i c t a v i s *Poitiers,* A n d e g a v i s *Angers,* cf. § 210), germ. h a w a *houe,* h a b ŭ i t a w (i) t *out.* La caída de consonantes en fr. provoca el mismo diptongo secundario (cf. §§ 369-403) en f a g u fr. a. *fou* (fr. m. dimin. *fouet*), s a p u i t **sabuit *saw(i)t sout,* t a c u i t **taguit *taw(i)t tout.* Es correspondiente la evolución de h a b u i, s a p u i, t a c u i al fr. a. *oi, soi, toi.* De j o c u, f o c u, l o c u proceden

---

[60] En prov., la terminación *ai* del lat. vulg. fue reemplazada por la terminación -dẹdi (**ven-dẹdi,* perf. de *vendere),* cuya segunda -d- desapareció por disimilación (**ven-dẹi*): *cantẹi* (en vez de **cantai*). Cf. §§ 824, 894.

originariamente **jueu, *fueu, *lueu,* y de aquí con desaparición o disimilación del primer elemento del triptongo *jeu, feu, lieu.* De p a u c u nace regularmente fr. a. *pǫu* (cf. también § 244), cuya correspondencia en fr. m. *peu* es quizá un picardismo fonético.

II. Las vocales átonas (§§ 249-296)

249. Las vocales átonas son el soporte de sílabas que se pronuncian con menor esfuerzo espiratorio que las sílabas tónicas (cf. § 116). No son tan 'importantes' para el cuerpo de la palabra como las vocales tónicas ni, por tanto, se las trata en la pronunciación tan 'mimosamente' como a éstas. De ahí que las vocales átonas tiendan en toda la Romania a la reducción: primero, por una merma de los matices cualitativos (§ 250); después, por una tendencia a la omisión de la función silábica (§ 109), y finalmente, por una tendencia al debilitamiento, que desemboca en la desaparición (§ 113). La diferencia de intensidad espiratoria entre la sílaba tónica y las sílabas átonas se acentuó todavía más en toda la Romania, especialmente en fr., prov., norteit., retorrom., cat. (y menos en esp. y port.). La consecuencia de esto fue una profunda y amplia reducción de las vocales inacentuadas en dichos idiomas (cf. §§ 272 y ss., 292 y ss.).

En fr. este proceso desembocó finalmente en el enmudecimiento de casi todas las vocales que no fueran tónicas (con acento principal o secundario = prototónicas y deuterotónicas). Justo, por ello, el fr. ha llegado a ser una lengua con una distribución intensiva bastante proporcionada ('equilibrada'): el cuerpo de la palabra está reducido a los elemen-

tos originariamente más intensos: t é p i d ù > *tiède* [t*i̯e̥d*],
d ò r m i t ó r i u > *dortoir*, etc.

250. La simplificación de las cualidades de las vocales
inacentuadas (§ 249) se efectúa en los sistemas cualitativos
del román. primitivo (§§ 156-162, cuadro sinóptico § 164;
§ 243) [61] del modo siguiente:

Sistema del lat. clás.	ī	ĭ	ē	ĕ	ắ	ŏ	ō	ŭ	ū	au
Sistema del 'lat. vulg.'	i		e		a		o		u	au
Sistema sardo	*i*		*e*		*a*		*o*		*u*	*a*
Sistema rom. de los Balcanes	*i*		*e*		*a*		*u*			*au*
Sistema siciliano		*i*			*a*			*u*		*au*

Sobre una antigua distinción de -ō y -ŭ en final de dicción
en el sistema del lat. vulg., cf. § 274. Sobre una tendencia a la
coincidencia total de o y u en lat. vulg. o, cf. § 254.—El antiguo diptongo ae (§ 241) monoptonga en *e* en todas partes.

251. Merecen especial atención las vocales átonas en el
hiato lat.

Cuando la caída de una *h* (§ 297) hace que se encuentren
dos vocales de igual cualidad, éstas se funden en una vocal
de cantidad larga: p r e h e n d e r e > p r ē n d e r e (it. *pr̥en-*

---

[61] La simplificación de las cualidades en cuanto a las vocales de las
sílabas finales de dicción está atestiguada en el siglo III (M. G. Nico-
lau, *L'Origine du 'Cursus' rythmique*, París, 1930, p. 69).

dere, fr. *prendre,* etc.), c o h o r t e > c ǭ r t e (it. *cǫrte,* fr. *cour,* etcétera). La combinación -ie- (-iē- y -iĕ-) se contrae en -ē-: q u i e t u > q u e t u (it. *cheto,* esp. *quedo,* fr. *coi*), p a r í e t e > p a r i é t e (§ 149) > p a r ē t e (it. *parẹte,* esp. *pared,* fr. *paroi*), a b í e t e > a b i é t e > *a b ē t e (it. *abete*). En la reducción q u i e t u > q u e t u hay además el deseo de evitar la secuencia desusada de las semivocales -ui- (§ 137, 2).

Ante otras vocales, i y e átonas se convierten desde el siglo I p. C. en la semivocal i̯, con lo que pierden su valor silábico: f a c i o > f a c i̯ o, v i n e a > v i n i̯ a, a r e a > a r i̯ a, v i d e o > v i d i̯ o, etc. Sobre el desarrollo ulterior de los grupos palatales de nueva formación cf. §§ 451-478.—De igual manera -u- en hiato pasa a la semivocal -u̯-: v i d u a > v i d u̯ a, j a n u a r i u > j a n u̯ a r i u, etc. Tras grupo consonántico o geminada cae -u̯-: b a t t u o > b a t t o, m o r t u u m > m o r t u, q u a t t u o r > q u a t t o r (q u a t t r o, cf. § 561), f e b r u a r i u > f e b r a r i u.—La evolución de d u ó d e c i m a lat. vulg. *d ó d e c e corresponde a la de -ie- > -e-. Cf. por lo demás, §§ 344; 487-490; 903-905.—Cf. además § 283.

252. La intensidad de las sílabas átonas del lat. vulg. es distinta según su posición en el cuerpo de la palabra (cf. § 116). De aquí resulta obvio, para su tratamiento particularizado, dividir las vocales en deuterotónicas (= con acento secundario: §§ 253-271), postónicas (§§ 272-291) e intertónicas (§§ 292-296) [62].

---

[62] El estudio de las vocales átonas en cada una de las lenguas, y sobre todo en los dialectos, es harto complicado. Aquí no podemos sino presentar detalles fragmentarios. En las series de ejemplos renunciamos a aclarar las formas aberrantes.

A) VOCALES DEUTEROTÓNICAS (§§ 253-271)

1. Generalidades (§ 253)

253. Las vocales deuterotónicas se mantienen generalmente conforme al esquema dado en el § 250. En el cuadro sinóptico que sigue se indica con paréntesis redondos "(las variantes fonéticas que aparecen bajo ciertas condiciones)" y con paréntesis rectos la "[pronunciación actual]" aproximada.

Cantidad del lat. clás.	ī	ĭ	ē	ĕ	ă	ŏ	ō	ŭ	ū	au
Sardo	i	e		a		o		u		a
Rumano	i	e(i, ă)		ă		u			ău(a)
Sistema del 'lat. vulg.'	i	e		a		o		u	au
Portugués	i	e[ə]		a[v]	o[u](u)		u	ou[o]
Español	i	e		a		o(u)		u	o
Catalán	i	e[ə]		a[ə]	o[u](u)		u	o[u]
Provenzal	i	e		a		o[u](u)		ü	au[u]
Francés	i	e[ə]		a		o[o,u]		ü	o
Sobreselvano	i	e		a		u		i	u
Italiano	i	i(e)		a		o			u	o(u)

Ejemplos: h ī b e r n u (-a) sar. *ierru,* rum. *iarnă,* port. it.
inverno (ingerencia del prefijo *in-*), esp. *invierno,* cat. prov. y
fr. a. *ivern,* fr. *hiver,* engad. *iviern* (sobres. *unviern* por influjo de la siguiente labial).—d ī c e b a t rum. *ziceá,* fr. *disait,*
it. *diceva* (esp. cf. § 258).—c ī v i t a t e rum. *cetate* (<*ci-*
(v)etate; cie- > *ce-,* cf. § 214), port. *cidade,* esp. *ciudad,* cat.
prov. *ciutat,* fr. *cité,* it. *città.*—c ī r c a r e sar. *kirkare,* rum.
cerca; port. esp. cat. prov. *cercar,* fr. *chercher,* it. *cercare.*—
m ī n u t u sar. *minutu,* rum. *mărunt* (§ 262), port. *miudo*
(§ 268), esp. *menudo,* cat. prov. *menut,* fr. *menu,* it. *minuto.*—
s ē c u r u sar. *seguru,* port. esp. *seguro,* cat. prov. *segur,*
fr. cf. § 267, it. *sicuro.*—n ĕ p o t e sar. *nebode,* rum. *nepot,*
prov. *nebot,* fr. *neveu,* it. *nipote.*—f e n e s t r a rum. *fereas-*
tră, fr. *fenêtre,* it. *finestra* (cat. § 257).—f e s t u c a prov. *fes-*
tuga, it. *festuca,* fr. *fétu.*—s ĕ p t i m a n a rum. *săptămînă,*
esp. *semana,* cat. prov. *setmana,* fr. *semaine,* it. *settimana.*—
v ĕ r e c u n d i a port. prov. *vergonha,* esp. *vergüenza,* cat.
vergonya, fr. *vergogne,* it. *vergogna.* — l a v a r e rum. *la*
(< *lăá*), port. esp. cat. prov. sobres. *lavar,* fr. *laver,* it. *la-*
vare.—c a n t a t o r e rum. *cîntător,* port. esp. prov. *canta-*
dor, fr. *chanteur,* it. *cantatore.*—p ŏ r t a r e sar. it. *portare,*
rum. *purtá,* port. esp. cat. prov. *portar,* fr. *porter.*—c ŏ r o-
n a sar. it. esp. cat. prov. *corona,* port. *corôa,* fr. *couronne.*—
d ŏ l o r e sar. it. *dolore,* rum. a. *duroare,* port. *dôr,* esp. cat.
prov. *dolor,* fr. *douleur.*—d ŭ b i t a r e port. *duvidar,* esp. *du-*
dar, cat. *dubtar,* prov. *dobtar,* fr. *douter* [63].—n u c e t u rum.
nucet, esp. *noceda,* it. *noceto.*—j ū d i c a r e rum. *judeca,* port.
julgar, esp. *juzgar,* cat. prov. *jutjar,* fr. *juger,* it. *giudicare.*—
m ū t a r e sar. *mudare,* rum. *mutá,* port. esp. prov. *mudar,*

---

[63] En fr. no se fijó a veces hasta el s. XVII la pronunciación [o] o
[u] de algunas palabras: en el s. XVI se encuentra todavía *rouzée 'ro-*
sée', ouster 'ôter', etc.

fr. *muer*, it. *mutare*.—a u d i r e rum. *auzî* (§ 269), port. *ouvir*, esp. *oir*, cat. *ohir*, prov. *auzir*, fr. a. *oïr*, sobres. *udir*, it. *udire*. —l a u d a r e rum. *lăudá*, port. *louvar*, esp. *loar*, cat. *lloar*, prov. *lauzar*, fr. *louer* (§ 267), it. *lodare*.—r a u b a r e (germ. r a u b ô n) port. *roubar*, esp. cat. *robar*, prov. *raubar*, fr. *(dé-) rober*, it. *rubare*.—a u r i c u l a (prov. *aurelha*) parece haber dejado el sitio, en parte, a una forma secundaria o r i c u l a (port. *orelha*, rum. *ureche*), existente ya en lat. vulg. (cf. nota al § 242). No se puede decidir la cuestión de esp. *oreja*, cat. *orella*, fr. *oreille*, it. *orecchio*.—El antiguo diptongo ae se confunde en todas partes con *e* (cf. § 250): s a e t a c i u sar. *sedattu*, port. *sedaço*, esp. *cedazo*, cat. *sedas*, prov. *sedatz*, fr. *sas* (§ 267), it. § 265.

2. Particularidades (§§ 254-271)

A) REDUCCIÓN DE LA ESCALA DE CUALIDADES (§§ 254-256)

254. La tendencia a la reducción de las cualidades de las vocales inacentuadas (§ 249) parece haberse realizado en francés tempranamente en la escala velar (respecto a la falta de paralelismo en la escala palatal cf. § 165), de suerte que lat. vulg. o (< lat. clás. ŏ, ō, ŭ) y lat. vulg. u (< lat. clás. ū) coincidieron en una cualidad *o*, no pudiendo realizarse ya el cambio u > *ü* (cf. § 184) en la *u* protónica. Así puede explicarse el desarrollo de f r ū m e n t u *froment* [64], f ū s i o n e *foison*, ū n i r e fr. a. *onir*, ū n i o n e *oignion* 'cebolla', m ū c e r e *moisir*. En cambio, *user*, *curé*, *juger*, fr. m. *unir*, etc., hay

---

[64] Es sorprendente j ū m e n t u *jument*. Detrás de j- parece que ū no se abrió en *o*, sino que se conservó como *ü*, o bien —como en amplias zonas de la Romania— se debilitó en *e(i)*: j ū m e n t u fr. (dialectal) *jement*, port. (dialectal) *gimento;* j ū n i p e r u fr. *genièvre*, it. *ginepro*, esp. *enebro;* *j ū n ī c i a fr. *génisse*.

que explicarlos en parte por el influjo de formas acentuadas en el radical, y en parte como latinismos.

255. Es igualmente antigua la tendencia a hacer coincidir en *u* todas las cualidades velares. De modo notable (pues separa *o* y *u* tónicas, cf. § 161) también el rum. participa en esta tendencia. De los dialectos it., el tosc. es casi el único que se mantiene fiel a la distinción de lat. vulg. *o* y lat. vulg. *u*. En los dialectos iberorrománicos la *u* ha sustituido en amplia medida a la antigua *o*: así en port. y cat., y así también incluso en casos aislados del esp. literario: j o c a r e *jugar*, l o c a l e *lugar*.

La tendencia paralela a reunir en *i* todas las cualidades palatales es igual de antigua, pero tiene una extensión menor. En tosc. prevaleció en posición libre: *nipote*, pero *cercare* (cf. § 253).

256. Cuando en fr. la vocal prototónica [*ö*] pasó a ser deuterotónica por composición de la palabra o por sufijación, se debilitó en [*ü*]: *bleu / bluet, preux / prud'homme, heure / lurette.*

B) ARMONIZACIÓN (§§ 257-258)

257. Ocurre asimilación de la vocal deuterotónica a la vocal prototónica (ya desde la época latino-vulgar) en: b i l a n c i a > *b a l a n c i a (fr. *balance*, esp. *balanza;* pero it. *bilancia*), s ĭ l v a t i c u > *s a l v a t i c u (fr. *sauvage*, prov. cat. *salvatge;* pero it. *selvatico*), t r i p a l i u 'instrumento de tortura' > *t r a p a l i u (fr. *travail*, esp. *trabajo*, port. *trabalho;* pero prov. *trebalh* junto a *tra-*), *r e n i o n e 'riñón' > *r o n i o n e (it. *rognone*, fr. *rognon*, prov. *ronhó* junto a *re-*).— D ī r ē c t u dio en lat. vulg. *d ē r ē c t u (§ 271). En it. *e* deuterotónica se transforma en *i* (§ 255): it. *diritto* (cf. también § 265).

En esp. *e, o* deuterotónicas se convierten en *i, u* cuando la vocal tónica es un diptongo esp. ascendente que comienza por *i*: t e n e b r a s *tinieblas,* *d o r m (i) e r u n t *durmieron,* g e n e s t a *hiniesta,* s e n t i v i t *sintió.* Incluso cuando ha desaparecido el elemento *i* del diptongo, sigue manifestándose su efecto: d o r m i a m u s *durmamos;* así también cat. *finẹstra* (< -*iestra,* cf. § 171).

258. La disimilación ocurre asimismo desde la época del lat. vulg. Así, au deuterotónico fue disimilado en a por una u(o) de la sílaba tónica: a u g u s t u > a g u s t u (rum. *agust,* esp. it. *agosto,* fr. *août*), a u g u r i u > *a g u r i u (esp. *agüero,* port. *agoiro,* sobres. *agur,* fr. a. *ëur,* fr. m. *bonheur, malheur*), a u t u m n u (> esp. *otoño*) > *a t u m n u (rum. *toamnă*), a u s c ŭ l t o > a s c u l t o (it. *ascọlto*).—Probablemente hay que explicar como una disimilación N a t a l e fr. *Noel,* n a t a r e > *n o t a r e (fr. a. *noer,* it. *nuotare*), c o n o s- c e r e sudital. *canóscere,* y muchos casos más.

La disimilación de una *i* deuterotónica en *e* ante una *i* tónica está muy extendida desde la época del lat. vulg.: v ī c ī n u > v e c ī n u (rum. *vecin,* esp. *vecino,* fr. *voisin*), d ī v ī n a t > *d e v ī n a t (fr. *devine,* prov. *devina*), f ī n ī r e fr. a. *fenir,* d ī v ī s a fr. *devise,* *p ī p p ī t a fr. *pépie.*

En el sistema de los verbos esp. en -*ir* la disimilación se halla en una relación orgánica de reciprocidad con la asimilación mentada en el § 257, de suerte que no se distinguen lat. e, i deuterotónicas: f e r ī r e *herir,* f e r ī m u s *herimos,* f e r i a m u s *hiramos,* f e r i e n d o *hiriendo;* *r ī d ī r e *reir,* *r ī d ī m u s *reímos,* r ī d i a m u s *riamos,* r i d e n d o *riendo;* *d ī c ī r e *decir,* *d ī c ī m u s *decimos,* d ī c a m u s *digamos.*

La disimilación de la *i* deuterotónica en [ə] está aún plenamente activa en el port., participando en ella incluso los préstamos. La grafía mantiene *i*: por ello, no sólo *vizinho* [vəzíñu] 'vecino', sino también *divide* [dəvidə] 'él divide', *ministro* [mənístru] 'ministro'—Disimilación de dos *o* ocurre en f o r m o s u esp. *hermoso* (pero port. *formoso*), s o r o-r e fr. a. *serour*, s u c c u r r i t fr. a. *secourt*. Para r o t u n-d u > r e t u n d u cf. § 271.

c) INFLUJO DE LAS CONSONANTES VECINAS (§§ 259-265)

259. D e s p u é s d e p a l a t a l e s.—En lat. es visible la tendencia a inflexionar i̯a- en i̯e-. En román. pervive preferentemente la pronunciación i̯e-; sin embargo, la antigua articulación i̯a- también ha dejado vestigios: i̯a n u a r i u (port. *janeiro*) > i̯e n u a r i u (it. *gennaio*, esp. *enero*, fr. a. *jenvier*); i̯a c t a r e > *i̯e c t a r e (it. *gettare*, fr. *jeter*, esp. *echar*); i̯a i̯u n a r e (rum. *ajuná*, ¿esp. *ayunar?*) > i̯e i̯u n a r e (fr. *jeûner*, prov. *jejunar*); i̯a n t a r e (esp. *yantar*, port. *jantar*) > i̯e n t a r e (astur. *šintar*).—Para i̯a n u a > *i̯e n u a, cf. § 213. Para i̯ū- > i̯e- cf. § 254 (nota).

260. Después de palatal *a* deuterotónica libre se inflexiona en *e* en fr.: c a b a l l u *cheval*, c a p i l l o s *cheveux*, c a m i n u *chemin* (pero en posición trabada c a r b o n e *charbon*, c a s t e l l u *château*, c a m p a n e a *champagne*). Esta inflexión se relaciona con los fenómenos aludidos en los §§ 210 y 275, y se da también en francoprov.

261. A n t e p a l a t a l.—En esp. la *o* (que normalmente propende hacia *u*, § 255) se hace *u*: m u l i e r e *mujer*, c o g-n a t u *cuñado*. Hay una inflexión correspondiente de *e* en *r e n i o n e esp. *riñón*.

En fr. una vocal se combina con la *i*, desglosada de un grupo palatal siguiente, en un diptongo; la ulterior evolución de éste corresponde, naturalmente, a la de en posición tónica (§ 209): *ai* > [*ę*], *oi* > [*ua*], *ei* > *oi* > [*ua*]: r a t i o n e *raison*, p o t i o n e *poison*, l ĭ c e r e > *leisir* > *loisir.*—En forma análoga (cf. § 208) se combina en esp. *a* con una *i* desglosada para dar **ei* > *e*: m a x i l l a *mejilla*, b a s i a r e *besar*, l a c t u c a *lechuga*.

262. D e t r á s d e l a b i a l.—La e en rum. (igual que bajo el acento principal, cf. § 239) se oscurece en *ă* cuando no le sigue en la sílaba próxima una vocal palatal (*i, e, ie, ia, ea*): v e t e r a n u *bătrîn*, **v i d u t u *văzut* (pero v i d e r e *vedeá*), p e c c a t u *păcat*, m e n s u r a *măsură*. Detrás de *r* ocurre el mismo fenómeno: f e r m e n t o *frămînt;* aquí también, aunque siga palatal: r e s i n a *răşină.*

A n t e l a b i a l.—Es frecuente el redondeamiento y el oscurecimiento: d e m a n d a r e it. *domandare*, **d e v i n a r e* (§ 258); it. *in-dovinare*, g e m e l l o s fr. *jumeaux*, b i b e b a t fr. a. *bevoit* > *buvait*, **f i m a r i u* fr. *fumier.*

263. A n t e n a s a l.—Si es trabada (incluso secundaria) las vocales nasalizan en fr. y su cualidad evoluciona —conforme al tratamiento en posición tónica—. Así, pues, [*ĩ*] nasal pasa a [*ē*], [*ē*] nasal pasa a [*ã*], etc. (cf. § 235).

Ejemplos: p r ī m u t e m p u *printemps*, ĭ n t r a r e *entrer* [*ātré*], s ī m u l a r e *sembler*, t r ĕ m u l a r e *trembler*, c a n t a r e *chanter*, c ŏ m p u t a r e *conter*, c ŭ m u l a r e *combler*, l ū n a e d i e *lundi*.—En posición libre (incluso secundaria) se omite la nasalización sin dejar en general huella alguna en la cualidad de las vocales: l ī m a r e *limer*, m ĭ n a r e *mener*, v ĕ n i r e *venir*, c l a m a r e *clamer*, s ŏ n a r e *sonner*, n ō m i n a r e *nommer,* f u m a r e *fumer.* Un vestigio de la antigua nasalización aparece aún en la cualidad [ã] de h ĭ n- n i r e *hennir* (también [*enir*]). Está influido (por decir así, recompuesto) por *en*: i n o d i a r e *ennuyer* [ãn-]. También se siente como compuesto i n d e m i n a r e *emmener* [ãm-].

264. I n f l u j o d e u n a v e l a r.—Aparece en fr. en la fusión diptónguica de una vocal con una *u* desglosada de *l* trabada siguiente (§§ 217, 413). Los resultados corresponden en amplia medida a los de posición acentuada: f a l c o n e *faucon,* b ĕ l l i t a t e *beauté,* c o l l o c a r e *coucher.* La *ę* deuterotónica por su origen o por fonética sintáctica (§ 575) se funde con la *l* (> *u*) en el diptongo *eu,* y éste da [ö] > [ü][65] o evoluciona por oscurecimiento temprano hacia *ou* > [*u*] o bien [*o*]: d e ĭ l l u c a m p u > *del champ* > *deu champ* > *du champ* (junto al dialectal *dou champ*), i n i l l u t e m p u > *el tens* > *eu t.* > *ou t.* > [*ǫ tã*] (escrito *au temps*), f ĭ l i c a- r i a *fougère.*

265. Entre consonante y *r* desaparece la vocal *i(e)* en fecha temprana en las palabras q u ĭ r ī t a r e > **c r i t a r e* fr. *crier,* it. *gridare,* esp. *gritar* < -tt-), d ī r ē c t u **d e r ē c t u* (§ 271) > d r ē c t u (it. *dritto* junto a *diritto,* fr. *droit,* rum. *drep;* pero esp. *derecho,* cf. § 271).—En it. ocurre la desaparición de la *i* (< e, cf. § 255) entre *s* y consonante: s a e t a- c e u *staccio,* s e c u r i *scure,* s e x t a r i u *staio* (cf. § 465).— En fr. desaparece en fecha temprana *e* ante *r* en **v e r a- c u* (?) *v(e)rai.*

---

[65] De igual manera [ö], que en el proceso de formación de palabras se hace prototónica, pasa a [ü], cf. § 256.

D) INFLUJO DE LA ESTRUCTURA DE LA PALABRA (§§ 266-271)

α) Sílaba abierta y cerrada (§ 266)

266. En fr. la *e* en sílaba cerrada fr. se mantiene como [e]: v e r e c u n d i a *vergogne*, m i s c u l a r e > *mesler* (> *mêler*). En cambio, en sílaba abierta se oscurece en [ə]: n e p o t e *neveu*, s e p t i m a n a *semaine*, v e r a c u fr. a. *verai*. Por razones de fonética sintáctica (§ 575) esta [ə] puede, mediante la anteposición de otra palabra íntimamente ligada con ella, venir a quedar en posición intertónica (§ 292), lo que ocasiona su desaparición: *le neveu* [lənvö̈], *la semaine* [lasmẹn].

β) El hiato (§§ 267-268)

267. Sobre el hiato en lat. vulg. cf. § 251.—En fr. la pérdida de consonantes puede dar origen a hiato secundario (§§ 369-403). En este caso, las vocales (§ 253) se desarrollan así [66]:

Lat. vulg. .	i	e	a	o	u	au
Fr. a.	*i*	*e*[ə]	*a* > *e*[ə]	*o*[*u*]	[*ü*]	*o*[*u*]
Fr. m. . . .	*i*	—	—	[*u*]	[*ü*]	[*u*]

Así, pues, sólo se mantienen, en el sentido del § 102, las vocales extremadamente cerradas. En cambio, lat. vulg. e, a se asimilan a la vocal tónica (que queda así alargada, lo que frecuentemente se expresa en la escritura por el *accent*). Ejemplos: v ī v e n d a *viande*; s e c u r u fr. a. *sëur*, fr. m. *sûr*; a e t a t i c u fr. a. *eage*, *aage*, fr. m. *âge*; m a t u r u fr. a. *mäur*, *mëur*, fr. m. *mûr*; h a b u t u fr. a. *ëu*, fr. m. *eu* [*ü*];

---

[66] El signo — indica desaparición.

p a v o r e fr. a. *paour, peeur,* fr. m. *peur;* j ŏ c a r e *jouer;*
m u t a r e *muer;* g a u d e r e *jouir.* En algunas palabras la
serie silábica *ëu* del fr. a. se funde en fr. m. en [*ö*] (en vez
de en [*ü*]): *fatutu *feu,* a g u r i̯ u *heur* (§ 258), j e j u n a t
jeune.—En el cultismo l e o n e la e evoluciona temprano a
i: lion.

268.   Está muy extendido el cierre de las vocales, en hiato primario y secundario, en los grados extremos [*i, i̯; ü, ü̯;
u, u̯*], conforme al sentido del § 102; así, en port.: l e g a l e
leal [*lia̭l*], m o n e t a *moeda* [*mu̯e̜dv*], m e d u l l a *miôlo.*

γ)   Comienzo de dicción (§§ 269-270)

269.   En rum. se mantiene lat. vulg. a como *a* (en vez de
debilitarse en *ă,* cf. § 253), con lo cual se evitó una debili-
tación de la sílaba inicial formada por una sola vocal: a d u n-
c u *adînc,* a d a q u a r e *adăpá,* a u d i r e *auzí* (cf. § 253).

270.   Es frecuente la aféresis, especialmente en rum. e it.:
a u t u m n u rum. *toamnă,* a g n e l l u *miel;* a c u c u l a it.
guglia, a p o t h e c a *bottega,* e p i s c o p u *vescovo,* o c c a s i o-
n e *cagione,* h o s p i t a l e *(o)spedale.* La causa hay que buscarla con frecuencia en una falsa separación del artículo: *la
guglia* en vez de *l'aguglia; lo spedale* en vez de *l'ospedale,* etcétera.—También ocurre la prótesis; y, generalmente también, proviene de una falsa separación del artículo: v e r t i-
g i n e fr. *avertin (la vertin > l'avertin);* v e s p a esp. *avispa.*
Para la prótesis de *i* ante *s +* cons. cf. § 353.

δ)   Influjo de los prefijos (§ 271)

271.   El prefijo ex- se ha introducido en el desarrollo de
a (u) s c u l t a r e (§ 258), o b s c u r u, a b s c o n d e r e en

ésp. *escuchar*, fr. *écouter* (pero it. *ascoltare*, rum. *ascultá*), esp. *escuro* (al lado del culto *oscuro*; en it. *scuro* se ha generalizado la forma con aféresis mediante expresiones como *all'oscuro* > *allo scuro*), *esconder* (pero it. *nascondere* < i n a b s-); el prefijo de- está implicado en el desarrollo de d ī- r e c t u en *d e r ē c t u (esp. *derecho;* cf. también § 265), y el prefijo re- en el desarrollo de r o t u n d u en r e t u n d u (esp. *redondo*, prov. *redon*, rum. *rătund* [§ 262], it. a. *ritondo;* it. *tondo* presenta una 'recomposición' del 'compuesto' en el 'simple').

B) VOCALES POSTÓNICAS (§§ 272-291)

1. En los paroxítonos (§§ 272-281)

A) GENERALIDADES (§§ 272-274)

272. Las vocales postónicas son menos intensas (cf. § 118). En sar. e it. (centro y sur de Italia [cf., sin embargo, abajo]) estas vocales se conservan en casi su totalidad. En rum. se conservan también, aunque en menor escala. El esp. y port. reducen más las vocales postónicas. En los restantes dominios (fr. [para el francoprov. cf. 275], prov., cat., retorrom., dialectos galoit.) se impuso una fuerte tendencia a la reducción de las vocales postónicas, lo que está en relación con la intensificación del acento espiratorio (destacamiento extremo de las sílabas prototónicas y deuterotónicas), cf. § 120 [67]. En el sur de Italia (especialmente Nápoles, Abruzzos, Apulia)

---

[67] Fases intermedias en el proceso de desaparición son el desplazamiento de la cualidad (> [ə]), por una parte, y por otra, el habla susurrada. Esta última fase se la puede observar bien en el port. actual y en los dialectos suditalianos.

se manifiestan en época reciente idénticas tedencias.—En general, la vocal más resistente es la vocal *a.*—Cuadro sinóptico (cf. también § 250, 252, nota) [68]:

Latín clásico	ī	ĭ	ē	ĕ	ă	ŏ	ō	ŭ	ū
Sardo	*i*†		*e*		*a*		*o*		*u*†
Rumano	*ŭ(i,—)*†		*e(ĭ)*		*ă*		—*(u)*†		
Sistema del 'lat. vulg'.	*i*†		*e*		*a*		*o*		*u*†
Portugués	*e[ə](—)*†		*e[ə](—)*		*a[ʋ]*		*o[u]*		*o[u]*†
Español	*e(—)*†		*e(—)*		*a*		*o*		
Catalán	—†		—		*a[ə]*		—*(o)*		
Provenzal	—†		—		*a*		—		
Francés	—†		—		*e[ə,—]*		—		
Sobreselvano	—†		—		*a[ʋ]*		—		—†
Italiano (toscano). . .	*i*		*e*		*a*		*o*		
Suditaliano	*i*†		*e*		*a*		*o*		*u*†

El antiguo diptongo ae coincide en la cualidad *e* (§ 250).

273.   Ejemplos de -ī: v ĕ n ī sar. *bẹni*, rum. *vin*, port. *vem*, esp. *ven*, cat. *vina*, prov. *ven*, fr. *viens*, it. *vieni*; v ē n ī port.

----

[68] El signo — designa desaparición y el signo † efecto inflexivo sobre la vocal tónica (cf. §§ 192-199). Para el valor de los demás signos, cf. § 253.

vim, esp. *vine,* prov. *vinc* (< *v e n u i), fr. a. *vin* (fr. m. -s), it.
vẹnni (*-u i); f ē c ī port. *fiz,* esp. *hice,* cat. *fiu* (§ 568), prov.
fr. *fis,* it. *fẹci;* v i g ĭ n t ī sar. *vinti,* port. *vinti,* esp. *veinte,*
cat. prov. y fr. a. *vint* (fr. m. *vingt*), sobres. *vegn,* it. *vẹnti;* v i-
c ī n ī rum. *vecini,* prov. *vezin,* fr. a. *voisin,* it. *vicini;* g r ŏ s-
s ī rum. *groşi* (§ 383), prov. y fr. a. *gros,* it. *grossi,* sudit.
gruossi (§§ 194, 197).—El efecto metafónico de la -ī sobre la
vocal tónica está más extendido que el de la -ụ (cf. § 199).

Ejemplo de -ĭ: v ĕ n ĭ t sar. *vẹnit* (§ 193), rum. *vine,* port.
vem, esp. *viene,* cat. *ve,* prov. *ven,* fr. *vient,* sobres. *vegn,* it.
viene.

Ejemplos de -ē, -ĕ, -ae: l e v a r ĕ sar. *leare,* rum. *luare,*
port. prov. sobres. *levar,* cat. esp. *llevar,* fr. *lever,* it. *levare;*
d e n t ē s sar. *dentes,* rum. it. § 280, port. *dentes,* esp. *dientes,*
cat. *dents,* prov. *dens,* fr. a. *denz* (fr. m. *dents*), sobres. *dents;*
s t e l l a e rum. *stele,* it. *stelle.*

Ejemplos de -a: r o t a sar. *roda,* rum. *roată,* port. cat.
sobres. *roda,* esp. *rueda,* fr. *roue,* it. *ruota;* l a u d a t rum.
laudă, port. *louva,* esp. *loa,* cat. *lloa,* prov. *lauza,* fr. *loue,* sobres. *lauda,* it. *loda.*

274. La suerte de las cualidades velares es en extremo
complicada. Ya en la época del lat. a. se puede comprobar
una clara tendencia a inflexionar preferentemente la ŏ de la
terminación indoeuropea -ŏs (nom. sing. masc.) en ŭ (-ŭs), y
a dejar, en cambio, la ŏ de la terminación indoeuropea -ŏm
(acus. sing. masc., nom. y acus. neut.) en la cualidad o (-ŏm) [69].
Restos de esta diferenciación (uniformada en el lat. literario
en *u*) subsistieron posiblemente en algunas regiones. En todo
caso, cuando más tarde en el dominio del 'sistema de cuatro
grados' (§ 156) del lat. vulg. se reorganizaron las cualidades,

---

[69]   Otto Prinz, *De* o *et* u *vocalibus...,* diss. Halis Sax., 1932, p. 105.

la terminación lat. del nom. sing. masc. -ŭs hubiera debido
pasar a lat. vulg. -ọs, y con ello hubiera coincidido con la terminación del acus. plur. -ōs > -ọs. Esta confusión se evitó ha-
ciendo que -ŭs pasase a -ųs con ų cerrada (que inflexionaba la
vocal tónica, cf. § 198). Después también el -ọ(m) del acus.
sing. masc. pasó por analogía a -ų(m) (que también inflexionaba la vocal tónica), mientras que lat. ŭ dio regularmente en
todos los otros casos (cf. § 272) lat. vulg. ọ (que no inflexionaba la vocal tónica): así, c a n t a m ŭ s > lat. vulg. *-m ọ s,
f ĕ r r ŭ m > lat. vulg. f ę r r ọ. De igual modo lat. -ŏ > lat.
vulg. -ọ, que no producía inflexión (ŏ c t ō > lat. vulg. ọ c t ọ,
p ĕ r d ō > lat. vulg. p ę r d ọ). Estas condiciones se acusan
todavía con claridad en una franja sur del centro de Italia
(sur de Las Marcas, sur de Umbría, norte de los Abruzzos,
Lazio), así como en port.—Cf. nota al § 196.

En los dialectos it. citados (en los que el nom. sing. masc.
-us no se conserva ya) el acus. sing. masc. -ŭm está representado por -u, que inflexiona la vocal tónica: i l l u l e c t u *lu
liettu*, i l l u v e n t u *lu vientu*, i l l u f o c u *lu fuocu*, i l l u
p o r c u *lu puorcu*, i l l u m ŭ n d u *lu munnu*, i l l u m a r t e l-
l u *lu martiellu*. La -u de la terminación -unt de la terc. pers.
plur. de los verbos se convierte en -ų, pues esta terminación,
debido a la caída de las consonantes finales -nt, hubiera coincidido si no con la terminación ō (lat. vulg. ọ) de la prim.
pers. sing.: m ĭ t t ō *mętto*, m ĭ t t u n t *mittu*.—En cambio,
toda otra ŭ y ŏ lat. están representadas por o, que no produce metafonía de la vocal tónica: i l l u f ĕ r r u *lo fęrro*, i l l u
ŏ l e u *l'ọglio*, t ē c u m *tęco*, n o s c u m *nọsco*, p ĕ j j u s *pęg-
gio*, m ĕ l i u s *męglio*, v i d ē m u s *vedęmo*, ŏ c t ō *ọtto*, p ĕ r d ō
pęrdo. En la mayor parte del sur de Italia (al sur de la franja
citada arriba) se produjo una generalización (diversa gradual-
mente en cada caso) de la -u (con efecto metafónico sobre la

vocal tónica), frecuente en los neutros (*lu fierru*), menos frecuente en otros casos (*pieg̃g̃u, miegliu*), y rara para lat. -ŏ
(*uottu*).—En port. (como en esp.) todas las cualidades velares
lat. se confundieron en la grafía actual (y en la pronunciación
medieval) *o*, a la que corresponde la pronunciación actual [*u*].
Sin embargo, el efecto de la metafonía nos permite echar una
mirada retrospectiva sobre el estado antiguo (preliterario) del
port., y comprobamos así que lat. -ŭ inflexionaba (p ŏ r c u
pǫrco, cf. § 195), pero no producía inflexión el -ŭm de los neutros (*fęrro, cǫllo*) ni tampoco lat. ŏ (p ŏ r c ō s *pǫrcos*).—En
sobres. (y en otros dialectos retorrom.) lat. -ŭ produce metafonía, pero no la produce lat. -ŏ (cf. § 196).

En rum. todas las cualidades velares se fundieron en -*u*, la
cual provocaba inflexión (p ŏ r c u *pǫrc* igual que ŏ c t o *ǫpt*).
Para las condiciones de desaparición o mantenimiento de esta
-*u*, cf. §§ 275, 281.

En los demás dominios de la Romania todas las cualidades velares se fundieron temprano en una cualidad *o*, y con
ello desapareció la condición previa para que lat. -ŭ pudiese
ejercer su efecto metafónico, de suerte que quedó desechada
la inflexión (en algunos idiomas o dialectos quizá al revés:
generalizada), cf. § 198.

El resultado es en tosc. (it.) y esp. -*o*, en cat. -*o* o desaparición, en prov. y fr. desaparición. Ejemplos: c i t ŏ esp. *cedo;*
c a n t ō it. esp. *canto*, rum. *cînt*, prov. cat. *cant*, fr. a. *chant;*
c a b a l l ō s esp. *caballos*, cat. *cavalls*, prov. *cavals*, fr. a. *chevals* (fr. m. *chevaux*); c a b a l l ŭ m it. *cavallo*, esp. *caballo*,
cat. *cavall*, prov. *caval*, fr. *cheval*, rum. *cal;* i l l a e m a n ū s
tosc. a. *le mano* (así todavía dialectalmente, la forma literaria
le mani se formó por analogía con otros plurales en -*i*).—En
fr. hay que contar con el mantenimiento de la -o todavía

en el siglo VI (§ 637). El artículo determinado *lo* < i l l u m
(§ 745) mantiene hasta hoy en dialectos prov. y fr. el timbre
de su vocal.

B) PARTICULARIDADES (§§ 275-281)

275. En fr. (y prov.) algunas vocales, que normalmente
desaparecen (§ 272), se mantienen como -*e* [ə] detrás de algunos grupos consonánticos, así tras cons. + r (p a t r e fr. a. *pe-*
dre, fr. m. *père*, prov. *paire;* a l t e r u fr. prov. *autre*), -mn-
(s o m n u fr. *somme*), labial + i̯ (r u b e u, a p i u fr. *rouge*,
ache).

En rum. -*u*, -*i* (cf. § 272) conservan su sonido pleno tras
cons. + líquida: a m b (u) l o *îmblu*, a d f l o *aflu*, s o c r i *so-*
cri.—En francoprov., normalmente -a se mantiene como -*a*,
pero después de palatales se inflexiona en -*e*: t e l a *taila*, pero
v a c c a *vache*. Este fenómeno corresponde a las condiciones
del vocalismo tónico, cf. § 210.

276. Por lo que se refiere a la suerte de la -e final (también -*e* < ī cf. § 272) en iberorrom., se puede comprobar cómo
la tendencia a la desaparición se acrecienta progresivamente
de occidente a oriente, llegando el cat. casi tan lejos como
el prov.—Así: (l i b e r t-) a t e, c l a v e, p o n t e, a x e, p e l l e
port. -*ade, chave, ponte, eixe, pelle;* esp. -*ad, llave, puente, eje,*
piel; cat. -*at, clau, pont, eix, pell.* El aragonés sigue muy de
cerca en esto al cat. Los documentos antiguos del esp. literario rinden aún amplio tributo a las tendencias orientales [70]:
esp. a. *puent, vien, (fez)ist* junto a esp. a. y m. *puente, viene*
(hic)iste. En esp. m. ha prevalecido en estos casos la forma

---

[70] Así, pues, no se deberán calificar esas formas de meros galicismos medievales.

con -*e*, forma que también se apoyó en los plurales (*puentes*)
y otras formas con *e* (2.ª pers. *vienes*), cf. 277.

277. Ante -*s* final se mantiene -*e* en esp. y port. (mientras
que en galorrom. —y también en cat.— desaparece en este
caso): p o n t e s, p a r e t e s, p a n e s, v i c e s port. *pontes,
paredes, pães, vezes;* esp. *puentes, paredes, panes, veces*
(cat. *ponts, parets, pans;* fr. *ponts, parois, pains,* etc.).

En cat. se mantiene la -*a* al principio —y aun hoy en la escritura— (en la pronunciación se ha debilitado aproximadamente en [ə]). Pero seguida de una consonante (conservada)
-*a* dio -*e* (incluso en la escritura): c a s a *casa,* p o r t a 'lleva tú'
porta, p o r t a t *porta;* c a s a s *cases,* p o r t a s 'llevas' *portes,*
p o r t a n t *porten.*

278. Cuando la vocal final de dicción sigue inmediatamente a la vocal tónica, forma con ésta —ya en lat. vulg.— un diptongo (cf. § 248). La vocal final se mantiene como segundo elemento del diptongo también en galorrom. —y precisamente
con su cualidad lat.—: D e u prov. fr. *Dieu,* c u i fr. a. *cui* (fr.
m. *qui*), etc., cf. § 248.

279. Ante grupos consonánticos (-*nt* de la terc. pers. plur.)
la vocal final de dicción se mantiene —en fr. como -*e*—; c r e-
d u n t prov. *crezon,* fr. *croient.* En rum. la desaparición del
grupo consonántico trae aparejada también la desaparición
de la vocal: *cred* (§ 533).

280. El resultado normal de -*e* es en it. -*e* (cf. § 272): c a-
p r a e *capre,* s e p t e m *sette,* b e n e *bene,* u b ĭ *ove.* La pronunciación -*i* que aparece en algunas palabras parece ser un
fenómeno analógico: d e c e m it. a. *diece,* it. m. *dieci* según

venti < v i g i n t i. Sin embargo, hay puntos no aclarados todavía.—Parece que -es dio -*i* en román. oriental : v e n d i s it.
vendi, rum. *vinzĭ;* d e n t e s it. *denti*, rum. *dinţi.* Si de c a n-
t a s resulta it. *canti* y rum. *cânţĭ,* ello se debe a que, según
parece, en una época no determinada -as fue sustituido por
-es. Cf. § 542.

281.   La -u y la -i finales de dicción conservan en rum. su
cualidad plena cuando no son finales absolutas : así, l u p u
lup, c i v i t a t e s *cetăţĭ,* pero l u p u - i l l u *lúpul,* c i v i t a t e s-
i l l a e *cetăţile.*—En rum. las palatales y labiales precedentes
influyen sobre la vocal final del mismo modo que sobre una
vocal tónica (§ 239), en especial -a tras palatal > -*e* (en vez de
> *ă*) : v i n e a *vie,* f o l i a *foaie.* Influjo de la labial : n o b i s
rum. a. *nóao,* rum. m. *nouă.*

2.   *En los proparoxítonos* (§§ 282-291)

A)   CASOS DE REDUCCIÓN LATINO-VULGAR   (§§ 282-283)

282.   Ya en lat. vulg. algunos proparoxítonos pasaron a
paroxítonos por la desaparición de la vocal medial [71]. La vocal
medial [72] desaparece :

1.   Entre cons. y *l* : o c l u, v e t u l u > *vetlu (§ 508);
2.   Entre *l* y cons. : c o l a p h u > c o l p u, c a l (i) d u, s o-
l (i) d u (cf. v a l i d e > v a l d e), c a l (a) m u, s a l (i) c e;
3.   Entre *r* y cons. : v i r (i) d e, l a r (i) d u;
4.   Entre *s* y *t* : p o s (i) t u;
5.   En los grupos á v i + cons., á v u + cons. (§ 245);
6.   En algunos otros casos : f r i g (i) d u, etc.

---

[71]   La desaparición de la vocal medial recibe el nombre de 'síncopa'.
[72]   La mayor parte de las formas constan ya en documentos escritos

Todas estas palabras tienen ya en román. valor de paroxítonos y reciben el tratamiento de tales: it. *colpo,* fr. *coup;* it *caldo,* fr. *chaud* (pero, por ej., t e p i d u it. *tiepido,* fr. *tiède;* cf. § 285).

283. Si la vocal medial se halla en hiato con la vocal final de dicción, pierde ya en lat. vulg. su valor silábico o desaparece, cf. § 251. Las voces tienen en rom. valor de paroxítonos: f í l i u > f i l i̯ u (it. *figlio*)[73], b á t t u o > b a t t o, etc.

B) LA SUERTE DE LOS PROPAROXÍTONOS DEL LAT. VULG. (§§ 284-291)

284. Los proparoxítonos restantes (cf. § 282) reciben un tratamiento diferente en cada uno de los idiomas romances. El sar. y el román. oriental (it. y rum.) conservan los proparoxítonos en gran escala. En cambio, en la Romania occidental sucumben las más veces a la reducción, siendo el port. el más conservador dentro de la Romania occidental. En esp. la reducción alcanza ya proporciones considerables; el cat., el galorrom., el retorrom. y el norteit. muestran fenómenos de reducción creciente.

Ejemplos: d u o d e c i m it. *dódici,* port. *doze,* esp. *doce,* cat. prov. *dotze,* fr. *douze;* p u l v e r e (*p u l v o r a) it. *pólvere,* port. esp. *pólvora,* prov. *poldra,* fr. *poudre;* h e d e r a rum. *iéderă,* it. *edera,* port. *hera,* esp. *hiedra,* cat. *eura,* prov. *elra,* fr. *lierre;* l e p o r e rum. *iépure,* it. *lepre,* port. *lebre,* esp. *liebre,* cat. *llebre,* prov. *lebre,* fr. *lièvre;* p e c t i n e rum. *piéptene,* it. *pèttine,* port. *pente,* esp. *peine,* fr. *peigne;* a r b o r e rum. *árbore,* it. *álbero,* port. *árvore,* esp. *árbol,* cat. prov.

---

[73] En prov., la i̯ después de determinadas cons. recobra su valor silábico al desaparecer la vocal final: s o m n i u m *sommi,* h o r d e u m *ordi* (cf. § 457).

fr. *arbre;* f r a x i n u rum. *frásin,* it. *frássino,* port. *freixo,* esp. *fresno,* prov. *fraisse,* fr. *frêne;* p u l i c e rum. *púrece,* it. *pulce,* esp. *pulga* (-i c a), fr. *puce;* p e r t i c a it. *pèrtica,* fr. *perche;* p o l l i c e it. *pòllice,* fr. *pouce;* c a r p i n u rum. *cár- pin,* it. *cárpino,* port. esp. *carpe,* fr. *charme;* c a r d i n e it. *cárdine,* fr. a. *charne.*

En rum. desaparece también -u en los proparoxítonos (cf. § 272): f r a x i n u *frásin,* c a r p i n u *cárpin.*

285. Por lo que se refiere a las clases de reducción, o bien cae la vocal medial —en razón de la 'acentuación reas- cendente' (cf. § 121)—, o bien desaparece la vocal final —si la acentuación es del tipo 'descendente' (cf. § 121)—.

286. En fr. cae incondicionalmente la vocal medial y la vocal final se mantiene siempre como *-e:* t e p i d u *tiède* (en contraste con c a l d u *chaud,* cf. § 282), f r a x i n u *frêne,* c u- b i t u *coude,* etc.

287. El prov. se comporta en gran parte como el fr.: c u b i t u *cobde,* d u o d e c i m *dotze.* Sin embargo, hay tipos de palabras lat. en cuya evolución el prov. evita el encuen- tro de determinados grupos consonánticos, echando mano de la 'acentuación descendente' (§§ 121, 285). El resultado es en- tonces el mantenimiento de la vocal medial como *-e-* y la desaparición de la vocal final, cuando ésta no es *-a:* f r a x i- n u *fraisse,* v e n d e r e *vénder,* *e s s e r e *esser,* p l a n g e r e *plánher,* t e p i d u *tebe*[74]. Si la vocal final es *-a,* ésta se con- serva (y con ella todo el proparoxítono): p e r s i c a *pérsega.* En este último caso ocurre con frecuencia un desplazamien-

---

[74] La 'acentuación descendente' se halla extendida también en dia- lectos orientales fr.: fr. oriental *tiève.*

to secundario del acento mediante el cual los proparoxítonos se transforman en paroxítonos: *perséga* (cf. § 152).

En francoprov. la vocal final lat. -u (-o) conserva su timbre: c u b i t u *códo.*

288. En esp. y port. las vocales finales -a, -o se mantienen en cualquier caso (cf. § 272). También se conserva la vocal final -e cuando desaparece la vocal medial; si ésta se mantiene, aquélla puede mantenerse o desaparecer.—La vocal medial -a- permanece en todos los casos. Las vocales mediales -o- (-u-), -e- (-i-) pueden mantenerse o perderse. Su mantenimiento es más acusado en port. que en esp. (cf. § 284).— Ejemplos: o r p h a n u esp. *huérfano,* port. *orfão;* *p u l i c a esp. port. *pulga;* h o s p i t e esp. *huésped* (h o s p i t e s *huéspedes,* cf. § 277), port. *hóspede;* j u v e n e esp. *joven* (j u v e - n e s *jóvenes,* cf. § 277), port. *jovem;* o r d i n e esp. *orden* (o r d i n e s *órdenes,* cf. § 277), port. *ordem;* h o m i n e esp. *hombre,* port. *homem;* f r a x i n u esp. *fresno,* port. *freixo;* d u o d e c i m esp. *doce,* port. *doze;* a r b o r e esp. *árbol,* port. *árvore;* p e c t i n e esp. *peine,* port. *pente.*

289. En amplias zonas de la Romania (especialmente en rum., it., esp. y port.) se puede observar una tendencia —atestiguada ya en lat. vulg.— a convertir la vocal medial en la vocal neutra -*a*-: p a s s e r e rum. *pasăre,* esp. *pájaro;* c o p h i - n u it. *còfano,* esp. *cuévano;* H i e r o n y m u s it. *Gerólamo;* p a m p i n u esp. y port. *pámpano.*

290. Cuando se conserva la vocal medial, ésta puede verse influida diversamente por los sonidos vecinos. Así, el it. requiere la cualidad *e* ante *r* (cf. § 293): a r b o r e *álbero;* ante *l* prefiere *o*: n u b i l a *núvola,* -e b i l e -*evole;* también

el prov. f l e b i l i s *frével.*—En rum. -e- tras labial se abre en
ă cuando en la próxima sílaba sigue -u: g a l b i n u *galbăn,*
n u m e r u *numắr;* si sigue -i, se mantiene la -e-: h o m i n e s
oámenĭ. Cf. sobre esto § 262.

291. El tratamiento de los proparoxítonos constituye con
frecuencia un punto de referencia para la cronología relativa de los cambios fonéticos. Así, s e m i t a fr. *sente* muestra que la síncopa se realizó antes de la sonorización de la
-t· intervocálica (§ 378), mientras que el esp. *senda* nos permite deducir una consecuencia inversa. El desarrollo de
t e p i d u fr. *tiède* demuestra que la diptongación de la ẹ
libre (§ 164) se efectuó antes de la síncopa, al paso que s a-
p i d u fr. *sade* nos permite concluir que la palatalización
de la -a- libre (§ 164) se verificó después de la síncopa, pues
s a p i d u (> fr. a. **sadde*) no se vio ya afectado por la palatalización.

c) VOCALES INTERTÓNICAS (§§ 292-296)

292. Las vocales intertónicas se pronuncian con poca intensidad (cf. § 117), y su tratamiento se ajusta en gran medida al de las vocales postónicas (§§ 272-281): las vocales intertónicas a, i en c à n t a t ó r e, d ò r m i t ó r i u tienen aproximadamente la misma intensidad que las vocales finales de
c á n t a, d ó r m i.

293. En sar. e it. (especialmente en el centro de Italia) las
vocales se conservan casi todas. Son menos conservadores
el rum., el port., el esp. (precisamente en el orden citado).—
En los restantes dominios (cat., prov., fr., retorrom., norteit.)

se nota una fuerte tendencia a suprimir las vocales intertónicas, lo que está en relación con una intensificación de la gradación intensiva (cf. § 120)[75]. La que más resistencia ofrece a ser eliminada es la a (que en fr. se conserva como *e*). Las condiciones en las diversas lenguas responden más o menos al cuadro sinóptico del § 272.—Ejemplos: m o n t ĭ c e l l u it. *monticello*, fr. *monceau* (así también p o n t i c e l l u); g e r m ĭ n a r e fr. *germer*, p i s t ū r i r e fr. *pétrir*, m a n d ū c a r e fr. *manger*, d o r m ī t o r i u fr. *dortoir*, h a b ĭ t a r e sobres. *avdar*, v i d ē r e h á b e o fr. *verrai*, v è n ī r e h á b e o fr. *vendrai;* *r a d ī c i n a rum. *rădăcina*, fr. *racine;* o r n a m e n t u fr. *ornement*, c à n t a r e h á b e o fr. *chanterai* (it. *canterò*, cf. § 290).

294. En las lenguas que mantienen normalmente las vocales intertónicas ocurre también en determinadas condiciones la caída de éstas —sobre todo en la proximidad de líquidas—: v e n ī r e h á b e o it. *verrò*, c i v i t a t e it. *città*, b o n i t a t e it. *bontà;* o s c i t a r e rum. *uştá*, v e s t i m e n t u rum. *veşmînt*.

295. Las lenguas que normalmente eliminan las vocales intertónicas las conservan a veces bajo determinadas condiciones, en fr. y prov. precisamente como -*e*-. Se trata de determinados grupos consonánticos (entre los que hay que contar también cons. + i̯, cf. § 451): p a p i l i o n e fr. a. *paveillon*, fr. m. *pavillon;* c a t e n i o n e fr. a. *chaeignon*[76], s u s p e c t i o n e fr. a. *sospeçon*[76], l a t r o c i n i u fr. a. *larrecin*[76], g u b e r n a r e fr. *gouverner;* m a t ū r i c a r e esp. *madrugar*.

---

[75] En el sudit. se notan en época reciente (conforme al § 272) tendencias semejantes.

[76] Para fr. m., cf. § 296.

Cuando la vocal intertónica es larga, entonces es frecuente que se mantenga en los radicales verbales, pues contribuyen a su conservación las formas radicales acentuadas: m e n d ī- c a r e fr. *mendier* (según m e n d ī c a t *mendie*), m e n s ū r a- r e fr. *mesurer*. Hay asimismo tendencia a mantener el radical verbal en v e s t i m e n t u fr. *vêtement* (según *vêtir*), d ò r- m ī r e h á b e o fr. *dormirai*, etc.

296. La -*e*- intertónica fr. (< -*a*- o procedente de otras vocales lat., cf. §§ 293, 295) desaparece en fr. m. cuando en el curso de la evolución la caída de consonantes la ha puesto en hiato con la vocal tónica: c a n t a t o r e fr. a. *chantëeur*, fr. m. *chanteur;* fr. a. *chaeignon* (§ 295), fr. m. *chignon*. Detrás de *r* desapareció la vocal intertónica en s a c r a m e n t u fr. a. *sairement*, fr. m. *serment;* fr. a. *larrecin* (§ 295), fr. m. *larcin;* asimismo fr. a. *sospeçon* (§ 295), fr. m. *soupçon*.

CAPÍTULO III

CONSONANTISMO (§§ 297-573)

297 Respecto al estado de las consonantes en latín vulgar hay que tener presentes los siguientes hechos:

1. La semivocal i̯ ante vocales se pronunciaba como fricativa [y]: i̯ a m. En medio de dicción e intervocálica era una consonante doble: m a i u s, p e i u s [*mayyus, pĕyyus*] [1]. La semivocal u̯ (escrita hoy *v*), que se pronunciaba primitivamente redondeada [w], era desde el siglo I, por ejemplo, una fricativa bilabial no redondeada [β] que evolucionó a fricativa labiodental [v] (cf. §§ 300, 373). Sólo en determinados grupos (qu̯, gu̯) se conservó una fricativa bilabial redondeada u̯: q u a d r u m, s a n g u̯ i s.

2. La aspirada h desapareció del habla popular ya en fecha antecristiana.—Por tanto, el románico parte de la forma básica o m o, no h o m o. La ortografía de las lenguas literarias ha introducido el signo *h* de diversos modos, según el modelo latino; pero esta *h* no tiene valor fonético

---

[1] La indicación de la cantidad *pēius* que dan los diccionarios puede inducir a error: se trata de una ĕ breve por naturaleza, pero larga por posición.

(«*h muda*»: francés *l'homme*, español *el hombre;* pero italiano *l'uomo*, etc.).—Para la *h* germánica, cf. § 344.

298. Por lo que se refiere al desarrollo ulterior de las consonantes latinas en las lenguas románicas, esa evolución depende en gran escala de la posición de las consonantes en la palabra y en la sílaba. Las posibilidades principales son: comienzo de dicción (§§ 299-335), en medio de dicción (§§ 360-405), final de dicción (§§ 526-573). Los grupos consonánticos (§§ 336-359, 406-525) tienen generalmente destinos particulares.

I. Las consonantes en principio de dicción [2]
(§§ 299-359)

A) CONSONANTES SIMPLES (§§ 299-335)

1. Labiales (§§ 299-303)

299. Latín p- normalmente se conserva: p e t r a sardo, portugués, catalán y sobreselvano *pedra*, rumano *piatră*, español *piedra*, provenzal *peira*, francés *pierre*, italiano *pietra*. Latín b- también se conserva generalmente: b o v e sardo *boe*, rumano y catalán *bou*, portugués *boi*, español *buey*, provenzal *buou*, francés *boeuf*, sobreselvano *bov*, italiano *bue*. Sin embargo, cf. § 300.—Latín m- se mantiene: m u l t u rumano *mult*, italiano *molto*, español *mucho*, etc.

300. En latín vulgar se puede comprobar una tendencia regional a cambiar en principio de dicción v- [β] (cf.

---

[2] Para el comienzo de sílaba, cf. § 407. Para el comienzo de dicción dentro de la fonética sintáctica, cf. §§ 577-581.

§ 297) en la oclusiva b- ('betacismo'). El sentido de esta tendencia es la plena coincidencia fonológica de los fonemas b y v, coincidencia realizada ya por el cambio -b- > -v- en medio de dicción (cf. § 366). En principio de dicción no hacen diferenciación ninguna entre b- y v- el sardo (excepto el dialecto arcaico de Bitti), el suditaliano, el español, el catalán ni el gascón (y dialectos provenzales vecinos).

En español, latín b, v están representadas al comienzo de dicción por la oclusiva [*b*], en medio de palabra o de oración por la fricativa [β] (cf. § 373). La ortografía del español moderno se atiene generalmente al latín: así v i r (i) d e *verde*, b e n e *bien* (ambas voces con [*b*]). Sin embargo, ocurren también —sobre todo cuando no es fácil de reconocer la etimología— confusiones gráficas (muy frecuentes en español antiguo): v e r r e r e *barrer*, v u l t u r e *buitre*, v o t a *boda*, etc.

En suditaliano, latín b, v en principio y en medio de dicción están representadas por una fricativa (que, según los dialectos, se pronuncia sin redondeamiento como bilabial o labiodental): b u c c a *vọcca* v i r (i) d e *vẹrde*. El sonido oclusivo se presenta aquí sólo como geminada [*bb*], y precisamente en casos de asimilación fonética de palabra o sintáctica (cf. §§ 551, 559) y en cultismos de la lengua literaria *(bbene, bbonu)*.

301. La coincidencia fonológica de latín b- y v- (§ 300) presupone para latín v- (§ 297) el grado fonético [β]. Las regiones que dan a latín v- una articulación labiodental [*v*] (cf. § 297), evitaron la confusión de ambos sonidos en principio de dicción. Son éstas: centro y norte de Italia, retorromano, francoprovenzal, francés, provenzal (pero cf. § 300), portugués y rumano. Pero aun en estos idiomas se pueden

descubrir vestigios de anteriores vacilaciones: v i t t a rumano *bată,* v i s s i r e rumano *băşi,* v o t u portugués *bodo.—* Ejemplos de latín v-: v a c c a, v i r (i) d e, v i n u rumano [v] *vacă, verde, vin;* sardo [b] *bacca, birde, binu;* portugués [v] *vaca, verde, vinho;* español [b] *vaca, verde, vino;* catalán [b] *vaca, vert, vi;* provenzal [v] *vaca, vert, vi(n);* francés [v] *vache, vert, vin;* sobreselvano [v] *vaca, verd, vin;* italiano [v] *vacca, verde, vino* [3].

302. En español (pero no en portugués ni en catalán) [4], latín f- pasa a *h-,* que persiste en la escritura, pero es muda en la pronunciación.

La pronunciación *h* (< f) se fue extendiendo durante la Edad Media desde el país fronterizo cántabro-vasco hacia el sur. La representación gráfica en español antiguo mantiene en parte hasta el siglo xv la *f-.* Ante *r* y *u̯* se ha mantenido la *f-* hasta el día de hoy (también en la pronunciación). Ejemplos: f e m i n a *hembra,* f e r r u *hierro,* f i l i u *hijo,* f o l i a *hoja,* pero f o c u *fuego,* f u i *fui,* f r i c a r e *fregar.—* El fenómeno debe ser atribuido a los hábitos lingüísticos vascos. Este fenómeno se encuentra también al norte del País Vasco en el gascón (aquí incluso ante *r,* apareciendo el grupo disuelto por la inserción de una vocal adventicia: *heresca < fresca,* § 513). La *f-* se halla representada también por *h-* en algunos dialectos suditalianos y en sardo —lo que se debe, sin duda, a los hábitos lingüísticos del sustrato—.

303. La fricativa redondeada bilabial *w-* (*wardôn* 'observar') recibida por intermedio de las palabras prestadas o

---

[3] Es sorprendente v ĭ c e francés *fois* (frente a las formas regulares provenzal *vetz,* italiano *vece,* español *vez,* etc.). Cf. § 581.

[4] Para las restantes lenguas, cf. f e r r u rumano y sobreselvano *fier,* vegliota *fiar,* sardo *ferru,* italiano *fęrro,* catalán y provenzal *ferre,* francés *fer.*

superestratísticas tomadas del germánico, se conserva en los dialectos franceses del norte y del nordeste (picardo, valón, lorenés), y en los otros sitios se ajustó a los hábitos lingüísticos románicos. El ajuste consistió en algunas zonas (dialectos del norte y sur de Italia) en transformar la *w-* en la articulación latina [*v*], y en la mayor parte de la Romania, en anteponer a la *w-* una *g*, de suerte que el comienzo de estas palabras (italiano *guardare)* quedó equiparado en adelante, dentro de la Romania, al comienzo silábico de palabras latinas como l i n - g u̯ a , s a n - g u̯ i s , incluso en el desarrollo ulterior en cada una de las lenguas (cf. § 349).

En algunos casos el influjo de voces germánicas de significado parecido al de palabras latinas hizo que éstas tomasen w- (en vez de v-) al comienzo de dicción: v a d u (+ germánico *wad)* it. *guado,* fr. *gué* (pero esp. *vado,* rum. *vad);* v a s t a r e (+ germánico *wōstjan)* italiano *guastare,* español *gastar,* portugués y provenzal *guastar,* francés *gâter;* v a g i - n a francés *gaîne* (< *guaine* § 112); v e s p a francés *guêpe* (+ franco *wepsa).*

2. Dentales (§§ 304-309)

304. Al comienzo de dicción, latín t-, d- y n- se mantienen normalmente: t e m p u s sardo *tempus,* rumano *timp,* portugués *tempo,* español *tiempo,* catalán, francés, provenzal y sobreselvano *temps;* d e n t e sardo, portugués e italiano *dente,* rumano *dinte,* español *diente,* catalán, provenzal, francés y sobreselvano *dent;* n o v e m italiano *nove,* francés *neuf,* español *nueve,* etc.

305. La fricativa ϑ de la palabra griega de moda ϑεῖος 'tío' aparece en sardo como [ϑ], que se mantiene en los dia-

lectos centrales (ϑ*iu*), en logudorés se convierte en *t,* y en campidanés pasa a *ts* (como -ci-, -ti-, cf. § 469). En italiano aparece como [*ts*] *(zio),* en español y portugués como *t (tío).* En los demás casos, tanto ϑ griega como *th* germánica son tratadas lo mismo que t latina: así, t h a l l u italiano y español *tallo;* germánico t h w a h l j a francés *touaille,* etc.

306. Al comienzo de dicción la s- latina es sorda, y generalmente se conserva como tal: s i t i s sardo *sidis,* rumano e italiano *sete,* portugués *sede,* español *sed,* catalán y provenzal *set,* francés *soif,* sobreselvano *seit.*

307. La r- inicial latina normalmente se mantiene. En sardo, español, portugués, catalán y gascón tiene una articulación fuertemente 'rodada' (*rr-*), y dialectalmente se representa por la sílaba *arr-* (lo que concuerda también con los hábitos lingüísticos vascos). Ejemplo: r u m p e r e sardo *rumpere,* rumano *rupe,* italiano *rompere,* francés *rompre,* sobreselvano *rúmper,* español y portugués *romper* [*rr-*].—La sustitución de la *r* apical por una *r* uvular (por ejemplo, en la pronunciación de París desde el siglo XVII y en dialectos norteitalianos) es de fecha reciente [5].

308. La l- inicial latina se conserva normalmente: l a n a rumano *lână,* italiano, provenzal y español *lana,* portugués *lã,* sobreselvano *launa,* francés *laine.* En catalán (y en algunos dialectos españoles) se palataliza en [ł] (escrita *ll-*): *llana, lluna, llengua,-lloc, llet* < l a c t e (cf. § 499).

309. Merecen atención especial los casos de p a l a t a l i- z a c i ó n condicionada de dentales iniciales.

---

[5] También la [*rr-*] del portugués se articula hoy generalmente uvular, cf. § 500.

En rumano, *i* (< latín i) y *ie* (< ě) palatalizan las consonantes apicales precedentes y las convierten en sonidos predorsales; así, aparecen, respectivamente:

Latín	t	d	l	s
Rumano	ţ	z	ĭ	ş

Ejemplos: T e r r a *ţară* (a través de **tiarra*, § 172), d e c e
zece, d i c e r e *zice*, l e p o r e *iepure* [yé-], l i n u *in* [yi-],
s e p t e *şapte*, s i c *şi* [6].—La etapa más antigua [dz] de [z]
se conserva todavía dialectalmente: d e c e m moldavo *dzăce*,
etcétera.

Parecidas palatalizaciones ocurren también en vegliota y
en dialectos retorromanos (por ejemplo, en Bergün), lombardo y provenzal (Auvergne).

Hay que incluir aquí asimismo la palatalización de *s* en
[š] ante *i* (en parte también ante *e*) en toscano (y otros dialectos italianos): s i m i a italiano *scimmia*, s y r i n g a italiano *sciringa* (junto a *si-*), s i m p l u *scempio*. En s e p a r a s
scevera, s a l i v a *scialiva* (junto a *sa-*) puede haber interve-
nido el prefijo ex- (§ 441). Los dialectos conocen condiciones
más amplias para la palatalización de la *s-*.

Un caso especial de palatalización de *l* ante *ie* ocurre en
español: l e v a t > **lieva* > *lleva* (y, por analogía, también
en las formas con el acento sobre la terminación: *llevar*).

---

[6] Ante nasal, la *i* rumana (< latín e; § 231) nació tan tarde que no
influyó ya sobre la consonante precedente: d e n t e rumano antiguo
dente, rumano moderno *dinte*; t e m p u s *timp*.

3. Sonidos dorsales (§§ 310-333)

A) LATÍN C- (§§ 310-321)

310. La oclusiva sorda linguodorsal [k] se representó en la grafía del latín antiguo, a imitación de los etruscos, ante *e* e *i* preferentemente por *c*, ante *a* y ante consonante preferentemente por *k (Karus)* y ante *o* y *u* preferentemente por *q (pequnia)*. Por otra parte, la diferencia de articulación no debió de ser mayor que en alemán *Kind, Katze, Kuh*. Como se trata solamente de variantes fonéticas de un mismo fonema [k][7], la grafía latina posterior generalizó el signo *c* en casi todos los casos. Pero las diferencias articulatorias se agudizaron en amplias zonas del Imperio con el transcurso de los siglos hasta un grado extremo (§§ 312, 314). Sólo algunas zonas insulares conservaron la antigua pronunciación [k] bajo todas las condiciones.

α) Latín c^{i,e} (§§ 311-313)

311. La primitiva oclusiva [k] (quizá mediopalatal) se mantiene ante *i, e* en los dialectos centrales sardos, en logudorés y en los primitivos préstamos latinos de las lenguas marginales no latinas (berberisco, vasco, celta, germánico, albanés, griego). En vegliota se mantiene [k] sólo ante *e*, al paso que ante las vocales palatales extremas *i* y *ü*, así como ante el diptongo *ie* (< ĕ, §§ 171, 198), se inició ya la palatalización en [č] (cf. § 312). Acerca de la época absoluta de la palatalización en vegliota no sabemos nada en concreto.

---

[7] La abundancia de signos gráficos para un solo fonema latino se explica por la adopción (indirecta) del alfabeto semita. En semita a cada uno de los signos corresponde siempre un fonema real (por ejemplo, árabe *kalb* 'perro', *qalb* 'corazón').

Ejemplos: c a e l u logudorés *kẹlu*, vegliota *ćil* (< **cielu*);
c e l l a r i u alemán *keller;* c e n a logudorés *kẹna*, vegliota
kaina; c e n t u m logudorés *kẹntu*, vegliota *ćant* (< **cientu*);
c e r a logudorés *kẹra*, vegliota *kaira;* c e r e b e l l u m logudorés *karβẹḍḍu*, vegliota *karviale;* c e r t u vegliota *ćiart*
(< **ciertu*); c e r v u logudorés *kẹrbu;* c i b a r i u logudorés
kivardzu 'harina gruesa'; c i l i u logudorés *kidzu;* c i m i c e
logudorés *kímighe*, vegliota *ćinko;* c i n q u e (§ 347) logudorés *kimbe*, vegliota *ćink*.

312.   En el resto de la Romania, la [k] latina ante *i, e*
evoluciona primero hacia la prepalatal *[č] (cf. § 78). Esta
articulación se conserva en campidanés [8], en la Romania
oriental (Balcanes [9]), centro y sur de Italia, retorromano,
algunos dialectos norteitalianos situados delante del retorromano, en picardo (y regiones limítrofes del normando), a lo
que parece en mozárabe, así como también esporádicamente
en aragonés [10]. En algunos dialectos norteitalianos y en normando y picardo la africada se simplificó en la fricativa [š] [11].

En el resto de la Galorromania, norte de Italia e Iberorromania [12], la anticipación iniciada con el avance de [k] > *[č]
> [ć] se completó con el paso de esta última fase a la afri-
cada dental [ts] [13] (cf. § 78). Esta articulación se conserva

---

[8]   Obsérvese que el campid., junto con el logud. (§ 311), parecen
haber conservado aún en la Edad Media *k*-. Hoy tienen la articulación *ć*, que hay que atribuir a influjo italiano.

[9]   Sobre el vegl., c. § 311; sobre el macedorrumano, cf. nota 12.

[10]   Picar. c i v i t a t e *chité*, c a e l u *chiel*, español c i m i c e *chinche;*
aragonés c i v i t a t e *Chivitat* (topónimo).

[11]   Sobre la simplificación foneticosintáctica [ć] > [š] en italiano
cf. § 577.

[12]   En macedorrumano también se desplazó [ć] románico balcánico
hacia [ts].

[13]   El efecto palatalizador en casos como c e r a *cire* (§ 212) presu-

aún en algunos dialectos norteitalianos, así como en etapas
lingüísticas anteriores (francés antiguo, español antiguo);
fuera de estos casos se simplificó en la fricativa [s] (francés,
provenzal, catalán, portugués, norteitaliano) o en la [ϑ] (español, norteitaliano).

La grafía de las lenguas literarias suele conservar la *c*-latina.

Ejemplos: c i n q u e (§ 347), c i v i t a t e, c i n e r e, c e r n e-
r e, c e r v u, c a e l u: [ć] rum. *cinci, cetate, cenuşă* (-u s i a),
cerne, cerb, cer; it. *cinque, città, cenere* (suditaliano), *cernere, cervo, cielo;* sobreselvano *tschun* (cf. § 482), engad. *città,*
sobreselvano *tschendra, tscharner, tschiero, tschiel.*—[ts, s,
ϑ]: fr. *cinq, cité, cendre,* —, *cerf, ciel;* provenzal y catalán
cinc, ciutat; provenzal, *cenre,* catalán *cendra;* provenzal *cerner,* catalán *cendre;* provenzal *cerf,* catalán *cervol;* provenzal
y catalán *cel;* español *cinco, ciudad, ceniza* (*c i n ī s i a), *cerner, ciervo, cielo;* port. *cinco, cidade, cinza, cernir, cervo, céu.*

313. La estratificación geográfica de las regiones con *k*-,
ć- y *ts*- (§§ 311-312) corresponde al decurso cronológico de las
tres etapas articulatorias. Delante de la región germánica
con *k*- se halla situada la región retorromana y picarda con *ć*-.
Con la región retorromana con *ć*- empalma el arcaico vegliota
con la diferenciación *ći-/ke-*. A su vez éste desemboca, por
un lado, en el dominio griego-albanés con *k*-, y por otro, en
el dominio del rumano con *ć*-. A la zona berberisca y vasca
con *k*- corresponde una zona mozárabe o aragonesa (esporádicamente) con *ć*-. La articulación *ts*- resulta también, desde
el punto de vista geográfico, la más reciente de las tres etapas fonéticas.

---

pone todavía la etapa [ć] o la articulación transicional [ts] (elevación
del predorso de la lengua hacia la parte anterior del paladar, § 67).

Por lo que mira a la cronología absoluta, del § 317 se deduce que ya en el siglo v se había alcanzado en todo caso la etapa [ć] posiblemente en algunas regiones (incluso ya la etapa [ts]) para latín ki-, ke- en la mayor parte de los actuales dominios con ć- y ts-. La etapa *[č] para ki-, ke- se la puede retrotraer sin mayor escrúpulo hasta el siglo III. El impulso para la palatalización extrema lo dio el grupo [ki̯] (§ 467), formado por la desaparición silábica (§ 251), en el que la palatalización estaba condicionada por el estrecho contacto con la fricativa prepalatal [i̯]. Esta palatalización es ya del románico común, por tanto, más antigua que la palatalización ante i, e silábicas. La articulación [či̯] de la etapa [braččiu] se aplicó a la articulación de la [k] ante i, e silábicas *[čičer], cuya evolución de simple oclusiva a africada encuentra también aquí su perfecta explicación (cf. § 79). En el románico de los Balcanes y en algunos dialectos retorromanos la evolución de -ti̯- > [ts] y -di̯- > [dz > z] (cf. §§ 452-456) se aplicó también a t y d iniciales y mediales ante i silábica (§§ 309, 375 ss.).

β) Latín cᵃ (§§ 314-318)

314. Cuando ki-, ke- habían llegado a través de [*č] a la etapa [ć], en una vasta zona de la Romania occidental ('norte de la Romania occidental') ka- avanzó hacia la fase [č]. La zona abarca el norte de la Galorromania (con el francés y el francoprovenzal) y los dialectos norteños del provenzal (Lemosín, Auvernia, Delfinado), así como la Retorromania (con inclusión de algunos dialectos alpinos norteitalianos). La etapa [č] se ha conservado en la mayor parte del retorromano (que mantiene para ki-, ke- la fase [ć], cf. § 312). En el norte de la Galorromania y en el grupo provenzal, donde ki-, ke-, a través de [ć], habían dado [ts] (§ 312) ka- avanzó

a través de [č] hasta la fase [ć]. Esta pronunciación se mantiene en francés antiguo, provenzal antiguo, y aun hoy en algunos dialectos (por ejemplo, en valón). Una vez realizada la simplificación de [ts] (< *ki, ke)* en [s] (§ 312), [ć] (< *ka)* o bien avanzó hasta la fase [ts] (provenzal, francoprovenzal), o bien se simplificó en [š] (francés).—De esta manera los resultados de k^{i,e} y de k^a se mantienen en todas partes separados: se trata de dos procesos de palatalización en que la palatalización de k^a fue posible gracias a la palatalización de k^{i,e}.

Ejemplos: c a p u t francés antiguo *chief* [ć-], francés moderno *chef* [š-], sobreselvano *tgau* [č], engadino *cho* [č]; c a n e francés *chien*, sobreselvano *tgaun*, engadino *chaun;* c a p r a francés *chèvre*, engadino *chavra;* c a l d u francés *chaud*, engadino *chod;* c a r r u francés *char*, engadino *char;* c a b a l l u francés *cheval*, engadino *chavagl.* Para el sobreselvano, cf. § 315.

315. En sobreselvano y en algunos dialectos del grisón central la palatalización no se produjo en casos más o menos numerosos; así, en sobreselvano tenemos: c a p r a *caura*, c a l d u *cauld*, c a r r u *carr*, c a b a l l u *cavagl*, c a s a *casa*, etcétera (frente a c a n e *tgaun*, c a m i n u *tgamin*). La distribución geográfica de los casos en particular puede explicarse por el hecho de que la ciudad de Chur (= Coira), hoy de lengua alemana, ejerció, en su calidad de centro literario y administrativo (en los comienzos de la Edad Media), una influencia regresiva, por cuya virtud la antigua [č] fue sustituida de nuevo por la [k] de la lengua literaria. A este respecto, es significativa la no palatalización de la palabra administrativa c a p u t sobreselvano *cau* 'presidente', frente a la forma palatalizada de la palabra de uso cotidiano *tgau* 'cabeza'.—Cf. además § 325.

316. En picardo y en una parte del normando (donde latín $c^{i,e} > \acute{c}$, cf. § 312) está representado latín c^a por $[k]$: c a n t a r e *canter*, c a m e r a *cambre*, C a m e r a c u *Cambrai*, c a l e r e *caloir*. Sin embargo, la evolución de *a* libre acentuada ($> ie$: c a p u *kief*, c a r u *kier*, cf. § 210) y de *a* libre deuterotónica ($> e$: c a b a l l u *keval*) muestra que también en picardo y normando el sonido continuador de latín c^a produce el efecto de una consonante palatal. Es, por tanto, muy posible pensar que latín c^a también alcanzó primitivamente en picardo y normando la palatalización de la fase $*[\check{c}]$ en términos generales, y que sólo más tarde —como, por ejemplo, en sobreselvano (§ 315)— retrocedió otra vez a la etapa $[k]$ (¿por influjo germánico?).

317. La extensión geográfica de la palatalización (tanto francoprovenzal como retorromana) de *ka-* (así como *ga-*, cf. § 326) muestra que el fenómeno es cronológicamente anterior a la penetración de los alemanes en la actual Suiza (siglo v). Cabe, pues, adelantar hasta el siglo IV la fecha del principio y extensión de la palatalización, cuyo centro parece que fue la antigua Lyon. Como la palatalización de *ka-* presupone la de ki-, ke- $> \acute{c}$, habrá que situar, lógicamente, ésta en una fecha anterior (§ 313).

318. Excepto en la región señalada en el § 314, normalmente se mantiene *ka-*: c a p u t rumano *cap*, vegliota *kup*, italiano *capo*, sardo *cábude*, español *cabo*, provenzal (exceptuadas las zonas citadas en § 314) *cap*, etc.—Sobre el esporádico *ka- > ga-* cf. § 321.

γ) Latín $c^{o,u}$ (§§ 319-321)

319. Normalmente subsiste la articulación: c o l l u italiano *collo*, francés *cou*, provenzal *col*, catalán *coll*, español

cuello, portugués *colo;* c o x a rumano *coapsă*, italiano *coscia*, francés *cuisse*, catalán *cuxa*, portugués *coxa*, sobreselvano *queissa;* c ū l u rumano *cur*, italiano y español *culo*,
sardo *culu*, francés, provenzal y catalán *cul*, portugués *cu*, etc.

320. En algunos dominios surgen complicaciones por el
cambio $\bar{u} > \ddot{u}$ (§ 184): la vocal se palataliza. Con ello resulta
la posibilidad de un desarrollo palatal de la *k-* precedente de
la *ü*. En francés y provenzal (prescindiendo de ciertos dialectos, cf. más abajo) no se produce ninguna modificación notable: c u l u francés *cul* [*kü*], etc. Pero hay zonas en que se
produce una palatalización de *k* ante *ü*. Se pueden señalar
—separadas por regiones— las tres posibilidades cronológicas en relación con la palatalización de *ka-* (segundo avance,
cf. § 314) y *ki-* (primer avance, cf. 312). En los dialectos franceses y francoprovenzales *kü* pasa a *k'ü > čü* (c ū p a *> čü-
va*): el resultado se distingue claramente, como tercer avance
palatalizador, del segundo avance *(ka-)*, cuyo resultado es *ts*
(§ 314).—En grisón central el resultado [*č*] es idéntico al del
segundo avance *(ka- > ča-*, § 314): c u n a sobreselvano *tgina*,
engadino *chüna;* c u r a engadino *chüra*. El diptongo engadino *üe* (< ŏ a través de *uo, üö*) y sobreselvano *ie* tienen el
mismo efecto: c o r n u engadino *chüern*, sobreselvano *tgiern;*
c o r p u engadino *chüerp*, sobreselvano *tgierp*.—En vegliota,
finalmente, el resultado de latín c^u es idéntico al de latín c^i
(§ 311): c u l u *> ćülu > ćol;* o b s c u r u *sćor*.—Estos hechos
nos permiten deducir conclusiones aproximadas sobre la fecha (relativa) del cambio u > ü (§ 184).—Cf. también § 402.

321. Parece que partió de los préstamos griegos una fuerte tendencia del latín vulgar, y especialmente del italiano, a
sonorizar k- (ante *a, o, u)* en g-; cf. ya en latín clásico g u -

b e r n a r e < κυβερνᾶν. Hay que incluir aquí casos como καμπή > c a m b a (> provenzal *camba*, catalán *cama*, sobreselvano *comba*, engadino *chamma*) > g a m b a (> italiano *gamba*, francés *jambe*); c u b i t u (> rumano *cot*, francés *coude*) > italiano *gómito*, etc. (cf. también § 338).

B) LATÍN g- (§§ 322-328)

322. La oclusiva sonora dorsal [g] tenía en latín las diferencias articulatorias correspondientes a la [k] (cf. § 310): latín *gemere, gallina, gutta* difieren en la pronunciación de la [g] más o menos como alemán *Geld, Galle, Guss*, es decir, sólo en algún matiz. Pero en amplias zonas del Imperio las diferencias de pronunciación de la [g] se agudizaron de la misma manera que las de la [k]. Solamente algunas zonas insulares mantuvieron en cualquier condición la pronunciación antigua de la [g]. En particular, gi-, ge- §§ 323-325; ga- § 326; gu- go- § 328.

323. Latín gi-, ge- conserva la oclusiva [g] en los dialectos sardos centrales y en logudorés, donde en una parte del dominio se convierte secundariamente en *b*- (cf. también § 328): g e n e r u *gheneru, benneru;* g e l a r e *ghelare, belare;* g y r a r e *ghirare, birare;* g e n i s t a *binistra.*—Los préstamos antiguos de las lenguas periféricas dejan también subsistir la [g]: g e n i s t a alemán *ginster*, m a r g i n e vasco *margin* [*márgin*] 'linde, talud' [14]. En vegliota se mantiene (conforme al § 311) ante *e* la articulación [g-], mientras que

---

[14] Incluso el alto aragonés —como dialecto próximo al vasco— posee la palabra con la articulación antigua [g]: *marguen* (y -a c e u *marguinazo)* 'límite, linde'.

ante *e* y *ie* (< ĕ) hay palatalización en [dz]: g e l a t u *ghe-lut* [15], g e n t e *dziánt* [16] (< *giente*).

324. En el resto de la Romania, lat. gi-, ge- evoluciona primeramente (conforme a k > *[č], cf. § 312) a la africada prepalatal [ǧ]. En la fase ǧ sobrevino, en la mayor parte de la zona que viene al caso, coincidencia con el resultado de lat. j- y di̯- (cf. §§ 330, 352). La u̯terior evolución llega a la africada prepalatal-alveolar [ǵ], y de aquí a la africada linguoapical [dz]. En todas las fases es posible la simplificación en la fricativa: [ǧ] > [y], [ǵ] > [ž], [dz] > [z] o [δ]. Las lenguas literarias mantienen generalmente la g-.

La articulación [ǧ] se encuentra aún en corso, y la articulación [y] en suditaliano, español y algunos dialectos gascones (cf. también § 333). En suditaliano aparece aún la antigua pronunciación [ǧǧ] en la geminación inicial: g e l a t u [*yela-tu*], h a b e t g e l a t u [*a ǧǧelatu*]. También español [y] suena (casi) [ǧ] cuando es inicial absoluta. Cuando en español a g- > [y] seguía latín ĕ acentuada (> *ie*, cf. § 171), el primer elemento del diptongo *ie* se fundía con la [y] inicial en [y]: g ĕ l u > [*yelo*] *hielo*. Si, por el contrario, seguía una e latina átona, entonces el 'diptongo' aparente nacido del latín ge- [*ye* = i̯e] se 'simplificaba' en [e] (g e l a r e *helar* [17]), pues en posición átona se sentía como 'injustificado'.—La pronunciación [ǵ] se encuentra en el centroitaliano y rumano, en dialectos norteitalianos y retorrománicos (con la grafía *dsch* en engadino), en francés antiguo, provenzal antiguo y en catalán. La fricativa [ž] aparece en francés moderno (a partir del siglo XIII), en portugués y en dialectos norteitalianos, pro-

---

[15] Ejemplos de comienzo silábico (§ 407): u n g e r e *jongár*, s t r i n-g e r e *strengár*.
[16] También en comienzo de sílaba (§ 407): a r g e n t a *ardziánt*.
[17] La *h-* es mera grafía.

venzales modernos y retorrománicos (grafía *sch* en sobreselvano).—La articulación [*dz, z,* δ] la encontramos en dialectos del norte de Italia, del retorrománico y del provenzal
moderno.

Ejemplos: g e l u , g e m m a , g e n e r u , g e n e s t a ,
g e n u c u l u , g e r m a n u : rumano *ger,* —, *ginere,* —, *ge-*
nunchiu, —; italiano *gelo, gemma, genero, ginestra, ginoc-*
chio, —; sobreselvano *schelira* (-ura), —, *schiender,* —, *scha-*
nugl; engadino *dschlüra,* —, *dschender,* —, *schnuogl;* francés *gel,* (francés antiguo) *jamme, gendre, genêt, genou, ger-*
main; provenzal *gel, gema, gendre, genesta, genolh, germá;*
español *hielo, yema, yerno, hiniesta, hinojo* (hoy anticua-
da), *hermano;* portugués *gêlo, gema, genro, giesta, joelho*
(< *geolho*), *germão* [18] (portugués antiguo).

325. Es muy llamativo que el desarrollo de $g^{i,e}$ (§ 324)
no corra siempre paralelo al de $k^{i,e}$ (§ 312). Así, en francés,
$g^{i,e}$, que sólo llegó a alcanzar la etapa $\acute{g}$ (> $\check{z}$), quedó retra-
sada en comparación de $k^{i,\,e}$, que alcanzó *ts* (> *s*); y así también sucedió en portugués ($g^{i,\,e}$ > [$\check{z}$], $k^{i,\,e}$ > [*s*]). En español,
donde $g^{i,e}$ (> [*y*] o [—]) se asibila más de una vez, la distan-
cia que la separa de $k^{i,e}$ (> [*ts* > ϑ]) es todavía mayor; así
pasa también en el sur de Italia ($k^{i,e}$ > [*ć*], $g^{i,e}$ > [*y*]). Desarrollo paralelo [*ć* y *ǵ*] aparece en el centro de Italia y
en rumano y también en la etapa [*ts* y *dz*] en algunos dialectos norteitalianos. En sobreselvano, inversamente, $g^{i,\,e}$ fue
simplificada en la fricativa [*ž*], mientras que $k^{i,\,e}$ se estacio-
nó en la africada [*ć*]. Estos hechos necesitarían de un aná-

---

[18] Junto a *irmão,* que es la forma que ha prevalecido en portugués
moderno y que se explica generalmente como una variante fonético-
sintáctica surgida en medio de dicción (m e u g e r m a n u *meu irmão*).
Si es esto así o si hay más bien influjo castellano, es cosa de estudiar
la historia de esta palabra.

lisis fonologicogeográfico, del que cabría esperar conclusiones cronológicas.—En el dominio de la palatalización de kᵃ, gᵃ se añaden otras complicaciones, cf. § 327.

326. En la zona aludida en el § 314 ('norte de la Romania occidental') latín ga- palataliza en [ǧ] > [ǵ], llegando en parte a [dz]. En una fase ulterior [ǵ] y [dz] pueden ser sustituidas por las correspondientes fricativas [ž, z, δ]. La pronunciación [ǧ] se ha conservado en retorromano; [ǵ] se encuentra en francés antiguo, provenzal antiguo (en las zonas señaladas en el § 314), y también dialectalmente en francés moderno (por ejemplo, en valón). En francés moderno, así como en provenzal moderno, se produce simplificación en [ž]. En francoprovenzal y en dialectos del provenzal moderno [ǵ] continúa su desarrollo hasta [dz] (desde donde es posible la simplificación en [z, δ]).—Fuera del 'norte de la Romania occidental' (cf. § 318) normalmente se conserva ga-. En picardo y en una parte del normando ocurre la articulación [g-], que quizá sea una formación regresiva de [ǧ] (cf. § 316). En algunas palabras de la zona fronteriza retorromana citada en el § 315 aparece, en vez de [ǧ], la pronunciación [g].

Ejemplos: Hay palatalización en g a l l i n a g a l l u francés antiguo *geline, jal*, francoprovenzal *gelina, jau*, provenzal (lim., etc.) *jalino, jau*, engadino *giallina, gial* [ǧ-]; g a u d i u (-a) francés *joie*, provenzal (lim., etc.) *jau*. Aparece [g-] en sobreselvano *gaglina*. Tenemos conservación normal de la [g-] en picardo y normando *gueline, gal, goie*, así como en provenzal (Languedoc, etc.) *galina, gal, gaug*; italiano y español *gallo*, rumano *găină*, italiano y español *gallina*, etc. [19]. Hay que observar que la forma *joi(e)*, propia del poitev. y lim.,

---

penetró en la lengua literaria provenzal a través de la poesía trovadoresca (cf. § 12) y fue transplantada por vía literaria a Italia (italiano *gioia* 'alegría') y España (español *joya*).

327. Al paso que la palatalización de k^a se reconoce fácilmente frente a la palatalización de k^{i,e}, como segundo impulso palatalizador por sus diferentes resultados (§ 314), los resultados de g^a coinciden con los de g^{i,e} en vastas zonas; así en francés, donde g^a desemboca en [ǵ > ž] igual que g^{i,e} (cuyo desarrollo se retrasó respecto al de k^{i,e}, cf. § 325). El grisón distingue claramente g^{i,e} > [ž] de g^a [ǧ] (que en todo caso coincidió con latín j-, cf. § 331). También en este punto un análisis fonologicogeográfico permitiría sacar conclusiones cronológicas (cf. § 325).

328. Normalmente se mantiene latín g^{o,u}: g u l a rumano *gură*, italiano, provenzal y español *gola*, sobreselvano *gula*, sardo *gula*, *bula* (cf. § 323); g u t t a rumano *gută*, italiano *gotta*, sardo *gutta*, provenzal, catalán, español y portugués *gota*, francés *goutte*, etc. En amplias zonas del sur de Italia, g- se convierte (originariamente sólo en medio de dicción foneticosintáctica, cf. § 574) en la fricativa γ-, la cual, en una parte de los dialectos (Abruzzos, Apulia) prosigue su evolución y da [y-]: g u l a γola, yóla; igualmente g a l l i n a γallina, *yallina*, etc. (cf. también § 326, nota 19).

c) LATÍN i̯- (§§ 329-333)

329. Latín i̯- [= y, cf. § 297, número 1] se mantiene normalmente como [y] en nuorés (Cerdeña) y en el sur de Italia. En el resto de Cerdeña, [y] se transforma en [ǧ], y a partir de aquí continúa hasta [ǵ] o [ds]. El cambio de [y] > [g] estaba en un principio (y lo está aún hoy en algunos dia-

lectos sardos) condicionado por la fonética sintáctica mediante la posición inicial absoluta o postconsonántica. Parece que en la época imperial dominaban circunstancias y
condiciones parecidas en la mayor parte de la Romania [20].
En gran parte de la Romania se generalizó la pronunciación
[ǧ], lo que en amplias zonas condujo a la coincidencia en
el resultado [ǧ] de latín g^{i,e} (§ 324) y di̯- (§ 352).

330. El resultado de latín i̯- se corresponde así totalmente en la mayor parte de la Romania (Galorromania, Iberorromania, Italia) con el de g^{i,e} (§ 324). Las lenguas literarias suelen mantener la grafía latina *j*-.

Ejemplos: j e n u̯ a r i u (§ 259) italiano *gennaio* [ǧ-], suditaliano *yennaru*, francés *janvier*, provenzal *genier*, catalán
gener, español *enero*, portugués *janeiro;* j a c e r e italiano
giacere, francés *gésir*, provenzal *jazer*, catalán *jaure*, español
yacer, portugués *jazer*.

331. Muestran diferenciación entre latín i̯- y latín g^{i,e} el
logudorés y los dialectos centrales sardos, el grisón y el rumano.

En el logudorés y en los dialectos centrales sardos la diferenciación entre ambos sonidos resulta del hecho de que
latín g^{i,e} se mantiene (§ 323) como oclusiva mediopalatal
[g]. Tenemos, pues, de una parte, g e n e r u *ghẹneru* (> *bẹ-
neru*), y por otra, j u n c u *yunku* (> *ǧuŋku*, etc.). Para i e-
n u a r i u , i e c t a r e , cf. 332.

En gris. se contraponen, por un lado, [ž] (escrita *sch)* <
latín g^{i,e} (§ 324), y por otro, [ǧ] (escrita *gi*) < latín i̯-. Parece,

---

[20] También suditaliano [y] procede de la simplificación de una antigua duplicidad foneticosintáctica [y — ǧ] (como *v*- por *b*-, § 300; γ- por
g-, § 328), según se ve aun hoy en el comportamiento de la geminación
inicial (e t i e c t a r e e *ǧǧetare*). Cf. § 551.

pues, que latín g^{i,e} había llegado ya a través de *[ǧ] hasta [ǧ] (> [ž]) cuando latín i̯- (junto con latín di̯-, § 352) dio [ǧ]. Ejemplos de latín i̯- en sobreselvano: i e i u n a r e *giginar*, i o c u *giug*, i u g u *giuv*, i u v e n e *giuven*.—Hay asimilación a distancia (§ 358) en la forma reciente del sobreselvano *schunscher* [žunžer] (engadino regular *giundscher*). Para i e n u a r i u cf. § 332.

En rumano, donde g^{i,e} pasa a [ǧ] (§ 324), i̯- está representada por [ž] (escrita *j*): i u g u *jug*, i o c u *joc*, i u v e n e *june*, i u r o *jur*, i u n i̯ p e r u *jneapăn*. En i a c e t *zace* (en vez de *jace) ocurre disimilación frente al sonido silbante [ć] de la sílaba siguiente.—En vegliota, i̯- da *dz* igual que g^{i} (§ 323): i u g u *dzáuk*.

332.   Parece como si el cambio latino i̯a- > i̯e- (§ 259) hubiera partido de regiones (por ejemplo, centro y sur de Italia) en las que latín i̯- había coincidido en la pronunciación [ǧ] con latín g^{i,e}. Al llegar la articulación i̯e- [ge-] a aquellas zonas que mantenían separadas latín i̯- y g^{i,e}, dicha articulación se transformó aquí en latín *ge-: i̯ a n u a r i u > *g e n u a r i u (nuorés *ghennari̯u*, logudorés *bennardzu*, sobreselvano *schaner* [ž-], engadino *schner* [ž-]), i a c t a r e > *g e c t a r e (logudorés *ghettare, bettare*). El representante regular de latín i̯- (§ 331) aparece en *i̯ e n u a (en vez de i̯ a n u a) sobreselvano *geina* [ǧ] 'verja'.

333.   En iberorromano reciben igual tratamiento latín g^{i,e} y latín i̯- (§ 330): en portugués, catalán y la mayor parte de los dialectos españoles se asibilan en [ǧ], que se conserva en catalán; en aragonés se desonorizan en [ć] y en portugués se simplifican en [ž]. En mozárabe, en el castellano de Burgos y en algunos dialectos gascones se mantienen i̯- y g^{i,e} como [y]. El español literario mantiene, generalmente, la pro-

nunciación burgalesa [y]. Sin embargo, también los dialectos españoles con [ž] han dejado huellas en el vocabulario literario. La antigua pronunciación española [ž] quedó en español moderno desonorizada en [χ] y velarizada (§ 470).

Ejemplos de [y] (cf. también §§ 324, 330): i a m *ya*, i a c e t *yace*, i u g u *yugo*, i u n c t a *yunta*, g y p s u *yeso*.—Ejemplos de [χ]: i o c u *juego*, i o v i s *jueves*, i u v e n e *joven*, i u d i c a r e *juzgar*, i u n c u *junco*. Los cultismos tienen [χ]: *general, julio, juicio*, etc. Únicamente la historia de cada palabra puede decidir si las articulaciones como g e n t e *gente* (español antiguo todavía *yente*) tienen origen en préstamos eruditos o bien son de procedencia dialectal.

4. *La aspirada h-* (§§ 334-335)

334.   El sonido aspirado franco h- se mantuvo en las voces superestratísticas francas del francés antiguo como sonido aspirado realmente pronunciado («*h aspiré*»)[21]: *h a u n i t h a *honte*, *h a p p j a *hache*, *h a n k a *hanche*, etc. Este sonido aspirado enmudeció en el siglo XVII, pero dejó su huella en la fonética sintáctica (cf. § 574), pues impide la elisión vocálica y la *liaison* consonántica. En algunos dialectos (por ejemplo, valón y lorenés) el sonido aspirado se conserva todavía vivo.

Mientras que latín i l l u o m i n e (cf. § 297, núm. 2) dio regularmente, mediante la sinalefa y la elisión, francés antiguo *l'omme* (escrito frecuentemente en francés antiguo y exclusivamente en francés moderno *l'homme*), de i l l a *h a u n i t h a resultó en francés antiguo *la honte* [*la hôtə*] (del mismo modo que, por ejemplo, i l l a f e m i n a dio [*là famə*]).

---

[21]   Para h- latina, cf. § 297, núm. 2.

Una vez desaparecida la [*h*], entraron en contacto las vocales; pero no se sintió la necesidad de la elisión, ya que el francés moderno tolera en otros casos también el encuentro de vocales (por ejemplo, *chaos*, *céans*). Al paso que de i l l o s o m i n e s nació regularmente [*lezomə*] (escrito en francés moderno *les hommes*), de la misma manera que r a s a r e dio [*razé*], de i l l a s *h a p p j a s resultó [*le hašə*] (y finalmente [*le aš*]), lo mismo que de i l l a s t e s t a s resultó [*le tẹt*] (§ 424) [22].

335.　En las demás lenguas románicas (incluido el provenzal), la h- germánica no dejó huella alguna: gótico *h a s- p a > italiano, español y portugués, *aspa*, gótico *h a r i b e r- g o > italiano *albergo*, gótico *h a r p a > provenzal *arpa* 'rastrillo'.—Cuando durante la Edad Media algunas palabras francesas (de origen franco) con *h-* pasaban a las otras lenguas románicas, generalmente perdían su *h-*: francés *honte* > provenzal e italiano *onta*, etc.—Únicamente en aquellas lenguas en que —por otra razón etimológica— eran corrientes *h-* (o [χ]) iniciales podía la *h-* francesa ser identificada con éstas y así mantenerse. Esta condición se da en español y calabrés. En español, la *h-* de los préstamos franceses se pronunció como español antiguo *h-* < f- (cf. § 302), pudiendo, en consecuencia, escribirse también con *f-*: francés antiguo *honte* > español antiguo *fonta* [*honta*], francés antiguo *hache* > español *hacha* (préstamo que pasó al portugués en la forma *facha*). En calabrés existía un sonido griego [χ], y éste se aplicó a los préstamos franceses importados por los normandos: francés antiguo *hache* > calabrés [χ*aćća*].

---

[22]　En la lengua popular actual domina la tendencia a introducir la *liaison*, como signo de plural, incluso ante *h* (en otro tiempo) aspirada: *les haricots* [*lezariko*].

B) GRUPOS CONSONÁNTICOS (§§ 336-359)

336. En las voces genuinamente latinas o plenamente latinizadas ocurren los siguientes grupos de consonantes en principio de dicción: consonante + *r* (§§ 337-339), consonante + *l* (§§ 340-343), consonante + semivocal (§§ 344-352), *s* + consonante (§§ 353-355).

1. Consonante + *r* (§§ 337-339)

337. Estos grupos normalmente permanecen: p r a t u sardo *pradu*, rumano *prat*, italiano *prato*, español y portugués *prado*, catalán y provenzal *prat*, francés *pré*, sobreselvano *prau*; b r a c c h i u rumano *braţ*, italiano *braccio*, español *brazo*, portugués *braço*, catalán *bras*, provenzal *bratz*, francés *bras*, sobreselvano *bratsch*; t r a h e r e rumano *trage*, sardo *tráere*, italiano *trarre*[23], portugués *trazer*, español *traer*, catalán *traure*, provenzal *traire*, francés *traire*, sobreselvano *trer*; c r e d e r e sardo *kréere*, rumano *crede*, vegliota *kredro*, italiano *credere*, portugués *crer*, español *creer*, catalán *creure*, provenzal *creire*, francés *croire*, sobreselvano *crer*; g r a n u rumano *grâu*, vegliota *grun*, italiano y español *grano*, portugués *grão*, provenzal y catalán *gra*, francés *grain*, sobreselvano *graun*; f r e n u rumano *frîu*, italiano y español *freno*, portugués *freio*, catalán y provenzal *fre*, francés *frein*, sobreselvano *frein*.

---

[23] En dialectos suditalianos, *tr*- tiene una pronunciación cacuminal más o menos fuerte [*tr̩*]: t r e s [*tr̩*]. La impresión se asemeja a la del inglés *tree*.

338.   La tendencia a reemplazar cr- por gr- pertenece ya a finales de la antigüedad. Esa tendencia ha dejado claras huellas en románico (cf. § 321).

Ejemplos: c r a s s u s > g r a s s u s rumano *gras*, italiano *grasso*, español *graso*, catalán, provenzal y francés *gras*, sobreselvano *grass;* c r a t i c i u italiano *graticcio;* c r a t i c u l a francés *grille;* c r a t e rumano *gratie*, español *grada*, portugués *grade;* c r e t a catalán, español y portugués *greda* (italiano *creta*, francés *craie*), etc.

339.   Hay que subrayar que en español permanece *fr*- inicial (cf. § 302): f r e n u *freno*, f r o n t e *frente*.—En el grupo *br*-, la *b* es tratada como en otros casos en que es inicial (§ 300); así, por ejemplo, se convierte en *v* en suditaliano: b r a c c h i u *vrazzu*, etc.

2.   Consonante + *l* (§§ 340-343)

340.   Los grupos consonante + *l* se mantienen en francés, provenzal, catalán, retorromano (en sus tres dominios: grisón, ladino central y friulés) y vegliota.

Ejemplos: p l a c e r e, p l a n u, b l a s p h e m a r e, f l o r e, f l a m m a, c l a v e, g l a n d e: francés *plaisir, plain, blâmer, fleur, flamme, clef, gland;* provenzal *plazer*, catalán *plaure*, provenzal y catalán *pla, blasmar, flor, flama, clau, glan;* sobreselvano *plascher* [-ž-], *plaun, blasmar, flur, flomma, clav, glogn;* vegliota *plaker, —, blasmar, —, kluf, —*.

También antiguamente se mantenían estos grupos en sardo, pero en el curso de la evolución la *l* se hace *r* en la mayoría de los dialectos: p l u s *prus*, p l e n u *prẹnu*, p l a n u *pranu*, f l u m i n e *frúmine*, c l a v e *krae*, c l a v u *krau*, g l a n d e *grande*. Desde el siglo xv-xvi han penetrado en el sardo articulaciones italianas (con palatalización de los grupos consonante + *l*, cf. § 341), que han prevalecido en zonas más o menos extensas: p l u s *p̦ius* (italiano *più*), p l a c e r e *p̦iaghere* (italiano *piacere*), etc.—Para la conservación de los grupos en los dialectos norteitalianos y suditalianos y su palatalización en dialectos franceses, cf. § 342.

341. En español y portugués, por un lado, y en italiano y rumano, por otro, ha cobrado cuerpo una tendencia a la palatalización de la *l* (> [*l̦*]), tendencia más o menos pronunciada según cada una de las lenguas y cada uno de los grupos. Los resultados finales pueden apreciarse por el siguiente cuadro sinóptico:

Latín	pl-	bl-	fl-	cl-	gl-
Rumano	*pl*	*bl*	*fl*	[*ḵi̦*]	[*gi̦*]
Italiano	*pi̦*	*bi̦*	*fi̦*	[*ḵi̦*]	[*gi̦*]
Español	[*l̦*]	*l*	[*l̦*]	[*l̦*]	*l*
Portugués	[*š*]	*l*	[*š*]	[*š*]	*l*

Ejemplos (conforme al § 340): rumano *plăceá*, —, *blestemá, floare, flamă, cheie* [*kyeye, čeye*], *ghindă* [*gyinde, ğində*]; italiano *piacere, piano, biasimare, fiore, fiamma, chiave* [*kyave*, suditaliano *ččave*], *ghianda* [*gyanda*, suditaliano *ğğanda*]; español *placer* (§ 343), *llano, lastimar, flor* (§ 343), *llama, llave*, español antiguo *lande*; portugués *prazer* (§ 343), *chão, lastimar, flor* (§ 343), *chama, chave, lande*. Véase además p l e n u , c l a m a r e , g l a c i a , g l a t t i r e rumano *plin, chemá, ghiață*, —; italiano *pieno, chiamare, ghiaccio, ghiattire*; español *lleno, llamar*, —, *latir*; portugués *cheio, chamar*, —, *latir* (francés *plein, clamer, glace, glatir*; provenzal y catalán *ple, clamar*; provenzal *glassa*, catalán *glas*, provenzal y catalán *glatir*; sobreselvano *plein, clamar, glatsch*, —).

342. Como se ve por el cuadro (§ 341), la palatalización comenzó por los grupos oclusivos, linguodorsales cl- y gl-, y ello de manera que la lateral se articuló como lateral linguodorsal, es decir prácticamente como lateral palatal: [kl] > [kł], [gl] > [gł]. Esta pronunciación se conserva en macedorrumano y en algunos dialectos pirenaicos (aragonés): c l a v e macedorrumano [kłae], aragonés *cllau*. En español, la consonante que precedía a la [ł] desapareció —sin duda por la vía de la asimilación [kł > *čł > łł] —: c l a v e *llave*. En otras lenguas [kł] perdió su elemento lateral [kł > kị̆]; así en dacorrumano e italiano central. En suditaliano, ambos sonidos se asimilaron en [čč]: suditaliano [ččave]. Y así también en rumano ampliamente: *cheie* [čeye al lado de kị̆eye]. En norteitaliano [č] avanzó hasta [ć]: norteitaliano [ćave]. En portugués nació de [kị̆] el sonido [š] a través de *[čç] mediante la asimilación: *chave*.—El grupo gl- perdió en portugués y español la g- inicial ante la palatalización (que era de esperar) del grupo, quedando sólo l- [24]. En rumano e italiano, gl- da [gị̆].

Así, pues, en rumano la palatalización se limita a los grupos cl-, gl-, en los cuales se produjo orgánicamente. En italiano se generalizó a todos los grupos de consonante + *l;* en español y portugués, la generalización quedó circunscrita a los grupos con consonante sorda, al paso que bl- es tratado como gl- (pérdida de la consonante inicial).

Los dialectos norteitalianos (como los del centro y sur) palatalizan todos los grupos de consonante + *l*, y así se distinguen, en forma característica, del retorromano. Sin embargo, la no-palatalización ocurre también en algunos dialectos

---

[24] La desaparición de la *g-* es, pues, relativamente antigua. Concuerda con ello el hecho de que parece haber dejado huellas aisladas en amplias zonas de la Romania: g l i r e francés *loir*.

norteitalianos (= finales de la Antigüedad 'retorromanos') de la región alpina. Incluso hay huellas de la no-palatalización en ciertos dialectos suditalianos (Abruzzos, Calabria).

Es sorprendente el hecho de que también en dialectos franceses (Poitou, Saintonge, Lorraine) y francoprovenzales aparezcan fenómenos de palatalización —en época más reciente— en los grupo de consonante + *l.*

343. Las palabras de pronunciación discordante (como p l a c e r e español *placer,* portugués *prazer;* p l a t e a español *plaza,* portugués *praça;* b l a n d u español *blando,* portugués *brando;* b l a n k español *blanco,* portugués *branco;* c l a r u español *claro,* portugués *claro;* f l o r e español y portugués *flor;* p l a c i d u italiano *plàcido,* etc.) o son cultismos (préstamos tomados del latín o de alguna otra lengua literaria románica) o proceden de una articulación dialectal que evolucionaba en sentido diverso. La aclaración de estas cuestiones es incumbencia de la historia de cada palabra.

3. *Consonante + semivocal* (§§ 344-352)

A) LATÍN q̯u- (§§ 344-349)

344. El desarrollo ulterior de latín q̯u- depende de la cualidad de la vocal siguiente. La posición de q̯u- ante -u- no era posible en latín (*quum* es sólo grafía del antiguo *quom* o del nuevo *cum*). Ante la vocal velar -o- el grupo q̯u- se simplificó ya en latín vulgar en [*k*], igual que d u o d e c i m dio d o̧ d e c i (§ 251); q u o m o d o sardo *comente* (cruce con -m e n t e y reducción) y *co,* rumano *cum,* italiano *come,* francés *comme* (italiano y francés < q u o m o d o e t), provenzal y catalán *com,* español y portugués *como;* q u o d vegliota *ko,* rumano *că.*

El desarrollo posterior de qu̯- ante las vocales *i*, *e*, por un lado, y ante la vocal *a*, por otro, aparece en el siguiente cuadro sinóptico (para detalles, cf. §§ 345-348):

Lat.	Sard.	Rum.	It.	Sobres.	Fr. Prov.	Cat. Esp. Port.
qu̯ + i,e	*b, k*	*ć*	*ku̯, k*	*ku̯, č*	*k*	*k*
qu̯ + a	*b, k*	*p, k*	*ku̯*	*ku̯*	*k*	*ku̯*

Las lenguas literarias suelen conservarle a la articulación [*k*] la grafía latina qu-.

α) Latín qu̯ + i, e (§§ 345-347)

345. Por lo que se refiere al desarrollo de qu̯ + i, e, el mantenimiento en sardo, italiano y sobreselvano del elemento labial representa la pronunciación genuina: q u ī n d e c i m sardo *bíndighi*[25], italiano *quíndici* [*ku̯-*], sobreselvano *quéndisch* [*ku̯-*]; q u e r c e a italiano *quercia;* q u (i) e s c e r e (§ 251) sobreselvano *quescher* 'callar', apulense *quéscere* 'saciar'. En algunos dialectos franceses del norte y nordeste (picardo antiguo, valón, lorenés) es igualmente [*kw*] la representación auténtica de latín qu̯-: q u a e r e r e, q u i n d e c i m valón [*kwerí, kwēs*]. Con esto se distingue este espacio como 'Belgorromania' del resto de la Galorromania.

Sin embargo, en las zonas arcaicas citadas (sardo, italiano, grisón, 'belgorromano') se encuentran ya numerosos casos de una reducción de qu̯- a [*k*]: q u i sardo y valón [*ki*], italiano *chi;* q u i d sardo [*ki*], italiano *che;* q u a e r e r e sardo *kerrere*, italiano *chiedere;* q u (i) e t u (§ 251) italiano *cheto*[26]. Esta reducción arranca de las formas pronominales, como demuestran las condiciones correspondientes de

---

[25] Para la evolución qu̯- > b- cf. § 348.
[26] Para el gris. cf. más abajo.

qu̯ + a en sardo y rumano (§ 348): el hecho de que en ninguna parte de la Romania haya persistido el grupo qu̯- de q u i s , q u i d , q u e m como [kw-] (siendo así que q u a e r e - r e , q u i e s c e r e , q u e r c e a y sobre todo q u ī n d e c i m, muestran [kw-] en zonas más o menos extensas), convierte en cierta esta explicación. En realidad, había en el pronombre motivos especiales para esta reducción; y era que q u o̯ d debía dar regularmente (§ 344), en latín vulgar, *[ko], con lo que q u i d y q u i a (con los que se confundió *[ko] completamente en casi toda la Romania) perdieron analógicamente su labial, y la analogía alcanzó después, sobre todo, a q u i s / q u e m (y en sardo y rumano a más formas todavía, cf. § 348). La articulación reducida [k] se propagó después a las demás palabras con qu̯- (q u a e r e r e , q u e t u , etcétera), sólo que en estos casos no logró prevalecer completamente en las citadas zonas arcaicas.

En cambio, la pronunciación reducida [k] se impuso completamente en todos los casos en francés (con excepción de la 'Belgorromania'), provenzal, catalán, español y portugués: q u ī n d e c i m francés, provenzal, catalán y portugués *quinze*, español *quince* (en todos [k-]); q u i francés, provenzal y catalán *qui*; q u e m español *quién*, portugués *quem;* q u a e r e r e francés antiguo, provenzal y catalán *querre*, francés moderno *quérir*, español y portugués *querer;* q u e t u (§ 251) francés *coi*, provenzal y catalán *quet*, español y portugués *quedo*.

Por lo que se refiere a la cronología fonética relativa de la reducción de qu̯- > [k], obsérvese que en las lenguas citadas hasta aquí (sardo, italiano, grisón, francés, provenzal, catalán, español y portugués) la reducción fue tan tardía que no hubo ya lugar para que la nueva [k] (< qu̯-) participase del 'primer impulso palatalizador' (latín $c^{i,e}$ > ć > ts,

§§ 311-313) [27]: así, pues, tenemos q u i italiano *chi*, francés *qui*, pero c i v i t a t e italiano *città*, francés *cité*, etc.—En grisón, la nueva [k] (< qu̯-) participa en la 'segunda oleada palatalizadora' (que alcanza también a la [k] antigua ante *a* y *ü*, cf. §§ 314, 320) y se transforma en [č]: q u i, q u i d, q u e t u sobreselvano *tgi, tgei, tgeu*.

346. En rumano, vegliota [28], friulés y apulense *[k] < qu̯- también se palataliza completamente como $c^{i,e}$: q u e m rumano *cine;* q u i (s) vegliota y apulense *ći;* q u i d rumano, friulés y apulense *će;* q u a e r e r e rumano *cere*, friulés *ćeri;* q u e t u rumano y friulés *ćet*, apulense *ćitu*.

La razón de esto quizá radique en el hecho de que en el este del Imperio [29] el grupo fonético qu̯- se pronunciaba como [kü] al modo griego [30]. Que esta hipótesis es al menos aplicable al vegliota, se deduce de la evolución de q u í n-d e c i m: *[kündeke] > *[ćündeke] > *[ćoiŋko] > [ćoŋko] [31]. En el caso de que la evolución que hallamos en el vegliota

---

[27] Dentro del sardo, el razonamiento no es válido para el logud., sino para el campid. (§ 312).

[28] En vegl. la palatalización se efectúa (como en c-, § 311) sólo ante latín vulgar i̯, pero no ante latín vulgar ẹ (latín clásico ĭ, ē): q u i d *ke*.

[29] La zona donde se produjo el fenómeno abarca, en casos esporádicos, además de la Apulia, amplias regiones del sur de Italia, con influjo griego, y además del friul., también el lad. central: cf. a n-g u i l l a, f r i n g u i l l a, § 482.

[30] Cf. en el Nuevo Testamento Ἀκύλας < A q u i l a, Κυρεῖνος < Q u i-r i n u s; inversamente Κυριακός aparece en latín bajo la forma Q u i-r i a c u s.

[31] Por tanto, la labial pervive aún en el timbre de la vocal, de la misma manera que en a n g u i l l a *ángola* (§ 482). En los pronombres la deslabialización q u i > [ki] es del románico común (§ 345). La relación entre q u i vegl. *ći* y q u i n d e c i m vegl. *ćoŋko* corresponde totalmente a la que hay entre q u i italiano *chi* y q u i n d e c i m italiano *quindici*.

tenga validez para todas las zonas orientales, la ulterior evolución en éstas pasa por un desredondeamiento —muy en la línea evolutiva del griego— $ü > i$ y $*ö > e$. Las articulaciones [$kü > ki$, $*kö > ke$] sufrieron después el desarrollo normal en las respectivas lenguas del latín $c^{i,e}$ (§ 312).

347. Ya en latín vulgar se había disimilado latín q u ī n- q u e en c ī n q u e (§ 358), y lo mismo q u ī n q u a g i n t a en c ī n q u a g i n t a. Así, tenemos italiano *cinque, cinquanta;* francés *cinq, cinquante;* español `cinco, cincuenta,` etc.

β) Latín qu̹ + a (§ 348)

348. Latín qu̹ + à conserva, generalmente, su elemento labial mejor que latín qu̹ + i (§§ 345-347).

En italiano, grisón e iberorromano se mantiene la pronunciación [kw]: q u a t t u o r, q u a l e italiano *quattro, quale;* sobreselvano *quater, qual;* catalán *quatre, qual;* español *cuatro, cual;* portugués *quatro, qual.*—En gris. e iberorromano aparecen ya algunos fenómenos de reducción secundaria; especialmente en iberorromano [$ku̹a$] en posición átona se reduce normalmente a [ka]: q u a t t u o r d e- c i m portugués y catalán *catorze,* español *catorce;* q u a s s a- r e catalán, español y portugués *cansar* [32].

En galorromano se realiza reducción completa a [k]: q u a t t u o r, q u a l e provenzal *catre, cal;* francés *quattre, quel* [k-] [33]. Dentro del galorromano, la articulación [kw] se conserva en gascón, lorenés y valón.

---

[32] Por otra parte, están también q u a d r a g i n t a, q u a d r a g e s i- m a, español *cuarenta, cuaresma;* portugués *quarenta, quaresma;* sin duda, influyó q u a t t u o r en sentido conservador. En catalán u̹a áto- no > *o: coranta, coresma* (cf. § 350).

[33] En cuanto a la cronología fonética relativa, en ninguna parte

La conservación en sardo y rumano del elemento labial representa la auténtica evolución, originándose de la sucesión de la oclusiva palatal sorda y la fricativa labial sonora —por asimilación recíproca (§ 133)— una oclusiva labial (sonora en sardo y sorda en rumano): la serie [kµ] se desredondeó en fecha temprana, dentro de este dominio lingüístico, en *[kβ] [34], naciendo después [b] de *[gβ] y [p] de [kφ]. Ejs.: q u a t t u o r sardo _báttoro_, rumano _patru;_ q u a d r a g e s i m a e rumano _pắrésimi;_ q u a t t u o r d e c i sardo _battórdighi_. En las formas pronominales se produjo tempranamente en sardo y rumano una simplificación analógica en [k]: la analogía de q u o d, q u ō (-m o d o), que dan regularmente [ko] en latín vulgar (§ 344), arranca de aquí para irradiar sobre todo el radical pronominal (cf. también § 345): q u a l e, q u a n d o, q u a n t u sardo _kale, kandu, kantu;_ rumano _care, când, cât_ [35]. En vegliota se mantiene el desarrollo genuino de qµ + a > [kw + a]: q u a t t u o r _kµatro,_ q u a t t u o r d e c i _kµatuárko_. En formas pronominales ocurre reducción a [k]: q u a l e _kal,_ q u a n d o _kand._

γ) Latín vulgar [kw] secundario (§ 349)

349. Latín vulgar [kw] procedente de latín co-, cu- mediante reducción silábica (§ 109) recibe el mismo tratamiento que latín qµ-: e c c u h ī c italiano _qui_ (como _quindici,_

---

la nueva [k] < qµ- participa en la palatalización de latín cᵃ (§ 314): francés _quatre_ [k-], pero _champ._

[34] El desredondeamiento corre, sin duda, paralelo al de *[kü] en *[ki] (cf. § 346).

[35] Rumano _codru_ 'trozo de pan; bosque' < q u a d r u muestra un antiguo grecismo fonético, pues los griegos sustituían latín q u a por [ko] (igual que q µ i por [kü], cf. § 346), cf. F. Sommer, _Handbuch d. lat. Laut- u. Formenlehre,_ 1948, pág. 56.

pero distinto del *chi* pronominal, cf. §§ 345-348), español *aquí* (etc., cf. § 487); c o a c t u italiano *quatto* 'aplastado'; *c o a c t i c a r e francés *cacher* (pero lorenés [*kwešé*]), provenzal *cochar;* c o a g u l a t italiano *quaglia,* francés *caille,* español *cuaja,* portugués *coalha* (todos como q u a t t u o r, cf. § 348).

B) ROMÁNICO gu̯- (§ 350)

350. El grupo románico inicial gu̯- (§ 303) procedente del germánico w- se comporta conforme a latín gu̯- (§§ 344-349).

La evolución ante i, e corresponde a la de q u i n d e c i m (§ 345) y a la de s a n g u̯ i s (§ 482): w e r r a italiano y engadino *guerra* [*gu̯-*], sobreselvano *uiara* [36], portugués, español, catalán y provenzal *guerra* (en todos [*g-*]), francés *guerre* [*g-*]; w i s a italiano *guisa* [*gu̯-*], provenzal *guiza* [*g-*], francés *guise* y español y portugués *guisa* [*g-*].—Ante a el desarrollo se ajusta al de q u a t t u o r (§ 348) y l i n g u̯ a (§ 486): w a r d ô n, w a r n j a n italiano *guardare, guarnire* [*gu̯-*]; engadino *guardar, guarnir* [*gu̯-*]; sobreselvano *uardar* ([*u̯*] < [*gu̯-*], cf. nota 36), *garnir* (fenómeno de reducción secundaria, cf. 348); español y portugués *guardar, guarnecer* [*gu̯-*]; catalán *gordar, gornir* (*o* < *u̯a,* cf. 348, nota 32); provenzal *gardar, garnir;* francés *garder, garnir.*

c) LATÍN s u a v e (§ 351)

351. Latín s u a v e permaneció trisílabo, y la ū (> ǫ) siguió el desarrollo normal de protónica (§ 253): italiano *soave,* francés antiguo *soef,* provenzal y catalán *suau.*

---

[36] En sobres. [*gu̯*] se redujo secundariamente a [*u̯*].

D) CONSONANTE + i̯ (§ 352)

352. El grupo di̯- se confunde en la mayor parte de la Romania con latín i̯- (§ 330) y latín g^{i,e} (§ 324): d i u r n u italiano *giorno*, francés *jour*, provenzal y catalán *jorn;* *d i a r i a 'tarea del día' portugués *geira;* D i a n a portugués *jã* 'bruja', provenzal *jana* 'pesadilla'; d e o r s u m italiano *giuso*, francés antiguo *jus*, provenzal y catalán *jos*, español *yuso*, portugués antiguo *juso*.

Una diferenciación más fina solamente la permiten aquellas lenguas que tratan de manera distinta latín i̯- y latín g^{i,e} (§ 331). Éstas muestran que di̯- coincidió con i̯- (pero no con g^{i,e}): D i a n a logudorés *yana* 'bruja', d e o r s u m nuor. *yọsso*, sobreselvano *giu* [ǧu], engadino *giò* [ǧọ] [37], rumano *jos*. Es llamativo rumano *zînă* 'hada' < D i a n a, cuyo desarrollo no coincide ni con el de latín i̯- ni con el de latín g^{i,e}, sino con la palatalización de latín d- ante *i* (primaria o secundaria): D i a n a recibe un tratamiento igual que d ī c i t y rumano primitivo **diece* (< d e c e m), cf. § 309. Así, pues, esta palabra se pronunció hace tiempo como trisílaba, bien por considerarse *nomen sacrum*, bien por apoyarse etimológicamente en 'dies' *zi*. A una capa más reciente pertenece la palabra (cuadrisílaba) d i a b o l u s: italiano *diàvolo*, español *diablo*, francés *diable*, etc. El rumano *diavol* no tiene ya palatalización de la d- (que todavía sufrió la voz 'Diana') [38]. Solamente la historia de la palabra podría aclarar si se trata de

---

[37] Para juzgar de las condiciones fonéticas nada nos dice el nombre del 'jornal' en sobres. *schurnada*, engad. *dschurneda*, pues se trata de un préstamo norteitaliano. En gris. sobrevive para 'día' el nombre primitivo latino d i e s (sobres. engad. *di*), no el derivado d i u r n u m.

[38] Además -l- debiera haber dado -r-, cf. § 385.

un grecismo tardío o de un neologismo occidental. El nombre del diablo en rumano antiguo es *drac* < d r a c o.

4. *Latín s + consonante* (§§ 353-356)

353. Ya en latín vulgar (siglo II p. C.) se desarrolla ante *s* + consonante una *i* (> *ẹ*). Para su explicación fonética, cf. § 94. Como se ve por el temprano francés antiguo (siglo XI) [39], la prótesis de la vocal se produjo, como era de esperar, por razones de fonética sintáctica dentro del ritmo elocutivo después de consonante, así como al comienzo del ritmo elocutivo.

Ejemplos [40]: *ad espus* (a d s p o n s u m, 14), *out espusede* (h a b u i t s p o n s a t a m , 48, 94), *ad ester* (a d s t a r e , 38); inicial de ritmo elocutivo: *espeiret* (s p e r a t , 39), *estunt* (*s t u n t = s t a n t , 73), *espede* (s p a t h a , 83) — frente a: *la spuse* (i l l a s p o n s a , 21, 119), *ta spuse* (11), *ma spuse* (42).

Del francés antiguo *ad espus* [*aδ espus*] nació ya en el siglo XI por desaparición de la [δ] (§ 377) *a espus*. Con ello la condición foneticosintáctica de la prótesis vocálica se había desfigurado para el sentido de la lengua: la prótesis se concibió como integrante de la palabra en sí, hecha abstracción de su función en la fonética sintáctica y, por tanto, se generalizó [41].

La desaparición (temprana), de -d y -t latinas finales (§ 549) 'oscureció' evidentemente también en provenzal e ibe-

---

[39] Los testimonios de las inscripciones imperiales no son claros desde el punto de vista de la fonética sintáctica.

[40] Pruebas tomadas de la *Canción de S. Alejo* (s. XI), según el manuscrito de Lamspringe (s. XII). Las cifras indican las estrofas.

[41] Formas generalizadas con prótesis ocurren ya en el mismo manuscrito: *l'espuset* (10), *s'espethe* (15), *sainte escriture* (52).

rorromano (catalán, español y portugués) las condiciones de
la prótesis vocálica, y la consecuencia fue la generalización
(temprana) de la prótesis.—En sardo, el desarrollo de las
vocales paragógicas (§ 528) 'oscureció' las condiciones foneticosintácticas de la prótesis: ésta se generalizó en logudorés y desapareció en campidanés (a imitación del italiano).
En italiano, la desaparición de las consonantes finales (§ 527)
desembocó asimismo en un desmoronamiento de las condiciones de la prótesis. Únicamente se conservó en el más estricto ritmo elocutivo después de consonante (después de las
preposiciones *con, in, per* y detrás de *non*): *per iscritto, in
iscuola* frente a *lo scritto, la scuola.* Al comienzo del ritmo
elocutivo sólo dialectalmente se mantiene la prótesis; se
generalizó la forma aprotética, y ello hasta el grado de que
hoy prevalece incluso en el más estricto ritmo elocutivo detrás de consonante *(per scritto).*—También el retorromano
y el rumano han generalizado la forma aprotética, y lo mismo el galorromano, el valón y los dialectos de los Vosgos
centrales.

La cualidad de la prótesis es *i* en italiano, sardo y corso [42],
e en francés, provenzal, catalán, español y portugués.—Ejemplos: s p o n s u logudorés *isposu,* italiano *sposo,* francés
époux (§ 424), provenzal y catalán *espos,* español y portugués
esposo, sobreselvano *spus;* s c a l a rumano *scară,* italiano
scala, logudorés *iskala,* sobreselvano *scala,* francés *échelle,*
provenzal, catalán y español *escala.*

354.   En cuanto al desarrollo posterior de la consonante siguiente a la *s,* aquélla se trata como si estuviera al principio de dicción (cf. §§ 299-335). Esto entraña especialmente

---

[42] En sardo, la *i* corresponde a latín vulgar i; en italiano, la *i* es
la correspondencia normal de una e protónica (§ 253).

importancia para *k-*, ya que su evolución se rige por la cualidad de la vocal siguiente (§§ 311-321); así, s c o r t e a francés *écorce*, s c a l a francés *échelle*,. etc. Más pormenores, en el § 425.

355. El tratamiento de la *s* se ajusta al de los grupos con *s* en el interior de la palabra (§§ 424-426); así, pues, s p i c u -a francés antiguo *espi*, francés moderno *épi*, sobreselvano *spigia* [*šp-*], italiano *spiga* (en numerosos dialectos [*špi-*]), etc.

356. La desaparición de la *i* protética en rumano, italiano y retorromano acarrea como consecuencia la desaparición analógica de una *e (i)* originaria ante *s* + consonante: a e s t i m a r e italiano *stimare*, sobreselvano *stimar;* e x c a d e r e rumano *scădeá*, italiano *scadere*, sobreselvano *scader;* e x c e r n e r e italiano *scernere;* H i s p a n i a italiano *Spagna.* La reducción del prefijo *ex-* así iniciada alcanza en italiano y retorromano incluso a la posición ante vocal: e x a m e n 'enjambre' italiano *sciame*, sobreselvano *schaumna.*

5   *Germánico h + consonante* (§ 357)

357. La *h* franca ante consonante era primitivamente un sonido fricativo [χ]. En los nombres propios se reproducía gráficamente con latín *ch* (franco **Hludawik* > *Chlodavicus*), que los letrados pronunciaban como [*k*]. Así, este desarrollo 'erudito' desemboca en francés antiguo *Cloëvis*, francés moderno *Clovis.* En cambio, en boca del pueblo románico la fricativa germánica [χ] se sustituyó por la fricativa labial [*f*]: h l a o francés *flou;* *h l a n k a francés moderno *flanc;* *h r o k k francés *froc.*

Pertenecen a un estrato más reciente aquellas palabras que mantienen la simple aspirada *h* (que se conserva en francés antiguo, cf. § 334) con vocal adventicia (para evitar grupos consonánticos inusitados en románico): *h n a p >* francés *hanap*, *h r i n g >* francés *harangue*. Y a una capa todavía más reciente pertenecen los préstamos de procedencia franca, en los que desaparece la *h* ante consonante (desaparición atestiguada en el franco del siglo IX, pero que en la lengua hablada remonta, sin duda, al siglo VIII): (H) l u d o w i c francés *Louis* [43], *(h) r i n g* francés *rang*.

6. Fenómenos generales (§§ 358-359)

358.   Ocurre asimilación a distancia a la inicial de la sílaba siguiente, por ejemplo, en francés moderno *chercher* (< francés antiguo *cerchier* < c i r c a r e); sobreselvano *şchunşcher* (en vez de **giunşcher*, § 331); rumano *şoarece* (en vez de **soarece* [44]), apulense [*šorģe*] < s o r i c e. Ya en latín vulgar v e r v e c e dio v e r b e c e (§ 409) y finalmente b e r b e c e (francés *brebis*, rumano *berbece*). Hay disimilación en i̯ a c e t rumano *zace* (§ 331).

359.   La aféresis y la prótesis al comienzo de dicción afectan generalmente a la *l* y se explican por aglutinación o deglutinación del artículo. Deglutinación: italiano *orbacca* (l a u r i b a c (c) a), it. *usignuolo* (l u s c i n i o l u), esp. *ovillo* (g l o b e l l u); aglutinación: fr. *luette* (*l'uette* < i l l a **u v i t t a*), *lendemain* (propiamente *l'endemain*), *lierre* (fr. *a. l'ierre* < h e d e r a).

---

[43] El *Louis* carolingio se distingue así claramente del *Clovis* merovingio.

[44] Asimilación de la *s* a la [*ć*] de la sílaba segunda siguiente.

II. Consonantes en medio de dicción (§§ 360-525)

A) CONSONANTES SIMPLES (§§ 360-405)

360. Respecto al tratamiento de las consonantes [45] simples (postvocálicas [46]) sordas en medio de dicción, se suele dividir la Romania en dos mitades: Romania occidental (norte de Italia, retorromano, francoprovenzal, francés, provenzal, catalán, español y portugués), en la que estas consonantes sordas sonorizan, y Romania oriental (centro y sur de Italia, dalmático, rumano), en donde aquéllas se mantienen sordas; cf. §§ 366-403 (sobre Cerdeña, cf. § 364). Ejemplos-guía (español como representante del románico occidental, italiano literario como representante del románico oriental):

Latín	s a p e r e	m a t u r u	s e c u r u
Español	*saber*	*maduro*	*seguro*
Italiano	*sapere*	*maturo*	*sicuro*

La línea divisoria entre Romania occidental y oriental pasa por el suelo italiano: es el Apenino (aproximadamente la línea La Spezia-Rimini) la que separa norte y centro de Italia. Cf. también § 362.

---

[45] La condición de 'postvocalidad' la tomo de un trabajo, no publicado todavía, de W. Hermann. Esta manera de concebir la condición permite subsumir las consonantes anteconsonánticas (cf. § 450) bajo la misma condición.—Hay que añadir que esta condición ocurre también en semítico occidental en cuanto a la relajación de las oclusivas.

[46] Para las consonantes sonoras, cf. § 365.

361. Dentro de la Romania occidental, cabe subdistinguir una zona sur, que abarca provenzal, catalán, español y portugués, y una zona norte, que comprende norteitaliano, retorromano, francoprovenzal y francés (cf. § 35). La sonorización de las oclusivas sordas produce en la zona sur oclusivas sonoras [47] y en la zona norte fricativas sonoras. Ejemplos-guía:

Latín	sapere	maturu	securu
Provenzal	*saber*	*madur*	*segur*
Francés ant.	*saveir*	*mëur* ($<$*maδur*)	*sëur* ($<$*seγur*)

Parece que hay relación entre el alargamiento ($>$ diptongación alargadora) de las vocales libres y la disolución de las oclusivas postvocálicas en fricativas en la zona norte; cf. § 163.

En amplias zonas de la Romania occidental (no en francés) el diptongo latino -au- (intacto aún por entonces), que ante consonante (cf. § 411) se identificó fonológicamente con -al- velar, se considera válido como cierre de sílaba, y las consonantes que siguen al diptongo -au- son tratadas consiguientemente como iniciales postconsonánticas de sílaba (§ 407): p a u c u norteitaliano y español *poco*, sobreselvano y provenzal *pauc*, catalán *poc*, portugués *pouco* (pero francés antiguo *pou* $>$ *peu*); a u c a norteitaliano, catalán y español *oca*, sobreselvano *auca* (pero francés antiguo *oe*, francés moderno *oie*). Esta evolución concuerda con la de -al- ante consonante (§ 411), al paso que latín -au- se diferencia estrictamente en francés de latín -al- + consonante (§ 243), monoptongando pronto aquí latín -au-. Ante -s- y -d- la identificación

---

[47] En algunas lenguas particulares, éstas se transforman en fricativas, cf. §§ 367, 378, 401.—La sonorización aparece atestiguada primeramente en el dominio español, cf. § 470.

de latín -au- con -al- cerrando la sílaba no está tan extendida,
y de ello habrá que hacer responsable a la cronología relativa: a u d i r e , c a u s a evolucionan en norteitaliano y gris
como en posición postconsonántica e inicial de sílaba (sobreselvano *udir, caussa*), mientras que el resto de la Romania (incluido el francés) muestra el desarrollo intervocálico:
provenzal *auzir, cauza*, español *oir, cosa* [español antiguo *z*],
francés *ouïr, chose* [*z*].

362.   En cuanto a la delimitación entre Romania occidental y oriental, nótese que hay numerosos fenómenos de debilitamiento (lenización, sonorización; aspiración, espirantización) que, sobrepasando la línea divisoria de los Apeninos
(§ 360), alcanzan el centro de Italia (Toscana, Las Marcas,
Umbría, incluso el corso del norte y la región de Sássari, que
habla un dialecto corso) y llegan hasta la mitad norte de los
dialectos suditalianos (sur del Lacio, Nápoles) [48], y ello tanto
en una distribución esporádica como también en grandes
zonas continuas. Además, la espirantización y aspiración son
fenómenos característicos del toscano (s a p e r e > *saphere,
saφere;* m a t u r u > *mathuro, maϑuro;* s e c u r u > *sikhuro,
siχuro;* cf. también § 365), mientras que la lenización y sonorización ocurren en el resto de la zona afectada *(sabere, maduro, siguro* con lenización o semisonorización de p > *b,*
t > *d,* k > *g*). Pero mientras la sonorización del románico
occidental afecta sólo al medio de la palabra (a m i c a > español *amiga*), mas no al comienzo postvocálico foneticosintáctico
(i l l a c a r n e > esp. norteit. *la carne*), los fenómenos de debilitamiento en los dialectos centroitalianos y suditalianos abar-
can tanto el medio de dicción (toscano *amiχa*) como el comienzo de palabra postvocálico foneticosintáctico (toscano

---

[48]   Sobre Cerdeña, cf. § 364.

la χ*arne)*. En esto concuerdan los fenómenos de debilitamiento en centroitaliano y suditaliano con el sardo (cf. §§ 364,
577 ss.).

La zona centroitaliana de debilitamiento limita al norte
directamente con la mitad norte de la Romania occidental
(norte de Italia). Es innegable una relación genética especialmente entre el toscano y la mitad norte de la Romania
occidental, si se acepta (cf. § 365) que las fricativas sonoras
de la mitad norte de la Romania occidental [*savere, maδuro,
seɣuro*] descansan primariamente sobre oclusivas sordas relajadas ya [*saφere, maϑuro, seχuro*], las cuales coinciden a
su vez con la articulación toscana. La mitad norte de la Romania occidental estaría así vinculada primariamente (mediante la relajación de las oclusivas) con Toscana [49], y secundariamente (mediante la sonorización) con la mitad sur de
la Romania occidental, cf. § 578.

363. Dentro de la mitad sur de la Romania occidental
hay un 'islote arcaico', en el que —como en el vascuence (por
ejemplo, r o t a > vascuence *errota* 'aceña')— se mantienen las
sordas -p-, -t-, -k-: se trata de una estrecha faja de dialectos
gascones y aragoneses, en proximidad directa con el vascuence. En esos dialectos se dice a p e r t u (-a), s p a t h a, f o r-
m i c a gascón [*aperto, espato, rumiko*], aragonés [*apierto,
espata, formika*].

364. El sardo queda fuera de la Romania oriental y de la
Romania occidental (§ 360). Las oclusivas sordas subsisten
en los dialectos centrales (Bitti, Nuoro), así como en el sur
de Córcega y en el galurés, mientras que en logudorés y cam-

---

[49] Es muy posible que la mutación consonántica del alto alemán
se base en el contacto de las capas superiores alemanas con los románicos de los Alpes que practicaban la espirantización.

pidanés (así como en el norte de Córcega y en la región de Sássari) sonorizan y espirantizan (-p- > -β-, -t- > -δ-, -k- > -γ-). Es importante el que la sonorización y espirantización del logudorés y campidanés no sólo se realiza en medio de dicción, sino también en inicial postvocálica foneticosintáctica. Ejemplos-guía:

Latín	nepote	secare	ipsa pira
Dialect. centr.	*nepote*	*sekare*	*sa pira*
Logudorés	*neβoδe*	*seγare*	*sa βira*

El paso de la oclusiva sorda a la fricativa sonora en logudorés-campidanés comprende, sin duda, la fase intermedia de la fricativa sorda [φ, ϑ, χ] (cf. § 305). Cuando —al debilitarse más las consonantes intervocálicas (más exactamente: postvocálicas)— desaparecieron en logudorés-campidanés las fricativas sonoras [β, δ, γ] (< latín -b-, -v-; -d-; -g-), las fricativas sordas [φ, ϑ, χ] (< -p-, -t-, -k-) pasaron a ocupar mediante la sonorización el sitio libre [β, δ, γ]. Cuadro comparativo de los resultados actuales:

Latín	-b-, -v-	-p-	-d-	-t-	-g-	-k-
Bitti	*-v-*	*-p-*	*-δ-*	*-t-*	*-γ-*	*-k-*
Logudorés	—	*-β-*	—	*-δ-*	—	*-γ-*

Ejemplos-guía de latín -b-, -v-, -d-, -g-: c a b a l l u, n i v e, c o d a, i u g u: Bitti *kavaḍḍ, nive, koδa, yuγu;* logudorés *kaḍḍu, nie, kǫa, yú.*

La coincidencia del sardo con el debilitamiento centroitaliano respecto a las condiciones (de fonética morfológica y sintáctica), cf. § 362, muestra una antigua correlación de los fenómenos aquí y allí, pese a que la sonorización sarda no se halla atestiguada hasta el siglo XIV, cosa que, por otra

parte, no debe extrañarnos, dada la dificultad de expresar
gráficamente la lenización en los estadios iniciales.

365. Por lo que toca a las consonantes sonoras simples
intervocálicas [50], hay que advertir que la oclusiva latina -b-
se confundió en época temprana con la fricativa -v- (§ 366),
y precisamente en toda la Romania. Con ello estaba dado el
primer paso para la correspondiente relajación de las oclusivas d > δ y g > γ, como efectivamente ocurrió en casi todo
el suelo románico (si se exceptúa el rumano, la parte oriental del sur de Italia [romanidad interadriática, § 35] y el toscano, §§ 375, 399, 403).

Este proceso condujo evidentemente, en amplias zonas de
la Romania, a un tratamiento análogo de las oclusivas sordas
(§ 360), las que fueron igualmente relajadas (> φ, ϑ, χ; así
en toscano [51] y primitivamente en logudorés-campidanés, en
el corso del norte y en la mitad norte de la Romania occidental) o sonorizadas (> b, d, g; así en la mitad sur de la
Romania occidental y en la Italia central) o sometidas sucesivamente a uno y otro tratamiento (> β, δ, γ; así en logudorés-campidanés, en el corso del norte y en la mitad norte
de la Romania occidental). Además, en las condiciones primitivas los resultados de latín -b- (-v-), -d-, -g- se mantienen
estrictamente separados de los resultados de latín -p-, -t-, -k-;
así, por ejemplo, en sardo (§ 364) y provenzal (s a p e r e *saber*, h a b e r e *aver*; v o t a r e *vodar*, l a u d a r e *lauzar*; s e-
c u r u *segur*, a g u s t u *aost*). En francés hay fusión de ambos resultados: s a p e r e, h a b e r e *savoir, avoir*; v o t a r e,

---

[50] Para las consonantes sordas, cf. § 360.
[51] Así pues, el toscano participó primitivamente en el cambio d > δ,
g > γ; pero después estas articulaciones se retransformaron en las
oclusivas d, g, con lo que también φ, ϑ, χ se retransformaron de varias maneras en *ph, th, kh*.

l a u d a r e *vouer, louer;* s e c u r u, a g u s t u (francés antiguo *sëur, aóst*). En sobreselvano se llega a la fusión de las
labiales (s a p e r e, h a b e r e *saver, haver*), mientras que las
dentales se mantienen diferenciadas (r o t a, s u d a r e *roda,
suar*).

1. Labiales (§§ 366-374)

A) OCLUSIVAS (§§ 366-371)

366. Latín -b- coincidió en la pronunciación con latín -v-
como fricativa ya en el siglo IV lo más tarde. Por ello, en
románico sigue la suerte de latín -v-, cf. §§ 373-374.

367. Latín -p- se mantiene en románico oriental (para
la zona de debilitamiento en toscano, centroitaliano y corso
del norte, cf. § 362).—En la Romania occidental sonoriza
(para el 'islote arcaico', cf. § 363); el resultado en la parte
sur es primitivamente la oclusiva [b], en la parte norte (una
vez realizada la etapa intermedia [β] conforme al § 361) el
resultado es primeramente la fricativa labiodental [v], que
coincide con el resultado de -b- y -v- latinas (§ 373). Dentro
de la parte sur de la Romania occidental, la [b] pasó, en español y catalán, alrededor del siglo XVI, a fricativa [β], coincidiendo con el resultado de latín -b- y -v- (§ 373). En portugués, si bien [b] (< latín -p-) tiende a la relajación de la
oclusión, sin embargo, permanece la [b] claramente diferenciada de la labiodental [v] (< latín -b-, -v-; cf. § 373).

368. Ejemplos: Latín c a p i l l u, c a p u, c r e p a r e,
n e p o t e, p i p e r, r i p a, s a p e r e, s a p o n e, s c o p a.
Romania oriental: vegliota *kapei, kup, krepúr*, —, *pepro,
raipa, sapar, sapaun*, —; rumano —, *cap, crăpá, nepot* (*n e-

p o t u), —, *rîpă*, —, *săpun* (*s a p o n u), —; italiano *capello, capo, crepare, nipote, pepe, ripa, sapere, sapone, scopa.*

Parte sur de la Romania occidental: provenzal *cabel, cap* (§ 565), *crebar, nebot, pebre, riba, saber, sabó, escoba;* catalán [catalán antiguo *b*, catalán moderno β] *cabèll, cap* (§ 565), *crebar, nebot, pebre, riba, saber, sabó;* español [español antiguo *b*, español moderno β] *cabello, cabo, quebrar,* —, *pebre, riba, saber, jabón, escoba;* portugués *cabêlo, cabo, quebrar,* —, —, *riba, saber, sabão, escôva* (§ 367).

Parte norte de la Romania occidental [*v*]: francés *cheveu, chef* (§ 565), *crever, neveu, poivre, rive, savoir, savon,* francés antiguo *escouve;* sobreselvano *cavegl, tgau* (§ 369), —, *nevs* (< n e p o s), *peiver, riva, saver, savun, scua* (§ 369).

369. En la parte norte de la Romania occidental —y en distintas condiciones, según las circunstancias de cada lengua y dialecto— la fricativa bilabial [β] procedente de latín -p- (cf. § 365) se redondeó en [*w*] en la proximidad de la vocal redondeada [*u*] (en vez de desembocar, como en otros casos, en la articulación labiodental [*v*]), con lo que acabó por fundirse las más de las veces con la vocal [*u*]: s a p u t u > *[sawúϑ]* > francés antiguo *sëu* (francés moderno *su);* c a p u > *[čáwu]* > sobreselvano *tgau* (mientras que en francés el desarrollo recorre las etapas [*cⁱävu*] > [*ćiev*] > francés antiguo *chief);* s c o p a > *[skuwa]* > sobreselvano *scua.* Cf. también § 374.

370. Las voces con una articulación discrepante dentro de los idiomas respectivos son normalmente cultismos o préstamos tomados de otros dialectos (o lenguas). Así, italiano *riva, vescovo* (e p i s c o p u), *ricevere* (r e c i p e r e), *povero* (p a u p e r) son préstamos venidos del norteitaliano (que pertenece a la mitad norte de la Romania occidental, § 35),

del mismo modo el italiano literario (y el toscano) ha aceptado préstamos norteitalianos con -*d*- < -t- (§ 379) y -*g*- < -k- (§ 397).—El francés *abeille* (a p i c u l a) es un préstamo procedente del provenzal; el portugués *escôva* (s c o p a) procede del norte de Portugal, donde -b-, -v- coincide con -p- en [β] (como en español), que la lengua literaria reproduce por medio de -*v*-.

371. Para el sardo, cf. § 364.

B) FRICATIVAS (§§ 372-374)

372. Latín -f- sólo ocurre dentro de las voces genuinamente latinas en los compuestos. Cuando se tenía conciencia de la composición, la -f- se trataba como inicial de palabra (§ 302): d e f e n s u, - a italiano *difesa*, francés antiguo *defois*, español *dehesa*, portugués *defesa*. Pero si se había perdido la conciencia de la composición la -f- se trataba como medial de dicción y, por tanto, sonorizaba en [v] en la Romania occidental: p r o f e c t u español *provecho*, portugués *proveito* (mientras que francés *profit*, provenzal *profech* demuestran que se tenía conciencia de la composición), p r o f u n d u provenzal *preon* (cf. § 374; pero francés *profond*), d é f o r i s francés *dehors* (§ 374), *m a l i f a t i u francés *mauvais*, *r e f u s a r e francés antiguo *rëuser* (§ 374; francés moderno *ruser*).—Además, ocurre -f- en voces de origen oscoumbro y griego. Son especialmente frecuentes los osco-umbrismos en el sur de Italia (por ejemplo, suditaliano *glefa* 'gleba, terrón' < osco *g l e f a en vez del latín g l e b a) y también en el centro de Italia. En algunos casos penetraron en el latín y alcanzaron así una extensión común a todos los idiomas románicos: s c r o f a italiano *scrofa*, francés antiguo *escroue* (cf. § 374; francés moderno *écrou* 'tuerca'), *t a f a-

n u (en vez de t a b a n u) italiano *tafano*. Encontramos gre-
cismos en t r í p h y l l o n 'trébol' español *trébol*, portugués
trevo (mientras que francés *trèfle* demuestra que se sentía
como compuesto, italiano *trifòglio* revela una recomposición
latinizante con -f o l i u), C h r i s t o p h o r u español *Cristóbal*, S t e p h a n u español *Esteban*.

373. Latín -v- tenía en un principio la articulación [u̯],
pero hacia el siglo IV se desredondeó en [β], viniendo así a
coincidir con el resultado de latín -b- (§ 366). El latín vulgar
no conoce ya, por tanto, diferencia alguna entre -v- y -b- latinas pues una y otra se articulan [β]. En lo que sigue se tratan conjuntamente -v- y -b- latinas.

Aproximadamente ya en el siglo II la pronunciación se
hace labiodental [v]; sin embargo, este cambio no abarca ya
quizá a todo el Imperio. En particular:

En sardo la -v- sólo se conserva en los dialectos centrales (Bitti, Nuoro), y precisamente como [v] labiodental (cf.
§ 364). En los demás dialectos (logudorés, campidanés) la -v-
desaparece. Ejemplos: t i b i, c a b a l l u, n i v e Bitti *tivi*,
cavaḍḍu, *nive*; logudorés *ti*, *caḍḍu*, *nie*.—También en rumano
desapareció la -v- (c a b a l l u *cal*, l a v a r e *la*, c l a v e *chee*);
en italiano se conservó como [v] labiodental (*cavallo*, *lavare*,
chiave). En los dialectos suditalianos ocurre asimismo articulación bilabial [β]. Córcega tiene [u̯].—En la Romania occidental el resultado normal es [v] en norteitaliano, retorromano, francoprovenzal, francés, provenzal y portugués. En
cambio, español, catalán y gascón (y una parte del provenzal
[en Languedoc y Auvernia]) tienen la pronunciación bilabial
[β], que se representa en la ortografía española y catalana
por *b* y *v*, y en la gascona por *b*. En una parte del gascón se
pronuncia [u̯] (f a b a > [hau̯o], b i b e r e > [beu̯e]). Es difí-

cil el enjuiciamiento genético de las articulaciones [β] y [μ] (¿tradición latina más antigua o sustitución sustratística?).

Ejemplos (italiano y románico occidental): c a b a l l u , c l a v e , f a b a , l e v a t , n o v a italiano [*v*] *cavallo, chiave, fava, leva, nuova;* sobreselvano [*v*] *cavagl, clav, fava, leva, nova;* provenzal [*v*] *caval, clau* (§ 565), *fava, leva, nova;* catalán [β] *cavall, clau* (§ 565), *fava, lleva, nova;* español [β] *caballo, llave, haba, lleva, nueva;* portugués [*v*] *cavalo, chave, fava, leva, nova.*

374. En francés la -v- ante o, u (se redondeó en [*w*] y después) desapareció: d e b u t u *dëu* (francés moderno *dû,* § 267), p a v o n e *paon,* p a v o r e francés antiguo *paour,* francés moderno *peur.* En provenzal ocurre asimismo desaparición de -v- ante (y en parte también después de) vocales labiales: a b u n d a r e *aondar,* s a b u r r a *saorra,* P r o v i n c i a *Pro(v)ensa,* etc.

2. *Dentales* (§§ 375-385)

A) OCLUSIVAS (§§ 375-380)

375. Dentro de la Romania oriental, latín -d- se conserva como oclusiva en rumano y centroitaliano (y así también en el italiano literario) y en los dialectos suditalianos (especialmente del este[52]): v i d e t rumano e italiano *vede,* p e d e italiano *piede,* t e p i d u italiano *tiepido,* l i m p i d u rumano

---

[52] En los §§ 35, 161, 163, 346, 365, 375, 399, 403, 482 y 545 se encontrarán los fenómenos que autorizan a hablar de una romanidad interadriática (que abraza el rumano, dalmático, dialectos italianos orientales, especialmente del sur, y a veces también el friul., así como una amplia zona de dialectos del centro y sur de Italia). Recuérdese que la firmeza de las oclusivas en el dominio interadriático (§ 365) parece ser de carácter secundario, como demuestra el desarrollo que hay que presuponer en rumano (§ 431) de las oclusivas anteconsonánticas (cf. § 365).

límpede (< *-ide). En otros dialectos suditalianos (especialmente del oeste) se convierte en fricativa [δ] o en [r]: p e d e > *pęde, pęre*.

En rumano, -d- ante i (como en comienzo de dicción, § 309) evoluciona a [dz] y finalmente palataliza en [z]: v i d e s > *vędī* > *vezi,* a u d ī s *auzi*.

376. Para el sardo, cf. § 364.

377. En la Romania occidental, latín -d- se transforma en la fricativa [δ], y ésta se desarrolla diversamente en cada una de las lenguas.

En el norte de Italia desaparece [δ]: c o d a > *koa,* r i d e- r e > *rie*. En algunos dialectos, en cambio, parece que [δ] se mantuvo o fue restablecida como [d]: r i d e r e *rider,* v i d e- r e *veder*.—En el retorromano occidental desapareció [δ]; igualmente en francoprovenzal y francés: p e d e sobreselvano *pei* (< *pee),* francés antiguo *pié* (francés moderno *pied* es un mero latinismo gráfico); c o d a sobreselvano *cua,* francés *queue;* v i d e r e sobreselvano *ver,* francés antiguo *veoir* (francés moderno cf. § 267).

En provenzal [δ] pasa a [z] (escrito z): v i d e r e *vezer,* a u d i r e *auzir*. En algunos dialectos ocurre también desaparición, y en dialectos gascones, conservación de la [δ].—Dentro del iberorromano encontramos conservación de la [δ] en aragonés (igual que en gascón). También en castellano (y en el español literario), al lado de la normal desaparición (p e d e *pié,* v i d e r e *ver,* a u d i r e *oir*), encontramos en algunos casos el mantenimiento de la [δ]: n u d u *nudo,* n i d u *nido*. En portugués y catalán desaparece [δ] totalmente [53]:

---

[53] En portugués la desaparición de la dental sonora [δ] tiene su paralelo en la desaparición de las dentales sonoras *l* (§ 385) y *n* (§ 405), y en catalán en la desaparición de la [δ] < -c- (§ 391).

p e d e , v i d e r e , a u d i r e , n u d u , n i d u portugués *pé,*
vêr, ouvir (con *-v-* secundaria), *nú, ninho* (con [ñ] secundaria, cf. § 405); catalán *peu* (§ 565), *veher, ohir, nuu* (§ 565),
niu (§ 565). En la sílaba final de los proparoxítonos la [δ]
cayó en fecha muy temprana en el iberorromano: l i m p i d u ,
t e p i d u portugués *limpio, tibio;* español *limpio, tibio;* catalán —, *tebi* (y *tebeu,* § 565).

378. Latín *-t-* se conserva en la Romania oriental (para
el espacio de debilitamiento toscano y centroitaliano, cf.
§ 362): s i t e italiano y rumano *sete.*

En rumano ocurre ante ī asibilación en [*ts*] (como en comienzo de dicción, § 309): c a n t a t i s > *c a n t a t ī > *cântaţi;* t o t i > *toţi,* s a l u t a s > *s a l u t ī > *săruţi,* c i v i t a-
t e > *c i v i t a t ī > *cetăţi.*

En la Romania occidental, latín *-t-* sonoriza; el resultado
es primitivamente la oclusiva [*d*] en la parte sur y la fricativa [δ] en la parte norte.

Dentro de la parte sur de la Romania occidental, la [*d*]
se hace más tarde la fricativa [δ] en español y catalán; esta
fricativa tiende en el español vulgar a enmudecer por completo: *cantado* [*kaŋtáδo* > *kaŋtáo*]. El *cantades* (< c a n t a-
t i s) del español antiguo y portugués antiguo ha pasado en español moderno y portugués moderno (a través de *cantaes*) a
cantáis (en portugués también c a n t a t e *cantai*).—Dentro de
la mitad norte de la Romania occidental desaparece [δ] en
francés y francoprovenzal, de suerte que aquí no subsiste
diferencia alguna entre el resultado de latín *-t-* y latín *-d-*
(§ 377): m a t u r a francés antiguo *mëur* (francés moderno
mûr). En retorromano, la [δ] se reafirmó otra vez como [*d*]
(excepción § 379): m a t u r u sobreselvano *madir.* En norteitaliano [δ] desapareció en parte, y en parte se reafirmó

como [d].—Ejemplos: r o t a , p r a t u rumano *roată, prat;*
italiano *ruota, prato;* sobreselvano *roda, prada* (< p r a t a);
francés *roue, pré;* provenzal y catalán *roda, prat* (§ 565); español *rueda, prado* [español antiguo *-d-,* español moderno
-δ-]; portugués *roda, prado* [*-d-* con pequeña inclinación al
relajamiento de la oclusión].

379. En retorromano y dialectos norteitalianos (igual que
el español en -atu > -ado > -áu; § 378) la [δ] de los sufijos
-atu **-aδou,* -itu **iδu* desapareció en una época en que todavía
se pronunciaba [54] la -u-, resultando así los diptongos -au, -iu.
De la misma manera -ati **-aδi,* -iti **-iδi,* -ate **-aδe* dieron
-ái, -í, -ái (mientras que -ata **-aδa,* -ita **-iδa* reafirmaron la
articulación [δ] en [d]: -ada, -ida): l e v a t u , s e n t i t u ,
l e v a t i , s e n t i t i , c a n t a t e [55] sobreselvano *leváu, sentíu,*
leuái, sentí, contai; l e v a t a , s e n t i t a sobreselvano *levada,*
sentida; p r a t u , p r a t a sobreselvano *prau, prada.*

En toscano y en el italiano hay numerosas palabras en
que latín -t- está representada por -d- (s p a t h a *spada,* m u-
t a r e *mudare,* s c u t u *scudo).* Se trata de préstamos (culturales) del norte de Italia (cf. también §§ 370, 397).

380. Para el sardo, c. § 364.

B) LOS SONIDOS s, r, l (§§ 381-385)

381. La -s- era sorda en latín [56]. Como tal se mantiene en
la Romania oriental: -o s a suditaliano y centroitaliano *-osa*

---

[54] La punta de la lengua descuidaba desplazarse hacia los dientes,
pues el dorso hacía un movimiento de retroceso hacia *u.*
[55] El desarrollo de -a t e > *ai* ocurre también en portugués: *cantai*
(imperativo).
[56] La [z] sonora ya se había transformado hacía tiempo en *r: *ez-*
es > eris.

[-*s*-], rumano -*oasă* [-*s*-]. El corso tiene [*z*]: [-*oza*]. En la Romania occidental sonoriza [*z*]: -o s a norteitaliano (también en italiano literario en boca de norteitalianos) -*osa* [-*z*-], sobreselvano -*osa*, francés -*euse*, provenzal, catalán, español antiguo y portugués -*osa*. En español moderno (durante los siglos XVI-XVII) [*z*] ensordeció [*s*] ('desonorización castellana', cf. § 470): español moderno -*osa* [-*s*-].

382. Dentro del sardo, -s- permanece sorda en los dialectos centrales (además tiene una articulación fuertemente alveolar), mientras que en los demás dialectos se hace sonora.

383. En rumano palataliza en [*š*] ante ī (-o s ī > *oşi*); así también en casos aislados en italiano y español (v e s ī c a rumano *beşică*, italiano *vescica*, español antiguo *vexiga* [-*š*-] > español moderno *vejiga*).

384. Latín -r- se conserva generalmente y precisamente como *r* apical. En francés moderno (y esporádicamente en ciertos dialectos, por ejemplo, del italiano) se articula con pronunciación uvular. Ejemplo: p i r a rumano *pară*, italiano, sobreselvano, provenzal, catalán y español *pera*, francés *poire*.

385. Latín -l- parece haberse pronunciado ante vocales palatales con la punta de la lengua *(velim)*, ante vocales velares con el postdorso *(volo)*. Este doble carácter de la -l- latina se desechó en románico [57], generalizándose en algunas regiones (en ciertos dialectos suditalianos y campidaneses) la articulación velar, y en la mayor parte de la Romania la pronunciación apical. Esta -l- se conserva normalmente en la mayor parte de las lenguas; en rumano (y en ciertos dialec-

---

[57] En algunos dialectos toscanos parece que conservó el doble carácter [*sále*] (con *l* apical), [*insạLạɞa*] (con L velar) < i n s a l a t a .

tos: sardo, norteitaliano y provenzal) evoluciona a *r*, y desaparece en portugués [58].

Ejemplos: s o l e (s o l i c u l u) rumano *soare*, italiano *sole*, sobreselvano *sulegl*, francés *soleil*, provenzal *solelh*, catalán, español y portugués *sol* (§ 569); c a e l u rumano *cer*, italiano y español *cielo*, sobreselvano *tschel*, francés *ciel*, provenzal y catalán *cel* (§ 569), portugués *céu;* p a l a italiano, sardo, sobreselvano, provenzal, catalán y español *pala*, francés *pelle* (*-ll-* mera grafía de *-l-*), portugués *pá;* c o l o b r a , v o l a r e , s o l u portugués *cobra, voar, só.*

3. Palatales (§§ 386-403)

386. El tratamiento de las palatales, que fundamentalmente concuerda con el de las demás consonantes (§§ 360-365), se complica por la palatalización que surge (como al comienzo de dicción, cf. §§ 310-333) ante determinadas vocales. Por ello, se impone una explicación separada de las diversas condiciones.

A) ANTE i, e (§§ 387-395)

387. Latín *-k-* ante i, e mantiene conforme al § 311 su punto de articulación mediopalatal en los dialectos sardos centrales y en logudorés; pero de acuerdo con el § 364, permanece muda en los dialectos centrales, mientras que en logudorés se produce sonorización y espirantización [γ]: n u c e Bitti *nuke*, logudorés *nughe* [-γ-]; a c e t u Bitti *akétu*, logudorés *aghédu* [$a\gamma\varrho\delta u$]. Los préstamos del vasco (p a c e *bake*) revelan mantenimiento del sonido *k*. En vegliota (§ 311) se conserva ante *e* el sonido *k* (acetu *akait*), mientras

---

[58]   Cf. § 377, nota.

que ante *i*, *ü* (< latín ū) hay palatalización en [*ć*] (*vićáin* < v i c i n u).

388. En el resto de la Romania se produce palatalización general de latín -k- ante i, e en [*ć*]. Los resultados particulares en §§ 389-391.

389. La articulación [*ć*] se mantiene en rumano y suditaliano (también en el sur de Córcega): v i c i n u rumano *vecin*, suditaliano *vicinu* [*ć*]. En toscano se relaja la oclusión conforme al § 362 y después se deshace [59], de suerte que se origina [*š*] [60]: *vicino* [*višino*] [61]. Así también en campidanés, donde la sonorización (§ 364) produce el sonido [*ž*]: n u c e > *nuži*. En la zona sonorizante del norte de Córcega se conserva también la pronunciación [*ǵ*] < [*ć*].

390. La base de la pronunciación en la Romania occidental es [*š*] —siguiendo la pronunciación toscana (§ 389) —; y esta [*š*] sonorizó en [*ž*] (§ 360) en toda la Romania occidental. La articulación [*ž*] subsiste en dialectos norteitalianos (por ejemplo, en ligurés) y en retorromano (v i c i n u sobreselvano *vischin* [-*ž̌*-]). En las demás regiones la articulación principal se desplaza a la punta de la lengua, con lo que, al menos en una parte de la zona, subsiste primitivamente una palatalización del sonido como resto de la antigua articulación: [*z'*]. En francés la palatalización se adelantó como *i̯* hasta la vocal de la sílaba precedente (v ĭ c i n u *voi-*

---

[59] Sobre la cronología relativa en relación con las fases de palatalización (§ 312) es difícil dar con una decisión atinada. Si la relajación en general es temprana en toscano (§ 362), puede entonces -k^{i,e} (como otra -k-, cf. §§ 362, 396, 401) haberse transformado aún en [χ] y desde aquí haber llegado (como k- > [*č*-] > [*ć*-], § 312) a [*š*] a través de *[ç].

[60] Esta [*š*] breve es claramente distinta de [*šš*] < -sc- (§ 425).

[61] En la pronunciación literaria de los no toscanos prevalece la pronunciación [*ć*] [*vićino*] basada en la grafía.

sin [francés antiguo *voizîŋ*], p l a c e r e *plaisir* [*plaizir*]). En algunos dialectos norteitalianos (por ejemplo, t a c e r e lombardo [*tazér*]) y en provenzal (p l a c e r e *plazer*, v i c i n u *vezí)* desapareció la palatalización.

391. En Istria, por un lado, y por otro, en Iberorromania, la base de la articulación en vez de [*ž*] es [*δ*], que indica un retraso en la disolución de la oclusión [*ć* > *ǵ* > *dź* > *δ*]. En catalán desaparece la [*δ*] (como la [*δ*] < -d-, § 377): v i c i n u *vehí*, d i c e r e *dehir*. En español antiguo se mantiene [*δ*] *(vezino, dezir)*, en español moderno desonoriza en [*ϑ*] en los siglos XVI-XVII ('desonorización castellana', § 470): *vecino, decir* [*ϑ*]. La [*z*] que posee el portugués remonta también, sin duda, a una [*δ*]: *vizinho, dizêr*.

392. Latín -g- ante i, e conserva en los dialectos centrales sardos su carácter mediopalatal y se hace (conforme al § 364) fricativa [*γ*]: s e g e t e *séγete* 'gavilla', l e g e r e *léγere*. En logudorés desaparece [*γ*] (cf. § 364): *sede, léere.*—Ante *e* se mantiene [*g*] en vegliota: f r i g e r e *fregur*.

393. En el resto de la Romania latín -g- palataliza primitivamente en [*ǧ*] (cf. § 324). Los resultados particulares en §§ 394-395.

394. La articulación[*ǧ*] subsiste en el corso: l e g e r e *leǧe*. En campidanés [*ǧ*] pasa a la fricativa [*i̯*] y desaparece (cf. § 364): s e g e t e *sedi*.—En rumano tenemos la pronunciación [*ǧ*] (l e g e *lege*, s a g i t t a *săgeată)*, con lo que latín -g- se diferencia fundamentalmente de latín -i̯i- (> [*i̯*], § 471). Sin embargo, hay algunos casos con latín -g- > [*i̯*]: m a g i s *mai,* m a g i s t r u *măiestru.*

395. En el resto de la Romania se produce fusión entre -g- y -i̯i-. En el sur de Italia [*g*] se reduce a la fricativa [*i̯*]

(conforme a b > v, d > δ; § 375): l e g e r e > *léi̯ere* (como m a i̯ i u *mai̯u*, r a d i̯ u *rai̯u*). En el centro de Italia, al realizarse la fusión, prevalece la geminada *[ğ̆ğ̆], naciendo así [ğ̆ğ̆]: l e g e r e *leggere*, g r e g e *gregge* (como m a i̯ i u *maggio*, r a d i u *raggio*). En algunos casos la g pasa a [i̯] y desaparece: s a g i t t a *saetta*. En el norte de Italia el resultado es ž̌, o bien *dz > z*, produciéndose así frecuentemente confusión con el resultado de -k- (§ 390). En sobreselvano hay [ğ̆] (f u g i r e *fugir*, m u g i r e *migir*), y en otros dialectos gris. tenemos [*dz*].—En las zonas de la Romania occidental, en que -k- pasa a -*z*- (§ 390), se puede observar la tendencia a evitar para latín -g- el mismo resultado [*z*]: latín -g- pasa a [ğ̆] y se simplifica pronto en [i̯] (así, en francés l e g e *lei* > *loi*, l e g e r e **liei̯re* > *lire*, f u g e r e *fuir;* en español, donde [i̯] en final de dicción se mantiene, desaparece en medio de palabra: r e g e *rey*, s a g i t t a *saeta)* o evoluciona a [ğ̆] > [ž̌]; así, en provenzal (s a g i t t a *sageta*), catalán (*sageta,* l e g e r e *llegir*), portugués (f u g e r e *fugir*, m u g i r e *mugir;* y, al lado de estas formas, también [i̯] o desaparición como en español: g r e g e *grei*, l e g e r e *lêr*).

B) ANTE a (§§ 396-400)

396. Latín -k- recibe un tratamiento acorde con §§ 360-364 en aquellas zonas lingüísticas que no practican la palatalización ante *a* (sardo, románico oriental, mitad sur de la Romania occidental; § 314): c a c a r e Bitti *kakare*, logudorés *kaɣare*, rumano *căcá*, suditaliano *cacare* (toscano *kakhare*, *kaχare* [62]), norteitaliano, sudprovenzal, catalán, español, portugués *cagar*.

---

[62] En la lengua literaria la pronunciación es [-k-].

397. El italiano literario (y el toscano) ha tomado (conforme a los §§ 370, 379) una serie de préstamos norteitalianos y románicos occidentales, como *pagare* 'pagar' (< p a c a r e), *spiga* (< s p i c a).

398. En aquellas zonas del norte de la Romania occidental (incluidos los dialectos provenzales del norte) en las que latín -k- palataliza ante *a* (§ 314), aparece [g] sonorizada como base común de la pronunciación, y finalmente [g] da la fricativa [i̯]: c a c a r e engadino *chajer*, francés *chier* (propiamente **chei̯er*, pero c a c a t > **chi̯ei̯e* > *chie*, de donde *chier*), norteprovenzal *tsiá* (< **tsai̯á*).

En francés la palatalización se ve impedida por una vocal velar precedente (incluso latín ū, que, por tanto, todavía por esas fechas no sonaba [ü], cf. § 184), de suerte que -k- pasa a -γ- y desaparece (cf. § 401): l o c a r e *louer*, c a r r ū c a *charrue*.

Merece notarse que en la -k- en medio de dicción (y lo mismo en la -g- medial, § 400), el dominio palatalizador comprende también algunos dialectos alpinos italianos (Tesino, Piamonte), en los que al lado del resultado [i̯] aparece todavía el más antiguo [ğ]: s p i c a > *spiğa* y *spíi̯ca (spía)*. Cf. § 21.

399. Latín -g- es tratada conforme al § 365 en los espacios lingüísticos sin palatalización (§ 396); por tanto, en rumano, en centroitaliano y en el sudeste de Italia se mantiene como oclusiva (s t r i g a rumano *strigă*, italiano *strega)*, mientras que fuera de estas zonas se convierte en la fricativa [γ].

La articulación [γ] subsiste en los dialectos centrales sardos [istriγa], al paso que desaparece en los demás dialectos sardos (logudorés *istría*, campidanés *stría*). En el norteitaliano [γ] desapareció en parte, y en parte se restableció como [g]. Se mantiene como [γ] en el sudprovenzal, en catalán y español (n e g a r e *negar).* El sudprovenzal y el portugués vacilan entre [g] y [γ].

400. En el dominio palatalizador de la Romania occidental (§ 398) pasa a [i̯] a través de [g̃]; por tanto, se confunde con el resultado de -k- (§ 398): n e g a r e engadino *schnojer* (< *ex-n-), francés *nier* (francés antiguo *neier,* pero n e g a t > *niei̯e* > *nie,* de donde francés moderno *nier),* norteprovenzal *neiar.* En francés (como en § 398) la palatalización queda obstaculizada por una vocal velar precedente, por lo que [g] pasa a γ y desaparece: r u g a *rue,* s a n g u i s u g a *sangsue.*

Hay que advertir (cf. § 398) que el dominio palatalizador abarca también dialectos alpinos italianos (Tesino, Piamonte), en los que el resultado es [i̯].

c) ANTE O, U (§§ 401-403)

401. Latín -k- se trata de acuerdo con los §§ 360-364.

Se mantiene como [k] en los dialectos sardos centrales, en suditaliano y en rumano (f o c u Bitti *fọku,* suditaliano *fuocu,* rumano *foc),* en toscano se relaja en -χ- (o -*kh*- y -*h*-) (*fọχo* [63]), en logudorés-campidanés sonoriza en [γ] [*fọγu*].— Dentro de la Romania occidental sonoriza al principio en la mitad sur en [g] y en la mitad norte en [γ]. Dentro de la mitad sur [g] se relaja en [γ] en español y catalán (s e c u r u español *seguro* [-γ-], catalán *segur* [-γ-]), mientras que en portugués la sonorización no hizo más que iniciarse (*seguro*). Dentro de la mitad norte de la Romania occidental [γ]

---

[63] Vale lo dicho en el § 396, nota 62.

desaparece en francés (s e c u r u francés antiguo *sëur*, francés moderno *sûr;* f o c u > **fueu* > *feu*). En norteitaliano y retorromano se reafirma como [g] o desaparece.

402. Surge una especial complicación —según las condiciones cronológicas— por el cambio u > *ü* (§ 184). En retorromano de s e c u r u procede en un principio **segūru*, y como consecuencia de la palatalización u > *ü*, la [g] se palatalizó también al mismo tiempo en [g]: sobreselvano *segir* [*səgir*], engadino *sgür*. En francés, en cambio, no se puede comprobar un influjo en la evolución -k- > -γ- debido al cambio ū > *ü*.

403. Latín -g- se trata conforme al § 365.

Por tanto, persiste como [g] en el centroitaliano, en el sudeste de Italia y en el rumano. (A u g u s t u rumano *agust,* italiano *agosto;* i u g u rumano *jug,* italiano *giogo*). En los dialectos sardos centrales y en la mayoría de los dialectos suditalianos se convierte en [γ] (Bitti, suditaliano *aγustu;* Bitti *yuγu* [64]). En la Romania occidental la articulación se basa en la [γ], que en el norteitaliano o bien se reafirma como [g] (*agóst*) o bien llega a desaparecer (*aóst*). Desaparece asimismo en retorromano (f a g u, a g u s t u sobreselvano *fau, uost*) y en francés (f a g u francés antiguo *fou,* a g u s t u francés antiguo *aoust*). En provenzal hallamos desaparición (*aóst*) y mantenimiento (*agóst*). En español y catalán persiste como [γ] y en portugués como [g]: catalán *agóst*, español y portugués *agosto*.

---

[64]   En suditaliano es frecuente la sustitución de [γ] por [β]: *yuvu*.

4. Nasales (§§ 404-405)

404. Latín -m- se mantiene normalmente: h o m o (h o m i-
n e) sardo *ómine*, rumano *om*, italiano *uomo*, francés antiguo
uem, portugués *homem* (español y francés cf. § 519 ss.); a m a-
r e francés *aimer*, español, catalán y portugués *amar*, italiano *amare*.

En los proparoxítonos, la nasal siguiente a la vocal tónica
se gemina frecuentemente, así especialmente en dialectos
sardos y suditalianos. Quizá en tiempos pasados la geminación —desfigurada hoy por la reducción de las geminadas—
se extendió por zonas más dilatadas (cf. § 188, nota).

405. Latín -n- pervive en la mayor parte de las lenguas [65]:
l u n a sardo, italiano, provenzal y español *luna*, rumano *lună*,
sobreselvano *glina*, francés *lune*, catalán *lluna*. En dialectos
norteitalianos, en gascón y portugués [66] desaparece —después
de nasalizar la vocal precedente—. La nasalización de las vocales se conserva en parte, y en parte desaparece posteriormente.

En portugués se conserva la nasalidad de la vocal cuando
la vocal o el diptongo procedente de la contracción de dos
sílabas están al final de dicción o ante consonante. Para representar la nasal la ortografía utiliza en parte la tilde y en
parte *m* o *n*: b o n u *bom* [bõ], l a n a *lã*, m a n u *mão*, m a-
n u s *mãos*, h o m i n e *homen*, -es *homens*. En cambio, en
hiato con vocal silábica hay desnasalización: l u n a *lua*,
b o n a *boa*, f e m i n a *fêmea*. Para la división silábica mediante *i̯* o *ñ*, cf. § 237. El diptongo nasal en casos como *bem*,

---

[65] Para los proparoxítonos, cf. § 404.
[66] Cf. nota al § 377.

homem, quem (§§ 237, 288, 530) se ha formado mediante fusión de la vocal tónica con la -e final de dicción (b e n e; cf. § 288).

B) GRUPOS CONSONÁNTICOS (§§ 406-525)

406. Hay que distinguir grupos consonánticos primarios (esto es, existentes ya en latín) y secundarios (es decir, nacidos en el curso del desarrollo románico), cf. § 131.

1. Grupos consonánticos primarios (§§ 407-504)

407. Con frecuencia los grupos de consonantes pertenecen a dos sílabas distintas. De aquí proviene que la primera consonante de un grupo es tratada frecuentemente como una consonante final de dicción (cf. § 526), y la última consonante de un grupo recibe con frecuencia el tratamiento de una consonante inicial de dicción.

Así, por ejemplo, en francés revelan tratamiento paralelo m e r - c e d e *mer-ci* y m a r e *mer* así como c e n t u m *cent;* m e r - d a *mer-de* y d e n t e *dent;* v a c - c a *va-che* y i l l a c *là,* así como c a n t a t *chante.*

No es infrecuente comprobar un cierto influjo de la inicial de dicción sobre la inicial de sílaba; así sucede cuando en español antiguo y portugués antiguo en los grupos [*ndz*] < -nd̦- (§ 458) y [*rdz*] < -rd̦- (§ 457) el grupo [*dz*] (que no ocurre como medial de dicción) es sustituido por el grupo [*tz*] (que aparece como medial de dicción).—Cf. además §§ 517, 569. También cabe comprobar influjo estandardizante de la inicial silábica postconsonántica [*bračči̦u*] sobre la inicial de palabra [*čičer*] y la inicial silábica postvocálica [*vičinu*] (cf. § 313). Se trata de 'analogía estructural de combinación de fonemas' (cf. §§ 136, 170, 303, 342, 491, 506 ss., 568 ss.), una tendencia ordenadora que crea justamente la ley fonética.

A) LATÍN r + CONSONANTE (§§ 408-410)

408. Este grupo es generalmente constante: p o r t a italiano, provenzal, portugués, sobreselvano *porta*, rumano *poartă*, español *puerta*.

409. Los grupos -rb- y -rv- muestran vestigios de antiguo influjo recíproco precisamente en un dominio lingüístico que sobrepasa el de la confusión general de latín v y b iniciales (§ 300): h e r b a portugués *erva* [67], engadino *erva*, sobreselvano *jarva* (junto a los normales rumano *iarbă*, italiano, provenzal y catalán *erba*, esp. *yerba, hierba*); c o r v u rumano y catalán *corb*, francés antiguo y provenzal *corp*, francés moderno *corbeau*<-e l l u (junto a los normales italiano y portugués *corvo*, español *cuervo*); v e r v e c e > *v e r b e c e > b e r b e c e francés *brebis* (§ 358).

410. El grupo -rs- propendía ya en latín vulgar a asimilarse en -ss-: d o r s u > d o s s u (italiano *dosso*, sardo *dossu*, rumano, francés, provenzal y catalán *dos*). La vocal larga hace que -ss- < -rs- pase a -s- (cf. § 491) en s ū r s u m > s u s u italiano *suso* y *sù*, frances *sus;* d e ō r s u m > d e ō s u > rumano y provenzal *jos*) > *d e ū s u (§ 138) italiano *giuso* y *giù*, francés antiguo *jus*. Otras voces muestran un desarrollo doble: v e r s u 'hacia' (francés y catalán *vers*, italiano *verso*) >*v e s-

---

[67] El portugués sustituye por principio -rb- por -ru- (como -lb- por -lv-: a l b u *alvo*), así también en a r b o r e *árvore* (que en los demás casos tiene siempre -rb-).

s u (portugués antiguo *vesso,* español antiguo *viesso,* provenzal *ves, vas); u r s u (rumano *urs,* italiano *orso,* francés *ours,* provenzal *ors) > *u s s u (catalán *os,* español *oso).* Las formas iberorromanas parten siempre de la base -*ss*-.

El grupo -rg^{i,e}- pasa en español antiguo a [*rdz*] (> español moderno [*rθ*]): s p a r g e r e *esparzer* (español moderno *esparcir);* en portugués evoluciona como al comienzo de dicción: *espargir.*

B) LATÍN l + CONSONANTE (§§ 411-414)

411. La l latina ante consonante tenía una articulación velarizada. Esta pronunciación velar dejó huellas en amplias zonas de la Romania.

412. La antigua pronunciación velar de la *l* aparece en portugués (en la medida en que la velarización no alcanzó la total vocalización en *u,* cf. § 413), catalán (a l t u portugués *alto,* catalán *alt* [en ambos casos con *l* velar]) y en una parte de los dialectos centroitalianos.

413. La l velar vocaliza en *u* en francés, provenzal, retorromano y numerosos dialectos italianos. Para las combinaciones diptónguicas así formadas, cf. § 215.—Ejemplos: a l t u, a (u) s c u l t a t francés *haut, écoute;* provenzal *aut, escouta;* engadino *ot.* La fase transicional aparece en sobreselvano *ault.* En español y portugués ocurre también en algunos casos vocalización en *u:* t a l p u, p a l p a t, a l t e r u, f a l c e portugués *toupo, poupa, outro, fouce;* español *topo, popa, otro, hoz.*—Detrás de u, la l (ante t) palataliza (se disimila) en español y portugués: m u l t u, a u s c u l t a t, v u l t u r e portugués *muito, escuita* (> *escuta*), *abuitre* (> *abutre*); español *mucho* (cf. § 205), *escucha, buitre.*—En dialectos italianos ocurre desarrollo palatal general de la l ante consonante.

414. En vez de la *l* velar aparece una *l* apical (no velarizada, que en algunos dialectos se convierte en *r*) en español (con excepción de algunos casos, cf. § 413), en sardo, en dialectos centroitalianos (y así también en el italiano literario), en los dialectos del sudeste de Italia ('romanidad interadriática', cf. § 161) y en rumano: a l t u español *alto*, logudorés *artu*, italiano *alto*, rumano *înalt* (< i n + a l t u).

c) NASALES (§§ 415-418)

415. Las combinaciones n + consonante, m + consonante normalmente se mantienen. En francés, *n*, *m* nasalizan la vocal y acaban por perder su oclusión.—Ejemplos: p l a n t a italiano *pianta*, sobreselvano *plonta*, francés *plante* [*plãt*], provenzal *planta*, español *llanta*, portugués *chanta;* c i n q u e [*-ŋku̦-*] rumano *cinci* [*-ñć-*], italiano *cinque* [*-ŋ-*], sobreselvano *tschun*, provenzal *cinc*, español *cinco*, portugués *cinco*. Para la nasalización de las vocales, cf. § 232 ss.

416. En los dialectos suditalianos se asimilan (como en osco) los grupos -nd- > -nn-, -mb- > -mm-, con lo que los grupos -nt- > -nd-, -mp- > -mb- pasan a ocupar los puestos libres: m a n d a r e *mannare*, p l u m b u *chiummu*, c a n t a r e *candare*, c a m p u *cambu*. También ocurre en español la asimilación -mb- > *-mm-* > *-m-* (l u m b u *lomo*, pero portugués *lombo);* en catalán aparece la simplificación -nd- > *-n-* (m a n d a r e *manar*).—En español (y en dialectos italianos) -nv- da -mb-: c o n v i t a r e *combidar*.

417. El grupo -ng- ante e, i es tratado en parte como los demás grupos de n+consonante (cf. arriba) (-g- sigue la suerte, pues, de la inicial [cf. §§ 322-328]: u n g i t rumano, italiano y portugués *unge*), en parte se confunde con el grupo -ni̯-

(> *ññ*, § 463): u n g i t italiano (dialectal y poético) *ugne*, provenzal *onh*, francés *oignez* (u n g i t i s); c i n g e r e español *ceñir*. Además, encontramos en español una evolución en español antiguo [*ndz*] (> español moderno [*nʒ*]): s i n g e l l u *senziello* (español moderno *sencillo*), j u n g e r e *unzir*.

418. El grupo -mn- se asimila en parte en -nn- (sardo, italiano, retorromano, provenzal, catalán, español y portugués), y en parte en -mm- (francés, y en casos aislados en provenzal): s o m n u sardo *sǫnnu*, italiano *sonno*, sobreselvano *sien*, provenzal *son* (también *som*), catalán *son*, español *sueño* (ñ < nn, § 503), portugués *sôno*. En cambio, en rumano persiste -mn- (s o m n u *somn*); detrás de a la m (a través de [β]) vocaliza en *u* (d a m n u *daun*, s c a m n u *scaun*). Cf. § 445.

D) CONSONANTE + r (§§ 419-421)

419. El tratamiento de la consonante responde frecuentemente al que recibe entre vocales (§§ 360-405). Para los detalles, cf. §§ 420-421.

420. Las c o n s o n a n t e s s o r d a s se mantienen firmes en los dialectos sardos centrales, en rumano y en suditaliano; en toscano se ven afectadas por los fenómenos de debilitamiento (espirantización, aspiración, etc., cf. § 362): c a p r a , p e t r a , l a c r i m a (s o c r u), dialectos sardos centrales *kapra*, *pǫtra*, *sǫkru;* rumano *capră, piatră, lacrămă;* italiano *capra, pietra, lacrima* [toscano -φ-, -ϑ-, -χ-] [68]. En la Romania occidental se produjo sonorización y espirantización conforme al § 361.

---

[68] Las voces italianas con pronunciación sonora *(lagrima,* a c r u *agro)* son préstamos tomados del norteitaliano, cf. §§ 370, 379, 397.

En provenzal coinciden aquí el desarrollo de t y el de d (§ 377): -tr- > *-ᵭr- > *-ᵭr- > -i̯r-. Ejemplos: c a p r a, p e t r a, l a c r i m a sobreselvano *caura* (<*cavra*), *pedra* 'piedra preciosa', *larma;* francés antiguo *chievre, pierre* (a través de *pieᵭre), lairme* (francés moderno cf. § 225); provenzal *cabra, peira, lagrema;* español *cabra, piedra, lágrima;* portugués *cabra, pedra, lágrima.*

421. En cuanto a las c o n s o n a n t e s s o n o r a s, nótese que -br- vacila entre la geminación -*bbr*- (Toscana) y la espirantización -*vr*- (suditaliano, norteitaliano y resto de la Romania): f a b r u italiano *fabbro*, rumano *faur*, francés *orfèvre* (a u r i f a b r u), provenzal *faure*. Para -dr-, -gr-, cf. q u a d r u rumano *codru*, italiano *quadro*, provenzal *caire* (§ 420). La desaparición de la consonante es común a las lenguas románicas en q u a d r a g e s i m a rumano *păresemi*, italiano *quaresima*, fr. *carême*, esp. *cuaresma;* q u a d r a g i n t a it. *quaranta*, esp. *cuarenta*, francés *quarante.* En centroitaliano desaparece -g- (n i g r u *nero*, p i g r i t a r e *peritare*). La palabra ,p i g r i t i a pierde su -g- en amplias zonas (español *pereza*, francés *paresse*) quizá por efecto de la disimilación palatal.

E) CONSONANTE + l (§§ 422-423)

422. El grupo consonante + l participa en la palatalización mentada en el § 342, precisamente con la distribución geográfica en cuanto a las condiciones señaladas en el § 341. Una diferencia importante: en comienzo de dicción participan también en la palatalización del grupo palatal + l (§ 423) el retorromano, francés y provenzal. En la Romania occidental los grupos -kl- (> -çl- > i̯l) y -gl- (> i̯l) coinciden en la pronunciación t̷t̷, la cual (como todas las geminadas, § 491) se simplifica y prosigue su desarrollo en cada una de las len-

guas (francés antiguo [ł] > francés moderno [y]; [ł] > español antiguo [z] > español moderno [χ]). En italiano, las consonantes se duplican ante [i̯] < l (§ 451). Cuadro sinóptico:

Lat.	Sard.	Rm.	It.	Sobr.	Fr.	Pr.	Cat.	Esp.	Port.
pl	pr, βr	pl	ppi̯	bl	bl, pl	bl	ł	βl	br
bl	ul, rv, rβ	ul	bbi̯	bl	bl	bl	bl	ł, βl	ł, l
fl	vr	fl	ffi̯	fl	fl	fl		ł, pl	š
cl	kr, γr	ki̯	kki̯	ł	ł > i̯	ł	ł	ž > χ	ł
gl	γv	gi̯	ggi̯, łł	ł	ł > i̯	ł	ł	ž > χ	ł
scl	skr	sk	ški̯	škl	sl > l	skl	skl	ć	š
ngl	ŋgr	ngi̯	ŋgi̯	ŋgl	ŋgl > g̃l	ŋgl	ŋgl	ñ	ñ

423. Ejemplos: d u p l u italiano *doppio*, francés *double*, provenzal *doble*, sobreselvano *dubel;* c o p (u) l a italiano *coppia*, francés *couple* (sin duda, -pul- > -ppl- > -pl-), provenzal *cobla;* t r i b (u) l a t italiano *trebbia*, español *trilla*, portugués *trilha;* f a b (u) l a t español *habla*, portugués *fala;* s t a b (u) l u (-a) rumano *staul*, italiano *stabbio*, francés *étable*, provenzal y catalán *establa*, español *establo;* s u b (u) l a sardo *surva*, *sula*, rumano *sulă*, italiano *subbia*, sobreselvano *sibla;* s u f f l a t rumano *suflă*, italiano *soffia*, español (antiguo) *solla* (y *sopla*), francés *souffle*, provenzal *soffla*, sobreselvano *sufflar;* a f f l a r e rumano *aflá*, español *hallar*, portugués *achar;* o c l u, a u r i c l a (o r i c l a) sardo *okru* *(oγru)*, arikra *(ariγra);* rumano *ochiu*, *urechie;* italiano *occhio*, *orecchio;* sobreselvano *egl*, *ureglia;* francés *oeil*, *oreille* [francés antiguo -ł-, francés moderno -y-]; provenzal *uelh*, *aurelha;* catalán *ull*, *orella;* español *ojo*, *oreja* [español antiguo *ž*, español moderno *χ*; desonorización castellana y velarización]; portugués *olho*, *orelha;* c o a g (u) l u italiano *ca-*

glio, sobreselvano *cuagl,* francés antiguo *cail,* provenzal *calh,* catalán *coall,* portugués *coalho,* español *cuajo* (rumano *chiag,* transformación de *[kagiu])*; m a s c (u) l u italiano *maschio, francés masle > mâle* (§ 512), provenzal y catalán *mascle,* español y portugués *macho* (rumano *mascur* no está sincopado); d i s c l u d i t rumano *deşchide;* u n g u l a rumano *unghie,* italiano *unghia,* sobreselvano *ungla,* francés *ongle,* provenzal *ongla,* catalán *ungla,* español *uña,* portugués *unha.*

F) LATÍN s + CONSONANTE (§§ 424-426)

424. En portugués [69] y en algunos dialectos retorrománicos e italianos s ante consonante se pronuncia como [š] (ante consonante sonora como [ž]). En francés, la s enmudece en la época del francés antiguo alargando la vocal precedente (alargamiento que hoy va desapareciendo cada vez más, pero que generalmente se expresa aún gráficamente en la acentuación [*accent circonflexe,* y *accent aigu* sobre la *e* átona]). En la mayoría de las lenguas románicas permanece invariable. Ejemplos: r e s p o n d e r e , c o s t a rumano *răspunde, coastă;* italiano *rispondere, costa;* sobreselvano *rispunder, costa* [-šp-, -št-]; francés *répondre, côte;* español *responder, cuesta;* portugués *responder* [-šp-], *costa* [-št-].

425. La combinación -sk- ante *e, i* tiene un destino especial en aquellos idiomas que palatalizan k ante *i, e* (§§ 312-313). En el área palatalizadora -sk- dió originariamente *-sć-* en románico común, y el grupo *-sć-* evolucionó a *-šć-* (transfiriendo la palatalización a la *s*). En rumano la africada *ć* (para disimilarse frente a *š)* perdió su carácter silbante, quedando reducida a simple oclusiva *t:* el resultado es *şt* [*št*]. En el

---

[69] En la pronunciación de la mayoría de los brasileños persiste la antigua [s].

resto de la Romania, en cambio, *ć* perdió su oclusión naciendo así [*šš*] ('asimilación doble', cf. § 133). La articulación [*šš*] pervive en italiano[70]; en retorromano, catalán y portugués se simplificó (como consonante doble, § 491) en [*š*]. Además, en catalán y portugués [*š*] dió como palatal a la sílaba anterior una *i* (que se mantiene en la escritura en catalán, pero que ha enmudecido en la pronunciación). En francés y provenzal, la [*š*] se desplazó al punto de la articulación dental [*s*], pero sin perder su palatalización, que en dichas lenguas se anticipó a la sílaba anterior como *i̯*. En español [*ϑ*] parece indicar un orden distinto en los procesos (**šć > sts > ts*).—Cuadro sinóptico:

Lat.	Sar.	Rm.	It.	Sobr.	Fr.	Pr.	Cat.	Esp.	Port.
sc$^{i, e}$	*sk*	*št*	*šš*	*š*	*i̯s*	*i̯s*	*š*	*ϑ*	*i̯š*

426. Ejemplos: m i s c e r e, p i s c e, f a s c e: sardo —, *piske, faske;* rumano *mește, pește,* —; italiano *mescere, pesce, fascio* (del plural f a s c i); sobreselvano —, *pésch, fasch;* francés antiguo *meistre,* —, *fais;* provenzal *meisser, peis, fais;* catalán —, *peix, faix;* español *mecer, pez, haz;* portugués *mexer, peix, feixe.*

El grupo -ski̯- (como el grupo -sti̯-, cf. § 455) se transforma también en rumano en [*šš*] (>[*š*], § 491): f a s c i a rumano *fașă,* italiano *fascia,* francés *faisse;* en suditaliano coincide (pasando por *[*sč*]) con latín -x- *[*çs*] (cf. § 442): *fassa.*

G) LATÍN p + DENTAL (§§ 427-429)

427. La p latina ante consonante se pronunciaba posiblemente con oclusión relajada [*φ*] (cf. § 430). Dentro del romá-

---

[70] En toscano se diferencia claramente por su cantidad larga de la [*š*] breve < [*ć*].

nico, el rumano muestra amplia conservación de la *p* pronunciada como oclusiva (o más bien reconvertida en oclusiva), mientras que el resto de la Romania asimiló la *p* a la consonante siguiente.

428. Latín -pt- aparece como -*pt*- en rumano (s e p t e *şapte*, s e p t i m a n a *săptămână*, r u p t u *rupt*, s c r i p t u r a *scriptură*), como -*tt*- en italiano, como -*t*- en la Romania occidental. En cuanto a la Romania occidental, por razones de cronología fonética (ya que los grupos secundarios se tratan lo mismo: c i v i t a t e francés *cité*, § 522) hay que contar con el desarrollo directo -*φt*- > -*t*- (sin la etapa intermedia [*tt*]). El desarrollo románico occidental de latín -pt- correría, pues, paralelo al dé -ct- (cf. § 433), y la única diferencia consistiría en que el primer elemento del grupo -pt-, que se hace fricativo, no vocalizaba y consiguientemente se perdió en la evolución posterior. Ejemplos: sardo *sette*, sobreselvano *siat*, francés antiguo, provenzal y catalán *set* (francés moderno *sept* [*set*] con grafía latinizante), español *siete*, portugués *sete*.

429. Latín -ps- se asimila normalmente en rumano en -*ss*- (> -*s*-, cf. § 491): s c r i p s i t *scrise*, i p s u *îns* (con disimilación de la geminada por el infijo nasal). En *r u p s i t *rupse* la *p* se vio apoyada por r u p t u *rupt* y otros verbos (f r i c t u *fript*, f r i x i t *fripse*, § 440).—El resultado normal es -*ss*- en italiano y -*s*- (§ 491) en el resto de la Romania occidental: i p s u (-e) sardo *issu*, italiano *esso*, español *ese*, portugués *esse*. En algunos casos se puede observar en el dominio provenzal-iberorromano un desarrollo palatal que puede basarse en un paso del grupo -ps- (*-φs-) a -χs- (> -çs-, § 441): c a p s a provenzal *caissa*, español *caja*, portugués *caixa* (pero normal: italiano y sobreselvano *cassa*, francés *châsse*); i p s e provenzal *eis*, catalán *eix*.

H) LATÍN k + DENTAL (§§ 430-450)

430. Latín k ante consonante se articulaba como fricativa (debiéndose ver en ello un influjo de los hábitos lingüísticos osco-umbros), precisamente como [χ] tras vocal velar y como [ç] tras vocal palatal: [*noχte, *teçtu]. El albanés ha conservado huellas de esta repartición: l u c t a > [*luχta] > *l'ufte* (cf. § 431), d i r e c t u > [*direçtu] > *dreit.*— Las lenguas románicas nivelaron de distinta manera la duplicidad -χt-, -çt- (§§ 431-450).

431. En rumano (quizá por influencia del griego, que ante consonante sólo conoce [χ]) se generalizó la articulación velar [χ], pasando después [χ] a [φ] (como en albanés). La fricativa [φ] se reafirmó en la oclusiva [p]: n o c t e *noapte,* d i r e c t u *drept.*

432. El resultado -tt- para latín -ct- en italiano y sardo se puede interpretar con la ayuda del resultado de latín -x- [originariamente *ks*]. Como latín -x- pasa a -ss- en sardo y suditaliano (cf. § 442), tiene interés allí la fricativa velar [χ] como etapa previa de la asimilación. En el resto de Italia, donde latín -x- da [šš] (c o x a *coscia*), habrá que admitir también en latín -ct- el sonido fricativo palatal [ç]. Ejemplos: n o c t e sardo e italiano *notte;* d i r e c t u sardo *derettu,* italiano *diritto.*—Más detalles en §§ 448, 450.

433. En la Romania occidental se generalizó la articulación palatal *[çt]*. Posteriormente, en una parte de la Romania occidental el grupo se simplificó en *[čč]* prepalatal (§ 434), el cual (como en general las geminadas del románico occidental, § 491) se simplificó a su vez en [č]. En otra parte de la Romania occidental la [ç] sonorizó en [i̯], y ésta, poste-

riormente, se combinó con la vocal precedente en un diptongo (§ 435).

434. La articulación [*č*] se conserva en dialectos retorromanos (sobreselvano *latg, letg),* en dialectos norteitalianos de
la región alpina (l a c t e *lač,* l e c t u *leč),* así como en el toscano de los Apeninos de impronta románica occidental (Lu-
nigiana: t e c t u *teččo).*—Fuera de aquí, [*č*] pasó a [*ć*]: esta
pronunciación pervive en dialectos retorromanos, en amplias
zonas de los dialectos norteitalianos y provenzales, así como
en español [71]: t e c t u, l e c t u, l a c t e, n o c t e lombardo
teć, leć, lać, noć; provenzal (Limousin, Languedoc oriental,
Provenza) *tech, lech, lach, noch;* español *techo, lecho, leche,
noche.*

435. La pronunciación [*it*] sirve de base a dialectos norteitalianos (Liguria, Piamonte), al franco-provenzal, al francés, a dialectos provenzales (Auvernia, Languedoc occidental,
Gascuña), al catalán y al portugués: piamontés *teit, leit, lait,
nöit;* francés *toit, lit, lait, nuit;* provenzal *teit, leit, lait, noit;*
catalán —, *llit, llét, nit;* portugués *teito, leito, leite, noite.*—
La -*t*- que aparece en veneciano y en dialectos ladinos (n o c t e,
p e c t u veneciano *note, peto)* remonta, sin duda, a [*çt*], pues
en etapas anteriores de la lengua consta la grafía -*it*-.

436. La evolución del grupo -nct- concuerda ampliamente con la del grupo -ct- (§§ 430-435). Para el latín hay que presuponer la articulación *[-*n*χ*t*-] o *[-*nçt*-].

---

[71] Aquí la [*ć*] da a la sílaba anterior una *i* (l a c t e > [*laiće*] > *leche)* o produce en la vocal un efecto armonizador; cf. §§ 204 205 —
Cuando por caída de la vocal -ct- queda ante consonante, se transforma en [*t'*]: p e c t i n e **peit'ne > peine* (cf. § 507).

437. En rumano *[-nχt-] desemboca a través de *[-nφt-] en -mt-. Sin embargo, la tendencia a asimilar [-nχt-] a -nt- (§ 438) penetró también en el románico de los Balcanes. El resultado fue aquí una fluctuación entre las articulaciones -mt- y -nt-, y ello tanto para latín -nct- como para antiguo latín -nt-. El macedorrum. se decidió generalmente por -mt-: *franctu *frimtu*, ventu *vimtu*, fronte *ᵻrumte*. En dacorrum. todavía en el siglo XVI están atestiguadas las formas *franctu *frămt*, sanctu *sămtu*. Hoy se ha impuesto la variante -nt-: *franctu *frînt*, sanctu *sînt*, ventu *vînt*, fronte *frunte*. Un resto de la antigua vacilación pervive todavía en rumano *simţi* < sentire.

438. En italiano -nct- se asimiló en -nt-: *franctu *franto*, sanctu *santo*.—En la Romania occidental se produjo la evolución *[-nçt-] > *[-nc-] > *[-n't'-]. La articulación [-nĕ-] se conserva en dialectos retorromanos; en dichos dialectos norteitalianos y provenzales evoluciona a [-nć]: sanctu provenzal *sanch*. En otros dialectos provenzales (cf. § 435), así como en francés la base es la pronunciación [-nçt- > -ñçt-], la cual se resuelve en -ịnt-: *saint*. En catalán, español y portugués, el grupo se despalataliza en -nt-: catalán *sant*, español y portugués *santo*.

439. Latín -ks- se pronunciaba *[χs] o *[çs]. Su evolución se ajusta en amplia medida a la de -kt- (§§ 430-435).

440. En rumano la evolución es *[χs] > *[φs] > -ps-: coxa *coapsă*, coxit *coapse*, frixit *fripse*. Latín fraxinu da en Banato *frápsen*, al paso que en el resto del rumano (incluso en la lengua literaria) prevaleció la asimilación (cf. § 442), *frassinu *frásin*, que se produjo ya en la época latina; lo mismo en maxilla *măseá*.

441. En italiano la pronunciación palatal *[çs] se transforma mediante la asimilación recíproca (§ 133), en [šš] [72]: c o x a *coscia*, f r a x i n u *frascino*, m a x i l l a *mascella*. Esta articulación [šš] (> románico occidental š, cf. § 491) se halla extendida por el centro de Italia (y frecuentemente también por el norte del sudeste italiano) y por la parte occidental del norte de Italia; además aparece también (con entrega de una *i* a la sílaba anterior) en dialectos provenzales, en catalán, español (español antiguo [š] > español moderno χ, 'velarización castellana', cf. § 464) y portugués: catalán *cuixa, freixe, maixella*; español *cojo* (c o x u 'que renquea'), *fresno* [73], *mejilla* (español antiguo *mexiella* [-š-]). En otra variante el primer elemento sonorizó en [i̯], así en dialectos norteitalianos y provenzales, en retorromano y francés: provenzal *cuoissa, fraisse, maissela*; sobreselvano *queissa, fraissen, missiala*; francés *cuisse, frêne* (francés antiguo *fraisne*), francés antiguo *maissele*.

442. La evolución descrita en § 441 remonta, sin duda, a *[çs] palatal. En cambio, la pronunciación -ss- que se halla en sardo, en dialectos suditalianos y en parte en rumano (§ 440) (sardo —, *frassu, massiḍḍa*; suditaliano *kossa, frássinu, massilla*) puede proceder tanto de *[çs] palatal como de [χs] velar. La distribución geográfica en rumano y en el sudeste italiano (Lucania, Campania, Abruzzos), junto con la conclusión del § 432, habla en favor de la base velar *[χs]; sin embargo, cf. § 426.

---

[72] Los perfectos en -xi dan sin excepción -*ssi* (c o x i *cossi,* v i x i *vissi,* d u x i *dussi),* que es de origen analógico *(cossi / cotto - scrissi / scritto - cinsi / cinto,* etc.).

[73] Reducida aquí a *s* por su encuentro con la consonante (cf. nota 71; cf. también § 546).

443. La evolución de latín -gd- sigue de cerca a la de -ct- (§§ 430-435). El único ejemplo es f r i g i d u s, que falta en rumano. En la fase *[friğidu] se sincopó en *[friğdu] (compárese § 282), y evolucionó a *[friğğu] y a *[fríi̯du]. La pronunciación *[friğğu] aparece en dialectos alpinos norteitalianos [freč] y en el desarrollo normal de č > ć en norteitaliano (lombardo) freć, provenzal freg [-ć]. La pronunciación *[fríi̯du] da en norteitaliano (Liguria, Piamonte) y provenzal freit, francés froid, catalán fret.

444. Es importantísima para el enjuiciamiento histórico del grupo palatal + dental, como en general de grupos oclusivos, la evolución de latín -gn-. Este grupo tenía una articulación velar *[-γn-] o palatal *[-i̯n-]. Ambas articulaciones se han desarrollado dentro del románico con una característica distribución geográfica (§§ 445-448). Este repartimiento permite sacar conclusiones acerca de la pronunciación de los grupos -ct-, -gd- y -x- (§§ 448, 450).

445. Como era de esperar (§ 431), en rumano pervive la articulación velar, que a través de *[γn] > *[βn] desemboca en -mn-: p u g n u pumn, l i g n u lemn, s i g n u semn. La articulación velar [γn] subsiste asimismo en el extremo sur de Italia (Campania, Lucania, Calabria, Apulia), donde γ a través de β da u: p u g n u punu, l i g n u líunu, a g n u ăunu. Latín s i g n u a través de la forma velar *[siγnu] y mediante una temprana metátesis se transforma en amplias zonas del sur de Italia en *[siŋgu], cf. napolitano singo.

446. La pronunciación palatal *[-i̯n-] pervive en dialectos suditalianos (en vecindad inmediata con la zona velar, § 445) sin alteración: p u g n u púi̯nu, l i g n u líi̯nu, a g n u ái̯nu.

447. En la Italia central, en cambio, la asimilación recíproca (§ 133) transformó [i̯n] en [ññ]: toscano *pugno, legno, agnello* [ññ]. Este resultado es también románico occidental (con la reducción usual: > románico occidental [ñ], cf. § 491): p u g n u sobreselvano *pugn*, francés *poing* (< *[poñ], cf. § 236), provenzal *ponh*, catalán *puny*, español *puño*, portugués *punho*, etc.

448. A primera vista resulta indiferenciable el origen velar o palatal en aquellas zonas en que se produce asimilación en -*nn*-: en sardo y en dialectos suditalianos, que de modo característico se hallan en proximidad inmediata con la zona velar (§ 445) y la zona arcaica palatal (§ 446): l i g n u (-a) sardo *linna*, suditaliano *linnu*. Pero el hecho de que en sardo y en la misma zona suditaliana el grupo cons. + i̯ se asimile en consonante doble (§ 464) hace que sea más probable también para estas zonas la primitiva forma palatal.— Este desarrollo del sardo y del suditaliano corresponde a la articulación sardo-italiana (incluso centroitaliano) -*tt*- < -*ct*- (§ 432). Y así, también sardo-italiano -*tt*- < -*ct*- puede remontar a *[çt] palatal, teniendo en cuenta, sobre todo, que también centroitaliano -*ññ*- < -*gn*- (§ 447) abona claramente el origen palatal. La evolución centroitaliana-románica occidental -*gn*- > -*ññ*- corresponde a la palatalidad románica occidental de -*ct*- > [çt] (§ 433). Con esto la evolución románica occidental está en relación geográfica con Italia central (y Cerdeña), e inversamente las zonas arcaicas suditalianas tienen su correspondencia en el románico de los Balcanes.

449. Debido a la labial, el grupo -*gm*- *[ɣm] presenta en toda la Romania un desarrollo velar en s a g m a > s a u m a > provenzal *sauma*, italiano *soma*, francés *somme*. Latín p i g m e n t u vacila entre el desarrollo velar: italiano antiguo *piu-*

mento, francés antiguo *piument*, y (por la *i*) el desarrollo palatal (con fusión de la i̯ en *i*): español *pimiento*, provenzal *pimen*.

450. En cuanto a la articulación latina de los grupos oclusivos (§§ 430-449), podemos sentar las conclusiones siguientes: 1. Una oclusiva seguida de consonante se relajó en fricativa (a menos que —especialmente ante otra fricativa— se geminase, §§ 421, 422, 451). 2. Las fricativas palatales nacidas de este modo tenían una articulación velar en el románico de los Balcanes y en las zonas arcaicas del sur de Italia, y una articulación palatal en el resto de la Romania.

I) CONSONANTE + SEMIVOCAL (§§ 451-490)

α) Consonante + i̯ (§§ 451-478)

451. Latín vulgar i̯ procede de latín i̯ silábica o e en hiato (§ 251).

Ante i̯, generalmente, s e d u p l i c a la consonante en latín vulgar; sin embargo, esta norma no rige para todas las consonantes ni para todas las zonas en cada consonante afectada. La geminación se halla particularmente aclimatada en el centro y sur de Italia, así como en sardo. Incluso en las regiones que posteriormente prescindieron de la doble consonante (§ 491), aparece la geminada con toda seguridad en muchos casos —coincidentes con el italiano—. La geminación es evitada por el románico común en -si̯- (§ 459); y es que en este caso i̯ se fusionó temprano con la consonante siguiente. Para -ri̯- cf. § 465.

El grupo -ti̯- gemina unas veces, otras evita la geminación (§ 454); en español, el grupo -ki̯- participa de esta fluctuación (§ 470).

La i̯ se combina frecuentemente, a lo largo del desarrollo posterior, con la consonante precedente para formar un grupo palatalizado o palatal (cf. §§ 54, 67). La elevación de la lengua al paladar se anticipa frecuentemente hacia el final de la articulación de la sílaba anterior (la llamada i̯ 'epentética').

1) *Dental + i̯* (§§ 452-466)

452. Latín -ti̯- experimenta en toda la Romania palatalización y asibilación. Por tanto, hay que suponer el proceso en época muy temprana [74], precisamente con anterioridad a la asibilación [75] de -ki̯- (§ 467) [76] —como demuestra el distinto comportamiento respecto a la sonorización (§§ 453, 469).

La asibilación de ti̯ en *tz* consta por inscripciones. Fonéticamente se trata de una asimilación (§ 133 b): la fricación [i̯] se desplaza a la articulación dental [z], pero manteniendo la palatalización (§ 67). El resultado es [t'z'].

453. En la Romania occidental la [t] entre vocal y [z] sonora sonorizó en [d] (mitad sur) o [δ] (mitad norte) (cf. §§ 360-361). El resultado fue [d'z'] o [δ'z'], respectivamente. De esta africada sonora palatalizada proceden: francés [i̯z], provenzal [z], español antiguo [dz] (> español moderno [θ] a causa de la 'desonorización castellana', cf. § 470), portugués [z], en catalán desaparece (cf. § 391). Ejemplos: r a t i o n e provenzal *razó*, francés *raison*, español *razón* [español antiguo -*dz*-] (el italiano *ragione* es préstamo francés);

---

[74] El estado no asibilado aparece todavía en préstamos latinos al germánico (bajo alemán *pütte* > p u t e u), celta y griego (griego moderno παλάτι < p a l a t i u m).

[75] La mera palatalización -ki̯- > *[ĉi̯] (§ 467) puede ser tan antigua como la asibilación de -ti̯- > [tz].

[76] Para el español, cf. § 470.

p o t i o n e provenzal *pozó,* francés *poison* (pero cf. § 454); p r e t i u provenzal *pretz* (< *dz,* cf. § 567), francés antiguo *pris,* catalán *preu* (§ 568); p u t e u catalán *pou* (§ 568), español *pozo* [español antiguo -*dz*-, español moderno -ϑ-]; v i t i u portugués *vêzo.*

454. Sin embargo, el proceso sonorizador en la Romania occidental está interferido por el hábito articulatorio de la geminación consonántica ante i̯ (cf. § 451), hábito que excluye la sonorización. La duplicación consonántica da origen a **[tti̯]* > **[ttç],* que en la Romania occidental y oriental evoluciona a [*tts*]. Articulación que aparece excluyentemente en el centro y sur de Italia, en grisón (como [*ts*], cf. § 491) y en sardo (dialectos centrales -ϑϑ-, logudorés -*tt*- < -ϑϑ-, campidanés -*tts*-). En rumano es más frecuente [*ts*] que [*ć*] (cf. abajo); en portugués es más frecuente [*s*] que [*z*] (§ 453). En un número más o menos grande de casos (frente a la evolución sonora, § 453) prevaleció en norteitaliano, provenzal, catalán, español y francés.—Ejemplos: p u t e u rumano *puţ,* sardo *puϑϑu, puttu, puttsu,* italiano *pozzo,* portugués *poço* (pero cf. §§ 453, 568); p l a t e a italiano *piazza,* francés *place,* provenzal y catalán *plassa,* español antiguo *plaça,* portugués *praça;* p o t i o n e español antiguo *poçoña* (junto español antiguo -*z*-, § 453), portugués *poção* (pero cf. § 453). Se comprende que el antiguo -*tti*- con geminada ya latina haya evolucionado así en todas partes: *m a t t e a italiano *mazza,* español antiguo y portugués *maça,* francés *masse;* *m a t t e u c a francés *massue;* m a t t i a n a español antiguo *maçana.*—En rumano tenemos, además de ésta, una evolución más rara de *[*tti̯*] a través de *[*ttç*] > [*ččç*] [77] > [*čč*]

---

[77] Hay evidentemente retracción de la articulación ante velar tónica: se evitó la dentalización [*ć*] > [*s*].

en [*ćć*] (> rumano [*ć*]): r o g a t i o n e, *fetiolu, *m a t-
t e u c a *rugăciune, fecior, măciucă.*

455. El grupo -t*i*- después de consonante permanece naturalmente sordo en todas partes: f o r t i a italiano *forza*,
francés *force*, español antiguo *fuerça* (escrita -*za* en español
moderno), portugués *força*.—El grupo -st*i*- llega a través de
*[*stç*] a la eliminación de la oclusión y al resultado [*šš*]
(cf. §§ 425, 426, 441), que forma la base o está presente en
u s t i u rumano *uşă*, italiano *uscio*, sobreselvano *esch*, francés *huis*, provenzal *uis* [78]. El español antiguo *uço* muestra la
desviación señalada en § 425.

456. El grupo latino -d*i*- en un espacio oriental (rumano,
retorromano, dialectos norteitalianos y, en algunos casos, en
toscano) emprendió una evolución a [*dz*] (> rumano [*z*], sobreselvano [*dz*], toscano [*ddz*]) correspondiente a la asibilación -t*i*- > [*tz*] (§ 452): m e d i u, r a d i u (-a), h o d i e rumano *miez, rază, azi* (*h a d i e); sobreselvano *miez*, —, *oz;* italiano (toscano) *mezzo, razzo, oggi* (cf. abajo). El resto de la
Romania asimiló latín -d*i*- en [*ǧǧ*] y después lo hizo coincidir
con latín -*ii*- (§ 471): h o d i e Bitti [*oie*], logudorés *oe*, suditaliano [*oie*], toscano *oggi*, francés *hui*, catalán *avuy*, español *hoy*, portugués *hoje*.

457. El grupo -rd*i*- evoluciona en parte (como al comienzo de dicción) a *[-*rǧ*-] (> francés antiguo [-*rǧ*-]: h o r d e u
orge), en parte a [-*rdz*-] (> italiano [-*rdz*-] *orzo*, rumano [*z*]
orz). En el provenzal *ordi* tenemos la antigua articulación
vocálica o semivocálica de la -*i*- latina, que al caer la -u podía

---

[78] Los dialectos arcaicos suditalianos muestran —coincidiendo con
los testimonios de los gramáticos— omisión (disimilatoria) de la asibilación: suditaliano *ustiu*, b e s t i a *vestia*.

mantenerse. En español y portugués antiguos [-rdz-] pasa a
[-rts-]: h o r d e o l u español antiguo *orçuelo*, p e r d e o portugués antiguo *perço* (cf. § 407).

458. El grupo -ndi̯- evoluciona a *[-nğ-] > [-ññ-] (como
-ni̯-, § 463) en v e r e c u n d i a italiano *vergogna*, francés *vergogne*, provenzal y portugués *vergonha*. Hay asibilación en
*[-ndz-] y cambio a [-nts-] (cf. § 407) en español y portugués
antiguos: portugués (antiguo) *vergonça* (al lado de *vergonha*),
español antiguo *vergüença*.

459. Latín -si̯- no desemboca en la geminación en ninguna
zona, sino que se transforma en [s'] palatalizada o en [š]
palatal.

460. La articulación [s'] sufre despalatalización y coincide con latín -s- (§§ 381 ss.) en sardo y en dialectos italianos
del sur y del nordeste: c a s e u suditaliano y sardo *kasu*
(Bitti [-s-], logudorés-campidanés [-z-]); b a s i a r e suditaliano
vasare, sardo *basare*, veneciano [*bazare*]. En francés, provenzal, catalán y español surge i̯ en la sílaba precedente [-i̯z-]:
b a s i a r e francés *baiser*, provenzal *baisar*, catalán y español
besar [79].

461. La articulación [š] se da en el centroitaliano (así
en toscano y en la lengua literaria) y en rumano: c a s e u toscano [*kāšo*], rumano *cas*; b a s i a r e toscano [*bašāre*], rumano ant. *bǎșare*.—En rumano no existe diferencia alguna entre [š] < -ssi̯-, -sti̯- (§§ 455, 462) y [š] < -si̯-, pues las diferencias cuantitativas consonánticas son extrañas al rumano
(§ 493). En cambio, en toscano [šš] < -ssi̯-, -sti̯- (etc.; §§ 425,

---

[79] Español antiguo [z], español moderno [s]; cf. § 470.

441, 455, 462) es una consonante doble, [*š*] <-s*i*- es una con
sonante sencilla, que coincide fonéticamente con el resultado
toscano [*š*] <-c- [*višino*, § 389]. Como se reproduce [*višino*]
con la grafía latinizante *vicino*, también [*kašo, bašare*] se es-
criben ortográficamente *cacio, baciare* [80]. De [*š*] procede en
el noroeste de Italia, en grisón y portugués (aquí con entrega
de una *i* a la sílaba anterior) la articulación [*ž*] mediante la
sonorización: b a s i a r e ligurés *bažá*, portugués *beijar;* c a-
s e o l u sobreselvano *caschiel* 'queso'.

462. Latín -ss*i*- se mantiene en los dialectos sardos centrales, en cambio pasa a [*šš*] en logudorés-campidanés. La pronunciación [*šš*] se conserva también o sirvió de base en amplias zonas de la Romania.

En centroitaliano y suditaliano se mantiene [*šš*]. En norteitaliano, retorromano y rumano, la geminada se abrevió en
[*š*] (cf. § 491). En catalán y portugués la [*š*] (escrita *x)* dio
una *i* a la sílaba anterior [*iš*]. En español, la [*š*] (grafía del
español antiguo: *x)* dio en español moderno ('velarización
castellana', cf. § 464) [χ] (grafía del español moderno: *j).—*
En francés y provenzal -ss*i*- a través de [*śś*] pasó a [*iss*]
(> [*is*]). — Ejemplos: **b a s s i a r e* 'abajar' suditaliano
[*vaššare*], catalán y portugués *baixar* [-*š*-], español *bajar*, provenzal *baissar*, francés *baisser; **i n g r o s s i a r e rumano *în-
groșá; **c r a s s i a sobreselvano *grascha* 'estiércol'.

463. Latín -n*i*- se asibila en sardo bien en [*ndz*] (logudorés), bien en [*ñǵ*] (campidanés). Esta última pronunciación

---

[80] Los hablantes no toscanos de la lengua literaria que pronuncian *vicino* como [*vićino*] (§ 389, nota) reproducen consecuentemente la grafía *cacio, baciare* como [*kaćo, baćare*]: una articulación
completamente ahistórica.

ocurre también en el sur de Córcega. En el resto de la Romania se asimila en [ññ] (cf. § 133 d).

La articulación [ññ] se presenta en centroitaliano y suditaliano. En la Romania occidental se abrevia en [ñ] (§ 491). Como el resultado en italiano y románico occidental coincide con el de -gn- (§ 447), algunas lenguas literarias introdujeron la grafía -gn- para [ññ] o [ñ], respectivamente.—En rumano [ññ] se simplificó en [ñ] (§ 491), que persiste en Banato (v i- n e a > [viñe]), y que, en cambio, el resto del dominio dacorumano relajó en [i̯].—Ejemplo: v i n e a logudorés *bindza,* italiano *vigna* [suditaliano y centroitaliano -ññ-, norteitaliano -ñ-], sobreselvano *vegna,* francés *vigne,* provenzal y portugués *vinha,* catalán *vinya* [-ñə], español *viña.*

Latín -mni̯- (s o m n i u m) persiste en catalán y dialectos provenzales (catalán y provenzal *somni* con i̯ mantenida como vocal, cf. § 457). Después de la asimilación -mn- > [-mm-] (cf. § 418) pasa *[mmi̯]* (cf. § 478) a sobreselvano [mi] *siemi* (con mantenimiento vocálico de la [i̯]), francés [antiguo *ng* > moderno ~ž] *songe.* En cambio, después de la asimilación de -mn-> [nn] (cf. § 418), el grupo [nni̯] (§ 463), conservado en Córcega, pasa en italiano a [ññ], en español y portugués a [ñ]: italiano *sogno,* español *sueño,* portugués *sonho.*

464.   Latín -li̯- se asimiló en casi todo el románico en [ʎ] palatal (cf. § 133 d).

La articulación [ʎ] se conserva en suditaliano y centroitaliano. En la Romania occidental se simplificó en [l], y así se mantiene en norteitaliano, retorromano, provenzal, catalán, portugués y francés antiguo. En francés moderno [l] se relajó en [i̯], y lo mismo en dialectos norteespañoles y rumanos. En castellano (lengua literaria) [i̯] se asibiló en [ž]. En espa-

ñol moderno, [ž] se transforma en [χ] ('velarización y desonorización castellana', § 470). Ejemplo: f o l i a rumano e italiano *foglia* [suditaliano y centroitaliano *-ḷḷ-* norteitaliano
-ḷ-], sobreselvano *feglia*, francés *feuille* [francés antiguo *-ḷ-*,
francés moderno *-i̯-*], provenzal y portugués *folha* [*-ḷ-*], español
hoja [español antiguo ž, español moderno χ], rumano *foaie*.

En dialectos suditalianos, en vez de [ḷḷ] ocurre [ğ̆ğ̆] des-
lateralizada (f o l i a > [*fogga*]), que quizá provenga directamente de -li̯- mediante resultado distinto de la asimilación.
Procede también directamente de -li̯- la asimilación [ll] (sin
palatalización), que se encuentra en dialectos arcaicos suditalianos, así como en el sur de Cerdeña y en Córcega, sobre
todo donde hay a su lado otras asimilaciones (§§ 478, 448).
Remonta directamente a la articulación latina el suditaliano
fili < f i l i i (con sinalefa en vez de evolución a i̯).—Otros dialectos sardos ofrecen para -li̯- las articulaciones [ḷḷ, ddz, ğ̆ğ̆],
y los dialectos centrales presentan [tts] desonorizado: f i l i u
logudorés [*fiddz̯u*], Bitti [*ittsu*].

465. Latín -ri̯- en una vasta zona románica, que comprende la mayor parte de los dialectos suditalianos, el centro de
Italia y la Romania occidental, dio originariamente *[r'] palatalizada (no duplicada), la cual se resolvió la mayoría de las
veces en [i̯r].

La pronunciación [i̯r] subsiste en la parte noroeste de
Italia, en retorromano, francés, provenzal, catalán, español,
portugués y en dialectos suditalianos: a r e a suditaliano y piamontés *aira*, sobreselvano *era*, francés *aire*, provenzal *aira*,
catalán *éra*, español *era*, portugués *eira*.—En toscano pierde
*[r'] la articulación dental y se convierte en [i̯]: a r e a *aia*,
c o r i u *cuoio*.

466. Perdura latín -ri̯- en rumano, dialectos suditalianos y sardos centrales: a r e a rumano *arie*, suditaliano *aria;* c o r i u suditaliano *cuoriu,* nuor. *kó̯ri̯u.* En logudorés-campidanés se asibila en [-rdz-]: [ko̯rdzu]; en dialectos arcaicos suditalianos se asimila en [rr] (cf. §§ 448, 464, 478): s e x t a r i u *starru* 'jarra'.

2) *Palatal* + i̯ y -i̯i̯- (§§ 467-471)

467. Latín -ki̯- palataliza y se asibila en toda la Romania, incluso en aquellas zonas románicas que conservan la k latina inicial y medial ante i, e (silábica) (cf. §§ 311, 387). Esto prueba que la palatalización de latín -ki̯- es más antigua que la de latín k ante e, i silábicas. La articulación *[či̯], que en cada zona evoluciona de distinta manera [81], constituye el resultado más antiguo —como que es románico común— de la palatalización. Entre los resultados románicos de latín -ki̯- y latín -ti̯- (§ 452) se producen algunas confusiones (§§ 454, 469). Para la relación cronológica, cf. § 452.—Sobre el papel modélico de či̯ para el comienzo de sílaba cf. § 407.

468. En centroitaliano y retorromano *[či̯] gemina en *[čči̯] (cf. § 451), para después, a través de *[ččç] asimilarse en *[čč], que (con latín k- > *č- > ć-, § 312) desemboca en [ćć]. La pronunciación [ćć] persiste en italiano y se simplificó en [ć] en retorromano (§ 491): f a c i e, b r a c c h i u (§ 470), v i c i a italiano *faccia, braccio, veccia;* sobreselvano *fatscha, bratsch, vetscha.* Esta evolución se da asimismo en rumano: u r c e o l u *urcior,* e r i c i u *ariciu.* Así, pues, el rumano muestra confusiones en los resultados de latín -ki̯-

---

[81] El germánico (e igualmente el griego y el celta) tradujo -ki + vocal por la articulación [k]: v i c i a alemán *Wicke,* griego moderno βίκος.

(cf. también § 469) y latín -ti̯- (§ 454). En cambio, en centroitaliano y retorromano la distinción entre latín -ki̯- > *ćć* y
latín -ti̯- > *tts* (§ 454) es rigurosa.

469. En otras partes de la Romania *[čí̯] se duplica en
[čč̣í̯], evoluciona después a *[ččç] (como § 468), y continuan-
do hasta *[ttç] > [tts] se confunde luego con el resultado
*[ttç] > latín -ti̯- (§ 454). La articulación [tts] la encontra-
mos en suditaliano; se simplificó en [ts] (cf. § 491) en
rumano, norteitaliano (> [s]), francés antiguo (> francés moderno [s], cf. § 312), provenzal (en interior de
palabra > [s], en final de palabra [ts]), catalán (> [s]),
español antiguo (> español moderno [ϑ], cf. § 312), portugués antiguo (> portugués moderno [s], cf. § 312). Ejemplos: f a c i e , b r a c c h i u , v i c i a suditaliano —, *vrazzu,
vizza;* rumano *față, braț,* —; norteitaliano —, *bras, vessa;*
francés antiguo *face, braz, vece* [ts]; francés moderno *face,
bras, vesce* [s]; provenzal *fassa, bratz, vessa;* catalán *fas,
bras, vessa;* español *haz, brazo* (español antiguo *braço*), —;
portugués —, *braço,* —. También en sardo parte de la base
[tts], que aparece como [ϑϑ] en los dialectos centrales, como
[tt] en logudorés y como [tts] en campidanés: a c i e > *aϑϑa,
atta, attsa* (cf. también § 454).

La evolución de k latina ante *e, i* silábicas (§ 311 ss.) no siguió en sardo, suditaliano y rumano el desarrollo de -ki̯-
(como en el resto de la Romania, § 313); antes bien, hay que
suponer para estas zonas de *brattsu* una articulación *kentu,*
que todavía subsiste en los dialectos sardos centrales y en
logudorés, y que en suditaliano y rumano no avanzó hasta
más tarde (si bien todavía en fecha antigua) hasta [ć]. En
esta palatalización tardía debió de ser decisivo, al menos en
suditaliano y campidanés, el influjo de la zona de *ćentu-*

braćću (centro de Italia y, originariamente, también la Romania occidental).

470. Es peculiar la posición del español, esto es, prácticamente del español antiguo [82]. Aquí hay evolución sonora de latín -ki̯-: a c i a r i u *azero* (pero francés *acier*, portugués *aceiro*), e r i c i u *erizo* (pero francés *hérisson*, portugués *ouriço*), l a q u e u (cf. § 479) *lazo* (pero portugués *laço*). Junto a esto está la evolución sorda del románico común: s a e t a-c e u *cedaço* (como portugués *cedaço*, catalán *sedàs*, sobreselvano *sedatsch*, francés *sas*), p e l l i c e a *pelliça* (como portugués *peliça*, catalán *pellissa*, provenzal *pelissa*, francés *pelisse*). El latín b r a c c h i u m tiene ya en latín doble grafía y doble pronunciación: así resulta también el español antiguo sordo *braço* (como portugués, etc., cf. § 469).

En español antiguo vacila latín -ki̯- entre la sonoridad (más frecuente) y la sordez, lo mismo que le pasa, en general, a latín -ti̯- en la Romania occidental (§§ 453-454). Así, pues, la sonorización alcanzó en español a latín -ki̯- antes de la geminación en [čči̯], esto es, cuando estaba todavía en la etapa *[či̯] (§ 467): el grupo simple *[či̯] sonorizó en español y se asibiló en [ǧz], coincidiendo y confundiéndose después con el grupo simple latino -ti̯- en la fase *[d'z'] (§ 435) (de la misma manera que, en sentido inverso, el grupo geminado -tti̯- se confundió con el grupo -ki̯- >čči̯ en la pronunciación [tts], §§ 454, 469). La temprana sonorización de -ki̯- en español concuerda con el hecho de que la sonorización de

---

[82] Sobre la sonoridad y sordez de las silbantes sólo el español antiguo permite juzgar, pues las silbantes sonoras en español antiguo [z, δ, ž] (cf. §§ 381, 391, 460, 453, 470, 333, 422, 464) quedan desonorizadas en el siglo XVI [s, ϑ, š]. Añádase que la silbante [š] (< español antiguo [ž] como de origen distinto, cf. §§ 441, 462) fue velarizada más tarde (siglo XVII) en [χ].

oclusivas intervocálicas (§ 360) está atestiguada muy temprano (siglo II) en suelo español.

471. Latín -gi̯- y -i̯i̯- (grafía: -i-, cf. § 297) se confundieron en un solo sonido. De -gi̯- nació primitivamente *[ǵ́ǵ], al paso que -i̯i̯- se pronunció originariamente como fricativa. Al fusionarse los sonidos, resultó, en parte, una africada *[ǵ́ǵ] y, en parte, una fricativa *[i̯i̯]: a estas dos formas básicas remontan todas las formas románicas. Cuadro sinóptico:

lat	lat. vulg.	rum.	sard.	sudit.	it. c.	sobres.	fr	prov.	cat.	esp.	port.
i̯i̯	i̯i̯	i̯	i̯(—)	i̯		i̯	i̯	i̯	ž	i̯(—)	i̯(—)
"	ǵ́ǵ			ǵǵ	ǧ		ǵ	ǵ			
gi̯	i̯i̯	i̯(—)	i̯(—)	i̯			i̯	i̯		i̯(—)	i̯
"	ǵ́ǵ					ǵǵ		ǵ	ǵ		

Ejemplos: peius (peior), maiu, corrigia, fageu rumano —, *maiu, curea*, —; sardo *pli̯us, mai̯u, korría*, —; suditaliano *pei̯u, mai̯u, curreia*, —; centroitaliano *peggio, maggio, correggia, faggio;* sobreselvano *pir, matg, curegia*, —; francés *pis* (< *pi̯ei̯s*), *mai, courroie*, —; provenzal *peitz* (peior *pejer*), *coreia, faia;* catalán *pitjor (pijor), maig, corretja, faig;* español *peor, mayo, correa, haya;* portugués *peor, maio, correia, faia.*

3) *Labial + i̯* (§§ 472-478)

472. En sardo, y parcialmente en español-portugués, el grupo latino -pi̯- se trata como consonante sencilla inter-

vocálica (§§ 367 ss.): este grupo pervive en los dialectos sardos centrales (*p r o p e a n u *propiánu*), en logudorés-campidanés pasa a [βi̯] (*proβi̯ánu*), en español da [*bi*] (> español moderno [βi̯]), en portugués se transforma en [i̯b]: s ē p i a español *jibia*, portugués *siba* (ē > i, cf. § 205 [83]). En el resto de la Romania (también en español y portugués en otras voces), latín -pi̯- geminó temprano en [*ppi̯*] (c. § 451).

473. La articulación [*ppi̯*] persiste en Italia central (s a p i a m , s e p i a , a p i u *sappia, seppia, appio*), y también (con la pronunciación [*pi̯*], cf. § 491) en norteitaliano y retorromano (sobreselvano *sappi*, —, —), en dialectos provenzales (*sapia, sepia*), así como en catalán (*sepia*). En vastas zonas de la Romania pasa a *[*ppç*] (esto es, sufre desonorización como *[*ttç*], c. § 454): de la base *[*ppç*] arrancan engadino [*pč*] (*sapcha*), provenzal [*pć*] (*sapcha, sepcha*), norteitaliano [*ć*] (ligurés *saća*), provenzal y francés antiguo [*ć*] (> francés moderno [*š*]: *sache, sèche, ache*), suditaliano [*ćć*] (*saccia, seccia, acciu*). En catalán y provenzal, al caer las vocales que no fueran *a* (§ 272), todavía existía la pronunciación vocálica o semivocálica, que se mantuvo después de enmudecer la antigua vocal final de dicción: a p i u provenzal y catalán *api*. En español y portugués (y en dialectos norteitalianos), simplifícanse las geminadas (§ 491), *[*ppç*] se resolvió en [*i̯p*] o [*pi̯*]: c a p i a m , s a p i a m , a p i u español *quepa* (< *[*kaipa*]), *sepa, apio;* portugués *caiba, saiba* (con *-b-* conforme al § 472 o por el radical *caber, saber*), *aipo*.

[83] El contraste entre s ē p i a > español *jibia* y s ă p i a m > español *sepa*, quizá guarde relación con la distinta cantidad de la vocal latina, al paso que la geminación -ppi̯- estaría en un principio vinculada a la cantidad breve de la vocal precedente (cf. § 491), según W. Hermann.

474. En toda la Romania se produjo la confusión entre latín -bi̯- y -vi̯-, adoptándose la forma -vi̯- (por el desarrollo intervocálico, § 366).

475. La articulación latina -vi̯- se conserva en sardo (> dialectos centrales [vi̯], campidanés [βi̯], logudorés [i̯], cf. § 373), portugués [iv], español [βi̯], catalán [βi̯], dialectos provenzales [vi̯]: r u b e u sardo *ruβi̯u, rui̯u;* r u b e u , r a b i e , c a v e a portugués *ruivo, raiva,* —; español *rubio, rabia, gabia;* catalán *(roig,* cf. § 477), *rabia, gavia;* l a b i a provenzal *lavia;* l a b i u catalán *llavi* (con vocalización de la *i,* cf. § 473).

476. La pronunciación -vi̯- propendía en latín (antes o después de vocal velar) a resolverse en -i̯- (-i̯i̯- § 297), igual que l a q u e u se reduce a l a k i̯ u (cf. § 479). Huellas de esta tendencia son, por ejemplo: *aviolu francés *aïeul* (pero español *abuelo,* etc.), r u b e u provenzal *roi,* h a b e o francés *ai,* español *he,* portugués *hei.*

477. Prescindiendo de lo dicho en el § 476, la articulación latina -vi̯- dio por geminación (§ 451) [-bbi̯-] [84] en el resto de la Romania.—La articulación [bbi̯] aparece en Italia central (h a b e a m *abbia,* r a b i a *rabbia,* c a v e a *gabbia),* así como (en la forma [bi̯], cf. § 491) en dialectos norteitalianos y retorromanos.—En rumano, la palatal pasó a la sílaba anterior [i̯b]: r u b e u *roib.*—Paralelamente al desarrollo de -pi̯- (§ 473), proceden de [bbi̯] engadino [bǧ] *(rabgia),* sobreselvano [vǧ] *ravgia,* provenzal [ug] (r a b i a *rauja,* r u b e u *rog),* catalán [ǧ] (r u b e u *roig),* norteitaliano [ǧ] (c a v e a *gaggia),* suditaliano [ǧǧ] (h a b e o *aggiu,* f o v e a *foggia,* c a v e a *caggia),* francés antiguo [ǧ] > francés moderno [ž] *(rage, rouge, cage).*

---

[84] La geminación de -v- es -bb-, pues -v- y -b- han coincidido fonológicamente; cf. § 366; cf. también § 300.

478. Latín -mi̯- se conserva en sardo (*g r e m i a r i u *remiardzu* 'manojo'), además (quizá pasando por [mmi̯], cf. infra) en provenzal, español y dialectos norteitalianos y retorromanos (v i n d e m i a, s i m i u, -a provenzal *vendemia, simia;* español *vendimia, jimia* [antiguo]; sobreselvano *vendemia, schemia).* El portugués y catalán entre [mi̯] (catalán y portugués *simia)* e [im] (catalán *verema,* portugués *vindima).*—En centroitaliano, -mi̯- dio [mmi̯] por geminación (§ 451): italiano *vendemmia, scimmia.* En una zona arcaica suditaliana se efectúa asimilación plena en [mm] (§ 464): *vennemma,* g r e m i u *grimmu.* En el resto del suditaliano [mmi̯] se asimila en [ñ̃ñ̃] (cf. § 133 d): *venneñña.* La articulación románica occidental [mi̯] (cf. arriba) puede también remontar a [mmi̯]. Seguramente es [mmi̯] la base del ulterior desarrollo (conforme a *-bbi̯-,* § 477) en engadino [mǧ] *(vindemgia),* francés antiguo [nǧ] > francés moderno [ʌ̆ž̆] *(vendange, singe).*

β) Consonante + u̯ (§§ 479-490)

1) *Latín* qu̯, gu̯ (§§ 479-487)

479. La grafía escolar -quu- estaba representada en la pronunciación latina (y la escritura más cuidada) por la antigua vocalización -qu̯o- o por -cu- [ku]: e q u o s o e c u s. La articulación [ku] pervive en románico: a n t i q u o it. *antico,* c o q u u italiano *cuoco.* En latín vulgar se produjo también simplificación de qu̯o en [ko] (cf. § 344), lo que acarreó como consecuencia otras simplificaciones analógicas de -qu̯-: según *c o c o (< c o q u o), *t o r c o (< *t o r q u o),* se formó *c o c i s, *c o c i t, *c o c e r e, *t o r c i s, *t o r c i t, *t o r c e r e (it. *cuocere, torcere);* c o q u i n a > c o c i n a (it. *cucina,* fr. *cuisine).* Pero ocurre también mantenimiento (o analogía

de efecto inverso): s e q u o, s e q u i s, s e q u i t, s e q u o n t,
s e q u e r e (fr. a. *sieu, sieus, sieut, sieuent, sieuvre*).

La reducción de la e antevocálica a [*i*] en l a q u e u originó
el inusitado grupo consonántico secundario [*kui̯*], el cual se
transforma en el grupo corriente [*ki̯*] (cf. § 476), de suerte
que el latín vulgar l a c i̯ u forma la base de las formas románicas (§ 470): italiano *laccio*, francés antiguo *laz* (francés moderno *lacs*).

480. Por razones de claridad trataremos en lo que sigue
conjuntamente -q̯u- intervocálico (§§ 481, 483 s.) y -q̯u- postconsonántico (§§ 482, 485), y en cada caso incluiremos también la explicación de la suerte del g̯u postconsonántico
(§§ 482, 485 s.).

481. Por lo que se refiere primeramente a q̯u intervocálico ante *i, e*, s e q u e r e muestra ya en la general conservación latino-vulgar de -q̯u-, efectos expresamente analógicos
(§ 479), y estos efectos se prolongan hasta penetrar en el románico (mediante la conformación fonética uniforme del radical, sin tener en cuenta la cualidad de la vocal siguiente a
-q̯u-, si era *i, e*, o bien *a*, o bien *o, u*).

La forma fonética ante i, e y ante o prevalece en español,
portugués y catalán, donde -q̯u- pasando por -g̯u- sonorizado
(§ 361) ante i, e y o debe finalmente dar [*g*] (§ 344): español,
catalán y portugués *seguir* [*g*]<*s e q u i r e, *sigo* < s e q u o, y
según estas formas, español *siga* < s e q u a m, etc. Genéticamente está justificada [*g*] ante todas las vocales en provenzal
(segre). El francés antiguo *siewre* (> *siuvre* > francés moderno *suivre*) muestra desaparición de la [*k*] sonorizada (a
través de [γ]) como ante *u, o* (§ 401). Aparece evolución a
[*u̯*] como en g̯u inicial (§ 350) en *s e q u e n t a r e sobreselvano *suentar* (< *su̯uentar).

La palatalización normal (§ 346) aparece en n e q u e rumano *nici;* igualmente en n e q u e u n u > n e q u̯-u n u (por
sinalefa) vegliota *nenćoin.* Hay fusión de u̯ (§ 479) en español *ninguno.*

482. En posición postconsonántica, presenta qu ante e
la pronunciación esperada en c i n q u e rumano *cinci,* vegliota *ćeŋk* (§ 346, nota), francés *cinq,* provenzal y catalán *cinc,*
italiano *cinque,* español y portugués *cinco* (donde tras la caída
de la *-e* la [u̯] se hace incluso silábica), sobreselvano *tschun* [85],
logudorés *kimbe.*—La palabra s a n g u e (s a n g u i n e), de estructura paralela, recibe el mismo tratamiento en rumano
sînge, francés *sang,* provenzal y catalán *sanc,* italiano *sangue,*
logudorés *sámbene,* sobreselvano *saung.* Muestra también evolución normal s a n g u i n e español *sangre,* portugués *sangue*
(frente a *cinco*). Hay que considerar la labialización de la
vocal siguiente a -qu- como efecto de la -u̯- en i n q u i n a t u
español *enconado,* i n q u a e r e r e (*-ī r e) sobreselvano *encu-*
rir 'coger'.—Latín a n g u i l l a, f r i n g u i l l a, a través de la
forma atestiguada a n g y l l a [-*gü*-], dio en el este y en el sur,
por la influencia griega (cf. § 346), vegliota *angóla,* friulés
ándzila, suditaliano *angílla* (pero centroitaliano y norteitaliano *anguilla,* francés *anguille,* español *anguila* < -gu̯-), friulés
frandzel, ladino central *franžela,* suditaliano *fringíllu* (pero
norteitaliano y centroitaliano *fringuello* < -gu̯-).

483. En una parte de la Romania -qu̯- intervocálico ante *a*
en a q u a se reafirmó en [*kku̯*]: latín vulgar a c q u a se halla
expresamente atestiguado y persiste en italiano (centroitaliano y suditaliano) *acqua,* norteitaliano (oriental) *aqua* (cf.

---

[85] La forma remonta a *[ćiuŋk] en vez de ··[ćiŋku̯] (cf. § 233).
La *i* fue 'absorbida' por [ć], cf. § 214.

§ 491). De la forma no reafirmada a q u a provienen norteitaliano (occidental) *aigua*, provenzal *aiga*, catalán *aigua*, español y portugués *agua*, francés *eau*, sobreselvano y engadino
aua. En cuanto a sardo *abba*, rumano *apă* no es posible una
decisión.

La evolución en sardo y rumano desemboca en la labialización mentada en § 348; en norteitaliano, provenzal y catalán el desarrollo, a través de *aχwa* > *açwa* > *aiwa* (conforme a -ct- > -i̯t-, cf. § 435), da mediante el sonido protético
(cf. § 303) *aigua* (> provenzal *aiga*, conforme a § 350).—En
francés, de la forma a q u a nace a través de *[aχwa]* la forma *[aγwa]*, cuya [γ] no palataliza (como en provenzal) a
causa de la [w] velar, sino que desaparece como *[γ] (< [k])*
intervocálica (s e c u r u *sëur*, § 401). Nace así *[awa]* (como
en gris.), de donde (cf. § 174) francés antiguo *ewe* (mientras
que, por ejemplo, en el caso de l a c t e *lai̯t* la sílaba era cerrada, § 208). De *ewe* mediante la vocal transicional (§ 218) nace
eaue (francés moderno *eau)* o mediante el cambio de la inusitada [w] en [v] (§ 488) francés antiguo (dialectal) *eve*.—
El español *agua* muestra el tratamiento de la [k] latina en
posición postvocálica.

484. De e q u a procede conforme a § 483 rumano *iapă*,
sardo *ebba*, portugués, catalán *egua*, español *yegua*, provenzal *ega*. En francés, e q u a, a través de [*eχwa*] > *[eçwa]* [86]
> [*iei̯wa*] (§ 201), da francés antiguo *iwe* > *ive* (como l e c t u
lit).

El gálico l e u c a da en románico, a través de una forma
con metátesis *l e q u a: francés antiguo *lieue* (como a q u a
eaue), provenzal *lega*, español *legua*. La voz germánica t r i u-

---

[86] En contraste con a q u a hay palatalización en e c u a. La palatalización podía verse impedida entre a-u̯ (§ 483), pero no entre e-u̯.

w a da en románico *t r e g u a, italiano y español *tregua*, francés *trève* (como e q u a *ive*), provenzal *trega*.

De a n t i q u a nace francés antiguo *antiwe* > *antive*, mientras que a n t i c u da *anti(u)*, que fue desplazado por el analógico *antif* (cf. *vive* < v i v a, *vif* < v i v u).

Las voces francesas a c u t u *aigu*, a q u i l a *aigle*, a e q u a l e *égal* muestran un tratamiento no popular.

485. El grupo qu postconsonántico ante a en n u n q u a m francés antiguo *nonque*, provenzal *nonca*, muestra en español y portugués *nunca* la reducción a [*k*] que ocurre en sílaba átona (§ 348).

486. El grupo gu postconsonántico ante a en l i n g u a muestra en rumano *limbă*, sardo *limba*, italiano *lingua*, español *lengua*, portugués *lingua*, catalán *llengua*, provenzal *lenga*, francés *langue* [*g*] la forma que era de esperar al comienzo y en medio de dicción (§ 350). En sobreselvano *lieunga* la u pasó a la sílaba anterior (cf. § 233).

L a n g u o r e rumano *lîngoare*, francés *langueur*, perdió su u ante o ya en latín vulgar (§ 344). Como en c o q u e r e, t o r q u e r e (§ 479), también en e x t i n g u e r e, u n g (u) e r e la u desapareció en todas las formas por vía analógica ya en latín vulgar: italiano (dialectal) *stégnere*, italiano *ungere*, etcétera.

487. Como u ante vocal pierde en latín vulgar su carácter silábico (§ 251), nace detrás de [*k*] en latín vulgar un nuevo [*kw*], cuya evolución coincide con la del antiguo qu.

Ante u es de esperar la desaparición de la *w* (§ 479): v a c u u calabrés *vacu*. En italiano se duplica la consonante y se conserva la [*w*]: t a c u i *tacqui*, i a c u i *giacqui*, p l a c u i *piacqui*, *n a c u i *nacqui*.

En la Romania occidental no se produce geminación, sino el tratamiento postvocálico normal de la *k* (§ 401): o se mantiene la *w* o quedan sus huellas: p l a c u̥ i > *plaɣwi* > *plawi* (§ 488) > francés antiguo *ploi*, p l a c u̥ i s t i > *plawís* > francés antiguo *ploüs* (> *plëus* > francés moderno *plus*, que se aplica analógicamente a la primera persona), p l a c u̥ i > *plagui* > [*pláugi*] > español antiguo *plogue*.

La u̥ de e c c u m h ī c > e c c u̥ h ī c, convertida en asilábica por sinalefa, recibe el tratamiento correspondiente: italiano *qui* [87]. En las otras lenguas se pierde la [w] y la geminada [*kk*] permanece como sencilla oclusiva sorda (§ 491): español, portugués, catalán y provenzal *aquí* [akí].

2) *Las otras consonantes* (§§ 488-490)

488. En italiano la geminación se produce también con otras consonantes ante u̥. Los grupos se distinguen de [*kw* > *kkw*] en que desaparece la *w* (§ 251): *stetui* *stetti*, v o l u i *volli*, h a b u i *ebbi*, s a p u i *seppi*, *cadui* *caddi*, j a n u a r i u s *gennaio*, etc. Así también en sardo: j a n u̥ a logudorés *yanna*.

En la Romania occidental se evita también la geminación en estos casos, viniendo así la consonante a seguir el tratamiento postvocálico normal (§§ 366 ss.): h a b u̥ i > *aβwi* > *awwi* > *awi* > francés antiguo *oi*, h a b u i s t i > *awwisti* > *awüs* > francés antiguo *oüs* (> *eüs* > francés moderno [*ü*], § 267; esta forma se aplica a la primera persona), s a p u i > *sawwi* > francés antiguo *soi*, s a p u i s t i > francés antiguo *soüs* (> *seus* > francés moderno *sus*), etc.—Latín j e n u̥ a r i u conserva en francés su u̥ como [v]: *janvier*. En provenzal hay, según los dialectos, mantenimiento *(genoier)*

---

[87] El resultado lo diferencia característicamente del pronombre q u̥ i > italiano *chi* (§ 345).

y desaparición *(genier)*. En español *(enero)* y portugués *(janeiro)* hay desaparición. Quizá esta desaparición esté motivada por f e b r (u̯) a r i u (§ 251).

489. La geminación, normal en italiano (con desaparición de la u̯), aparece en otras zonas románicas (sardo, retorromano, francés, provenzal y catalán) en el verbo f u t u e-
r e > *f u t t e r e (italiano *fottere*, francés *foutre)*: la palabra
es, sin duda, un vulgarismo irradiado de Italia. Sólo una zona
retirada (española, portuguesa) deja desaparecer la u̯ sin
geminación (por analogía como en c o q u e r e, cf. § 479): *f u-
t e r e esp. ant. *hoder* > esp. m. *joder*, port. *foder*. Para el rum.
fute no se puede dar una explicación decisiva.—Lat. c o n s u o
> latín vulgar c o s o (cf. § 479) constituyó la base de las· res-
tantes formas (c o s i s, etc., c o s e r e): rumano *coase*, francés *coudre*, español y portugués *coser*.

490. Latín v i d u a se mantuvo evidentemente trisílaba
en algunas lenguas durante largo tiempo, y en otras definitivamente (siendo tratada la ·-d- en cada una de las lenguas
como en posición postvocálica, cf. § 375 ss.): rumano *văduvă*,
italiano *védova*, provenzal *vézoa*, sobreselvano *viéua*, francés
antiguo *vewe* (> [vövə], escrito en francés moderno *veuve)*
y *veve*.

K) CONSONANTES DOBLES (§§ 491-504)

491. La geminación latina representa una combinación
de fonemas que ocurre en medio de palabra y de oración.
En latín se realizaba en las continuas mediante una articulación más larga, y en las oclusivas, retardando la explosión.
Esta pronunciación de las consonantes dobles se ha conservado hasta hoy en sardo y en italiano del sur y centro:

a n n u, v a c c a sardo *annu, bakka;* italiano *anno, vacca.* En
el resto de la Romania (rumano y Romania occidental) las
consonantes geminadas se simplificaron [88].

En latín coexistían en algunos tipos de palabras las se-
cuencias 'vocal larga + consonante sencilla' y 'vocal breve +
consonante doble' como variantes de articulación, siendo rechazada con frecuencia una de ambas formas por los gramáticos. En románico se conservan en parte ambas variantes
(en escalonamiento geográfico o diferenciación semántica),
en parte sólo una: c ū p a (francés *cuve* 'recipiente'), c ŭ p p a
(francés *coupe* 'copa'); g l ū t u s, g l ŭ t t u s (italiano *ghiotto).* Para la relajación de la ley de la secuencia, cf. nota del
§ 494. Esta relajación aparece también en la coexistencia de
t ō t i (español y portugués *todos)* y t ō t t i (t ǫ t t i como
b ǫ c c a), que mediante la metafonía de ǫ > ų (cf. § 199) da
italiano *tutti,* francés antiguo *tuit* (pero t ō t t o s francés antiguo *toz,* francés moderno *tous).*

492. En la Romania occidental no se efectúa, en general,
una confusión de la consonante doble simplificada con la
correspondiente consonante sencilla intervocálica (§§ 360-405).

La simplificación se produjo, pues, después de efectuado
el debilitamiento de las consonantes sencillas intervocálicas
(§ 360): las consonantes dobles ocupan los puestos, que han
quedado libres por el proceso de debilitamiento, de las consonantes sencillas intervocálicas y su articulación cuantitativa ha venido a resultar superflua [89].

---

[88] Para las consonantes dobles secundarias y terciarias, cf. §§ 518,
525.

[89] La ortografía de las lenguas literarias (portugués, español antiguo, francés, provenzal y sobreselvano) mantiene con frecuencia,
por reminiscencia de la grafía latina, la grafía doble: g u t t a francés *goutte,* etc.

En la época de los procesos decisivos del vocalismo y consonantismo románico occidental no se había hecho aún la simplificación, pues las consonantes geminadas latinas, en cuanto a la estructura silábica, valen para cerrar (trabar)[90] la sílaba en las modificaciones del vocalismo, y en las modificaciones del consonantismo valen como iniciales de sílaba.— Este valor para cerrar la sílaba las consonantes geminadas en las transformaciones del vocalismo aparece, por ejemplo, en n a t t a francés antiguo *nate* (francés moderno *natte*) frente a c a n t a t a *chantée*, b ę l l a francés antiguo *bele* (francés moderno *belle*) frente a c ę l u *ciel*.—El valor de inicial de sílaba que tienen las consonantes dobles para el consonantismo lo demuestra el hecho de que las geminadas son tratadas como iniciales de sílaba (es decir, como iniciales de dicción, cf. § 407) respecto al desarrollo de la cualidad: v a c - c a (cf. c a m p u) engadino *vacha (champ)*, francés *vache (champ)*, provenzal, español y portugués *vaca* (español *campo*, etc.); g u t t a (t e m p u s) engadino *guot (temp)*, francés *goutte (temps)*, provenzal, español y portugués *gota* (español *tiempo*, etc.); g r o s s a (s o l e) engadino [-s-] *grossa (sulagl)*, francés [-s-] *grosse (soleil)*, portugués y provenzal [-s-] *grossa* (portugués *sol*, provenzal *solelh*), español *gruesa (sol)*.

493.   En general, la simplificación de las consonantes geminadas desemboca en rumano en la coincidencia con el resultado de las consonantes latinas sencillas intervocálicas, pues el rumano no debilita éstas (§ 360): v a c c a *vacă* (l o-c u s t a *lăcustă*), g u t t a *gută* (r o t a *roată*), g r o s s a *groasă* (c a s a *casă* [-s-]).

---

[90]   Excepción, cf. § 494.

α) Latín -ll- (§§ 494-499)

494. La -ll- latina detrás de vocal larga por naturaleza se abrevió tan temprano en -*l*- [91] en la mitad norte de la Romania occidental (norteitaliano, retorromano, francoprovenzal y francés) que la vocal tomó parte en los procesos de alargamiento característicos de las vocales libres en este espacio lingüístico (cf. §§ 163-185): s t ē l l a > s t ē l a norteitaliano *steila*, sobreselvano *steila*, francés *étoile;* ō l l a > *ō l a fran- cés antiguo *eule* [92]. El proceso constituye una demostración de que la regulación de las sílabas largas en la mitad norte de la Romania occidental (§ 163) está directamente vinculada a la época en que regían las cantidades vocálicas latinas, y de que, por tanto, no ha habido en la mitad norte de la Romania occidental ninguna época 'sin cantidad'.

495. En vastas zonas de la Romania -ll- latina se modifica cualitativamente, precisamente a base de una articulación no dental en el latín hablado.

----

[91] La abreviación -ll- > -l- detrás de vocal larga (v ī l a , m ī l e) la tilda de 'barbarismo' el gramático Consencio. El fenómeno está relacionado con la alternativa c ū p a / c ŭ p p a (§ 491): las consonantes geminadas no se toleran ya detrás de vocal larga. Inversamente, las lenguas (italiana, rumana) que mantuvieron como *stęlla* la forma heredada s t ē l l a, podían ahora al lado de p ī l a , s ū c u introducir las articulaciones *p ī l l a (rumano *piuă*, toscano *pilla*) *s ū c c u (italiano *succo*) en vez de las variantes que serían de esperar *p ĭ l l a , s ŭ c c u.

[92] La reducción de -ll- a -*l*- detrás de vocal larga se encuentra también, además de en la mitad norte de la Romania occidental, en provenzal y catalán (catalán *estela, vila* frente a c ŏ l l u *coll*). Así, el mantenimiento de -ll- detrás de vocal larga queda circunscrito, dentro de la Romania occidental, al español y portugués (español *estrella,* portugués *estrêla;* cf. § 498). La conservación de -ll- se da también en románico oriental (italiano *stęlla,* rumano *stea,* § 498) y sardo *(isteḍḍu),* cf. nota anterior.

496. En dialectos suditalianos ocurre la pronunciación cacuminal [*ḷḷ*] [*kavaḷḷu*); en sardo y en suditaliano, así como centroitaliano (toscano y dialectos de los Apeninos), aparece la articulación cacuminal como oclusiva [*ḍḍ*] (sardo *kaḍḍu*, suditaliano *kavaḍḍu*), articulación que registran ya los gramáticos latinos en la grafía *sedda* (= *sella*). En dialectos del noroeste español (asturiano *baṭṣi* > v a l l e) y en gascón encontramos articulaciones que provienen de [*ḷḷ*] o [*ḍḍ*] (y en parte también de [*ṭṭ*], cf. § 497).

497. La pronunciación cacuminal (contacto de la punta de la lengua con la parte anterior del paladar) es sustituida en amplias zonas por la articulación palatal (contacto del predorso de la lengua con la región palatal). En dialectos suditalianos encontramos las variantes [*ṭṭ*] < [*ḷḷ*] y [*ğğ*] < [*ḍḍ*] (*kavaṭṭu*, *kavağğu*). La variante [*ṭṭ*] aparece como [*ṭ*] (§ 491) en catalán y español (grafía latinizante: -*ll*-): c a b a l l u , v a l l e catalán *cavall*, *vall*; español *caballo*, *valle*. También en dialectos provenzales ocurre [*ṭ*] < -ll-.

498. En el resto de la Romania, la base es [*ll*] dental, que se mantiene en centroitaliano (y el nordeste suditaliano) como [*ll*] (*cavallo*, *valle*), pero que en las zonas románicas occidentales (norteitaliano, retorromano, francés y provenzal [excepto el gascón y algunas otras zonas cf. §§ 496 ss.]) se abrevió en [*l*] viniendo así a coincidir -ll- con latín -l- (c a b a l l u , s a l e francés *cheval*, *sel*; provenzal *caval*, *sal*). Hay también simplificación en [*l*] en portugués y rumano; sin embargo, en ambas lenguas permanecen diferenciadas [*l*] < -ll- y latín -l- (> rumano -r-, desaparición en portugués; cf. § 385): c a b a l l u , f i l u portugués *cavalo*, *fio*; rumano *cal*, *fir*.

El desarrollo ulterior en rumano de la -*l*- rumana (< latín -ll-) está en función de las vocales que la rodean. Ante *i* se transforma (igual que al comienzo de dicción, § 309) en [į] y desaparece: g a l l ī n a *găină*. Ante *u* permanece (c a b a l l u, -e l l u, p o m u -i l l u *cal, -iel, pomul*), e igual ante *e* (s t e l- l a s, i l l a s *stele, ele*).—Ante *a*, las condiciones son suma- mente complejas. Parece que en este caso la *-l-* rumana pasó primitivamente a [u̯]: [u̯] permanece detrás de *i, a* rumanas acentuadas (*p ī l l a *piuă*, d i e i l l a *ziua*, s t e l l a i l l a *stea- ua*), mientras que en otros casos desapareció (s t e l l a *steá*, s e l l a *şá*, i l l a *eá*, m e d u l l a *mădúă*, p e t r a i l l a *piatra*).

499. Se encuentra una identidad entre -ll- y l- inicial (§ 308), en el sentido del § 492, en muchas regiones que prac- tican la abreviación de la consonante geminada; así, en ru- mano y en las lenguas románicas occidentales del § 498, ade- más de en catalán (l u n a *lluna*) y en dialectos españoles. Cf. § 308.

β) Latín -rr- (§ 500-501)

500. Latín -rr- permanece (§ 491) en sardo, suditaliano y centroitaliano: c a r r u italiano *carro*, suditaliano, sardo *karru*.—En cuanto a la Romania occidental, -rr- se simplifica en [r] en norteitaliano y retorromano, confundiéndose con la -r- latina; y así, también en rumano (t e r r a *ţară*, -ā r e -*are*). En cambio, permanece -rr- en la parte oeste de la Ro- mania occidental (francés antiguo, provenzal, catalán, espa- ñol y portugués) como -*rr*- fuertemente arrastrada[93]. En fran- cés -*rr*- no se simplificó en -*r*- (o [R], cf. § 384) hasta el si- glo XVII: *terre* [R]. En provenzal, catalán, español y portu-

---

[93] En francés antiguo esto se aplica únicamente a la medial fran- cesa (t e r r a *terre*), mientras que la inicial francesa se simplificó temprano (c a r r u *char*). El provenzal vacila entre *car* (como fran- cés) y *carre* (-*e* de apoyo).

gués *-rr-* ha permanecido hasta la fecha: t e r r a provenzal, catalán, portugués *terra*, español *tierra* [rr]. Sin embargo, en dialectos provenzales y en los hábitos de la articulación portuguesa (así como primitivamente también sin duda en dialectos italianos que tienen hoy *-r-* en vez de *-rr-*) la diferencia cuantitativa [-*r*-] / [-*rr*-] se transformó en cualitativa, pues la -*r*- latina se articula como [r] con una vibración de la punta de la lengua y la *-rr-* se pronuncia como [R] con la úvula.

501.   La identidad entre *-rr-* y *r-* inicial existe en el sentido del § 492 en catalán, español y portugués, pues *r-* inicial se articula (§ 307) como [*rr*-] (en portugués también como [R-]).

γ)   Latín *-nn-* (§§ 502-503)

502.   Latín *-nn-* permanece (§ 491) en sardo, centroitaliano y suditaliano: a n n u italiano *anno*, suditaliano, sardo *annu*.—En norteitaliano, retorromano, francés y provenzal sobrevino simplificación en [n] y coincidencia con latín *-n-* (§ 405): (francés *a n n a t a *année*, a n e l l u *anneau* [n]); así también en rumano (a n n u , c a n e *an, câne;* la diferenciación vocálica es anterior a la simplificación, cf. § 231). En portugués *-nn-* se simplificó en *-n-* (a n n u *ano);* sin embargo, no se confundió con *-n-* (que desaparece, § 405).

503.   En español y catalán, *-nn-* (igual que *-ll-* > [*ll*], cf. § 497) se convierte en [ñ], pasando primero por [ññ]: a n n u catalán *any* [añ], español *año*.—En algunos dialectos españoles, *n-* inicial se transforma igualmente en [ñ] en el sentido del § 492.

δ) Latín -cc- (§ 504)

504. En la palatalización de latín c ante *i, e* (§ 312) y ante *a* (§ 314) queda comprendida la geminada entera (es decir, el primer elemento se asimila al segundo): a c c i n g e-r e italiano *accíngere* [*ćć*], francés antiguo *aceindre* [*ts*]; a c c e n d e r e italiano *accendere*, provenzal *acendre* [*s*], español *acender (encender)* [*ϑ*].

El italiano trata los cultismos según el modelo de las voces populares [*ćć*]: a c c e s s u s *accesso*. El francés, que no tiene ya ninguna geminada, pronunciaba latín -cc- (ante *i, e*) en la pronunciación escolar como [*kts > ks*] y adoptó los cultismos con esta pronunciación: *accès* [-*ks*-]. Para el iberorromano y la zona alemana la pronunciación escolar francesa [*kts*] fue la que dio la pauta: español *acceso*, alemán *Akzess* [*aktsés*]. El rumano, durante el siglo XIX, aclimató los cultismos siguiendo la pronunciación franco-alemana [*kć*]: *acces* [*akćés*].

2. *Grupos consonánticos secundarios* (§§ 505-524)

505. Los grupos consonánticos secundarios se originan por caída de vocales, especialmente por caída de vocales intertónicas (§§ 292-296) y postónicas (en paroxítonos, §§ 272-291; en proparoxítonos, §§ 282-291).

La frecuencia con que se presentan tales grupos consonánticos en una lengua depende de la frecuencia con que caigan las vocales en la lengua respectiva: por ello, esa frecuencia es, por ejemplo, en francés mayor que en español, y en español mayor que en italiano.—A continuación trataremos de explicar, ante todo, las condiciones y circunstancias del francés.

506. La caída de vocales puede engendrar grupos consonánticos secundarios que no fueron primariamente corrientes
en latín (ni en la lengua respectiva hasta entonces). En cuanto al tratamiento de estos 'grupos consonánticos secundarios
hasta ahora inusitados', las lenguas particulares disponen de
dos posibilidades: 1. Los grupos poco corrientes son susti-
tuidos por grupos más corrientes (§§ 507-514). 2. Se toleran
los grupos poco corrientes (§§ 515-518).

A) TRANSFORMACIÓN DE GRUPOS SECUNDARIOS
   EN PRIMARIOS (§§ 507-514)

507. Los grupos consonánticos hasta entonces inusitados
que se van formando suelen transformarse en otros usuales
ya, bien por modificación brusca de la cualidad (§ 508), bien
por caída (= pérdida de la cualidad = asimilación; § 510), o
por adición (§ 513) o transposición (metátesis, § 514) de las
consonantes particulares. Esta tendencia a mantener los hábitos de combinaciones de fonemas llega, pues, a transformar los grupos que se van formando, para así mantener los
hábitos combinatorios heredados.

α) Modificación de la cualidad (§§ 508-509)

508. Ya en latín vulgar se da modificación de la cualidad: v e t u l u > *v e t l u (§ 282) > v e c l u (el grupo -tl- es
inusitado en latín; en cambio, el grupo -cl- es corriente: o c l u,
c l a u d e r e) > francés *vieil* (§ 422), italiano *vecchio* (§ 422);
s i t u l a > s e c l a francés *seille*, italiano *secchia* (§ 422);
f i s t u l a r e > *f i s c l a r e italiano *fischiare*. En francés se
explican así, por ejemplo L i n g o n e s *Langres* (*-ngr-* como
i n g r a s s i a r e *engraisser*), p a m p i n u *pampre* (*-mpr-* como i m p r i m e r e *empreindre*). Encaja asimismo aquí la ve-

larización de *l* y *ł* en posición anteconsonántica secundaria
(§ 218 s., 571) (modelo: § 413).

509. Vinieron a quedar en una situación singularmente
difícil en francés los grupos cons. + $c^{i, e}$ y cons. + $g^{i, e}$ cuando al caer la vocal siguiente entraron en contacto directo
con *r*. Esta síncopa se produjo relativamente tan tarde, que
c^e y g^e habían entretanto avanzado ya considerablemente hacia [*ć*, *ts'*] y [*ǵ*] y habían entablado ya con la *n* o *s* precedentes íntimo contacto de palatalización *(ñ, š)*. No podía
encontrarse ya la anexión a los grupos latinos cr y gr (en contraste con f a c e r e *faire* § 519). Para lograr grupos 'corrientes' las palatales de los grupos -ncer-, -rcer- y -rger- fueron
transformadas en las dentales respectivas: los grupos -*ntr*-
(i n t r a r e *entrer)*, -*rtr*- (M o n t e M a r t y r u m *Mont-martŕe*,
§ 516), -*rdr*- (a r d e r e *ardre*, § 516), eran ya corrientes.—En
los grupos *ñ'r* (< -nger-) y *š'r* (<-scer-) se intercaló una dental correspondiente (cf. § 513). La subsiguiente despalatalización de *ñ* y *š* y el desarrollo de una *i* epentética responde a las condiciones normales (§§ 236, 441). Cuadro sinóptico:

Lat.	-ng(e)r-	-nc(e)r-	-rg(e)r-	-rc(e)r-	-sc(e)r-
Fr. a.	*-indr-*	*-intr-*	*-rdr-*	*-rtr-*	*-istr-*
Fr. m.	*-idr-*	*-itr-*	*-rdr-*	*-rtr-*	*-itr-*

Ejemplos: p i n g e r e *peindre*, v i n c e r e francés antiguo
veintre (francés moderno *vaincre* con [*k*] analógica según
vainquons, vaincu, etc.), s u r g e r e *sourdre*, c a r c e r e *chartre*, n a s c e r e *naistre* (< *naître*), p a s c e r e *paître*, c o n o s-
c e r e *connaìtre*.

β) Caída (§§ 510-511)

510. La caída de las consonantes mediales se produce en francés cuando coinciden en un grupo secundario más de dos consonantes, excepto si la última es _r_ o _l_. Esta _loi des trois consonnes_ del francés antiguo reduce los grupos inusitados a corrientes. De d o r m i t sale, pasando por *_dormt_, francés _dort_ (-_rmt_- es poco corriente, pero -_rt_- es corriente: h o r t u). Lo mismo m a s t i c a r e francés antiguo _maschier_ (cf. p i s c a r e francés antiguo _peschier_), francés moderno _mâcher_; v i n d i c a r e _venger_ (cf. l o n g a _longe_); g a l b i n u francés antiguo _jalne_ (cf. _alnu_), francés moderno _jaune_; a e s t i m a r e francés antiguo _esmer_ (cf. c h r i s m a francés antiguo _cresme_); f o r t e m e n t e francés antiguo _forment_ (cf. d o r m i r e _dormir_); s a p (i) e n t e m e n t e (> sap- -ante- -mente) _savamment_ (cf. f l a m m a _flamme_); v e r v e c a r i u > *v e r v e γ a r i u (§ 361) _berger_ (cf. v i r g a _verge_).

511. Fuera de la 'ley de las tres consonantes' es también frecuente la caída (asimilación). Así, por ejemplo, s e p t i m a n a pasa, a través de *_setmana_, a francés _semaine_, b o v e s > francés antiguo _bués_ (cf. § 571).—Para m a s c u l u _masle_, cf. § 512.

γ) Adición (§§ 512-513)

512. El latín vulgar ya intercalaba una _k_ entre _s_ y _l_: a s s u l a > a s c l a suditaliano _aška_, rumano _aşchie_, provenzal, catalán _ascla_; p e s s u l u italiano _peschio_; i (n) s u l a italiano _Ischia_, provenzal _iscla_.—En la Romania occidental este proceso se entrecruzó con la sonorización de la _s_ sencilla en [z] (§ 381): por ello, o bien se decidió por el hábito intercalador y se volvió a ensordecer la [z] (i n s u l a provenzal _is_-

cla), o bien (§ 515) se dejó subsistir el nuevo grupo [-zl-] (*[izla] > francés antiguo *isle*, catalán *illa*, portugués *ilha*, español *isla*). Esta vacilación entre [skl] y [zl] quizá llevó al francés a tratar el grupo heredado del latín -scl- como [zl] (m a s c l u *masle*, francés moderno *mâle*).

513. El francés muestra la adición de una llamada 'consonante-puente' en los grupos secundarios con m, n, l, ss como primer elemento y r como segundo, y en los grupos m'l y n'l:

Lat.	m'r	n'r	ss'r	m'l	n'l
Fr. a.	*mbr*	*ndr*	*str*	*mbl*	*ngl*
Fr. m.	~*br*	~*dr*	*tr*	~*bl*	~*gl*

La epéntesis o inserción de la 'consonante-puente' no se hace por la razón de que la serie inmediata *mr*, *nr*, etc., ofrezca una articulación más difícil en sí que la que ofrecerían *mbr*, *ndr*, etc.; la 'consonante-puente' tiene por finalidad más bien restablecer grupos consonánticos corrientes (u m b r a, *fendre* § 516, f e n e s t r a, *ambler* § 516, *ongle* § 516). Ejemplos: n u m e r u *nombre*, c i n e r e *cendre*, e s s e r e *estre* (> *être*), s i m u l a r e *sembler*, s p i n u l a *espingle* (> *épingle*). Hay inserción analógica (§ 516) en los grupos:

Lat.	l'r	s'r
Fr. a.	*ldr*	*sdr[zdr]*
Fr. m.	*udr*	*dr*

Ejemplos: v a l e r e h a b e o *valdrai* (> *vaudrai*), c o s e r e (§ 489) *cosdre* (> *coudre*).—Para las 'vocales adventicias', que representan el mismo fenómeno que las consonantes-puente, cf §§ 218 ss. (en grupos vocálicos no corrientes), 302, 357.

δ) Metátesis (§ 514)

514. Tenemos transposición (metátesis), por ejemplo, en
g e n e r u > *g e n r u > español *yerno*: el grupo -nr- es inusitado [94] en latín; en cambio, es corriente el grupo -rn- (c a r n e).

B) TOLERANCIA DE GRUPOS INUSITADOS (§§ 515-518)

515. Si todos los grupos inusitados que van surgiendo
fuesen transformados en grupos corrientes (§ 507), no habría
nunca grupos consonánticos nuevos. Pero además de la tendencia a mantener los hábitos combinatorios de los fonemas,
hay la posibilidad progresiva de ampliar esos hábitos.

516. La ampliación se hace, en general, paulatinamente
mediante la analogía combinatoria de diversos fonemas.
Al perder f i n d e r e en francés su vocal medial, surgió *fendre,* cuyo -ndr- era un grupo inusitado hasta entonces, pero
que fué tolerado como correspondencia analógica del grupo
corriente -ntr- (i n t r a r e *entrer).* Además, el grupo -ndr- dio
ocasión a la tolerancia analógica de los grupos -rdr- (a r d e -
r e *ardre)* y -rtr- (M o n t e M a r t y r u m *Montmartre).* De la
misma manera se toleró el grupo -mbl- (a m b u l a r e *ambler)* como correspondencia de -mbr- (u m b r a *ombre)* y
-mpl- (a m p l u *ample).*

517. Hay lenguas inclinadas a mantener las partes de las
palabras heredadas, aun cuando por ello tengan que tolerar
combinaciones inusitadas de fonemas; así el provenzal (y catalán): s e p t i m a n a > *settimana* > provenzal y catalán *setma-*

---

[94] El francés convierte este grupo en corriente mediante la 'adición' (§ 513): *gendre.*

na (pero francés *semaine*, § 511), r e p u t a r e provenzal *rep-*
tar (el grupo *-pt-* era hasta entonces 'inusitado' en provenzal,
pues el grupo latino *-pt-* hacía tiempo que había sido simplificado en *-t-*: s e p t e m *set*, § 428; pero francés antiguo *reter*
como *set*). La razón analógica de tal tolerancia radica la mayoría de las veces en condiciones de fonética sintáctica (§ 574
siguientes): *setmana* puede apoyarse, desde el punto de vista
de la combinación de fonemas, en *set mans* (s e p t e m m a-
n u s) y combinaciones parecidas; es decir, las sílabas del
provenzal *setmana* estaban separadas entre sí en el mismo
grado que las sílabas de dos palabras distintas en contacto
foneticosintáctico, mientras que el francés distingue la cohesión del cuerpo de la palabra *(semaine)* frente a la más relajada unión creada por la fonética sintáctica (francés antiguo
set mains [sẹt mãis]).

518.   Los hábitos combinatorios de fonemas pueden ampliarse también con la introducción de cultismos (cf. § 142)
en el caudal léxico, cuando los círculos cultos imponen la
pronunciación latina escolar de los cultismos en el habla
corriente. De esta manera las voces *captif*, *précepte*, *Égypte*,
etcétera, utilizadas en el latín escolar conservaron su pronunciación culta. Con ello los hábitos combinatorios de fonemas
del francés quedaron ampliados, pues el grupo latino *-pt-*
hacía ya tiempo que había sido simplificado en *-t-* (§ 428). En
francés antiguo encontramos asimismo la tendencia a sustituir con grupos corrientes (conforme al § 507) los grupos
consonánticos inusitados de los cultismos: *scetre* junto a
sceptre, etc. En francés acabó por imponerse la pronunciación 'pedante' latina, al paso que el italiano no se arredró
ante la sustitución definitiva de los grupos inusitados por
otros más corrientes: italiano *precetto*, *Egitto*, *scettro*, etc.

En las lenguas que no tienen ya consonantes dobles (§ 491) pueden surgir geminadas secundarias, bien por intermedio de los cultismos, bien por la necesidad de mantener distintos los elementos de las palabras en los compuestos: español *connivencia, innatural, ennegrecer* [todos con -*nn*-].

c) CRONOLOGÍA RELATIVA (§§ 519-524)

519. Los grupos consonánticos secundarios pueden casualmente tener una composición idéntica a los primeros, pudiendo entonces evolucionar de la misma manera que los grupos primarios.—Así, en h o m i n e francés *homme* revela el mismo tratamiento que s o m n u francés *somme;* por tanto, hay que suponer que la síncopa en francés h o m (i) n e se realizó en un tiempo en que todavía se articulaba el grupo -*mn*- de s o m n u. Esto mismo vale para f e m i n a francés *femme,* s e m i n a r e *semer.* Un tratamiento como -cr- primario aparece en f a c e r e francés *faire* (cf. s a c r a m e n t u francés antiguo *sairement,* francés moderno *serment*); y hay también tratamiento como -st- primario en m a s u e t ī n u francés antiguo *mastin,* francés moderno *mâtin.*

520. La identidad de los grupos secundarios con los primarios que cabría esperar de la etimología latina es posible que se vea impedida por el cambio fonético de los grupos primarios con anterioridad a la aparición de los grupos secundarios.—Así, por ejemplo, en español s o m n u se había transformado ya en **sonnu* (> *sueño,* como a n n u *año,* § 503) cuando h o m i n e se sincopó en español antiguo (leonés) en *omne*[95]. El grupo -*mn*- era, pues, infrecuente y se le trató

---

[95] El estado de la síncopa se mantiene en portugués (cf. § 288): *homem* (portugués antiguo *omẽ)* frente a *sôno.*

como tal: en castellano pasó a -*mbr*- (español *hombre*, f e m i-
n a *hembra*, s e m i n a r e *sembrar*, como s u b u m b r a español *sombra*), es decir, 'se hizo corriente' (§ 507).—En provenzal el grupo -*pt*- primario había evolucionado ya a -*t*- (s e p-
t e m *set*) cuando se formó un -*pt*- secundario (r e p u t a r e
reptar), que se mantuvo (§ 517).

521. Entrañan un interés particular las condiciones de
aquellas lenguas en que las consonantes sueltas postvocálicas
sufren debilitamiento (lenización, sonorización, espirantización, § 360). En estos casos se plantea siempre el problema
de si la formación del grupo consonántico secundario se realizó antes del debilitamiento de las consonantes sueltas o después de debilitadas éstas. Si el debilitamiento precedió a la
formación del grupo secundario de consonantes, hay que pro-
ponerse la cuestión de la etapa del debilitamiento en la época
respectiva: en los grupos consonánticos secundarios pueden
haberse conservado (petrificados) los estadios por que atra-
vesó el consonantismo y que en posición intervocálica fueron
recorridos con otro resultado definitivo. La estructura fonética de los grupos consonánticos secundarios viene a constituir así, frecuentemente, un importante indicio de la cronología relativa de los cambios fonéticos.

522. La síncopa se efectuó antes que la sonorización de
las consonantes sueltas intervocálicas en c i v i t a t e francés
cité, d u b i t a r e francés *douter*, d e b i t a francés *dette*,
s e m i t a francés *sente*, p u l i c e francés *puce*. En cambio,
es posterior a la sonorización en español *ciudad, dudar, deuda, senda, pulga*. En u n d e c i m francés *onze*, d u o d e c i m
francés *douze*, latín -c^(e, i)- ya había sonorizado en francés en
[-*z*-] (§ 390) cuando se produjo la síncopa, que hizo que [ð]
y [z] convergieran en [*dz*] (grafía: *z)* [dǫdzə].

523. Estadios de transición en el desarrollo de las consonantes sueltas se conservan, por ejemplo, en t e p i d u francés *tiède*, s u b i t a n u francés *soudain*: las dentales intervocálicas desaparecen (n a t a *née*, § 377), pero en estos casos
se mantuvieron en una fase intermedia de su evolución normal, pues después de la síncopa iban precedidas de otra consonante: *tiéveδu* > *tievdu* > *tiède*, *soveδanu* > *sovdanu*
> *soudain*.

524. De -áticu resulta en francés *-aδeγu (§§ 378, 401) >
*-aδiu (-γ- desaparece temprano ante -u) > *-adi̯u. El grupo
secundario -di̯- se enrola en el desarrollo de -bi̯- (§ 477) y
pasa a *-ǵǵ- > -ǵ, por tanto, francés *-age*. Es parejo el desarrollo en provenzal. En retorromano la evolución se estanca en
la fase *-adi̯u > *-adi* (con caída de la *-u*). Cuando -icu sigue a
un grupo de consonantes (p ó r t i c u), la evolución en francés
se desarrolla así: *pórteγu > *portiu > *porti̯u. El grupo
secundario -ti̯- evoluciona conforme a *-ć- (porche). El provenzal tiene asimismo *porche* o (con desarrollo sonoro de la *-i̯-
secundaria) *porge*. El retorromano posee la forma correspondiente de *-adi* en el sobreselvano *piertí*.—Ejemplos: v i a t i-
c u francés *voyage*, provenzal *viatge*, sobreselvano *viadi*; s i l-
v a t i c u francés *sauvage*, provenzal *salvatge*, sobreselvano
selvadi; c o r - a t i c u francés *courage*, provenzal *coratge* [96];
m e d i c u francés antiguo *miege*.

3. *Grupos consonánticos terciarios* (§ 525)

525. En las fases más recientes del desarrollo de cada
una de las lenguas pueden surgir, por pérdida de vocales,

---

[96] Las formas italiana y española *viaggio, viaje; selvaggio, salvaje; coraggio, coraje,* son galicismos.

grupos de consonantes llamados 'terciarios': así, s a c r a-
m e n t u m francés antiguo *sairement* > fr. m. *serment*, l a-
t r o c i n i u m francés antiguo *larrecin* > *larcin*, *la fenêtre* >
[*la fnẹtr*], *rapetisser* > [*raptisé*], *médecin* > [*medsẽ*, *metsẽ*],
là-dessus > [*la-tsü*]. Asimismo pueden formarse geminadas
terciarias: francés *là-dedans* [*laddã*], *il ne coupe pas* [*kuppa*].

III. Las consonantes al final de dicción (§§ 526-573)

526. Según la época en que las consonantes están o bien
pasan al final de dicción, se distinguen consonantes finales
primarias (= latinas; §§ 527-563), secundarias (= propias de
cada lengua románica en particular; §§ 564-572) y terciarias
(= propias de cada lengua en época tardía; § 573).

A) CONSONANTES FINALES
PRIMARIAS (§§ 527 - 563)

527. El latín vulgar tenía tendencia a evitar las consonantes al final de dicción y a hacer que las palabras (incisos,
frases) acabaran en la plenitud sonora de las vocales (tenía,
por decirlo así, *horror vacui*). Esta tendencia se afianzó más
que en ningún otro sitio en italiano, algo menos en español y
portugués, menos todavía en rumano, provenzal y catalán y
muy poco en el norte de la Romania occidental (francés, italiano del noroeste, retorromano). En sardo, esta tendencia
mantiene viva su labilidad (foneticosintáctica) latinovulgar.

528. El medio principal de evitar que el final de dicción
esté formado por consonantes consiste en la adición de una

vocal al final (paragoge). El timbre de la vocal paragógica se regía primitivamente por la vocal de la última sílaba (por tanto, c o r sardo *kǫro,* c a n t a n (t) sardo *kántana,* n o m e n sardo *nǫ́mene,* c r e d u n (t) italiano *credono);* sin embargo, pronto surgió la tendencia uniformadora (italiano *cuore, cántano).* Otros medios son la metátesis o la desaparición de la consonante. Las condiciones varían en cada lengua y en cada consonante.

1. Latín -m (§§ 529-530)

529. La -m final latina no se articulaba ya en la época republicana con oclusión firme de labios [97]. Ante siguiente comienzo de dicción vocálico la labial nasal relajada se reducía a una simple resonancia nasal, y ello hasta el extremo de que las vocales que quedaban ahora en contacto formaban mediante la sinalefa una sola sílaba métrica (*Eneida,* 1, 41: *noxam et = noxᵃ et*). En cambio, cuando la dicción siguiente comienza con consonante, la -m forma con ésta una sílaba larga por posición (*Eneida,* 1, 10: *insignem pietate*). La cualidad de esta -m se rige por la cualidad de la consonante siguiente: ante labial era *-m,* ante dental *-n (cun nobis),* ante velar debió de ser también [ŋ]. Su cualidad labial se había convertido, pues, en completamente lábil por las condiciones de fonética sintáctica; por ello parece que *-m* en la pausa se pronunciaba como una resonancia nasal quizá de cualidad velar [ŋ] (cf. § 530) [98].

---

[97] Prisciano, Keil II 29 *-m obscurum in extremitate dictionum sonat.*

[98] Velio Longo, Keil VII 78 *-m plenius per -n* [fonéticamente: *ŋ*] *quam per -m enuntiatur.*

530. En románico se generalizó la caída de la -*m* en la sílaba inacentuada de los polisílabos; la -*m* desapareció sin dejar rastro (m u r u m italiano, español, portugués *muro;* francés *mur,* etc.). En los monosílabos prevaleció la pronunciación (sin duda frecuente en la pausa, § 529) -*n* en vez de -*m.*

Ejemplos: (para la vocal paragógica, cf. § 528): r e m > *r e n e > francés *rien;* m ĕ u m > *m ę u n u > francés *mien;* q u e m > *q u ę n e > rumano *cine,* español *quien,* portugués *quem* [kũi] (-*m* es mera grafía); s u m italiano *sono* (cf. § 532). En la preposición proclítica c u m se ha conservado en italiano y español la antigua pronunciación, que se regía por el punto de articulación de la consonante siguiente (§ 529): italiano, español *con (kon* ante dental, *kom* ante labial, *koŋ* ante velar; ante vocal se generalizó *kon).* En suditaliano y rumano encontramos *cu* con pérdida de la consonante final.—El adverbio i a m perdió en todas las lenguas su -*m:* sardo *ya,* italiano *già,* sobreselvano *gia,* francés antiguo *ja* (francés moderno *déjà),* español *ya,* portugués *ja.*

2. *Latín* -*n* (§§ 531-533)

531. El sardo mantiene la -*n* latina en los polisílabos; además, según las condiciones foneticosintácticas, puede la -*n* ampliarse mediante la paragoge: n o m e n *nómen* o *nómene.*—En el resto de la Romania la -*n* desapareció de los polisílabos (por tanto, después de vocal final postónica): n o m e n, l u m e n rumano *nume, lume;* italiano *nome, lume;* sobreselvano *num,* —; provenzal *nom, lum;* catalán *nom, llum;* portugués *nome, lume* (frente a h o m i n e *homem* [omẽⁱ] con mantenimiento de la nasal por ser ésta medial; cf. § 288) [99].

---

[99] Español *nombre, lumbre* proceden de la forma casual n o m i

La desaparición de la -n en los polisílabos corre, pues, paralela en la mayor parte de la Romania con la desaparición de la -m (§ 529), al paso que el sardo distingue entre los resultados de latín -m (que desaparece, § 529) y latín -n (que permanece).

532. El monosílabo (tónico) n o n se amplía por paragoge o bien pierde su -n. Ambas posibilidades coexisten [100] vivas aun hoy en sardo y suditaliano: sardo *nono, no;* suditaliano *none, no.* Los demás idiomas se decidieron por una u otra de ambas formas: *n o n e > portugués *não,* francés *non;* n o > español, catalán, e italiano *no,* rumano *nu* [101].

El monosílabo latino proclítico (átono) n o n va vinculado estrechamente con la palabra siguiente. En latín vulgar, este n o n sonaba n o n ante vocal, y ante consonante la -n se asimilaba parcial o totalmente a la consonante siguiente. Son éstas las condiciones que rigen todavía hoy en sardo y suditaliano. También el francés antiguo distinguía primitivamente entre *nen* antevocálico y *ne* anteconsonántico (que después se generalizó también ante vocal). El italiano *(non)* y el portugués *(não)* optaron por la forma larga; el rumano *(nu)* y el español *(no)* se decidieron por la forma breve.

533. La -n secundaria procedente (ya en latín vulgar) de -nt (§ 553) es tratada en rumano (donde desaparece) y en sardo (donde permanece) como -n latina primaria, mientras que las demás lenguas distinguen entre una y otra -n, dejando perder -n primaria y conservando -n secundaria (que sirve

---

n e, l u m i n e (como h o m i n e *hombre),* o quizá de la forma paragógica n o m e n e, l u m e n e.

[100]   Esto ha provocado en estas lenguas una formación analógica de otras formas largas y breves (t e > *te* y *tene,* etc.).

[101]   Sobreselvano y engadino *na* tiene vocalismo átono.

para diferenciar los números singulares y plurales *canta / cantan* [102]; cf. § 555): italiano *cántano* (con paragoge), español *cantan*, etc.

3. Latín *-s* (§§ 534-545)

534. La *-s* latina estaba sometida en la época republicana (Plauto, Terencio, Lucrecio) a condiciones foneticosintácticas. Así, ante vocal se articulaba *s (dīs est ‿ ‿)*; igualmente, ante una consonante con la que *s* podía formar un grupo (*-sc-, -sp-, -st-, -ss-*) en medio de dicción (*rebus paratis ‿ ‿ ‿ ‿ ‿, pauperibus te ‿ ‿ ‿ ‿ ‿, avis simul ‿ ‿ ‿ ‿*). En cambio, la *-s* desaparecía ante aquellas consonantes con las que no formaba grupo en medio de dicción (*l, m, n, g, d, f,* etcétera): *dignu(s) locoque (‿ ‿ ‿ ‿ ‿), molestu(s)ne sis (‿ ‿ ‿ ‿ ‿), tempu(s) fert (‿ ‿ ‿)* [103]. En la época clásica se dio de mano a la labilidad foneticosintáctica de la *-s* en favor de la forma en pausa con *-s*. Así, las inscripciones de Pompeya no dan pie alguno para dudar de la pronunciación de la *-s*.—Por otro lado, se mantuvieron en latín (prescindiendo de sus condiciones en fonética sintáctica) algunas formas dobles como *quī* (pronombre relativo, pronombre interrogativo, adjetivo) junto a *quis* (pronombre interrogativo, sustantivo), *mage* al lado de *magis, laudare* y *laudaris*. Además, hay que admitir que *-s* ante consonantes sonoras (como *v-, l-, m-,*

---

[102] En los perfectos con acentuación radical f é c e r u n t *fécero*, d é d e r u n t *dièdero* desaparece *-n* en italiano.

[103] La antigua poesía se aprovechó de esto e hizo desaparecer también *-s* ante otras consonantes (*Quintu(s) pater ‿ ‿ ‿ ‿, dabi(s) supplicium ‿ ‿ ‿ ‿ ‿ ‿*), así como, inversamente, aprovechaba por motivos métricos la *-s* de las formas en pausa incluso ante consonantes poco frecuentes (cf. arriba) para el alargamiento por posición (*salutis meae ‿ ‿ ‿ ‿ ‿*). La antigua poesía representa, pues, el estado de desintegración de las anteriores condiciones foneticosintácticas.

n-, etc.) con las que vino a quedar en contacto, se pronunciaba sonora [z], y se asimilaba a ciertas consonantes (por
ejemplo, *r-*, *f-*) en mayor o menor grado *(tres feminas > *tre
ffeminas, tres reges > *tre rreges).* De esta manera, la antigua distinción latina entre los grupos posibles, incluso en
medio de dicción y por ello constantes *(-sc-, -sp-, -st-, -ss-)* y
la concurrencia de grupos fonéticamente inusitados *(-sv-,
-sf-, -sl-,* etc:) se continuó ('ley del uso frecuente'): estaba
dado un punto de partida para una nueva diferenciación.

535.   Es, pues, fundamental para el románico partir no
de la labilidad de la *-s* en latín antiguo, sino de su estabilidad en el latín clásico, bien que hay que contar con ciertas
vacilaciones articulatorias en la realización de la *-s* (§ 534).
Ni el latín ni el románico han podido mantener una realización uniforme de la *-s* como [s]; en esto las complicaciones
románicas remontan, en definitiva, a las condiciones del latín antiguo.

536.   El estado románico es, a grandes trazos, el siguiente: la *-s* latina permanece en sardo y en la Romania occidental
(retorromano, francés, provenzal, catalán, español y portugués), mientras que en la Romania oriental (centro y sur de
Italia, rumano) se transforma en [i̯]. El norteitaliano ocupa
una posición particular. Detalles en §§ 537-545.

A) CERDEÑA Y ROMANIA OCCIDENTAL (§§ 537-541)

537.   En sardo [104], retorromano, francés, provenzal, catalán, español y portugués se mantiene [105] la *-s*: f e m i n a s

---

[104]   El latín africano mantenía también la *-s*: p u l l u s berberisco
afullus (cf. § 159).

[105]   En sardo es facultativa (sobre todo al final del ritmo elocutivo) una vocal paragógica: *féminasa, cántasa, ánnoso*.

sardo *feminas*, sobreselvano *femnas*, francés *femmes*, provenzal y catalán *femnas*, español *hembras*, portugués *fêmeas;*
n o s sardo, provenzal, catalán, español y portugués *nos*, sobreselvano *nus*, francés *nous;* c a n t a s sardo, provenzal, español y portugués *cantas*, sobreselvano *contas*, catalán *cantes*, francés *chantes*.

538. También en estas lenguas hay desde el principio
ciertas vacilaciones en la realización de la *-s* (§ 535), las cuales se manifiestan más o menos según el grado de unión foneticosintáctica con la palabra siguiente.—En sardo rige la
'ley del uso frecuente' (§ 534): ante *p-*, *t-*, *k-* (así como ante
vocal y en pausa) permanece la *-s* (i p s o s p i l o s *sos pilos*),
ante las demás consonantes se convierte en *-r* o se asimila
('restauración de un grupo frecuente', § 507): i p s a s d e n
t e s *sar dentes*, i p s a s m a n o s *sa mmanos*.—En las lenguas
de la Romania occidental existe igualmente una diferencia entre los grupos corrientes y los 'no corrientes', al menos en el
sentido de que la *-s* se articula sorda ante consonantes sordas (i l l o s p i l o s español *los pelos*, portugués *os* [uš] *pelos);* en cambio, ante consonante sonora se pronuncia sonora (i l l a s m a n u s español *las* [-z] *manos*, portugués *as*
[-ž] *mãos*). En románico común no se produjo ya una ulterior diferenciación, pues el románico había llegado entretanto a la tolerancia [106] de tales grupos, incluso en medio de
dicción (i n s u l a español *isla*, francés antiguo *isle;* m e t i p
s i m u español *mismo*, francés antiguo *mesme*).

539. Respecto a las relaciones de la Romania occidental
con la Romania oriental es importante subrayar que el cambio de *-s* a través de [z] en [i̯] ante consonantes sonoras se

---

[106] Para la 'tolerancia', cf. § 515.

encuentra en dialectos provenzales y gascones (i l l a s d u a s
r o t a s gascón *erai̯ dúoi̯ rodos*, h a b e s i l l u m *v i s t u m
ai̯le vist). Los dialectos provenzales empalman con la zona
norteitaliana de vacilación entre mantenimiento de la -*s* y
su transformación en -*i̯* (y su desaparición); § 541.—También
existen en la Península pirenaica vestigios de una desaparición (asimilatoria) de la -*s*. Así, en catalán, m a g i s da la doble forma *may* 'jamás', *més* 'pero' (doble forma que se explica por la fonética sintáctica en época prehistórica y en
época histórica, una vez desechada la labilidad foneticosintáctica, por diferenciación semántica). En español y portugués cae en los verbos reflexivos la -*s* de la desinencia de la
primera persona plural -*mos* ante *nos* siguiente (español, portugués *levantémonos*). En portugués cae la -*s* también ante
la *l*- del pronombre (*chama-lo* 'lo llamas', *escreve-no-lo* 'nos
lo escribe'; después cae también -*s* secundaria: *ei-lo* 'helo
aquí' [*eis*] < e c c e).

540.   En francés la -*s* desaparece desde el siglo xii-xiii,
desaparición que está relacionada con la de la -*s*- medial ante
consonante (§ 424), así como con la tendencia a la desaparición general de las consonantes finales de dicción. Hoy suena
todavía (como [z]) en la *liaison* ante vocal dentro de ritmos
elocutivos con estrecha vinculación sintáctica (*nous avons*,
les hommes).—En francés antiguo, la -*s* se une con -*d*- o -*t*-
latinas precedentes para formar el grupo secundario *z* [*ts*],
que se simplifica en -*s* en el siglo xiii y desaparece más tarde con ésta (cf. arriba): p e d e s *piez* (> *piés*; grafía etimológica: *pieds*), v i d e s *veiz* (> *vois*), a m a t i s *amez*.

541.   El norte de Italia constituye la zona de transición
entre el dominio en que se mantiene la -*s* (Romania occidental) y el dominio en que la -*s* se resuelve en -*i̯*, o bien des-

aparece (Romania oriental). En voces aisladas (por ejemplo, m a r t i s *martes*), formas (segunda persona singular -as -*as*) y al amparo de condiciones favorables de fonética sintáctica (h a b e s t u *as-tu*) la -*s* se mantiene en zonas más o menos extensas; fuera de estos casos prevaleció el cambio centroitaliano (§ 542) -s > -*i̯* o la desaparición. Esta infiltración de articulaciones 'centroitalianas' hay que localizarla ya en la antigüedad tardía, pues por un lado existen relaciones en cuanto al cambio foneticosintáctico -s > [i̯] en los dialectos provenzales y gascones (§ 539), y por otro, en cuanto a la desaparición de la -s (o su cambio en [i̯]) (en algunas formas frecuentes y con una estrecha vinculación foneticosintáctica con la palabra siguiente) en retorromano (p l u s, m a g i s, e s t [cf. § 557] sobreselvano *pli, mai, ei;* engadino *pü, ma* [pero *ais*]), así como en la desinencia de la primera personal plural -mus de los verbos en retorromano (sobreselvano *cantein*) y en provenzal-catalán (provenzal *cantám*, catalán *cantém*).

b) ROMANIA ORIENTAL (§§ 542-545)

542. En italiano del centro y sur, en vegliota y rumano, la -s pasa a [i̯], que se mantiene tras vocal tónica (en monosílabos), y tras vocal átona (en polisílabos) se funde con ésta (generalmente: $a + i̯ > e$, $e + i̯ > i$, $i + i̯ > i$) o desaparece (frecuentemente $u + i̯ > u$). Ejemplos.—Monosílabos: n o s rumano, vegliota, italiano *noi;* v o s rumano, vegliota, italiano *voi;* d a s rumano, italiano *dai;* s t a s rumano, italiano *stai;* c r a s italiano (del centro y sur) *crai;* p l u s suditaliano [*ččuy*], italiano *più;* t r e s rumano *trei*, suditaliano *trei*, italiano *tre;* p o s (< p o s t, § 557) rumano, italiano *poi.*—Polisílabos: c a n t a s italiano antiguo *cante*, italiano moderno *canti*, toscano del norte *canta* (desaparición sin huellas), rumano

cânți; v i d e s italiano *vedi,* rumano *vezi* [107]; d o r m i s italiano, rumano *dormi;* c a n t a m u s italiano *cantiamo,* rumano *cântăm* (§ 190); c a n t a t i s italiano *cantate,* rumano *cântați* [108], m e l i u s italiano *meglio.*

543. En suditaliano los monosílabos p l u s y t r e s, estrechamente enlazados con la palabra siguiente, presentan dos formas distintas por fonética sintáctica: [*ččuy, trey*] ante vocal y en pausa, [*ččų, tre*] ante consonante con geminación de ésta: de [**ččuy felice,* *trey kase] resulta [*ččų ffelice, tre kkase*], como de f u ị m u s resulta italiano *fummo* [109]. Del mismo modo de 'e s m u l t u' (cf. § 557) resulta, a través de **eị molto,* italiano *è mmolto.* En centroitaliano (y en la lengua literaria) las formas anteconsonánticas *più, tre* se generalizaron incluso ante vocal y en pausa. La forma *è* se generalizó en toda Italia.

544. En las regiones arcaicas del sudoeste de Italia (Lucania, norte de Calabria) se mantiene -s en la flexión verbal (con adición de una vocal paragógica como en sardo, cf. § 537, nota): c a n t a s *cántasi,* c a n t a t i s *cantátisi* (pero n o s *noi,* c r a s *crai,* etc.).—En una franja arcaica de Italia cen-

---

[107] De -as resulta al principio italiano y rumano **-ai,* que se mantiene como *-e* en italiano antiguo. De -es (v i d e s) procede italiano y rumano *-i,* que es antigua, como se ve por el cambio rumano de la consonante precedente *(vezi),* cf. § 375. El italiano y el rumano aplicaron analógicamente la desinencia a la primera conjugación (-as).

[108] Etimológicamente, la forma italiana es propiamente la forma imperativa latina c a n t a t e. La duplicidad c a n t a t i s - c a n t a t e se abandonó en italiano en favor de la forma de imperativo, en rumano y francés *(chantez)* en favor de la forma indicativa. Ambas formas perduran, por ejemplo, en español *(cantáis, cantad).*

[109] Alargamiento compensatorio de la consonante, cf. t r a h e r e *trarre.*

tral puede deducirse la existencia antigua de la -s en la flexión nominal (cf. § 274).

545. Como se deduce de las condiciones en sardo y en una parte de la Romania occidental (cf. §§ 538-541) [110], se trata, en el cambio románico occidental -s > *i̯* (y en la desaparición de la -s), de la generalización de una variante de la -s, sujeta originariamente sólo a condiciones de fonética sintáctica: ante consonantes sonoras la -s se realizó como -*i̯* o se asimiló (*tres dentes* = *[trez dentes]* > *[trei̯dentes]* > *treddentes*, como *f r i i̯ d u* > *freddo*), recomponiéndose después y generalizándose la forma en pausa con -*i̯*. Parece que el centro de esta generalización fue el sudeste y centro de Italia (con los Balcanes) ('romanidad interadriática', cf. § 161). Por razones geográficas, la generalización es más reciente que la desaparición de la -t (§ 554), desaparición nacida de condiciones parejas. El tratamiento románico oriental de la -s no es, por tanto, una continuación directa de la antigua desaparición en latín de la -s (§ 534), sino que constituye un fenómeno que presupone la existencia de la -s (bien que con una distinta realización foneticosintáctica).

4. Latín -x (§ 546)

546. La -x latina [*ks*] de s e x se pronunció desde muy temprano como *[ços]* (cf. § 430). En rumano recibió la vocal paragógica -*e*, a cuyo afianzamiento contribuyó seguramente la analogía de s e p t e *şapte*: *şase* (-x- > -s- como en *frasin*, § 440). En italiano *[ços]* se fundió en *[s']*, que pasó a *i̯* (§ 542): *sei*; igualmente vegliota *si*. En las otras lenguas (fran-

---

[110] Esta deducción la tomo de un trabajo, todavía no publicado, de W. Hermann.

cés antiguo *sis,* francés moderno con la grafía *six* [*sis*], provenzal *sieis,* español, portugués *seis,* sobreselvano *sis)* permanece la -s, y la palatal se desarrolla como en el grupo medial (§ 441). En cuanto al español, hay que subrayar que [*çs*] no se fundió al final de dicción en [*š*] (> *j* [*χ*], § 441), sino que se resolvió en [*is*]: *seis* (como *fresno,* § 441; *peine* § 434, nota).

5. Latín -t (§§ 547-557)

A) DESPUÉS DE VOCAL (§§ 547-552)

547.   La -t latina perdura en francés antiguo (y también en el francoprovenzal preliterario) hasta los umbrales del siglo XII (con la pronunciación [*ð*]): a m a t *aimet,* r e c l a m a t *recleimet (Canción de Roldán),* e r a t *ieret,* p e (n) s a t *peiset,* d o n a t *dunet (Canción de S. Alejo).* Desde el siglo XII enmudece (y desaparece de la escritura): *aime, pèse, donne.*

548.   También en sardo y en las zonas arcaicas del sur de Italia (Lucania, norte de Calabria) se conserva la -t latina, en suditaliano (sobre todo al final del ritmo elocutivo) con vocal paragógica obligatoria y en sardo con vocal paragógica potestativa: c a n t a t, v i d e t sardo *cántat (cántata),* *viðet* (*viðete*) [111], suditaliano *cántati, víðeti* [112]. Tanto en sardo como en suditaliano puede desaparecer la -t ante la siguiente

---

[111]   Así en los dialectos centrales. En logudorés-campidanés, la -*t* ante vocal paragógica da, como intervocálica, -δ- (cf. 364): *cántaδa,* *víeδe.*

[112]   En los dialectos suditalianos ocurre también *cántaδi, víδeδi.* Sin embargo, el fenómeno es completamente distinto de la sonorización sarda (nota anterior): se trata de una 'falsa' restitución de las formas asimiladas (cf. infra), donde, en definitiva, la preposición a d es el modelo (§ 559).

consonante, que se alarga por compensación (asimilación, conforme al § 507): t e n e t f a m e n sardo *tẹnne ffámene* (al lado de *tenneδe vámene*), suditaliano *tẹne ffame* (junto a *tẹnete fame*).

549.   En el resto de la Romania (incluso en provenzal) la -t desapareció en la época del latín vulgar [113]: c a n t a t italiano, provenzal, catalán, español, portugués *canta*, sobreselvano *conta*.—Los monosílabos [114] conservan todavía en el gris. central y el Oberland la -*t* (d a t , s t a t sobreselvano *dat*, *stat*) [115], con lo que este espacio lingüístico entra en relación más estrecha con el francés-francoprovenzal (que muestra mantenimiento general de la -t, § 547). En el resto de las lenguas afectadas por la desaparición general (incluso en engadino) la -t desapareció en los monosílabos: d a t , s t a t rumano *dă, stă;* italiano *da, sta;* provenzal, catalán, español y portugués *da, está*.

Para la geografía y la cronología relativa, cf. § 554.

550.   El sustantivo c a p u t se halla con -t completamente aislado, estructuralmente, entre los nombres; pierde su -t no sólo en aquellas lenguas donde se produce desaparición general de la -*t* (§ 549), sino también de antemano en francés y lucano-nortecalabrés: el sardo es el único idioma que mantiene la final antigua: rumano *cap,* italiano *capo* (también lu-

---

[113]   En español antiguo, la desinencia del imperfecto -ebat (h a b e - b a t *avié)* muestra todavía una huella indirecta de la -t, pues tiene el mismo tratamiento que h a b e b a s *aviés,* h a b e b a n t *avién,* mientras que la desaparición, ciertamente muy antigua (§ 529), de la -m hizo que la primera persona singular -eba(m) acabase plenamente en vocal: h a b e b a (m) *avía.*

[114]   Para el tratamiento especial de los monosílabos cf. las circunstancias y condiciones de -*i* < -s en italiano y rumano (§ 542).

[115]   Sólo los monosílabos primarios conservan la -*t*, no los secundarios (v a d i t *va,* s a p i t *sa).*

cano-nortecalabrés *capu)*, sobreselvano *tgau* (§ 565), francés *chef* (§ 565), provenzal, catalán *cap*, español, portugués *cabo*, sardo (Bitti) *cápute*.

551. La -t de la conjunción e t ante consonante se asimiló en latín vulgar a la consonante inicial siguiente, con lo que se originó una geminada que se conserva en italiano y se reduce en la Romania occidental: e t P e t r u s italiano *e Pietro* [*eppiẹtro*], francés *et Pierre* [*epiẹr*]. Ante vocal, a juzgar por las lenguas románicas que distinguen -t- y -d- (cf. §§ 365, 375 ss.), en vez de e t se pronunciaba e d, forma ésta nacida de la forma anteconsonántica *e* según la analogía de *a* y *ad* (§ 559): e t a m o r e m italiano *ed amore*[116], provenzal *ez amor*. El francés antiguo distingue hasta los umbrales del siglo XII entre *eδ* antevocálica y *e* anteconsonántica: *e justise eδ amur, eδ il, eδ un, e Deus (Can. de S. Alejo)*. Desde el siglo XII desaparece regularmente -δ- (< -d-) (§ 378), de suerte que la conjunción es de ahora en adelante siempre *e: e justise e amur*. La grafía latinizante *et* se pronuncia, pues, incluso ante vocal exclusivamente como [*e*]: francés moderno *et amour* [*e amur*].—En español y portugués e t fue tratada también según el modelo de a d (§ 559); y así, tanto ante vocal como ante consonante, suena *e* en español antiguo y portugués. Ante vocales (excepto ante *i*) *e* pasa a *i* (grafía portuguesa: *e;* grafía española: *y)* por inflexión (§ 109). Esta pronunciación prevalece después también ante consonante.—Las condiciones de a u t italiano *od, o*, español *o*, francés *ou*, responden a las de e t: la base es, por tanto, a u d. El francés *ou* muestra el vocalismo antevocálico (cf. § 267).

---

[116] Hoy prevalece la forma *e* incluso ante vocales: *e amore* (igualmente *a* por *ad*, cf. § 559).

552. En francés (y franco-provenzal) la -t de los grupos consonánticos secundarios persiste como [*t*] (francés antiguo: sonaba siempre hasta el siglo XIII; francés moderno: suena sólo en la liaison): v i d e t > *veiðet > *veitt > veit > voit (voit-il [vwatil]) [117]; s a p i t set (sait-il [setil]); p e r d i t pert (escrito en francés moderno perd, perd-il [pertil]); d o r m i t dort, v a l e t vaut (§ 510).

B) DESPUÉS DE CONSONANTE (§§ 553-557)

553. La -t de la desinencia -nt de la tercera persona plural se conserva en francés: en francés antiguo se pronunció hasta el siglo XIII [118], en francés moderno suena en la liaison: c a n t a n t chantent; liaison: chantent-ils, aiment-ils [-til]. Las mismas condiciones aparecen en francoprovenzal. El dominio francés-francoprovenzal, con su decisión de mantener la desinencia plena -nt, constituye un caso aislado dentro de la Romania. En latín vulgar había una vacilación, basada en condiciones de fonética sintáctica, entre la articulación plena -nt y -n, vacilación normal desde fecha antiquísima. Esta fase queda reflejada en el sardo, cuyos dialectos se decidieron, en parte por la pronunciación -nt (cántant), en parte por -n (cántan). El resto de la Romania tiene uniformemente la articulación -n: rumano cântă (-n desaparecida, § 531), italiano cántano (paragoge, § 528), sobreselvano cóntan, provenzal, catalán, español cántan, portugués cántam [-ãu]. También lucano y nortecalabrés tienen sólo -n (cántanu).

------

[117] · Según el modelo de estas formas, el primitivo chante-il (c a n - t a t i l l e) se transforma más tarde analógicamente en francés moderno chante-t-il.

[118] Dialectalmente hasta hoy.

554. La extensión geográfica de las correspondencias románicas de -nt, -t (§ 547 ss.) y -s latina (§ 536 ss.) demuestra
que la desaparición de la -t en el grupo -nt es relativamente
la más antigua; en realidad, el peligro de desaparición, por
razones de fonética sintáctica, de la -t es mayor en este grupo.
La desaparición de la -t postvocálica hay que considerarla
como analogía del plural -nt > -n —sin menoscabo del peligro
entrañado en su propia situación foneticosintáctica—. La generalización románica oriental -s > -i es el más reciente de los
tres procesos.

555. Si la desaparición de la -t postvocálica se efectuó por
analogía con la desaparición de -nt > -n (§ 554), en los dialectos de Oberland y ladino central a la pronunciación plena de la
tercera personal singular *dat, štat* (§ 549) debe responder también una articulación plena de la tercera persona plural d a n t,
s t a n t. Y éste es, efectivamente, el caso. Por otra parte,
las formas que eran de esperar *dant, *štant han sido modi-
ficadas (*datən, štatən*; escritas en sobreselvano *dattan, stattan*) según el modelo de los restantes verbos, cuyo plural
(*contan*) se distingue del singular (*conta*) por la 'adición' de
una -n.

556. Latín s u n t se ha desarrollado como c a n t a n t
(§ 554), por un lado en francés *sont (sont-ils)*, por otro en rumano antiguo *su* (rumano moderno *s*), italiano *sono*, provenzal, catalán, español *son*, portugués *são*. En rumano se conserva también la forma plena *sînt* (grafía latinizante: *sunt*)
(pues la -t del monosílabo, frecuentemente proclítico, se mantuvo ante vocal, pudiendo después generalizarse la forma) [119].

---

[119] Como en rumano coincidieron s u m y s u n t en la pronunciación *su* (> *s*), la forma plena *sînt* de la tercera persona plural se
aplicó también a la primera persona singular ('yo soy').

557. Latín e s t igual que c a n t a t (§§ 547-549) evoluciona por un lado en francés *est (est-il*, cf. § 553), y por otro, en provenzal, catalán y español *es*, italiano *è*, rumano *e* (< *ei*, cf. § 542). En rumano se conserva también la forma plena *este* (cuya *-t* persistió en la proclisis ante vocal, pudiendo la forma generalizarse después y recibir una *e* paragógica).— El desarrollo de p o s t es correspondientemente en provenzal y portugués *pos*, español *pues*, italiano y rumano *poi* (§ 542) [120].

6. Latín *-d, -r, -l, -c* (§§ 558-563)

558. La *-d* latina ocurre en formas pronominales (q u i d, q u o d) y en preposiciones (a d, a p u d). En razón de su estrecho contacto foneticosintáctico, esta *-d* es tratada como medial.

559. En a d la *-d* ante consonante siguiente se asimila a ésta: a d P e t r u italiano *a Pietro* [*app-*], francés *à Pierre*. Ante vocales, la *-d* sigue la suerte de la *-d-* intervocálica (cf. §§ 375-377); por tanto, permanece en italiano (*ad Adamo*) y desaparece en francés (*à Adam*), en español (*a Adán*), etcétera. En francés antiguo se mantuvo la *-d-* [-ð-] hasta los umbrales del siglo XII (cf. § 551): *ad un conte (Canc. de S. Alejo)*. Por analogía con a d se transformó e t en algunas lenguas (probablemente ya en latín vulgar) en e d (atestiguado por las inscripciones) (§ 551) [121].

---

[120] Francés *puis*, provenzal *pois*, catalán *puix* arrancan de un comparativo p o s t i u s.

[121] La sustitución así empezada de la *-t* por *-d* llegó en algunas regiones de Lucania y norte de Calabria, donde fundamentalmente persistía *-t* (§ 548), a sustituir la *-t* por *-d* incluso en la desinencia verbal: c a n t a t (> *cántati*) > *c a n t a d (> *cántaði*), cf. § 548, nota.

560. Latín a p u d da en francés antiguo *od* > *o*. Latín q u i d (q u o d) da en italiano *ched* ante vocal, *che* ante consonante (generalizado después), francés *que* (tónico *quoi*), español *que*, etc. En francés antiguo se conservó *qued* ante vocal hasta los umbrales del siglo xii *(Canc. de S. Alejo)* [pronunciación: ð, cf. 559].—En dialectos suditalianos, la -d del neutro i l l u d se conserva indirectamente en la geminación de la consonante inicial siguiente: i l l u d c a s e u *lu, ccasu.*

561. La -r latina toma en sardo una vocal paragógica potestativa: c o r *ḳọr(o)*, s e m p e r *sémper(e)*, q u a t t o r *báttor(o).*—Las otras lenguas distinguen entre monosílabos y polisílabos. Los monosílabos reciben una -e paragógica: *c o r e italiano *cuore*, provenzal, catalán y sobreselvano *cor*, francés *coeur* (cf. § 189). En los polisílabos, la -r pasa por metátesis al interior de la palabra [122]: s e m p e r, q u a t t o r rumano —, *patru;* italiano *sempre, quattro;* francés *sempre* (francés antiguo), *quatre;* provenzal, catalán *sempre, quatre;* español *siempre, cuatro;* portugués *sempre, quatro;* sobreselvano *semper, quator* (desarrollo reciente < -*pr*, -*tr* < -*prə*, -*trə*). Hay paragoge (y síncopa de la vocal medial) en s o r o r sardo *sorre.* Hay metátesis (quizá primitivamente paragoge) en provenzal *sorre*, mientras que las demás lenguas se arredraron ante -*rr*- y dejaron perderse -*r*, de suerte que nació la forma básica *s o r o, que en algunas lenguas tomó la vocal final femenina -*a* (en vez de -o): rumano *sorǎ* [123], italiano *suora*, sobreselvano *sora*, francés *soeur* (también provenza *sor*).

---

[122] Probablemente esta 'metátesis' no es otra cosa que una paragoge primitiva con síncopa (haplología) de la vocal medial: s e m p e r > *s e m p e r e > s e m p r e.

[123] El vocalismo de la forma rumana revela la huella del antiguo

562. La -l latina se incrementa por paragoge: m e l , f e l , s a l > *m e l e , *f e l e [124], s a l e rumano *miere, fiere, sare;* sardo *mele, fele, sale;* italiano *miele, fiele, sale;* sobreselvano, provenzal, catalán, portugués *mel, fel, sal* [125]; francés *miel, fiel, sel;* español *miel, hiel, sal* (cf. §§ 565-572).

563. La -c de latín h ī c desaparece (e c c u h i c italiano *qui,* español *aquí;* e c c e h i c francés *ici)* o sufre ampliación paragógica (*h ī c i > rumano *ici* 'aquí'). Latín h i c muestra incremento paragógico en e c c u *h i n c i italiano *quinci* 'de aquí'. Latín h o c revela apócope de la -c en e c c e h o c francés antiguo *ço* (> *ce),* italiano *ciò;* muestra incremento paragógico en a b *h o c o francés antiguo *avuec* (etcétera, cf. § 189). Latín i l l ā c aparece sin -c en francés, italiano *là,* español *allá;* aparece con -c en francés antiguo *lai,* vegliota *luok.*

B) CONSONANTES FINALES
SECUNDARIAS (§§ 564-572)

564. Cuando el final de dicción está formado por consonantes, hay que tener presente dos puntos de vista. En primer lugar, esas consonantes que quedan como finales de dicción pueden haber realizado ya anteriormente ciertas modificaciones (c a p u > francés *[*čievᵘ]),* de suerte que no pasa a final la cualidad latina, sino una cualidad románica modi-

---

soru < s o r o r (pues ante -ă antigua era de esperar el vocalismo *soară,* cf. § 197).

[124] No se trata, pues, de una forma flexiva (por ejemplo, el ablativo), que debería sonar m e l l e , f e l l e .

[125] Para la pronunciación en catalán y portugués, cf. § 569.

ficada. Qué grado cualitativo pasa a la final es cosa que depende de la c r o n o l o g í a f o n é t i c a r e l a t i v a (§ 131). En segundo lugar, ciertas modificaciones cualitativas e s t á n c o n d i c i o n a d a s p o r l a m i s m a p o s i c i ó n f i n a l : entra en cuenta aquí, principalmente, la desonorización, que es una asimilación anticipadora (cf. § 133) a la posición abierta y relajada de la glotis en la pausa elocutiva, o bien asimilación a la pronunciación susurrada de la vocal final (antes del enmudecimiento total de ésta, cf. § 272, nota). Además, hay que tener presente en algunas lenguas una 'constancia de los hábitos finales de dicción', es decir, la tendencia a tolerar en el final secundario de dicción solamente aquellas consonantes que sean también posibles en final primario, o, en todo caso, reducen a ciertos tipos los finales secundarios posibles.

565. Como en norteitaliano, retorromano, francoprovenzal, francés, provenzal y catalán, es muy frecuente la desaparición de vocales en final de dicción (cf. § 272), surge la cuestión del destino de las consonantes finales secundarias, principalmente respecto a estas lenguas.—La suerte de las consonantes sueltas que quedan finales de dicción en francés. sobreselvano, provenzal y catalán, puede verse en el siguiente cuadro sinóptico:

lat.	p	b,v	t	d	c⁰,ᵘ	cⁱ,ᵉ	gⁱ,ᵉ ,j	s	l	r	m	n
fr. ant.	ƒ		t > —	—		its	i̯	s	l	r	nasalizac.	
sobres.	ƒ		t	—	k	š	č	s	l	r	m	n
prov.	p	u̯	t	t,—	k	ts	i̯	s	l	r	m	n,—
cat.	p	u̯	t	u̯	k	u̯	ć, i̯	s	L	r	m	—

Ejemplos: Latín c a p u, a p e, l u p u, n o v u, n i v e, c l a v e : francés antiguo *chief, ef, lou* (francés moderno *loup* con grafía latinizante [126]), *nuef, noif, clef* (francés moderno [*kle*] por analogía con el plural, cf. § 571); sobreselvano *tgau* [127], —, *luf, niev* [-*f*], *neiv, clav;* provenzal *cap, ap, lop, nueu, néu, clau;* catalán *cap,* —, *llóp, nou, néu, clau.*—Latín (c a n t) - a t u, n a t u, s i t e, n o d u, p e d e, n u d u, n i- d u: francés antiguo -*et* > -*é, ne, soi* [128], *neu, pié* (francés moderno *noeud, pied,* grafías latinizantes), *nu, ni* (francés moderno *nid,* grafía latinizante); sobreselvano -*au,* —, *seit, nuv, pei, niu, igniv* [129]; provenzal -*at, nat, set, no (not), pe, nut, ni (nit);* catalán -*at, nat, set, nus, peu, nu, niu.*—Latín f o c u, l o c u, i o c u, n u c e, p i c e, v o c e, l e g e, m a i u, p o- d i u : francés antiguo *feu, lieu, jeu* (§§ 200, 248), *noiz, poiz, voiz* (francés mod. -*x,* grafía latinizante), *loi, mai,* (regional:) *puy;* sobreselvano *fiug* [-*k*], *liug, giug, nusch,* —, *vusch,* —, *matg,* —; provenzal *foc, loc, joc, notz, petz, votz, lei, mai, puei;* catalán *foc, lloc, joc, nou,* —, *veu, lley, maig* [*mać*], *puig* [*puć*].—Latín n a s u, m e (n) s e : francés antiguo *nés* (francés moderno -*z,* mera grafía), *mois;* sobreselvano *nas, meins;* provenzal, catalán *nas* [130], *mes.*—Latín s a l e, cf. § 562. Latín c a n t a r e : francés antiguo *chanter,* sobreselvano, provenzal, catalán *cantar.*—Latín h o m o, n o m e (§ 531), b e n e,

---

[126] Entre las vocales posteriores *o* y -*u* la -*v*- (< -p-) no pasó a final, sino que previamente se redondeó en -*w*- y se resolvió en -*u*- (cf. § 369).

[127] Entre *a* y -*u* la -*v*- (< -p-) no pasó a final, sino que se redondeó en -*w*-, resolviéndose en -*u*- (cf. § 369).

[128] La forma secundaria, única usada en francés moderno, *soif* es de origen analógico: según n i v i s *nois* — n i v e *noif* se formó *sois* — *soif.*

[129] Ante -*u* la -δ- (< -t-, -d-) no pasa a final, sino que desaparece, y entonces la -*u* forma diptongo con la vocal tónica (cf. § 379), o bien tras *u* e *i* pasa a -*v* (> -*f*).

[130] Junto a catalán *nars* < n a r i s.

v i n u : francés ant. *on, non* (*nom,* grafía latinizante), *bien, vin;* sobreselvano *um, num, bein, vin;* provenzal *om, nom, ben (be), vin (vi);* catalán *hom, nom, bé (ben* ante vocal en estrecha conexión foneticosintáctica, por tanto medieval), *ví.*

566. La estructura fonética de las consonantes finales de dicción nos permiten deducir conclusiones sobre la c r o n o- l o g í a   f o n é t i c a. Así por ejemplo, -$c^{i,e}$- era todavía en francés antiguo y provenzal antiguo una africada [dz'] (cf. § 388) cuando pasó a ser final de dicción (> francés anti- guo [^its], provenzal [ts]). En sobreselvano y catalán el repre- sentante de latín j ($g^{i, e}$) era una africada cuando quedó final de dicción (> sobreselvano [$\check{c}$], catalán [$\acute{c}$]), en cambio en francés era fricativa (> [$i̯$]).

567. La desonorización al final de dicción (§ 564) es un fenómeno muy extendido, como se ve por francés *chief,* pro- venzal *cap,* sobreselvano *luf,* etc. Naturalmente, aparece tam- bién en la última consonante de los grupos consonánticos (cf. § 570).

568. En provenzal, las consonantes provenzales que que- dan finales -*b*- (< -p-), -*d*- (< -t-), -*g*- (< -$c^{o,u}$-), -*dz*- (< -$c^{i,e}$-) se desonorizan; en cambio, cuando queda final de dicción, la -*v*- (< -b-, -v-) vocaliza en -*u̯* y se combina con la vocal tónica para formar diptongo. La -*u* secundaria (*nueu*) no se distin- gue, pues, de la primaria (*Deu*), cuyo efecto diptongador comparte (§ 200). La vocalización -*v*- > -*u̯* hay que interpre- tarla, por tanto, como un efecto de la 'constancia de los tipos de finales de dicción' (§ 564). La *[-δ-]* provenzal (< -d-, cf. § 377) o pasó a -*d* > -*t,* o bien desapareció, debiéndose ver en ello otro efecto de la constancia de los finales típicos.—En catalán encontramos un caso reiterado, debido a la mentada

ley de la constancia de finales típicos, pues *[δ], procedente de -d- (§ 377) y -$c^{i,e}$- latinos (§ 391), fue reemplazada al final de dicción por *[v] y vocalizó con la *v* antigua en ʉ (§ 565). Lo acertado de esta interpretación queda demostrado por el hecho de la complicación que surge cuando precede o̩: un diptongo *o̩u hubiera carecido de antecedentes y se hubiera abierto en o̩u (n u c e > no̩u) o se hubiera disimilado en *eu* (v o c e > *veu*). La tercera posibilidad consistía en desviar *[δ] hacia [z] > [s] (en vez de hacia [v] > [u]) (n o d u > *nus*).

569. Una estandarización del final según el modelo de la posición anteconsonántica ocurre en catalán y portugués, en donde la -l- que pasa a final de dicción tiene una articulación velar (§ 412): m a l e, s a l e catalán, portugués *mal*, *sal* [-L].

570. En cuanto a los grupos consonánticos primarios que pasan a ser finales secundarios, nótese que su última consonante desonoriza: v i r d e francés, provenzal, catalán *vert* [131]; sobreselvano *verd* [-t]; g r a n d e francés antiguo *grant* (francés moderno *grand* con grafía latinizante, al paso que la pronunciación mantiene la [-t]: un *grand homme* [grā̃to̩m]); l o n g u francés antiguo *lonc* (francés moderno *long*, grafía latinizante, pero pronunciación en el enlace: [lõk]); s e r v u francés antiguo *serf*.—Cuando la *ñ* (<ng$^{e, i}$, gn, ni̯, §§ 417. 447, 463) pasa a final de dicción, permanece en provenzal, mientras que en francés desaparece (§ 236): l o n g e, b a (l)- n e u provenzal *luenh*, *banh*; francés *loin*, *bain*. En provenzal y en la pronunciación normal del catalán -*nt* (< -nt- y -nd-) se simplifica en -*n*; y hay que ver en ello un efecto de la ley de la constancia de finales típicos (§ 564), pues el anti-

---

[131] Después, el francés formó con *verte* un femenino analógico del masculino *vert*.

guo -nt se había simplificado asimismo en -n (§ 553): v e n t u
ven, v e n d i (t) *ven*.—Esta misma ley de la constancia de
finales típicos hace que en esp. la -ll- > [*t*] (§ 427) que pasa
a final de dicción se despalatalice: p e l l e *piel* (pero catalán *péll*).

571. Los grupos consonánticos secundarios que se forman al final de dicción son tratados en francés de acuerdo
con las condiciones dadas para los grupos mediales (§§ 505-
523): s e r v u s francés antiguo *sers*, n e p o s francés antiguo
(**mevs* >) *nies*, n a v i s francés antiguo *nes*, d e b e t francés
antiguo (**deivt* >) *deit* > *doit*, b o v e s francés antiguo
(**buefs* >) *bués*, *o v o s francés antiguo (**uefs* >) *ués* [132].
Hay que considerar como una estandardización de los
finales (§ 564) el que s a c c u s (y s a c c o s) dé en francés
antiguo *sas* [133] (s a c c u *sac*). De t + s resulta en francés antiguo [*ts*], escrito *z:* c a n t a t i s *chantez*. Las combinaciones
nn + s, ññ + s dan en francés antiguo *nts* (escrito *nz*): a n-
n u s francés antiguo *anz*, j u n i u s francés antiguo *juinz*. También n + s tras consonante pasa a *nts*, y *n* cae después en virtud de la 'ley de las tres consonantes' (§ 510): d i u r n o s francés antiguo **jornz* > *jorz* [134]. Asimismo ɫ + s se transforma
en [*lts*] (escrito -*lz*): g e n u c l o s francés antiguo **[gǝ-
nols* >] *genolz* [135].

---

[132] francés moderno *boeufs* [*bö*], *oeufs* [*ö*] con restauración meramente gráfica de la *f*, la cual se conserva también en la pronunciación
del singular: b o v e francés antiguo *buef*, francés moderno *boeuf*, o v u
francés antiguo *uef* > francés moderno *oeuf*.
[133] Posteriormente se reconstruye el plural *sacs* según el singular.
[134] Evidentemente hubo también primero reducción de consonan-
te + *n* + *s* a consonante + *s:* i n f e r n u s *enfers*, v e r m i s *vers*, etc.
[135] De aquí nace *genous* (§§ 413, 508, 217), escrito *genoux* en francés
moderno. De aquí nació por formación regresiva el nuevo singular
genou (en vez de *genoil*).

572. En cuanto a los destinos posteriores de las consonantes en finales secundarios y primarios (§§ 526-571) en francés, la mayor parte de ellas enmudecieron a lo largo de su evolución a partir del siglo XIII.—La *-r* final permanece en los monosílabos franceses: c a r u *cher*, f e r u *fier*, s e r a *soir*. En los polisílabos comienza a enmudecer desde el siglo XIV (es muda corrientemente en el siglo XVI); sin embargo, la desaparición ha prevalecido únicamente en pocos casos (infinitivo de la primera conjugación: *chanter*, sufijo *-ier*); la *-r* fue restaurada en el siglo XVI por influjo de los gramáticos y preceptistas *(finir, mouvoir, danseur, tiroir*, etc.). La desaparición temporal de la *-r* en el sufijo *-eur (danseur)* hizo surgir un femenino en *-euse (danseuse)*, formado según el modelo de la relación de la forma femenina *-euse* (< o s a por ejemplo, *hereuse)* con el masculino *-eux* [*-ö*].—La *-l* final después de [*ü*], [*u*] enmudece en *cul, saoul*, y después de *i* en *fusil* (en cambio, se mantuvo o fue restablecida en *avril).* Detrás de las otras vocales no se puede comprobar desaparición ninguna: *cheval, miel, ciel*, etc.—La *-s* final enmudeció desde el siglo XIII: *mois, vous, trois;* pero suena en el enlace: *trois amis.*—La *-z* final [*-ts*] pasa en el siglo XIII a [*-s*] y termina por enmudecer con la *-s* antigua: *chantez* [*-ts*] > [*šātés*] > [*šāté*].—La *-t* final también enmudece *(il dort, grand),* pero se pronuncia en el enlace *(dort-il, un grand homme).* En n i t i d u *net* se conserva la [*-t*].—La *-k* final detrás de nasal enmudece: *banc, étang* [*-ā*] (pero *bec, sac, sec, parc* con [*-k*]).—La *-f* final permanece: *naïf, boeuf* (para *boeufs* [*bö*], cf. § 571).

C) CONSONANTES FINA-
LES TERCIARIAS (§ 573)

573. Casos de más recientes finales terciarios aparecen sobre todo en francés. Por ejemplo, en la pronunciación normal francesa las consonantes sonoras se mantienen sonoras en estos casos: *voyage* [-ž]. Sin embargo, al norte y al este del dominio lingüístico francés (valón, lorenés) también en estos casos se produce la desonorización [-š].

CAPÍTULO IV

FONÉTICA SINTÁCTICA (§§ 574-582)

574. Tanto en la época latina como en cualquier momento de la evolución lingüística las palabras se pronuncian en el contexto de la oración. Hay ciertamente oraciones de una sola palabra (imperativos: *va!* 'marcha'; respuestas a preguntas, etcétera); pero, por norma general, predominan las oraciones de varias palabras. La secuencia de la oración puede modificar la estructura fonética de las palabras (tanto el conjunto de la palabra respecto a la entonación e intensidad como la pronunciación de vocales y consonantes en particular). En algunas lenguas estas modificaciones adoptan formas más o menos crasas.

575. Ante todo, se distinguen en la oración —igual que en la palabra (§ 115)— diversos grados de acentuación: hay en la oración elementos tónicos (por ejemplo, sujeto sustantivo, predicado, objeto sustantivo) y átonos (por ejemplo, partículas como preposiciones, conjunciones y con frecuencia también pronombres [por la razón de que éstos muchas veces expresan algo ya conocido y que no necesita ser destacado especialmente]). Los elementos átonos reciben en la

fonación el tratamiento correspondiente. Así, por ejemplo,
la preposición d e pervive únicamente en su forma átona
(francés *de*, italiano *di*, etc.). Ocurre también la reducción
de sílabas: el artículo i l l o s pierde en francés *les*, italiano *i*,
español *los* una sílaba. La palabra formularia s a n c t u s pierde igualmente una sílaba en italiano *San Paolo*, español *San
Pablo*.

576.   La manifestación más importante de la fonética sintáctica consiste en b o r r a r l o s l í m i t e s d e l a s p a l a-
b r a s. Los elementos átonos suelen asociarse a los elementos tónicos vecinos, con los que forman un ritmo o unidad
elocutiva más o menos estrecha. La forma más íntima de
la unidad elocutiva se llama *mot phonétique;* la palabra fonética es un grupo de palabras que fonéticamente son tratadas como una palabra sola. Así, por ejemplo, el artículo forma con el sustantivo un *mot phonétique:* la *-s* del artículo
i l l o s e n i l l o s h o m i n e s francés *les hommes* [*lezǫm*],
i l l o s p a t r e s *les pères* [*le pęr*] es tratada como la *-s-*
medial en el interior de palabra: p a u s a r e *poser*, r e s-
p o n d e r e *répondre*. Al encontrarse frente a frente dos vocales en el límite entre dos palabras, aquéllas se confunden en
una sola sílaba (sinalefa) o hay elisión de una de ellas: italiano *diꞔun amico* = cuatro sílabas (sinalefa) o bien *d'un
amico*.

577.   Cuando las consonantes iniciales de palabra, pero
mediales de oración, son tratadas como si fueran mediales
de dicción, nos encontramos con un alto grado en la eliminación de las fronteras entre las palabras. Este grado lo tenemos claramente en toscano, donde *la pala* [*la ɸala*], *la tela*
[*la ϑela*], *la easa* [*la χasa*], *la cena* [*la šena*] muestran el

mismo resultado que *sapone* [*saφone*], *maturo* [*maϑuro*], *sicuro* [*siχuro*], *pace* [*paše*] (cf. § 362-401).

Así, pues, la consonante inicial de dicción se hace lábil, pues en posición inicial absoluta *(Paolo* [*p-*] *disse)* y en la geminación (a d c a s a m *a ccasa)* se mantiene la oclusión. Esta labilidad ocurre también en logudorés y campidanés (i p s u t e m p u s *su* δ*empus,* pero después de consonante i p s o s t e m p o s *sos tempos,* en inicial absoluta *tempus).* En estos dialectos (como también en dialectos suditalianos arcaicos [nortecalabrés]) esta labilidad se extiende incluso a las fricativas, que sonorizan: i p s u f i l u *su vilu,* pero i p s o s f i l o s *sos filos,* i p s u s o l e [*su zole*] (para nortecalabrés: i l l a f e m m i n a *a vímmina,* i l l u s o l e [*u zule*]).

578. En contraste con el toscano y sardo (§ 577), la Romania occidental muestra que las consonantes iniciales de dicción son estables: i l l u p a n e francés *le pain* (frente a s a p o n e *savon),* i l l o s p a n e s *les pains.* ¿Es primitiva esta estabilidad o es más bien el resultado de un proceso nivelador? Ciertas anomalías en los tipos de palabras románicas occidentales permiten quizá sacar la conclusión de que también la Romania occidental participó en alguna época de la labilidad toscana y sarda.

579. Hay que suponer que la espirantización de las oclusivas sordas se realizó en la Romania occidental del mismo modo que hoy en Toscana (s a p o n e [*saφone*] e incluso cuando la consonante inicial de palabra es, en fonética sintáctica, medial postvocálica [*la φarte*]) y que además las fricativas sordas latinas se pronunciaban sonoras en estas posiciones (i l l a f e m i n a [*la vémmina*]), como se pronuncian hoy en sardo y en dialectos suditalianos (§ 577). A conse-

cuencia del mantenimiento de la -s y, en muchos casos, también de la -t (§§ 537, 547 s.), este debilitamiento de las consonantes iniciales en el románico occidental estaba en relación alternativa con el comienzo latino de palabra que permanecía inalterado: *[la φarte, las partes; la vémmina, las fémminas]. La discrepancia fonética de ambas parejas alternantes resultaba insoportable en las antiguas oclusivas latinas cuando las fricativas nacidas de aquéllas en medio de dicción [φ, ϑ, χ] sonorizaron en la Romania occidental [β, δ, γ]: *[saφone] > *[saβone] > savon (§ 361). Entonces tuvo lugar en la Romania occidental una amplia restauración del comienzo antiguo latino de la palabra (conservado en posición postconsonántica): p-, t-, k- (y analógicamente también f-) se hicieron 'estables'. Este proceso es simplemente una recomposición: como repausare *[reφausare] (> toscano [riφosare]) fue recompuesto, según el modelo de pausare, en *[repausare] (> francés reposer); así, illa parte *[la φarte] (así todavía hoy en toscano) fue recompuesta, siguiendo el modelo de *[las partes], en *[la parte] (> francés la part). Al morfológico (repausare)[1] responde, pues, una recomposición lexicosintáctica (illa parte). La f- inicial se sumó al proceso: según el modelo *[las fémminas], la forma *[la vémmina] fue recompuesta y se restauró la forma *[la fémmina]. Que este razonamiento no es mera fantasía lo prueba el hecho de que, en casos particulares, la recomposición dejó de realizarse en algunas regiones o bien —y ello es más significativo todavía— se realizó con resultado etimológicamente 'falso'.

580. La recomposición morfológica dejó de efectuarse, por ejemplo, en los siguientes casos: repausare so-

---

[1] Cf. § 149, núm. 6.

breselvano *ruassar* 'descansar', r e p a u s a t sobreselvano
ruaussa (pero francés *reposer*); r e p o n e r e francoprovenzal *revondre* 'enterrar', provenzal *rebondre* (junto a *repondre*) 'enterrar' (pero francés ant. *repondre* 'ocultar'). Aquí la
conexión etimológica de la familia lingüística fue sacrificada
al curso normal de la evolución en medio de dicción.

581. En cuanto a la recomposición léxico-sintáctica,
no se debe esperar que deje de funcionar en las condiciones medias normales, pues la generalización del artículo
en el plural ponía una pareja alternante postconsonántica
*[*las partes*] al lado de la postvocálica *[*la φarte*]. En cambio, que deje de funcionar la recomposición en g i r o s f r a -
s e o l ó g i c o s f i r m e s (en posición postvocálica) no es
nada infrecuente. Cabe enumerar como tales los siguientes
casos: d e p o s t sobreselvano *davos* 'detrás' (pero francés
depuis), d e p a r t e engad. *davart* 'de parte de' (pero francés *de part et d'autre*). El cese del funcionamiento de la recomposición en este giro provocó el que también el sustantivo adoptase la pronunciación etimológica *vart* 'lado, parte':
este caso demuestra las malas consecuencias del cese del
funcionamiento de la recomposición y constituye una demostración de la utilidad fundamental de la recomposición en el
románico occidental. Hay que contar también aquí el desarrollo de d e f o r i s, que pasando por *[*deβoris* > *dewóris*] da en
francés regularmente (§ 374) *dehors*, sobreselvano *ordadora*
< *f o r a d e d e f o r a (pero con recomposición provenzal
defors, catalán *defora*). De aquí se formó de nuevo 'antieti-
mológicamente' la palabra base francés *hors*, sobreselvano
ora.

Para demostrar la efectividad de la recomposición (y con
ello la efectividad del antiguo debilitamiento postvocálico del

comienzo de palabra) es muy importante conocer la evolución de v i c e s 'turno, vez'. Según el modelo de *[la vémmina/las fémminas]* a *[una vedze]* 'una vez', *[de vedze]* (> francoprovenzal *de véis* 'quizá') se le formó un analógico *[duas fedzes, tres fedzes, seis fedzes, las fedzes]*. En la recomposición sólo quedó, como *[fémmina]*, *[fedze]* (francés *fois*).

582. Más observaciones sobre fonética sintáctica en los §§ 264, 266, 300, 328 s., 334, 353, 362, 364, 491, 517, 527-531, 543, 545, 551, 558 ss., 570, 572.

ÍNDICE DE PALABRAS *

a, [29 y ss.], 42 y ss., 127, 128, 133, 143, 149, 156 y ss., 173-175, 186 y ss., 250, 253 y ss., 267 y ss., 348, 396 y siguientes.
à Adam (fr), 559.
a Adán (esp), 559.
aage (fr), 267.
abbia (centroit), 477.
abeille (fr), 131 y n., 370.
abete (it), 251.
abetem (lat), 251.
ab hoc (lat), 189.
ab hoco (lat), 563.
abietem (lat), 251.
-able (fr), 143.
aboculis (lat), 143.
abscondere (lat), 271.
abscondit (lat), 232.
abuelo (esp), 476.
abuitre (port), 413.
abundare (lat), 374.
abutre (port), 413.
a ccasa (tosc), 577.

accendere (it), 504.
accendere (lat), 504.
accès (fr), 504.
acces (rum), 504.
acceso (esp), 504.
accesso (it), 504.
accessum (lat), 504.
accingere (it), 504.
accingere (lat), 504.
acciu (sudit), 473.
aceindre (fr), 504.
aceiro (port), 470.
acender (esp), 504.
acendre (prov), 504.
acetum (lat), 387.
aciarium (lat), 470.
aciem (lat), 469.
acier (fr), 470.
acqua (it), 483.
acquam (lat), 483.
acrum (lat), 420 n.
acuculam (lat), 270.
acutum (lat), 484.

---

* Los números remiten a los párrafos; sólo cuando van entre paréntesis cuadrados [] remiten a las páginas de la introducción.— Las palabras latinas van siempre en caso acusativo; solamente se señalan en otros casos cuando la palabra románica deriva de éstos.—No se hace distinción en los idiomas entre ant. y mod.; por tanto las abreviaturas esp., fr., etc. responden lo mismo a formas antiguas que a formas modernas.—Tampoco se distingue entre lat. clásico y lat. vulgar; ni entre formas documentadas y formas hipotéticas.

ach (al), [30], 66, 123.
achar (port), 423.
ache (fr), 275, 473.
-ad (esp), 276.
ad (lat), 551, 558, 559.
-ada (cat), 175.
-ada (esp), 175.
-ada (port), 175.
-ada (norteit), 379.
-ada (prov), 175.
-ada (retorrom), 379.
-ada (sar), 175.
-ada (sobres), 175.
ad Adamo (it), 559.
adăpa (rum), 269.
adaquare (lat), 269.
ad casam (lat), 577.
-ade (norteit), 379.
-ade (port), 276.
-ade (retorrom), 379.
-adegum (lat), 524.
ad espus (fr), 353.
ad ester (fr), 353.
adferre (lat), 129.
adflo (lat), 275.
-adi (norteit), 379.
-adi (retorrom), 379, 524.
adînc (rum), 269.
-adium (lat), 524.
-ado (esp), 175, 379.
-ado (port), 175.
-adou (norteit), 379.
-adou (retorrom), 379.
ad Petrum (lat), 559.
ad sponsum (lat), 353.
ad stare (lat), 353.
-adu (sar), 175.
ad un conte (fr), 559.
aduncum (lat), 269.
aedo (lat), 242.
aequalem (lat), 484.
a espus (fr), 353.
aestimare (lat), 356, 510.
aetaticum (lat), 267.

afferre (lat), 129.
afflare (lat), 423.
afla (rum), 423.
aflu (rum), 275.
afullus (berb), 537 n.
-age (fr), 524.
aggiu (sudit), 477.
aghédu (log), 387.
agnello (tosc), 447.
agnellum (lat), 270.
agnum (lat), 445, 446.
agoiro (port), 258.
agóst (cat), 403.
agóst (norteit), 403.
agóst (prov), 403.
agosto (esp), 258, 403.
agosto (it), 55, 258, 403.
agosto (port), 403.
agro (it), 420 n.
agua (esp), 483.
agua (port), 483.
agüero (esp), 258.
agur (sobres), 258.
agurium (lat), 258, 267.
agust (rum), 258, 403.
agustu (sar centr), 403.
agustu (sudit), 403.
agustum (lat), 258, 365, 403.
ähre (al), 43.
ai (fr), 207, 476.
-ái (norteit), 379 y n.
ai (prov), 207.
-ái (retorrom), 379 y n.
aia (tosc), 465.
aiche (fr), 169.
-aie (fr), 170.
-aient (fr), 170.
aïeul (fr), 476.
aiga (prov), 483.
aigle (fr), 484.
aigu (fr), 484.
aigua (cat), 483.
aigua (norteit), 483.
ail (fr), 73.

le (fr), 174, 186.
le vist (gasc), 539.
me (fr), 547.
ment-ils (fr), 553.
met (fr), 547.
nu (sudit), 446.
io (it), 207.
po (port), 473.
ir (fr), 207.
ra (it), 208.
ira (piam), 465.
ira (prov), 207, 465.
ira (sudit), 465.
ire (fr), 207, 465.
ire (fr), 143.
is (fr), 207.
is-ch (eng), 207.
issieus (fr), 219.
ait (fr), 170.
áit (vegl), 166, 170.
ive (fr), 222.
aja (vegl), 170.
juna (rum), 259.
kait (vegl), 387.
kazie (al), 55.
kétu (sar centr), 387.
kiker (berb), 159.
kzess (al), 504.
' Ακύλας (gr), 346 n.
al (fr), 174.
alam (lat), 174.
albam (lat), 217.
albergo (it), 335.
álbero (it), 128, 175, 284, 290.
album (lat), 409 n.
-alem (lat), 174.
alt (cat), 412.
alterum (lat), 84, 216, 217, 275, 413.
alto (esp), 244, 414.
alto (it), 414.
alto (port), [29], 412.
altre (cat), 84.
altro (port), 84.
altum (lat), 217, 244, 412, 413, 414.

alvo (port), 409 n.
allá (esp), 563.
alloro (it), 243.
all'oscuro (it), 271.
allo scuro (it), 271.
amat (lat), 547.
amatis (lat), 540.
ambler (fr), 513, 516.
ambulare (lat), 516.
ambulo (lat), 275.
âme (fr), 44, 186.
amez (fr), 540.
ami (fr), 121.
amicam (lat), 362.
amicitatem (lat), 210.
amicitiam (lat), 40.
amicum (lat), 40, 120.
amiga (esp), 362.
amiχa (tosc), 362.
amistatem (lat), 210 n.
amistié (fr), 210.
amitié (fr), 210.
ample (fr), 516.
amplum (lat), 516.
an (rum), 231, 502.
Andegavis (lat), 248.
Andegavum (lat), 248.
Andreas (lat), 200.
Andreum (lat), 200.
Andrieu (fr), 200.
andzila (friul), 482.
-ane (port), 237.
anellum (lat), 502.
ange (fr), 143.
Angers (fr), 248.
angilla (sudit), 482.
angoissa (prov), 207.
angoisse (fr), 207.
angoixa (cat), 207.
angola (vegl), 184, 346 n., 482.
anguila (esp), 482.
anguilla (centroit), 482.
anguilla (norteit), 482.
anguillam (lat), 184, 346 n., 482.

anguille (fr), 482.
anguoscha (eng), 207.
anguoscha (sobres), 207.
angustiam (lat), 207.
angyllam (lat), 482.
animam (lat), 235.
Anjou (fr), 248.
anme (fr), 235.
annatam (lat), 502.
anneau (fr), 502.
année (fr), 502.
anno (it), 491, 502.
ánnoso (sar), 537 n.
annu (sar), 491, 502.
annu (sudit), 502.
annum (lat), 231, 233, 491, 502, 503, 520.
annus (lat), 571.
ano (port), 502.
antecessorem (lat), 117.
antico (it), 479.
anticum (lat), 484.
antif (fr), 484.
antiquam (lat), 484.
antiquo (lat), 479.
antiu (fr), 484.
antive (fr), 484.
antiwe (fr), 484.
-anu (port), 237.
-anum (lat), 175, 207.
any (cat), 503.
anz (fr), 571.
año (esp), 503, 520.
-ão (port), 237.
aondar (prov), 374.
aóst (fr), 365.
aóst (norteit), 403.
aost (prov), 365, 403.
aoust (fr), 403.
août (fr), 147, 258.
ap (prov), 565.
apeaut (fr), 218.
apel (fr), 218.
apem (lat), 565.

aperto (gasc), 363.
apertum (lat), 363.
apfel (al), 75.
apiculam (lat), 131, 370.
à Pierre (fr), 559.
apierto (arag), 363.
a Pietro (it), 559.
apio (esp), 473.
apium (lat), 275, 473.
apothecam (lat), 270.
appellet (lat), 218.
appello (lat), 218.
appio (centroit), 473.
aprilem (lat), 220 n.
aptum (lat), 115 n.
apúcă (rum), 243.
apucá (rum), 243.
apud (lat), 558, 560.
aqua (norteit), 483.
aquam (lat), 222, 483, 484 y n.
aquí (cat), 487.
aquí (esp), 349, 487, 563.
aquí (port), 487.
aquí (prov), 487.
Aquilam (lat), 346 n.
aquosum (lat), 182.
-ar (cat), 175.
-ar (esp), 175.
-ar (port), 175.
-ar (prov), 175.
-ar (sobres), 175.
ára (prov), 149.
araneam (lat), 109.
araneolam (lat), 111, 149.
araniam (lat), 109, 133.
araniolam (lat), 111.
araña (esp), 133.
arañuela (esp), 149.
árbol (esp), 175, 284, 288.
arbore (rum), 175, 284.
árbore (sar), 175.
arborem (lat), 175, 191, 284, 288, 290, 409 n.
arboretum (lat), 170 n.

arbre (cat), 175, 284.
arbre (fr), 175, 284.
arbre (prov), 175, 284.
arcarium (lat), 207.
arco (esp), 244.
arcum (lat), 244.
archer (fr), 207.
archier (fr), 207.
ardere (lat), 509, 516.
ardre (fr), 509, 516.
ardziánt (vegl), 323 n.
-are (it), 175.
-are (lat), 186, 500.
-are (rum), 175.
are (rum), 500.
-are (sar), 175.
aream (lat), 207, 208, 251, 465, 466.
argenta (lat), 323 n.
aria (sudit), 466.
ariam (lat), 251.
ariciu (rum), 468.
arie (rum), 466.
arigra (sar), 423.
arikra (sar), 423.
-ariu (rum), 207.
-arium (lat), 135.
-aro (it), 207.
arpa (prov), 335.
artes (lat), 91, 92.
artu (log), 414.
árver (sobres), **175.**
árvore (port), 175, 284, 288, 409 n.
ascla (cat), 512.
ascla (prov), 512.
asclam (lat), 512.
ascoltare (it), 271.
ascolto (it), 258.
ascultá (rum), 271.
asculto (lat), 258.
-as-ch (eng), 207.
aşchie (rum), 512.
aška (sudit), 512.
as mãos (port), 538.
aspa (esp), 335.

aspa (it), 335.
aspa (port), 335.
asparagi (lat), 225.
asparge (fr), 225.
asperge (fr), 225.
assulam (lat), 512.
as-tu (fr), 541.
-at (cat), 175, 276, 565.
-at (prov), 175, 565.
-at (rum), 175.
-ata (it), 175.
-ată (rum), 175.
-atam (lat), 379.
-ate (lat), 379 y n.
-ateur (fr), 143.
-ati (lat), 379.
-aticum (lat), 524.
-ation (fr), 143.
-ato (it), 175.
atntat (al), 91.
atta (camp), 469.
attsa (camp), 469.
-atum (lat), 186, 379.
atumnum (lat), 258.
-au (esp), 379.
au (prov), 243.
-au (norteit), 379.
-au (retorrom), 379.
-au (sobres), 175, 565.
aua (eng), 483.
aua (sobres), 483.
aube (fr), 217.
auca (prov), 244, 245.
auca (sobres), 361.
aucam (lat), 244, 245, 361.
aud (lat), 551.
auda (sobres), 243.
aude (rum), 243.
audimus (lat), 138.
audire (lat), 243, 253, 269, 361, 377.
audis (lat), 375.
audit (lat), 243.
augure (fr), 147.
augurium (lat), 147, 258.

auguste (fr), 147.
augustum (lat), 147, 258, 403.
ault (sobres), 413.
áunu (sudit), 445.
aur (prov), 243.
aur (rum), 243.
aur (sobres), 243.
aurelha (prov), 253, 432.
auri fabrum (lat), 421.
auriclam (lat), 423.
auriculam (lat), 253.
aurum (lat), 149, 243.
aus (champ), 217 n.
-áus (vegl), 182.
auscultare (lat), 271.
auscultat (lat), 204, 413.
ausculto (lat), 258.
aut (lat), 551.
aut (prov), 413.
au temps (fr), 264.
autre (fr), 84, 108, 217, 275.
autumnam (lat), 161 n., 231.
autumnum (lat), 258, 270.
auzí (rum), 243, 253, 269.
auzi (rum), 375.
auzir (prov), 253, 361, 377.
avare (fr), 174.
avdar (sobres), 293.
avec (fr), 170 n., 189.
aveia (port), 237.
aveine (fr), 235.
avenam (lat), 235, 237.
aver (fr), 174.
aver (prov), 365.
aver (sobres), 224.
avertin (fr), 270.
aveţi (rum), 149.
aveugle (fr), 143.
avi- (lat), 282.
avía (esp), 549 n.
avicam (lat), 244, 245, 246.
avicellos (lat), 220.
avicellum (lat), 196.
avié (esp), 549 n.

avién (esp), 549 n.
aviés (esp), 549 n.
a vímmina (cal), 577.
aviolum (lat), 475.
avispa (esp), 270.
avis simul (lat), 534.
avoient (fr), 170 n.
avoine (fr), 235, 240.
avoir (fr), 365..
avregl (gris), 220 n.
avril (fr), 572.
avu- (lat), 282.
avuec (fr), 170 n., 189, 563.
avuegle (fr), 143.
avúy (cat), 205, 456.
axem (lat), 276.
axiles (lat), 219.
ayunar (esp), 259.
azero (esp), 470.
azi (rum), 456.
aϑϑa (camp), 469.

b, [29 y ss.], 49, 51 y ss., 127, 299
    y ss., 362 y ss.
bacam (lat), 163.
bacca (sar), 301.
baccam (lat), 163.
baciare (tosc), 461 y n.
baigne (fr), 236.
bain (fr), 40, 126, 127, 236, 570.
baisar (prov), 460.
baise (fr), 207.
baiser (fr), 210, 460.
baisier (fr), 210.
baissar (prov), 462.
baisser (fr), 462.
baixar (cat), 462.
baixar (port), 462.
baiza (prov), 207.
bajar (esp), 462.
bake (sar centr), 387.
bakka (sar), 175, 491.
balance (fr), 257.
balanciam (lat), 257.

balanza (esp), 257.
balneum (lat), 236, 570.
banc (fr), 572.
banh (prov), 570.
barrer (esp), 300.
băşare (rum), 461.
basare (sar), 460.
băşi (rum), 301.
basiare (lat), 210, 261, 460, 461.
basiat (lat), 207.
bass (al), 123.
bassiare (lat), 462.
bată (rum), 239, 301.
bâtit (fr), 127.
bătrîn (rum), 262.
batsi (astur), 496.
báttere (it), 149.
battere (lat), 149.
battis (lat), 149.
battit (fr), 127.
batto (lat), 149, 251, 283.
battórdighi (sar), 348.
báttoro (sar), 348, 561.
battre (fr), 149.
battuere (lat), 149.
battuo (lat), 149, 251, 283.
battutam (lat), 185.
battutum (lat), 185.
bažá (lig), 461.
bé (cat), 172, 565.
be (prov), 172, 234, 565.
beau (fr), [29], 126.
beaus (fr), 218, 222.
beauté (fr), 263.
bec (fr), 572.
bedere (sar), 169.
beija (port), 207.
beijar (port), 461.
bein (sobres), 172, 233, 565.
bel (fr), 218 y n.
belare (sar), 323.
bele (fr), 492.
bels (fr), 218 n.
belu (sar), 170.

bellam (lat), 492.
belle (fr), 492.
belli (lat), 218.
bellitatem (lat), 264.
bellos (lat), 218.
bellum (lat), 218 y n.
bellus (lat), 218 y n.
bem (port), 172, 237, 405.
ben (cat), 565.
ben (prov), 172, 234, 565.
bene (lat), 95, 172, 198, 280.
bene (lat), 95, 172, 233, 234, 235, 237,
    239, 280, 300, 405, 565.
bene (rum), 239.
bene (sar), 160, 172.
bene (tosc), 198.
bennardzu (log), 332.
benneru (sar), 323, 331.
berbece (rum), 358.
berbecem (lat), 358, 409.
berger (fr), 207, 510.
bergier (fr), 207.
besa (cat), 207.
besa (esp), 207.
besar (cat), 460.
besar (esp), 261, 460.
beşică (rum), 65, 383.
bestiam (lat), 204, 455.
bettare (log), 332.
beu (fr), 256.
beue (gasc), 373.
beurre (fr), 226.
bevoit (fr), 262.
biasimare (it), 341.
biaus (champ), 218.
biaus (pic), 218.
bibebat (lat), 262.
bibere (lat), 373.
bien (esp), [29], 172, 300.
bien (fr), [29], 172, 235, 565.
bien (sobres), 233.
βίκος (gr), 467 n.
bilancia (it), 257.
bilanciam (lat), 257.

billet (fr), 127.
bin (vegl), 172.
bíndighi (sar), 345.
bindza (log), 463.
bine (rum), 172, 239.
binistra (sar), 323.
binu (sar), 301.
birare (sar), 323.
birde (sar), 167, 301.
biscia (it), 204.
bistiam (lat), 204.
blaesum (lat), 241.
blaireau (fr), [23].
blâmer (fr), 34C.
blanco (esp), 343.
blando (esp), 343.
blandum (lat), 343.
blank (germ), 343.
blasphemare (lat), 340.
blasmar (cat), 340.
blasmar (prov), 340.
blasmar (sobres), 340.
blasmar (vegl), 340.
bles (prov), 241.
blestemá (rum), 341.
blois (fr), 241.
bluet (fr), 256.
bo (prov), 234.
boa (port), 237, 405.
boace (rum), 182.
boca (cat), 183.
boca (esp), 183.
boca (port), 183.
boca (prov), 183.
bocca (it), 183.
boccam (lat), 157, 491.
boche (fr), 46, 181, 209.
boda (cat), 182.
boda (esp), 182, 300.
boda (port), 182.
bodo (port), 301.
boe (sar), 299.
boeuf (fr), 141, 186, 299, 571 n., 572.
boeufs (fr), 571 n., 572.

boghe (sar), 182.
boi (port), 299.
bolwerk (neerl), 225.
bom (port), 237, 405.
bon (fr), [29], 52, 126, 235 y n.
bona (sar), 160, 193.
bonam (cat), 193, 233, 237, 405.
bonheur (fr), 147, 258.
bonitatem (lat), 294.
bonne (fr), 126.
bontà (it), 294.
bonu (sar), 193.
bonum (lat), 193, 231, 233, 234, 235, 237, 405.
botte (fr), [29].
bottega (it), 270.
bou (cat), 299.
bou (rum), 299.
bouco (prov), 183.
bouche (fr), 46, 181, 183, 209, 217 n.
boulevard (fr), 225.
bouvair (fr), 207.
bouvier (fr), 207.
bov (sobres), 299.
bovarium (lat), 207.
bovem (lat), 141, 186, 299, 571 n.
boves (lat), 511, 571.
bracam (lat), 208.
braccio (it), 337, 468.
bracchium (lat), 337, 339, 468, 469, 470.
braço (esp), 469, 470.
braço (port), 337, 469, 470.
braie (fr), 208.
branco (port), 343.
brando (port), 343.
bras (cat), 337, 469.
bras (fr), 337, 469.
bras (norteit), 469.
braţ (rum), 337, 469.
bratsch (sobres), 337, 468.
brattsu (sar), 469.
bratz (prov), 337, 469.
braz (fr), [31], 469.

azo (esp), 337, 469.
ebis (fr), 358, 409.
in (fr), 127, 129.
un (fr), 127, 129.
că (rum), 183.
cca (sar), 183.
cca (sobres), 183.
ccam (lat), 160, 183, 209, 300.
che (fr), 181.
e (it), 299.
ef (fr), 571.
efs (fr), 571.
en (fr), 235 y n.
és (fr), 511, 571.
ey (esp), 299.
itre (esp), 300, 413.
ka (vegl), 183.
kka (sar), 160.
la (sar), 183, 328.
n (rum), 231.
na (sobres), 233.
ou (prov), 299.
rre (fr), 226.
ttem (lat), 160.
tyrum (lat), 226.
vait (fr), 262.

[29 y ss.], 51 y ss., 128, 310-321,
362 y ss., 386 y ss., 430 y ss., 504,
563.
(rum), 344.
ballarium (lat), 207.
ballo (esp), 175, 274, 373, 496.
ballos (esp), 274.
ballos (lat), 274.
ballum (lat), 143, 175, 260, 274, 314,
315, 316, 364, 373 497, 498.
bane (fr), 55.
bel (prov), 167, 199, 368.
belo (port), 167, 368.
bell (cat), 167, 368.
bello (esp), 167, 368.
ber (port), 473.
bil (prov), 199.

cabo (esp), 318, 368, 550.
cabo (port), 368, 550.
cabra (esp), 420.
cabra (port), 420.
cabra (prov), 420.
cábude (sar), 318.
căca (rum), 396.
cacare (lat), 396, 398.
cacare (sudit), 396.
cacat (lat), 211, 398.
cacio (tosc), 461 y n.
cacher (fr), 349.
cada (esp), 61.
caddi (it), 488.
caddu (sar), 175, 373.
cadeina (sobres), 233.
cadena (cat), 168.
cadera (esp), 147, 149.
cadere (lat), 150.
cadui (lat), 488.
caecum (lat), 241.
caelos (lat), 219.
caelum (lat), 193, 214, 219, 241, 311,
312 n., 385.
cães (port), 237.
cagar (cat), 396.
cagar (esp), 396.
cagar (norteit), 396.
cagar (port), 396.
cagar (prov), 396.
cage (fr), 477.
cagione (it), 147, 270.
caglio (it), 423.
cagne (fr), 127.
caiba (port), 473.
cail (fr), 423.
caille (fr), 349.
caiola (it), 149.
caire (prov), 421.
caissa (prov), 429.
caixa (port), 429.
caja (esp), 429.
cal (prov), 348.
cal (rum), 175, 274, 373, 498.

calamum (lat), 282.
calcem (lat), 216.
cald (rum), 175.
caldo (esp), 162, 175.
caldo (it), 175, 282.
caldo (port), 175.
caldu (sar), 175.
caldum (lat), 175, 282, 286, 314, 315.
calere (lat), 316.
calh (prov), 423.
calidum (lat), 282.
caloir (norm), 316.
caloir (pic), 316.
calt (cat), 175.
calt (prov), 175.
calumniam (lat), 147.
callum (lat), 178.
cama (cat), 321.
cama (port), 44.
camba (prov), 321.
cambam (lat), 321.
Cambrai (norm), 316.
cambre (norm), 316.
cambre (pic), 316.
cambu (sudit), 416.
came (fr), 127.
Cameracum (lat), 316.
cameram (lat), 233, 235, 244, 316.
caminum (lat), 260, 315.
campaneam (lat), 260.
campo (esp), 492.
campo (port), 237.
campum (lat), [30], 115, 231, 416, 492.
când (rum), 348.
candare (sudit), 416.
candide (fr), 143.
candidum (lat), 143.
cane (fr), 127.
câne (rum), 502.
canem (lat), 118, 141, 233, 237, 314, 315, 502.
canna (it), 50.
cannela (luc), 161.

cannila (apul), 162.
cannila (cal), 162.
cannila (sic), 162.
canóscere (sudit), 258.
canosco (sudit), 199.
cant (cat), 274.
cant (prov), 274.
ćant (vegl), 311.
canta (cat), 549.
canta (esp), 533, 549.
canta (it), 549.
canta (lat), 292.
canta (port), 549.
canta (prov), 549.
canta (tosc), 542.
cântă (rum), 553.
canta bis (lat), 40 n.
cantabis (lat), 40 n.
cantabo (lat), [23].
cantad (esp), 542 n.
cantad (lat), 559 n.
cántada (camp), 548 n.
cántada (log), 548 n.
cantades (esp), 378.
cantades (port), 378.
cántadi (cal), 559 n.
cántadi (luc), 559 n.
cántadi (sudit), 548 n.
cantado (esp), 378.
cantador (esp), 253.
cantador (port), 253.
cantador (prov), 253.
cantaes (esp), 378.
cantaes (port), 378.
cantai (it), 247.
cantai (lat), 248.
cantai (port), 378, 379 n.
cântai (rum), 247.
cantáis (esp), 378, 542 n.
cantáis (port), 378.
cantaisti (lat), 149.
cantam (port), 553.
cantam (prov), 541.
cântăm (rum), 542.

ntamus (lat), 138, 274, 542.
ntan (cat), 553.
ntan (esp), 533, 553.
ntan (prov), 553.
ntan (sar), 553.
ntano (it), 528, 533, 553.
ntant (lat), 528, 553, 556.
ntant (sar), 553.
ntanu (cal), 553.
ntanu (luc), 553.
ntar (cat), 565.
ntar (esp), 131.
ntar (gasc), 131.
ntar (port), 131.
ntar (prov), 565.
ntar (sobres), 565.
ntára (gasc), 149.
ntarabent (lat), 149.
ntarabeo (lat), 149.
ntarabes (lat), 149.
ntarabet (lat), 149.
ntare (it), 131.
ntare (lat), 175, 263, 316, 416, 565.
ntarehabeo (lat), 293.
ntare habet (lat), 149.
ntaremus (lat), 149.
ntaretis (lat), 149.
ntarono (it), 149.
ntarunt (lat), 149 y n.
ntas (esp), 537.
ntas (lat), 280, 537, 542, 544.
ntas (port), 537.
ntas (prov), 537.
ntas (sar), 537.
ntasa (sar), 537 n.
ntasi (sudit), 544.
ntasti (lat), 149.
ntat (lat), 235, 407, 549, 557, 559 n.
ntat (sar), 548.
ntata (sar), 548.
ntatam (lat), 175, 492.
ntate (it), 542.
ntate (lat), 378, 379, 542 n.
ntate (fr), 131.

cántati (cal), 559 n.
cantati (lat), 378.
cántati (luc), 559 n.
cântaţi (rum), 378, 542.
cántati (sudit), 548.
cantat ille (lat), 553 n.
cantatis (lat), 378, 542 y n., 544, 571.
cantátisi (sudit), 544.
cantatore (it), 253.
cantatorem (lat), 253, 292, 296.
cantatrice (fr), 131.
cantatum (lat), 175, 565.
cantaut (lat), 245.
cantaverunt (lat), 149.
cantavit (lat), 245.
canté (esp), 247.
cante (it), 542.
cantei (port), 247.
cantei (prov), 247 n.
cantein (sobres), 541.
cantem (cat), 541.
canter (norm), 316.
canter (pic), 131, 316.
canterò (it), 293.
cantes (cat), 537.
canti (it), 280, 542.
cânţï (rum), 280, 542.
cantiamo (it), 542.
canto (esp), 124, 274.
cantó (esp), 124, 245.
canto (it), 274.
cantò (it), 245.
canto (lat), 274.
canusci (sudit), 199.
caña (esp), [29].
cão (port), 237.
cap (cat), 368, 550, 565.
cap (prov), 318, 368, 550, 565, 567.
cap (rum), 318, 368, 550.
capecchio (it), 143 n.
capello (it), 167, 368.
capiam (lat), 473.
capicchio (it), 143 n.
capilli (lat), 199, 220.

capillos (lat), 143, 217, 260.
capillum (lat), 143, 157, 167, 368.
capitulum (lat), 143.
capo (it), 318, 368, 550.
capra (it), 420.
capră (rum), 420.
caprae (lat), 280.
capram (lat), 210, 314, 315, 420.
caprarium (lat), 207.
capsam (lat), 93, 429.
captif (fr), 147, 518.
captivum (lat), 147.
capu (luc), 550.
capu (cal), 550.
caput (lat), 27, 210, 314, 315, 316, 318, 368, 369, 550, 564, 565.
cápute (sar centr), 550.
car (fr), 500 n.
car (prov), 500 n.
carbonarium (lat), 207.
carbone (fr), 131.
carbonem (lat), 260.
carcerem (lat), 509.
cárdine (it), 284.
cardinem (lat), 284.
care (rum), 348.
carnem (la), 225, 514.
caroneam (lat), 236.
carpe (esp), 284.
carpe (port), 284.
carpin (rum), 284.
cárpino (it), 284.
carpinum (lat), 284.
carr (sobres), 315.
carre (prov), 500 n.
carricare (lat), 210.
carro (it), 500.
carrucam (lat), 141, 398.
carrum (lat), 314, 315, 500 y n.
carum (lat), 210, 316, 572.
caş (rum), 461.
casa (cat), 277.
casă (rum), 493.
casa (sobres), 315.

casam (lat), 277, 493.
casas (lat), 277.
cascar (cat), 348.
cascar (esp), 348.
cascar (port), 348.
caschiel (sobres), 461.
caseolum (lat), 461.
cases (cat), 277.
caseum (lat), 460, 461.
cassa (it), 50, 429.
cassa (sobres), 429.
castellum (lat), 205, 260.
castiello (esp), 205.
castillo (esp), 205.
castum (lat), 146.
cât (rum), 348.
cátedra (esp), 147.
catena (luc), 160.
catenam (lat), 168, 193, 233.
catenionem (lat), 295.
cathedram (lat), 147, 149.
catorce (esp), 348.
catorze (cat), 348.
catorze (port), 348.
catre (prov), 348.
cau (sobres), 315.
caudam (lat), 243 n.
cauld (sobres), 175, 315.
caup (pic), 217 n.
caura (sobres), 315, 420.
causam (lat), 131, 243, 244, 361.
causer (fr), [30].
caussa (sobres), 243, 361.
caut (prov), 175.
cautum (lat), 244.
cauza (prov), 243, 361.
cavaddu (sar centr), 373.
cavagl (sobres), 175, 315, 373.
caval (prov), 175, 274, 373, 498.
cavaliere (it), 207.
cavalo (port), 175, 373, 498.
cavals (prov), 274.
cavall (cat), 175, 274, 373, 497.
cavallo (it), 175, 274, 373, 498.

avalls (cat), 274.
aveam (lat), 477.
avegl (sobres), 157, 167, 368.
avél (norteit), 157.
aveolam (lat), 149.
avra (sobres), 420.
ЫН (ruso), 44.
e (apul), 346.
e (fr), 137, 189, 563.
e (friul), 346.
e (rum), 149, 190, 346.
çans (fr), 334.
eapă (rum), 214.
e áveți (rum), 149.
eceo (esp), 61.
edaço (esp), 470.
edazo (esp), 253.
edo (esp), 274.
ș faci (rum), 149.
eja (esp), 204.
el (cat), 312, 385.
el (fr), 137.
el (prov), 312, 385.
elh (prov), 204.
elui (fr), 137.
elum (la), 242, 492.
ellarium (lat), 311.
ena (sudit), 199.
enam (lat), 242, 311.
endra (cat), 312.
endre (cat), 312.
endre (fr), 235, 312, 513.
ene (sudit), 199.
enere (sudit), 312.
eniza (esp), 312.
enk (vegl), 482.
enre (prov), 312.
ent (fr), [31], 78, 235.
ento (it), [29], 77, 78.
entum (lat), 78, 79, 193, 233, 235, 311.
enușă (rum), 312.
eñir (esp), 417.
epam (lat), 214.

cer (rum), 214, 312, 385.
cera (luc), 160.
ceram (lat), 212, 311, 312 n.
cerb (rum), 312.
cerc (rum), 161, 197.
cerca (rum), 253.
cercar (cat), 253.
cercar (esp), 253.
cercar (port), 253.
cercar (prov), 253.
cercare (tosc), 255.
cercare (it), 253.
cercueil (fr), 147, 178.
cerchier (fr), 134, 358.
cere (rum), 214, 346.
cerebellum (lat), 311.
cereum (lat), 227.
cerevisiam (lat), 207.
cerf (fr), 312.
cerf (prov), 312.
cerí (friul), 346.
cerne (rum), 312.
cerner (esp), 312.
cerner (prov), 312.
cernere (it), 312.
cernere (lat), 312.
cernir (port), 312.
certum (lat), 311.
cerveise (fr), 207.
cerveja (port), 207.
cervesa (cat), 207.
cerveza (esp), 207.
cerveza (prov), 207.
cervo (it), 312.
cervo (port), 312.
cervoise (fr), 207.
cervol (cat), 312.
cervum (lat), 311, 312.
cest (fr), 137.
cet (friul), 346.
cet (rum), 346.
cetate (rum), 253, 312.
cetățí (rum), 281, 278.
cetățile (rum), 281.

céu (port), 312, 385.
ci (apul), 346.
ci (vegl), 346 y n.
ciart (vegl), 311.
cibarium (lat), 311.
cicer (lat), 159.
cidade (port), 253, 312.
cieco (it), 241.
ciego (esp), 241.
ciel (fr), 219, 241, 312, 385, 492, 572.
cielo (esp), 241, 312, 385.
cielo (it), 214, 241, 312.
cielu (vegl), 311.
cientu (vegl), 311.
cierge (fr), 227.
ciertu (vegl), 311.
ciervo (esp), 312.
cieu (fr), 241.
cieus (fr), 219.
cieux (fr), 219.
ciglio (flor), 204.
ciglio (it), 204.
cil (fr), 204.
cil (vegl), 311.
cilium (lat), 204, 311.
cimicem (lat), 311, 312 n.
cîmp (rum), 231.
cinc (cat), 312, 482.
cinc (prov), 312, 415, 482.
cinci (rum), 231, 415, 482.
cinco (esp), 312, 347, 415, 482.
cinco (port), 237, 312, 415, 482.
cincuenta (esp), 347.
cînd (rum), 231.
cine (rum), 346, 530.
cinerem (lat), 235, 312, 513.
cingere (lat), 417.
cini (sudit), 199.
cinisiam (lat), 312.
cink (vegl), 311.
cinko (vegl), 311.
cinq (fr), 235, 312, 347, 482.
cinquaginta (lat), 347.
cinquanta (it), 347.

cinquante (fr), 347.
cinque (it), 312, 347, 415, 482.
cinque (lat), 233, 235, 311, 312, 347, 415, 482.
cinsi (it), 441 n.
cînt (rum), 274.
cîntător (rum), 253.
cinto (it), 441 n.
cinu (sudit), 199.
cinusiam (lat), 312.
cinza (port), 312.
ciò (it), 189, 563.
circare (lat), 134, 253, 358.
circum (lat), 161, 197.
cire (fr), 212, 312 n.
cirge (fr), 227.
cità (eng), 312.
cité (fr), 115, 253, 312, 345, 522.
cito (lat), 274.
città (it), 115, 253, 294, 312, 345.
citu (apul), 346.
ciudad (esp), 115, 253, 312, 522.
ciutat (cat), 253, 312.
ciutat (prov), 253, 312.
civetate (rum), 253.
civiltà (it), 144.
civitatem (lat), 253, 294, 312 n., 345, 378, 522.
civitates (lat), 281.
civitates illae (lat), 281.
civitati (lat), 378.
claie (fr), 170.
clair (fr), 174.
clamar (cat), 341.
clamar (prov), 341.
clamar (sobres), 341.
clamare (lat), 263, 341.
clamer (fr), 263, 341.
claro (esp), 162, 343.
claro (port), 343.
clarum (lat), 174, 343.
clau (cat), 276, 340, 373, 565.
clau (prov), 340, 373, 565.
claudere (lat), 508.

clav (sobres), 340, 373, 565.
clavem (lat), 213, 276, 340, 342, 373, 565.
clavum (lat), 248, 340.
clef (fr), 340, 565.
clémence (fr), 142.
clementia (fr), 142.
cler (fr), 174.
cletam (lat), 170.
Cloëvis (fr), 357.
clou (fr), 248.
Clovis (fr), 357 y n.
cllau (arag), 342.
ço (fr), 189, 563.
co (sar), 344.
coace (rum), 197.
coacticare (lat), 349.
coactum (lat), 349.
coagulat (lat), 349.
coagulum (lat), 423.
coalha (port), 349.
coalho (port), 423.
coall (cat), 423.
coapsă (rum), 319, 440.
coapse (rum), 440.
coase (rum), 489.
coastă (rum), 178, 424.
cobde (prov), 287.
cobla (prov), 423.
cobra (port), 385.
cocere (lat), 479.
cocinam (lat), 479.
cocis (lat), 479.
cocit (lat), 479.
coco (lat), 479.
coctum (lat), 205.
cochar (prov), 349.
cocho (esp), 205.
coda (it), 243 n.
codam (lat), 193, 199, 243 n., 364, 377.
codo (francoprov), 287.
codru (rum), 348 n., 421.
coe (champ), 199.

coeur (fr), 178, 189, 561.
còfano (it), 289.
cogitat (lat), 204.
cognatum (lat), 261.
cognée (fr), [29].
cognoscere (lat), 181, 197, 209.
cognoscis (lat), 199.
cognoscit (lat), 207.
cognosco (lat), 157, 161, 181, 197, 199.
cognovui (lat), 199.
cohortem (lat), 251.
coi (fr), 251.
coiro (port), 205.
coisa (port), 73.
cojo (esp), 441.
col (fr), 157, 178.
col (norteit), 157.
col (prov), 178, 319.
ćol (vegl), 184, 185, 320.
colaphum (lat), 217, 282.
colo (port), 178, 319.
colobram (lat), 238, 385.
colpo (it), 282.
colpum (lat), 282.
colubram (lat), 149, 238.
coluevre (fr), 238.
coll (cat), 178, 205, 319, 494 n.
collo (it), 178, 319.
collo (port), 274.
collocare (lat), 264.
collocat (lat), 149.
collum (lat), 157, 178, 194, 205, 319, 494 n.
com (cat), 344.
com (prov), 344.
comba (sobres), 321.
combidar (esp -mb: fonéticos-), 416.
combler (fr), 263.
combra (sobres), 233.
come (it), 344.
comente (sar), 344.
comes (lat), 235 n.
comitem (lat), 188, 232, 235 y n., 244.

comme (fr), 344.
comme je dis (fr), 127.
comme jeudi (fr), 127.
como (esp), 344.
como (port), 344.
comparat (lat), 231.
compie (it), 232.
complet (lat), 232.
computare (lat), 263.
comte (fr), 188, 235 y n., 244.
con (esp), 530.
con (it), 530.
conca (it), 232.
concham (lat), 232.
conde (esp), 232.
condition (fr), 142.
coneix (cat), 207.
conhece (port), 207.
ćoŋko (vegl), 184, 346 y n.
connaît (fr), 207.
connaître (fr), 209, 509.
connivencia (esp), 518.
conoce (esp), 207.
conois (prov), 207.
conoiser (prov), 181.
conoist (fr), 207.
conoistre (fr), 181, 209.
conoscere (it), 181.
conoscere (lat), 258, 509.
conozco (esp), 181.
conseil (fr), 208, 209.
conseiller (fr), 210.
conseillier (fr), 207, 210.
consiliare (lat), 210.
consiliarium (lat), 207.
consilium (lat), 208, 209.
consoil (fr), 208.
consuo (lat), 489.
conta (sobres), 549, 555.
contai (sobres), 379.
cóntan (sobres), 553.
contas (sobres), 537.
conte (it), 232.
con-tenet (lat), 149.

conter (fr), 263.
contiene (it), 149.
contient (fr), 149.
con-tinet (lat), 149.
conui (fr), 199.
convidar (esp), v. combidar.
convitare (lat), 416.
cophinum (lat), 289.
coppia (it), 423.
copulam (lat), 423.
coquere (lat), 486, 489.
coquet (lat), 197.
coquinam (lat), 479.
coquo (lat), 479.
coquum (lat), 479.
cor (cat), 178, 561.
cor (lat), 189 y n., 528, 561.
cor (prov), 178, 561.
cor (sobres), 561.
coraggio (it), 524 n.
coraje (esp), 524 n.
coranta (cat), 348 n.
coratge (prov), 524.
cor-aticum (lat), 524.
corb (cat), 409.
córb (rum), 409.
corbeau (fr), 409.
core (apul), 162.
core (cal), 162.
core (lat), 178, 561.
core (luc), 161.
core (sic), 162.
coreia (prov), 471.
coresma (cat), 348 n.
córica (it), 149.
corium (lat), 205, 465, 466.
corn (rum), 161.
corninam (lat), 193.
cornu (lat), 161, 320.
corõa (port), 253.
corona (cat), 253.
corona (esp), 253.
corona (it), 253.
corona (prov), 253.

oronam (lat), 235, 253.
orp (fr), 409.
orp (prov), 409.
orps (fr), [29].
orpus (lat), 193, 194, 220.
orrea (esp), 471.
orreggia (centroit), 471.
orreia (port), 471.
orretja (cat), 471.
orrigeam (lat), 471.
ort (cat), 181.
ort (fr), 181.
ort (prov), 181.
orte (esp), 181.
orte (it), 181, 251.
orte (port), 181.
ortem (lat), 181, 251.
orvo (it), 409.
corvo (port), 409.
corvum (lat), 194, 409.
cosa (esp), 243, 361.
cosa (it), 243.
coscia (it), 65, 319, 432, 441.
cosdre (fr), 513.
coser (esp), 489.
coser (port), 489.
cosere (lat), 489, 513.
cosis (lat), 489.
coso (lat), 489.
cossa (eng), 205.
cossa (retorrom), 205.
cossi (it), 441 n.
costa (cat), 178.
costa (it), 178, 424.
costa (port), 178, 424.
costa (prov), 178.
costa (sar), 178.
costa (sobres), 178, 424.
costam (lat), 178, 424.
coste (fr), 178.
cot (cat), 182.
cot (eng), 205.
cot (prov), 182.
cot (rum), 321.

cote (fr), 127, 186 n.
côte (fr), 127, 186 n., 424.
cotem (lat), 161 n., 182.
cotg (sobres), 205.
cotis (lat), 182.
coto (esp), 244.
cotte (fr), 127.
cotto (it), 441 n.
cou (fr), 319.
couce (port), 216.
couche (fr), 149.
coucher (fr), 264.
coude (fr), 286, 391.
coudre (fr), 489, 513.
couleuvre (fr), 149, 238.
coup (fr), [30], 217 y n., 282.
coupe (fr), 491.
couple (fr), 423.
cour (fr), 181, 251.
courage (fr), 524.
couronne (fr), 235, 253.
courroie (fr), 471.
côxa (port), 65, 205, 319.
coxam (lat), 205, 319, 432, 440, 441.
coxi (lat), 441 n.
coxit (lat), 440.
coxum (lat), 441.
coz (esp), 216.
crai (it), 542.
crai (sudit), 544.
craie (fr), 170, 338.
crăpa (rum), 368.
cras (lat), 542, 544.
crassiam (lat), 462.
crassum (lat), 338.
cratem (lat), 338.
craticium (lat), 338.
craticulam (lat), 338.
cre (port), 170.
crebar (cat), 368.
crebar (prov), 368.
crece (esp), 207.
crech (eng), 207.
cred (rum), 161, 197, 279.

crede (rum), 170, 337.
credere (it), 170, 337.
credere (lat), 128, 149, 170, 193, 337.
credit (lat), 170.
credo (lat), 149, 161.
crédono (it), 528.
credunt (lat), 197, 279, 528.
cree (esp), 170.
creer (esp), 337.
creere (sar), 170.
crei (sobres), 170.
creire (prov), 170, 337.
creis (prov), 207.
creist (fr), 207.
creix (cat), 207.
crepare (it), 368.
crepare (lat), 368.
crer (port), 337.
crer (sobres), 337.
cresc (rum), 161, 197.
cresce (port), 207.
crescit (lat), 207.
cresco (lat), 161, 197.
crescha (sobres), 207.
cresme (fr), 510.
creta (luc), 160, 161.
creta (it), 338.
cretam (lat), 170, 338.
creure (cat), 170, 337.
crever (fr), 368.
crezon (prov), 279.
crier (fr), 265.
Cristóbal (esp), 372.
crita (apul), 162.
crita (cal), 162.
crita (sic), 162.
critare (lat), 265.
croce (it), 183.
crocem (lat), 157, 182.
croient (fr), 279.
croire (fr), 128, 170, 337.
croît (fr), 207.
croiz (fr), 208.
crotz (prov), 183.

cruce (apul), 162.
cruce (cal), 162.
cruce (luc), 160, 161.
cruce (rum), 161, 183.
cruce (sic), 162.
crucem (lat), 160, 183, 208.
crudum (lat), 185.
crusch (sobres), 183.
cruz (esp), 183.
cruz (port), 183.
cú (port), 185, 319.
cu (rum), 530.
cu (sudit), 530.
cua (sobres), 377.
cuagl (sobres), 423.
cuaja (esp), 349.
cuajo (esp), 423.
cual (esp), 348.
cuarenta (esp), 348 n.
cuaresma (esp), 348 n., 421.
cuatro (esp), [30], 348, 561.
cubitum (lat), 286, 287, 321.
cucina (it), 479.
cueille (fr), 178.
cueissa (prov), 205.
cueit (prov), 205.
cuelga (esp), 149.
cuello (esp), 178, 205, 319.
cuens (fr), 235 n.
cuer (esp), 189.
cuer (fr), 189.
cuer (prov), 205.
cuero (esp), 205.
cuervo (esp), 409.
cuesta (esp), 178, 424.
cuévano (esp), 289.
cugnuoscha (eng), 207.
cui (fr), 187, 248, 278.
cui (it), 187, 248.
cui (lat), 187, 248, 278.
cui (prov), 187.
cuida (esp), 204.
cuide (fr), 204.
cuir (fr), 205.

cuisine (fr), 479.
cuisse (fr), 205, 319, 441.
cuixa (cat), 65, 205, 441.
cuit (fr), 205.
cul (cat), 185, 319.
cul (fr), 185, 319, 320, 572.
cul (prov), 185, 319.
culebra (esp), 149, 238.
culo (esp), 185, 319.
culo (it), 185, 319.
cultellum (lat), 196.
culu (sar), 185, 319.
culuebra (esp), 238.
culum (lat), 184, 185, 319, 320.
cum (lat), 344, 530.
cum (rum), 344.
cúmpără (rum), 231.
cumulare (lat), 263.
cuna (esp), 185.
cunam (lat), 185, 320.
cun nobis (lat), 529.
cunoaşte (rum), 181, 197.
cunosc (rum), 161, 197.
cuntials (sobres), 196.
cuntschí (sobres), 196.
cuñado (esp), 261.
cuocere (it), 479.
cuoco (it), 479.
cuoio (tosc), 465.
cuoissa (prov), 441.
cuollu (sudit), 194.
cuore (it), 178, 189, 528, 561.
cuoriu (sudit), 466.
cuorpu (sudit), 194.
cúort (sobres), 181.
cuorvu (sudit), 194.
cupam (lat), 163, 320, 491, 494 n.
cuppam (lat), 163, 491, 494 n.
cur (rum), 185, 319.
curam (lat), 320.
cure (fr), 69.
curé (fr), 254.
curea (rum), 471.
curegia (sobres), 471.

curreia (sudit), 471.
currendo (lat), 229.
currînd (rum), 229.
cut (eng), 182.
cute (rum), 161 n., 182.
cuve (fr), 491.
cuxa (cat), 319.
cuyr (cat), 205.
cuyt (cat), 205.

chaeignon (fr), 295, 296.
chaiere (fr), 149.
chair (fr), 225.
chaire (fr), 147, 149.
chaise (fr), 147.
chajer (eng), 398.
chalonge (fr), 147.
challenge (fr), 147.
challenge (ing), 147.
chama (port), 341.
chamar (port), 341.
chambre (fr), 65, 235, 244.
chamma (eng), 321.
chamo-lo (port), 539.
champ (eng), 492.
champ (fr), [28, 29], 127, 348 n., 492.
champagne (fr), 260.
chant (fr), 274.
chanta (port), 415.
chantai (fr), 247.
chante (fr), 235, 407.
chantée (fr), 492.
chantëeur (fr), 296.
chante-il (fr), 553 n.
chantent (fr), 553.
chantent-ils (fr), 553.
chanter (fr), 43, 131, 210 n., 263, 572.
chanterai (fr), 293.
chantèrent (fr), 149.
chantes (fr), 537.
chante-t-il (fr), 553 n.
chanteur (fr), 253, 296.
chantez (fr), 542 n., 571, 572.
chantons (fr), 138.

chão (port), 341.
chaos (fr), 334.
chapitre (fr), 131, 143.
char (eng), 314.
char (fr), 225, 314, 500 n.
charbon (fr), 260.
chargier (fr), 210.
chargier (francoprov), 210.
charjar (prov), 210.
charme (fr), 284.
charn (fr), 225.
charogne (fr), 236.
charoigne (fr), 236.
charrue (fr), 141, 398.
chartre (fr), 509.
châsse (fr), 429.
chaste (fr), 146.
chastiaus (champ), 218.
chastiaus (pic), 218.
chat (fr), 44.
chataigne (fr), 236.
château (fr), 218, 260.
chaud (fr), 175, 282, 286, 314.
chaun (eng), 314.
chavagl (eng), 314.
chave (port), 276, 341, 342, 373.
chavra (eng), 314.
che (it), 190, 345, 560.
ched (it), 560.
chef (fr), 210, 314, 368, 550.
cheie (rum), 213, 341, 342, 373.
cheio (port), 341.
chema (rum), 341.
chemin (fr), 260.
cher (fr), 210, 225, 572.
chercher (fr), 134, 253, 358.
chétif (fr), 147.
cheto (it), 251, 345.
cheval (fr), 143, 175, 260, 274, 314,
    498, 572.
chevals (fr), 274.
chevaux (fr), 274.
cheveil (fr), 143.

chevel (fr), 143, 157, 167, 199.
cheveu (fr), 143, 167, 368.
cheveus (fr), 217.
cheveux (fr), 260.
chèvre (fr), 210, 314.
chi (it), 345, 346 n., 349, 487 n.
chiag (rum), 423.
chiamare (it), 341.
chiave (it), 341, 373.
chiavegl (gris), 220 n.
chie (fr), 211, 398.
chiede (it), 241.
chiedere (it), 345.
chief (fr), 210, 314, 567.
chieie (fr), 211, 398.
chieier (fr), 398.
chiel (pic), 312 n.
chien (fr), 127, 141, 210, 235, 314.
chienne (fr), 127.
chier (fr), 210, 398.
chievre (fr), 210, 420.
chignon (fr), 296.
chinche (esp), 312 n.
chité (pic), 312 n.
chiummu (sudit), 416.
chivitat (arag), 312 n.
Chlodavicus (lat), 357.
cho (eng), 314.
chod (eng), 314.
chose (fr), 127, 131, 243, 361.
chou (fr), 139.
choucroute (fr), 139.
choza (esp), [29].
chrétien (fr), 210, 235.
chrismam (lat), 510.
Christophorum (lat), 372.
chüern (eng), 320.
chüerp (eng), 320.
chüna (eng), 320.
chüra (eng), 320.
chuva (port), 204.

d, [29 y ss.], 49, 51 y ss., 127, 128,

129, 133, 304 y ss., 362 y ss., 558, 559, 560.
la (cat), 549.
la (esp), 549.
la (it), 549.
la (lat), 190.
la (port), 549.
la (prov), 234, 549.
lă (rum), 190, 549.
la (rum), 190.
dabat (lat), 190.
dabi(s) supplicium (lat), 534 n
dach (al), 44.
dai (it), 542.
dai (rum), 542.
dáik (vegl), 166.
daim (fr), 127.
dais (fr), 127.
damnum (lat), 418.
dans (fr), [29], 53.
danseur (fr), 572.
danseuse (fr), 572.
das (lat), 542.
dat (lat), 190, 234, 549.
dat (sobres), 549 555.
dattan (sobres), 555.
daun (rum) 418.
davart (eng), 581.
davos (sobres), 581.
dé (fr), [29], 44, 127.
de (fr), 575.
de (lat), 575.
debet (lat), 129, 571.
debitam (lat), 522.
debutum (lat), 374.
decem (lat), 157, 193, 208, 242, 280, 309, 352.
decem et novem (lat), 149.
decetnove (lat), 149.
decimos (esp), 258.
decir (esp), 258, 391.
decorum est (lat), 149.
decorust (lat), 149.
dederunt (lat), 533 n.

dedo (esp), 204.
defensam (lat), 372, 418.
defensum (lat), 372.
defesa (port), 372.
defesam (lat), 418.
defois (fr), 372.
defora (cat), 581.
deforis (lat), 372, 581.
defors (prov), 581.
degré (fr), 174.
dehesa (esp), 372.
dehir (cat), 391.
dehors (fr), 372, 581.
de illu campu (lat), 264.
deint (fr), 236.
deit (fr), 129, 571.
deivet (fr), 129, 571.
déjà (fr), 190.
deke (sar), 193.
del champ (fr), 264.
demandare (lat), 262.
demeure (fr), 149.
demeurer (fr), 138.
demorat (lat), 149.
demorons (fr), 138.
dens (prov), 273.
densum (lat), 161, 197, 418.
dent (cat), 304.
dent (fr), 304, 407.
dent (prov), 304.
dent (sobres), 233, 304.
dente (it), 232.
dente (port), 304.
dente (rum), 309 n.
dente (sar), 304.
dente (sudit), 194.
dentem (lat), 231, 232, 233, 304, 309 n., 407.
dentes (it), 273.
dentes (lat), 273, 280.
dentes (port), 273.
dentes (rum), 273.
dentes (sar), 273.
denti (it), 280.

denti (lat), 194.
dents (cat), 273.
dents (fr), 273.
dents (sobres), 273.
denz (fr), 273.
deorsum (lat), 139, 352, 410.
deosum (lat), 410.
de parte (lat), 581.
de part et d'autre (fr), 581.
déplaît (fr), 149.
de post (lat), 581.
depuis (fr), 581.
derectum (lat), 257, 265, 271.
derecho (esp), 207, 265, 271.
derettu (sar), 193, 432.
dérober (fr), 253.
des (rum), 161, 197.
deşchide (rum), 423.
desum (lat), 418.
de tristes personnages (fr), 127.
dette (fr), 522.
Deu (fr), 200.
dëu (fr), 374.
Deu (prov), 568.
deu champ (fr), 264.
deuda (esp), 522.
Deum (lat), 187, 200, 201, 248, 278.
deursum (lat), 139.
deus (fr), 106.
Deus (lat), 151.
deusum (lat), 410.
deux (fr), [29], 44.
deux tristes personnages (fr), 127.
de veis (francoprov), 581.
devina (prov), 258.
devinare (lat), 262.
devinat (lat), 258.
devine (fr), 258.
devise (fr), 258.
devoient (fr), 170 n.
dextrum (lat), 139.
dezir (esp), 391.
di (eng), 187, 352.
di (fr), 187.

di (it), 575.
dì (it), 187.
di (prov), 187.
di (sobres), 187, 352.
dia (cat), 187.
día (esp), 187.
dia (port), 187.
diable (fr), [29], 55, 352.
diablo (esp), 352.
diabolum (lat), 352.
diacre (fr), 143.
dianam (lat), 352.
diariam (lat), 352.
diavol (rum), 352.
diàvolo (it), 352.
dicamus (lat), 258.
dicire (lat), 258.
dicebat (lat), 253.
dicere (lat), 391.
diceva (it), 253.
dicimus (lat), 258.
dicit (lat), 352.
dico (lat), 166.
dictum (lat), 139.
dich (prov), 139.
dido (astur), 204.
dido (arag), 204.
diece (it), 280.
diece (rum), 352.
dieci (it), 280.
dièdero (it), 533 n.
diem (lat), 187.
diem illam (lat), 498.
diente (esp), 304.
dientes (esp), 273.
dienti (sudit), 194.
dies (lat), 352 y n.
dies cenae purae (lat), 149.
dies de cena pura (lat), 149.
Dieu (fr), 137, 187, 200, 278.
Dieu (prov), 187, 201, 278.
difesa (it), 372.
digamos (esp), 258.
digitum (lat), 204.

129, 133, 304 y ss., 362 y ss., 558, 559, 560.
a (cat), 549.
a (esp), 549.
a (it), 549.
a (lat), 190.
a (port), 549.
a (prov), 234, 549.
á (rum), 190, 549.
a (rum), 190.
abat (lat), 190.
abi(s) supplicium (lat), 534 n
ach (al), 44.
ai (it), 542.
ai (rum), 542.
áik (vegl), 166.
aim (fr), 127.
ais (fr), 127.
amnum (lat), 418.
ans (fr), [29], 53.
anseur (fr), 572.
anseuse (fr), 572.
as (lat), 542.
at (lat), 190, 234, 549.
at (sobres), 549 555.
attan (sobres), 555.
aun (rum) 418.
avart (eng), 581.
avos (sobres), 581.
é (fr), [29], 44, 127.
e (fr), 575.
e (lat), 575.
ebet (lat), 129, 571.
ebitam (lat), 522.
ebutum (lat), 374.
ecem (lat), 157, 193, 208, 242, 280, 309, 352.
ecem et novem (lat), 149.
ecetnove (lat), 149.
ecimos (esp), 258.
ecir (esp), 258, 391.
ecorum est (lat), 149.
ecorust (lat), 149.
ederunt (lat), 533 n.

dedo (esp), 204.
defensam (lat), 372, 418.
defensum (lat), 372.
defesa (port), 372.
defesam (lat), 418.
defois (fr), 372.
defora (cat), 581.
deforis (lat), 372, 581.
defors (prov), 581.
degré (fr), 174.
dehesa (esp), 372.
dehir (cat), 391.
dehors (fr), 372, 581.
de illu campu (lat), 264.
deint (fr), 236.
deit (fr), 129, 571.
deivet (fr), 129, 571.
déjà (fr), 190.
deke (sar), 193.
del champ (fr), 264.
demandare (lat), 262.
demeure (fr), 149.
demeurer (fr), 138.
demorat (lat), 149.
demorons (fr), 138.
dens (prov), 273.
densum (lat), 161, 197, 418.
dent (cat), 304.
dent (fr), 304, 407.
dent (prov), 304.
dent (sobres), 233, 304.
dente (it), 232.
dente (port), 304.
dente (rum), 309 n.
dente (sar), 304.
dente (sudit), 194.
dentem (lat), 231, 232, 233, 304, 309 n., 407.
dentes (it), 273.
dentes (lat), 273, 280.
dentes (port), 273.
dentes (rum), 273.
dentes (sar), 273.
denti (it), 280.

denti (lat), 194.
dents (cat), 273.
dents (fr), 273.
dents (sobres), 273.
denz (fr), 273.
deorsum (lat), 139, 352, 410.
deosum (lat), 410.
de parte (lat), 581.
de part et d'autre (fr), 581.
déplaît (fr), 149.
de post (lat), 581.
depuis (fr), 581.
derectum (lat), 257, 265, 271.
derecho (esp), 207, 265, 271.
derettu (sar), 193, 432.
dérober (fr), 253.
des (rum), 161, 197.
deşchide (rum), 423.
desum (lat), 418.
de tristes personnages (fr), 127.
dette (fr), 522.
Deu (fr), 200.
dëu (fr), 374.
Deu (prov), 568.
deu champ (fr), 264.
deuda (esp), 522.
Deum (lat), 187, 200, 201, 248, 278.
deursum (lat), 139.
deus (fr), 106.
Deus (lat), 151.
deusum (lat), 410.
deux (fr), [29], 44.
deux tristes personnages (fr), 127.
de veis (francoprov), 581.
devina (prov), 258.
devinare (lat), 262.
devinat (lat), 258.
devine (fr), 258.
devise (fr), 258.
devoient (fr), 170 n.
dextrum (lat), 139.
dezir (esp), 391.
di (eng), 187, 352.
di (fr), 187.

di (it), 575.
dì (it), 187.
di (prov), 187.
di (sobres), 187, 352.
dia (cat), 187.
día (esp), 187.
dia (port), 187.
diable (fr), [29], 55, 352.
diablo (esp), 352.
diabolum (lat), 352.
diacre (fr), 143.
dianam (lat), 352.
diariam (lat), 352.
diavol (rum), 352.
diàvolo (it), 352.
dicamus (lat), 258.
dicire (lat), 258.
dicebat (lat), 253.
dicere (lat), 391.
diceva (it), 253.
dicimus (lat), 258.
dicit (lat), 352.
dico (lat), 166.
dictum (lat), 139.
dich (prov), 139.
dido (astur), 204.
dido (arag), 204.
diece (it), 280.
diece (rum), 352.
dieci (it), 280.
dièdero (it), 533 n.
diem (lat), 187.
diem illam (lat), 498.
diente (esp), 304.
dientes (esp), 273.
dienti (sudit), 194.
dies (lat), 352 y n.
dies cenae purae (lat), 149.
dies de cena pura (lat), 149.
Dieu (fr), 137, 187, 200, 278.
Dieu (prov), 187, 201, 278.
difesa (it), 372.
digamos (esp), 258.
digitum (lat), 204.

ignet (lat), 236.
ignus locoque (lat), 534.
imora (it), 149.
inte (rum), 231, 304, 309 n.
inţi (rum), 280.
Dios (esp), 151.
ir (sobres), 185.
directam (lat), 197.
directi (lat), 197.
directum (lat), 193, 197, 207, 257, 265, 271, 430, 431, 432.
direito (port), 207.
diritto (it), 257, 265, 432.
dis (fr), 208.
disait (fr), 253.
discludit (lat), 423.
discours (fr), 1.
dis est (lat), 534.
dispiace (it), 149.
dis-placet (lat), 149.
dis-plicet (lat), 149.
dissero (it), 149.
distrent (fr), 149.
dit (cat), 204.
dito (it), 204.
ditum (lat), 204.
Diu (fr), 200.
di_un amico (it), 576.
diurnos (lat), 571.
diurnum (lat), 352 y n.
divide (port), 258.
divinat (lat), 258.
divisam (lat), 258.
dixerunt (lat), 149.
dizêr (port), 391.
doarme (rum), 178.
doble (prov), 423.
dobtar (prov), 253.
doce (esp), 284, 288.
doce (port), 183.
dodecem (lat), 251.
dodecim (lat), 344.
dódici (it), 284.
doigt (fr), 204.

doir (vegl), 185.
doit (fr), 129.
dolce (it), 183.
dolor (cat), 253.
dolor (champ), 224.
dolor (esp), 253.
dolor (prov), 253.
dolore (it), 253.
dolore (sar), 253.
dolorem (lat), 224, 253.
dols (cat), 183.
dols (prov), 183.
domandare (it), 262.
domitat (lat), 188.
domn (rum), 231.
domnum (lat), 231.
dompte (fr), 188.
donat (lat), 547.
donne (fr), 547.
donum (lat), 233.
doppio (it), 423.
dôr (port), 253.
dorm (cat), 178.
dorm (prov), 178.
dorma (sobres), 178.
dorme (it), 178.
dorme (port), 178.
dormi (it), 542.
dormi (lat), 292.
dormi (rum), 542.
dormi (sar), 178.
dormiamus (lat), 257.
dormidor (prov), 207.
dormierunt (lat), 257.
dormir (esp), 510.
dormir (fr), 128.
dormirai (fr), 295.
dormire (lat), 510.
dormirehabeo (lat), 295.
dormis (lat), 542.
dormit (lat), 178, 510, 552.
dormitorium (lat), [30], 129, 207, 209, 249, 292, 293.
dormt (fr), 510.

dorsum (lat), 410.
dort (fr), 178, 510, 552.
dort-il (fr), 572.
dortoir (fr), [30], 129, 207, 209, 249, 293.
dos (cat), 410.
dos (fr), 44, 186, 410.
dos (prov), 410.
dos (rum), 410.
dosso (it), 410.
dossu (sar), 410.
dossum (lat), 410.
dotze (cat), 284.
dotze (prov), 284, 287.
double (fr), 423.
dou champ (fr), 264.
douleur (fr), 253.
dous (fr), 106.
douter (fr), 253, 522.
douz (fr), 217 y n.
douze (fr), 188, 284, 522.
doze (port), 284, 288.
drac (rum), 352.
draco (lat), 352.
dreaptă (rum), 197.
drectum (lat), 265.
dreit (alb), 430.
dreit (fr), 207.
dreit (prov), 207.
drept (rum), 197, 265.
drepţi (rum), 197.
dret (cat), 207.
dret (eng), 207.
dretg (sobres), 207.
droit (fr), 207, 265.
dritto (it), 265.
dschender (eng), 324.
dschlüra (eng), 324.
dschurneda (eng), 352.
dû (fr), [30], 374.
duae (lat), 187.
duarmi (vegl), 178.
dubel (sobres), 423.
dubitare (lat), 253, 522.

dubtar (cat), 253.
duce (luc), 160.
du champ (fr), 264.
dudar (esp), 253, 522.
due (it), 187.
duerme (esp), 178.
dui (fr), 187.
dui (it), 187.
dui (lat), 187.
dui (prov), 187.
dulce (esp), 183.
dulce (luc), 160.
dulce (rum), 183.
dulcem (lat), 183, 217 y n.
dulche (sar), 183.
dultsch (sobres), 183.
dun (sobres), 233.
d' un amico (it), 576.
dunet (fr), 547.
duodecem (lat), 188.
duodecim (lat), 251, 284, 287, 288, 344, 351, 522.
duplum (lat), 423.
dur (cat), 185.
dur (fr), 185.
dur (prov), 185.
durmamos (esp), 257.
durmieron (esp), 257.
duro (esp), 185.
duro (it), 185.
duro (port), 185.
duroare (rum), 253.
duru (sar), 185.
durum (lat), 185.
dussi (it), 441 n.
duvidar (port), 253.
duxi (lat), 441 n.
dzăce (mold), 309.
dzáuk (vegl), 331.
dzérna (francoprov), 152.
dziánt (vegl), 323.

e, [29 y ss.], 36, 42 y ss., 127, 143, 149, 156 y ss., 168-172, 186 y ss.,

250, 253 y ss., 267 y ss., 345 y ss., 387 y ss.
ɛ (esp), 551.
ɛ (fr), 551.
ɛ́ (fr), 175, 186, 565.
ɛ (it), 551.
ɛ́ (it), 557.
ɛ (port), 551.
ɛ (rum), 557.
ɛá (rum), 167, 498.
-eá (rum), 170.
eage (fr), 267.
e amore (it), 551 n.
eau (fr), 222, 483.
-eau (fr), 218.
eaue (fr), 222, 483, 484.
-eaus (fr), 218.
-ebant (lat), 170.
-ebat (lat), 549 n.
ebba (sar), 484.
ebbi (it), 488.
-ebilem (lat), 290.
ecce (lat), 539.
ecce hic (lat), 563.
ecce hoc (lat), 189, 563.
-eccio (it), 145.
ecco (it), 50.
eccu hic (lat), 349, 487.
eccu hinci (lat), 563.
eccum hic (lat), 487, 563.
eccum istum (lat), 149.
eccustum (lat), 149.
eco (esp), 50.
écorce (fr), 354.
écoute (fr), 413.
écouter (fr), 271.
écrit (fr), 166.
écrou (fr), 372.
ecus (lat), 479.
echar (esp), 259.
èche (fr), 169.
échelle (fr), 353, 354, 356.
ed (fr), 551.
ed (lat), 551, 559.

-eda (cat), 170.
-eda (esp), 170.
-eda (prov), 170.
ed amore (it), 551.
edera (it), 284.
e Deus (fr), 551.
ed il (fr), 551.
-edo (esp), 170.
edo (lat), 242.
-edo (port), 170.
-edu (sar), 170.
ed un (fr), 551.
-ée (fr), 175.
ef (fr), 565.
ega (prov), 484.
égal (fr), 484.
Egitto (it), 518.
egl (sobres), 205, 423.
egua (cat), 484.
egua (port), 484.
Égypte (fr), 518.
ehre (al), 43.
ei (rum), 557.
ei (sobres), 541.
ei-lo (port), 539.
ei molto (it), 543.
eira (port), 207, 465.
-eiro (port), 207.
-eis (fr), 207.
eis (prov), 429.
eix (cat), 276, 429.
eixe (port), 276.
eje (esp), 276.
e justise e amur (fr), 551.
e justise ed amur (fr), 551.
el (rum), 191.
-el (fr), 174, 218.
-ela (port), 195.
ela (prov), 167.
-elas (port), 195.
ele (fr), 174.
-ele (fr), 218.
ele (rum), 498.
-eles (fr), 218.

el hombre (esp), 297.
-elo (port), 195.
-elos (port), 195.
elra (prov), 284.
-els (sobres), 196.
el tens (fr), 264.
ella (cat), 167.
ella (esp), 167.
ella (it), 167.
ella (port), 167.
ella (sobres), 167.
-ellam (lat), 195, 218.
-ellas (lat), 195, 218.
elle (fr), 167, 186.
-elli (lat), 218.
-ellos (lat), 195, 196, 218.
-ellum (lat), 195, 196, 218, 498.
-ellus (lat), 218.
emmener (fr), 263.
è mmolto (it), 543.
emploie (fr), 149.
empreindre (fr), 508.
encender (esp), 504.
enconado (esp), 482.
enconuscha (sobres), 207.
enconuscher (sobres), 181.
encore (fr), 149.
encurir (sobres), 482.
endes (sar), 193.
endet (sar), 193.
éndisch < i n d i c e m (sobres), 233.
éndisch < u n d e c i m (sobres), 233.
endo (sar), 193.
enebro (esp), 147, 254 n.
enero (esp), 128, 259, 330.
enfers (fr), 571 n.
engin (fr), 236.
engraisser (fr), 508.
enna (camp), 213.
ennegrecer (esp), 518.
ennuei (prov), 205.
ennui (fr), 205.
ennuyer (fr), 263.
enojo (esp), 205.

enojo (port), 205.
entero (esp), 149.
entieiru (fr), 207.
entier (fr), 147, 149, 207.
entoischier (fr), 135 n.
entoschier (fr), 135.
entrer (fr), 263, 509, 516.
enúig (cat), 205.
-eolus (lat), 111.
épais (fr), 167.
épi (fr), 355.
e Pietro (it), 551.
épine (fr), 186.
épingle (fr), 513.
episcopum (lat), 270, 370.
épître (fr), 143.
épna (francoprov), 152.
époux (fr), 353.
equam (lat), 197, 484 y n.
equae (lat), 197.
equos (lat), 479.
-er (cat), 170, 207.
-er (eng), 207.
-er (esp), 170.
-er (fr), 175, 186.
-er (port), 170.
er (prov), 196.
-er (prov), 170.
-er (sobres), 170, 207.
-ér (vegl), 166.
era (cat), 207, 465.
era (eng), 207.
era (esp), 207, 465.
era (sobres), 207, 465.
erai dúoi rodos (gasc), 539.
erat (lat), 547.
erba (cat), 409.
erba (it), 172, 409.
erba (prov), 172, 409.
-ere (it), 170.
-ere (lat), 209.
-ere (rum), 161, 170.
ericium (lat), 468, 470.
erizo (esp), 470.

s (esp), 207
erunt (lat), 149.
rva (eng), 409.
rva (luc), 160.
rva (sar), 160, 172.
rrota (vasc), 363.
s (cat), 557.
es (cat), 207.
s (esp), 557.
s (esp), 207.
s (prov), 557.
es (prov), 207.
sca (cat), 169.
sca (it), 169.
sca (prov), 169.
sca (sar), 169.
scala (cat), 353.
scala (esp), 353.
scala (prov), 353.
scam (lat), 157, 163, 169.
scoba (esp), 182, 368.
scoba (prov), 182, 368.
scolta (cat), 204 n.
sconde (esp), 232.
sconder (esp), 271.
scouta (prov), 413.
scouve (fr), 182, 368.
scova (port), 182, 368, 370.
screve-no-lo (port), 539.
scrich (prov), 139.
scrit (cat), 166.
scrit (fr), 166.
scrit (prov), 139, 166.
scrite (fr), 94.
scrito (esp), 166.
scrito (port), 166.
scroue (fr), 372.
scucha (esp), 204, 413.
scuchar (esp), 271.
scuita (port), 413.
scuro (esp), 271.
scuta (port), 204, 413.
sch (sobres), 207, 455.
esche (fr), 169.

ese (esp), 429.
esmer (fr), 510.
es multum (lat), 543.
esparcir (esp), 410.
espargir (port), 410.
esparzer (esp), 410.
espata (arag), 363.
espato (gasc), 363.
espede (fr), 353.
espeiret (fr), 353.
espejo (esp), 205.
espes (cat), 167.
espes (fr), 167.
espes (prov), 167.
espeso (esp), 167.
espesso (port), 167.
espi (fr), 355.
espill (cat), 205.
espinam (lat), 152.
espingle (fr), 513.
espos (cat), 353.
espos (prov), 353.
esposo (esp), 353.
esposo (port), 353.
esprit (fr), 143, 146.
esse (port), 429.
esser (prov), 287.
essere (lat), 287, 513.
essieu (fr), 219.
esso (it), 429.
est (fr), 557.
est (lat), 541, 557.
está (cat), 549.
está (esp), 549.
está (port), 549.
está (prov), 549.
establa (cat), 423.
establa (prov), 423.
establo (esp), 423.
estasin (sirio), 94.
-este (port), 199.
este (rum), 557.
-eşte (rum), 197.
Esteban (esp), 372.

estela (cat), 169, 494 n.
estela (prov), 169.
ester (fr), 210 n.
-estg (sobres), 207.
-esti (tosc), 199.
Estienne (fr), 235.
est-il (fr), 557.
estre (fr), 513.
estrecho (esp), 161, 204, 207.
estreit (fr), 207.
estreit (prov), 207.
estreito (port), 204, 207.
estrela (port), 169, 494 n.
estrella (esp), 163, 169, 494 n.
estret (cat), 207.
estunt (fr), 353.
-et (fr), 565.
et (lat), 551, 559.
-et (rum), 170.
-eta (it), 170.
étable (fr), 423.
-etam (lat), 170.
et amorem (lat), 551.
et amour (fr), 551.
étang (fr), 572.
-eto (it), 170.
étoile (fr), 157, 170, 494.
et Petrus (lat), 551.
et Pierre (fr), 551.
être (fr), 513.
étroit (fr), 207.
-etum (lat), 170.
eu (fr), 267.
ëu (fr), 267.
eule (fr), 157, 494.
ëur (fr), 258.
-eur (fr), 572.
eura (cat), 284.
européen (fr), 134.
eus (fr), 217, 488.
-euse (fr), 186, 386, 572.
eu tens (fr), 264.
-eux (fr), 182, 572.
eux (fr), 217.

-eva (it), 170.
-eva (sobres), 170.
eve (fr), 483.
-evole (it), 290.
examen (lat), 356.
excadere (lat), 356.
excernere (lat), 356.
exemple (cat), [35].
explosió (cat), [35].
extinguere (lat), 486.
-êz (port), 207.
ez amor (prov), 551.

f, [29 y ss.], 48, 49, 59 y ss., 127, 129
   302.
fă (rum), 190.
fabam (lat), 373.
fabbro (it), 421.
fable (fr), 245.
fábrica (esp), 147.
fabricam (lat), 147, 245.
fabrique (fr), 147.
fabrum (lat), 421.
fabulam (lat), 245.
fabulat (lat), 423.
fac (lat), 190.
faccia (it), 468.
face (fr), 469.
facere (lat), 509, 519.
faciem (lat), 468, 469.
facio (lat), 251.
factum (lat), 207.
făcút (rum), 44.
facha (port), 335.
Faesulae (lat), 188.
fageum (lat), 471.
faggio (centroit), 471.
fagliolo (it), 65.
fagum (lat), 248, 403.
faia (port), 471.
faia (prov), 471.
faible (fr), 170.
faig (cat), 471.
faim (fr), 235, 240.

aire (fr), 108, 509, 519.
ais (fr), 426.
ais (prov), 426.
aisse (fr), 426.
ait (fr), 207.
ait (prov), 207.
aix (cat), 426.
ala (port), 423.
alaise (fr), 170.
alcem (lat), 413.
alconem (lat), 264.
alisa (franco), 170.
ame (it), 240.
amem (lat), 233, 235, 240.
aminem (lat), 240.
ăn (rum), 239.
are (fr), 108.
ariná (piam), 152.
arinam (lat), 152, 233, 237.
arinha (port), 237.
armes (fr), 225.
árna (francoprov), 152.
faşă (rum), 426.
fascem (lat), 424.
fasci (lat), 426.
fascia (it), 426.
fascia (lat), 426.
fascio (it), 426.
fasch (sobres), 426.
faske (sar), 426.
fassa (sudit), 426.
fat (eng), 207.
făt (rum), 239.
fată (rum), 44, 239.
faţă (rum), 469.
fatg (sobres), 207.
fatscha (sobres), 468.
fatutum (lat), 267.
fau (sobres), 403.
fauces (lat), 243 n.
faucon (fr), 264.
faula (prov), 245.
faulam (lat), 245.
faur (rum), 421.

faure (prov), 421.
fauricam (lat), 245.
fautum (lat), 244.
fava (cat), 373.
fava (it), 373.
fava (port), 373.
fava (prov), 373.
fava (sobres), 373.
favricam (lat), 245.
fe (cat), 167.
fe (esp), 167.
fe (port), 167.
fe (prov), 167.
febrarium (lat), 251.
febrem (lat), 200.
februarium (lat), 251, 488.
fècero (it), 149, 533 n.
fecerunt (lat), 149, 533 n.
feci (lat), 199.
feci (tosc), 199.
fecior (rum), 454.
fecisti (lat), 199.
fede (it), 167.
fégato (it), 153.
fegl (sobres), 205.
feglia (sobres), 166, 205, 464.
fei (sobres), 167.
fein (fr), 235.
fein (sobres), 233.
feit (norteit), 443.
feit (prov), 443.
feito (port), 207.
feixe (port), 426.
fel (cat), 172, 562.
fel (lat), 562.
fel (prov), 172, 562.
fel (sobres), 172, 562.
fela (vegl), 166.
fele (apul), 162.
fele (cal), 162.
fele (lat), 161, 172, 189, 197.
fele (luc), 160, 161.
fele (sar), 160, 172, 562.
fele (sic), 162.

fele (tosc), 198.
felle (lat), 562 n.
fêmeas (port), 537.
femina (sar), 160.
feminam (lat), 157, 233, 235, 302, 519, 520.
feminas (lat), 537.
feminas (sar), 537.
féminasa (sar), 537 n.
femma (sobres), 233.
femme (fr), 46, 186, 235, 519.
femmes (fr), 537.
femmina (luc), [24], 160.
femnas (cat), 537.
femnas (prov), 537.
femnas (sobres), 537.
fendre (fr), 235, 513, 516.
fenestram (lat), 253, 513.
fenêtre (fr), 253.
fenir (fr), 258.
fenouille (fr), 209.
fenuclum (lat), 209.
fenum (lat), 44, 233, 235, 239.
fer (fr), [29], 43, 44, 172, 186, 302 n.
fereastră (rum), 253.
feriamus (lat), 258.
feriendo (lat), 258.
ferimus (lat), 258.
ferio (lat), 200, 205.
ferire (lat), 258.
ferit (lat), 36.
fermento (lat), 262.
fermes (fr), 225.
ferre (cat), 172, 302 n.
ferre (prov), 172, 302 n.
ferro (it), 172, 302 n.
ferro (port), 172, 274.
ferru (sar), 172, 302 n.
ferrum (lat), 161, 172, 197, 274, **302** y n.
ferum (lat), 572.
festa (cat), 172.
festa (it), 172.
festa (port), 172.

festa (prov), 172.
festam (lat), 157, 172.
festuca (it), 253.
festucam (lat), 253.
festuga (prov), 253.
fet (cat), 207.
fetae (lat), 239.
fetam (lat), 239.
fête (fr), 172, 286.
fete (rum), 239.
feti (lat), 239.
feţi (rum), 239.
fetiolum (lat), 454.
féιu (fr), 253.
fetum (lat), 239.
feu < f a t u t u m (fr), 267.
feu < f o c u m (fr), 200, 219 n., 248, 401, 565.
feuille (fr), 205, 208, 464.
fezist (esp), 276.
fial (prov), 220.
fiamma (it), 341.
fiar (vegl), 172, 302 n.
fiásta (sobres), 172.
fiásta (vegl), 172.
ficat (rum), 153.
ficatum (lat), 153.
fidem (lat), 167.
fidza (sar), 166.
fie (rum), 166.
fiel (fr), 172, 562.
fiele (it), 172, 189, 198, 562.
fier (fr), 572.
fier (prov), 200, 205.
fier (rum), 161, 172, 197, 302 n.
fier (sobres), 172, 302 n.
fiere (rum), 161, 172, 189, 197, 562.
fiert (francoprov), 36.
Fiesole (it), 188.
fieu (prov), 220.
fieure (prov), 200.
fieus (fr), 219.
fievole (it), 137, 170.
figlia (it), [29], 83, 133 y n., 166.

iglio (it), 283.
igliulo (it), 149.
igliuolo (it), 149.
il (cat), 166.
il (fr), 166.
il (prov), 166.
il (sobres), 166.
ila (luc), 161.
ilat (lat), 161.
ilha (port), 166.
ilha (prov), 166.
ili (sudit), 464.
iliam (lat), 109, 111, 133, 157, 166.
ilicariam (lat), 264.
ilii (lat), 464.
iliolum (lat), 111, 149.
ilium (lat), 59, 110, 283, 302, 464.
ilius (lat), 219.
ilk (eng), 166.
ilk (gris), 166.
ilo (it), 166.
ils (fr), 219.
ilu (apul), 162.
ilu (cal), 162.
ilu (luc), 160.
ilu (sar), 160, 162, 166.
ilu (sic), 162.
ilum (lat), 161, 166, 220, 498.
illa (cat), 166.
ille (fr), 44, 83, 166.
illeul (fr), 149, 186 n.
illeule (fr), 186 n.
imarium (lat), 262.
immina (luc), [24].
in (fr), 60, 127.
in (rum), 44, 239.
indere (lat), 235, 516.
inestra (cat), 257.
inestra (it), 253.
inger (al), 125.
ingere (flor), 204.
ingere (it), 204.
ingere (lat), 204.
iniestra (cat), 257.

finir (fr), 572.
finire (lat), 258.
fio (port), 166, 498.
fiore (it), 182, 341.
fiore (sudit), 199.
fipse (rum), 429.
fir (rum), 161, 166, 498.
firent (fr), 149.
firmas (lat), 225.
fis (fr), 199.
fisclare (lat), 508.
fischiare (it), 508.
fischt (sobres), 185.
fistulare (lat), 508.
fiug (sobres), 565.
fiuri (sudit), 199.
fius (fr), 219.
fiz (port), 199.
flama (cat), 340.
flama (prov), 340.
flamă (rum), 341.
flammam (lat), 46, 233, 340, 510.
flamme (fr), 186, 340, 510.
flanc (fr), 357.
flebilem (lat), 170.
flebilis (lat), 290.
fleur (fr), 182, 186, 209, 340.
floare (rum), 182, 341.
flomma (sobres), 46, 233, 340.
flor (cat), 182, 340.
flor (champ), 224.
flor (esp), 341, 343.
flor (port), 341, 343.
flor (prov), 182, 340.
flore (fr), 127.
flore (sar), 182.
florem (lat), 182, 199, 209, 224, 340, 343.
flori (lat), 199.
flou (fr), 357.
flumine (lat), 340.
flur (sobres), 182, 340.
flûte (fr), 27.
foaie (rum), 281, 464.

foame (rum), 240.
foarte (rum), 178.
foasă (rum), **178**.
foc (cat), 565.
foc (prov), 200 n., 565.
foc (rum), 401.
foci (it), 243 n.
focum (lat), 178, 194, 200, 248, 302, 401, 565.
foder (port), 489.
foggia (sudit), 477.
fögl (eng), 205.
föglia (eng), 205.
foglia (it), 464.
fogu (camp), 401.
fogu (log), 401.
foi (fr), 167.
foible (fr), 170.
foie (fr), 153.
foin (fr), 235, 240.
fois (fr), 301 n., 581.
foison (fr), 254.
foku (sar centr), 401.
fola (it), 245.
fole (fr), 245.
folha (port), 205, 464.
folha (prov), 200 n., 205, 464.
foliam (lat), 205, 208, 281, 302, 464.
folium (lat), 205.
follis (lat), 217.
fom (sobres), 233.
fome (port), 240.
fomen (lat), 240.
fonta (esp), 335.
fontem (lat), 232.
fora de fora (lat), 581.
forca (cat), 183.
forca (it), 183.
forca (port), 183.
força (port), 455.
forca (prov), 183.
force (fr), 455.
forge (fr), 147, 245.
forma (cat), 181.

forma (it), 181.
forma (port), 181.
forma (prov), 181.
forma (sar), 181.
formam (lat), 163, 181.
forme (fr), 181.
forment (fr), 510.
formica (arag), 363.
formicam (lat), 363.
formoso (port), 258.
formosum (lat), 135, 258.
fort (cat), 178.
fort (fr), 178.
fort (prov), 178.
forte (it), 178.
forte (port), 178.
forte (sar), 178.
fortem (lat), 178.
forte mente (lat), 510.
fortiam (lat), 455.
fortment (fr), 128.
forz (sobres), 178.
forza (it), 455.
fossa (cat), 178.
fossa (it), 178.
fossa (luc), 160.
fossa (port), 178.
fossa (sar), 178.
fossa (sobres), 178.
fossam (lat), 178.
fosse (fr), 178.
fottere (it), 489.
fou (fr), 248, 403.
fouce (port), 413.
fouet (fr), 248.
fougère (fr), 264.
fourco (prov), 183.
fourche (fr), 183.
fous (fr), 217.
foutre (fr), 489.
foveam (lat), 477.
fragile (fr), 147.
fragile (it), 147.
fragilem (lat), 147.

fragua (esp), 147.
fraischen (eng), 207.
fraisne (fr), 207, 441.
fraisse (prov), 207, 284, 287, 441.
fráissen (sobres), 207, 441.
frale (it), 147.
frămînt (rum), 262.
frămt (dacorrum), 437.
françois (fr), 170.
franctum (lat), 437, 438.
frandzel (friul), 482.
franto (it), 438.
franzose (al), 170.
frapsen (rum), 440.
frascino (it), 441.
frasin (rum), 284, 440, 546.
frássino (it), 284.
frássinu (sudit), 440.
frassinum (lat), 440.
frassu (sar), 442.
frauchen (al), 129.
fraxinum (lat), 207, 284, 286, 287, 288, 440, 441.
fre (cat), 337.
fre (prov), 337.
frébol (prov), 290.
frec (norteit), 443.
freddo (it), 545.
freg (prov), 443.
fregar (esp), 302.
fregur (vegl), 392.
frein (fr), 235, 337.
frein (sobres), 337.
freixe (cat), 207, 441.
freixo (port), 207, 284, 288.
frêle (fr), 147.
frêne (fr), 207, 284, 286, 441.
freno (esp), 337, 339.
freno (it), 337.
frente (esp), 232, 339.
frenum (lat), 231, 235, 337, 339.
fresca (rom), 302.
fresno (esp), 207, 284, 288, 441, 546.
fret (cat), 443.

fretg (sobres), 207.
frevol (prov), 170.
fricare (lat), 302.
frictum (lat), 429.
frigere (lat), 392.
frigidum (lat), 282, 443.
friidum (lat), 545.
frimtu (macedorrum), 437.
frina (sobres), 233.
fringillu (sudit), 482.
fringuello (centroit), 482.
fringuello (norteit), 482.
fringuillam (lat), 482.
frînt (rum), 437.
fripse (rum), 440.
fript (rum), 429.
frîu (rum), 231, 337.
frixit (lat), 429, 440.
froc (fr), 357.
froid (fr), 443.
froment (fr), 254.
fronte (luc), 160.
frontem (lat), 232, 339, 437.
fructum (lat), 207.
fruente (esp), 232.
fruit (fr), 207.
fruit (prov), 207.
frumentum (lat), 254.
frúmine (sar), 340.
frumte (macedorrum), 437.
frunte (rum), 437.
fruntem (lat), 230.
früt (eng), 207.
fruto (esp), 207.
fruto (port), 207.
fruyt (cat), 207.
fuart (vegl), 178.
fuec (prov), 200 y n.
fuego (esp), 302.
fueille (fr), 205, 208.
fuelha (prov), 200 n., 205.
fuella (arag), 205.
fuella (leon), 205.
fuente (esp), 232.

fuerça (esp), 455.
fuerte (esp), 178.
fuerunt (lat), 137, 149.
fuerza (esp), 455.
fueu (fr), 200, 248, 401.
fugere (lat), 395.
fugir (port), 395.
fugir (sobres), 395.
fugire (lat), 395.
fui (cat), 187.
fui (esp), 187, 302.
fui (fr), 187, 248.
fui (it), 187, 248.
fui (lat), 137, 187, 248, 302.
fui (port), 187.
fui (prov), 187.
fuimus (lat), 543.
fuir (fr), 395.
fuk (vegl), 178.
fulla (cat), 205.
fumare (lat), 263.
fumer (fr), 263.
fumier (fr), 262.
fummo (it), 543.
fuoc (prov), 200.
fuoco (it), 55.
fuocu (sudit), 194, 401.
fuolha (prov), 205.
fuorma (sobres), 181.
fúortga (sobres), 183.
furca (lúc), 161.
furcă (rum), 161, 183.
furca (sar), 160, 183.
furcam (lat), 159, 183.
furent (fr), 149.
furme (fr), 181.
fùrono (it), 149.
fusil (fr), 572.
fusionem (lat), 254.
fust (cat), 185.
fust (fr), 185.
fust (prov), 185.
fuste (esp), 185.
fuste (port), 185.

fuste (rum), 185.
fuste (sar), 185.
fustem (lat), 163, 185.
fusto (it), 185.
fût (fr), 185.
fute (rum), 489.
futere (lat), 489.
futtere (lat), 489.
futuere (lat), 489.

g, [29 y ss.], 49, 51 y ss., 127, 322-328,
    350, 362 y ss., 386 y ss., 479 y ss.
gabbia (centroit), 477.
gabia (esp), 475.
gaggia (norteit), 477.
gaglina (sobres), 326.
gain (fr), 127.
găină (rum), 326, 498.
gaine (fr), 151, 303.
gal (norm), 326.
gal (pic), 326.
gal (prov), 326.
galbăn (rum), 290.
galbinum (lat), 290, 510.
galeam (lat), 244.
galina (prov), 326.
galna (norteit), 152.
galle (al), 322.
gallina (esp), 326.
gallina (it), 326.
gallina (sudit), 328.
gallinam (lat), 152, 322, 326, 328, 498.
gallo (esp), 326.
gallo (it), 326.
gallum (lat), 326.
gant (fr), [29], 55.
garba (franco), 225.
gardar (prov), 350.
garder (fr), 350.
gardinu (germ), 131.
garnir (fr), 350.
garnir (prov), 350.
garnir (sobres), 350.
gasse (al), 123, 125.

gastar (esp), 303.
gastar (port), 303.
gastar (prov), 303.
gâter (fr), 303.
gaudere (lat), 267.
gaudia (lat), 131, 244, 246.
gaudium (lat), 326.
gaug (prov), 326.
gaula (vegl), 183.
gavia (cat), 475.
geană (rum), 231.
gectare (lat), 332.
geina (sobres), 332.
geira (port), 352.
gel (fr), 214, 324.
gel (prov), 324.
gelare (lat), 323, 324.
gelatum (lat), 323, 324.
geld (al), 322.
gelina (francoprov), 326.
geline (fr), 326.
gelo (it), 214, 324.
gelo (port), 324.
gelu (lat), 214, 324.
gema (port), 324.
gema (prov), 324.
geme (rum), 214.
gemellos (lat), 262.
gemere (it), 214.
gemere (lat), 214, 322.
gemma (it), 324.
gemmam (lat), 324.
genam (lat), 231.
gendre (fr), 188, 235, **324, 514 n.**
gendre (prov), 324.
gener (cat), 330.
general (esp), 333.
genero (it), 324.
generum (lat), 188 y n., 193, 235, 323, 324, 331, 514.
genesta (prov), 324.
genestam (lat), 257, 324.
genêt (fr), 324.
genier (prov), 330, 488.

genièvre (fr), 254 n.
génisse (fr), 254 n.
genistam (lat), 323.
gennaio (it), 259, 330, 488.
genoier (prov), 488.
genoil (fr), 571 n.
genolh (prov), 324.
genolz (fr), 571.
genou (fr), 209, 324, 571 n.
genouil (fr), 209.
genous (fr), 571 n.
genoux (fr), 571 n.
genro (port), 324.
genrum (lat), 514.
gens (fr), 127.
gente (esp), 333.
gentem (lat), 323, 333.
genuarium (lat), 332.
genuclos (lat), 571.
genuculum (lat), 324.
genuchiu (rum), 324.
geolho (port), 324.
ger (rum), 214, 324.
gerbe (fr), 225.
germá (prov), 324.
germain (fr), 324.
germanum (lat), 324.
germão (port), 324.
germer (fr), 293.
germinare (lat), 293.
Gerolamo (it), 289.
gésir (fr), 330.
gettare (it), 259.
ghelare (sar), 323.
ghelut (vegl), 323.
gheneru (log), 331.
gheneru (sar), 323.
ghennariu (nuor), 323.
ghenneru (sar), 188 n., 193.
ghettare (log), 332.
ghiaccio (it), 341.
ghianda (it), 341.
ghiață (rum), 341.
ghiattire (it), 341.

ghindă (rum), 341.
ghiotto (it), 491.
ghirare (sar), 323.
già (it), [29], 77, 78, 530.
gia (sobres), 78, 530.
giacere (it), 330.
giacqui (it), 487.
gial (eng), 326.
giallina (eng), 326.
giardino (it), 131.
giel (fr), 214.
giente (vegl), 323.
giesta (port), 324.
giginar (sobres), [29], 55.
gimento (port), 254 n.
ginepro (it), 254 n.
ginere (rum), 324.
ginestra (it), 324.
ginocchio (it), 324.
ginster (al), 323.
giò (eng), 352.
giogo (it), 403.
gioia (it), 131, 326.
giorno (it), 352.
gióvane (it), 238.
gist (fr), 211.
gît (fr), 211.
giu (sobres), 352.
giù (it), 139, 410.
giudicare (it), 253.
giudizio (it), 145.
giug (sobres), 331, 565.
giundscher (eng), 331.
giunscher (sobres), 358.
giuso (it), 352, 410.
giuv (sobres), 331.
giuven (sobres), 331.
glace (fr), 341.
glacia (lat), 341.
glan (cat), 340.
glan (prov), 340.
gland (fr), 340.
glandem (lat), 340.
glas (al), 84.

glas (cat), 341.
glassa (prov), 341.
glatir (cat), 341.
glatir (fr), 341.
glatir (prov), 341.
glatsch (sobres), 341.
glattire (lat), 341.
glebam (lat), 372.
glefa (it), 372.
glefa (osco), 372.
glin (sobres), 233.
glina (sobres), 46, 233, 405.
glire (lat), 342 n.
globellum (lat), 359.
glogn (sobres), 340.
glüina (sobres), 46.
glutum (lat), 491.
gluttum (lat), 491.
goie (norm), 326.
goie (pic), 326.
gola (cat), 183.
gola (esp), 183, 328.
gola (it), 183, 328.
gola (prov), 183, 328.
gola (sudit), 328.
gómito (it), 321.
gomphum (lat), 244.
gond (fr), 244.
gordar (cat), 350.
gornir (cat), 350.
gota (cat), 328.
gota (esp), 328, 492.
gota (port), 328, 492.
gota (prov), 328, 492.
gotta (it), 328.
goutte (fr), 328, 492 y n.
gouverner (fr), 295.
gra (cat), 337.
gra (prov), 337.
grada (esp), 338.
grade (fr), 174.
grade (port), 338.
graecum (lat), 200.
grain (fr), 129, 337.

grand (fr), 570, 572.
grande (sar), 340.
grandem (lat), 233, 570.
grano (esp), 337.
grano (it), 337.
grant (fr), 570.
granum (lat), 129, 337.
grão (port), 337.
gras (cat), 338.
gras (fr), 338.
gras (prov), 338.
gras (rum), 338.
grascha (sobres), 462.
graso (esp), 338.
grass (sobres), 338.
grasso (it), 338.
grassum (lat), 338.
graticcio (it), 338.
gratie (rum), 338.
grâu (rum), 337.
graun (sobres), **337.**
gravem (lat), 139.
greda (cat), 338.
greda (esp), 338.
greda (port), 338.
gregem (lat), 395.
gregge (centroit), 395.
grei (port), 395.
gremiarium (lat), 478.
gremium (lat), 478.
greu (prov), 200 n.
greŭ (rum), 228.
greve (it), 228.
grevem (lat), 139, 200, 228.
gridare (it), 265.
grief (fr), 139.
gries (sobres), 178, 196.
grieu (fr), 200.
grieu (prov), 200 y n.
grille (fr), 338.
grimmu (sudit), 478.
gritar (esp), 265.
groasă (rum), 197, 493.
groase (rum), 197.

groassa (rum), 197.
grond (sobres), 233.
gros (cat), 178.
gros (fr), 178.
gros (prov), 178, 273.
gros (rum), 178, 197.
groşi (rum), 197, 273.
gross (sobres), 196.
grossa (eng), 492.
grossa (it), 198.
grossa (port), 195, 492.
grossa (prov), 492.
grossa (sobres), 196.
grossa (sudit), 194.
grossa (tosc), 198.
grossae (lat), 194, 197.
grossam (lat), 194, 196, 197, 492, 493.
grossas (port), 195.
grosse (fr), 492.
grosse (sudit), 194.
grossi (it), 273.
grossi (lat), 194, 197, 205, 273.
grosso (it), 178, 198.
grosso (port), 178, 495.
grossos (lat), 196.
grossos (port), 195.
grossum (lat), 178, 194, 196, 197.
gruáss (vegl), 178.
gruesa (esp), 492.
grun (vegl), 337.
gruossi (sudit), 194, 273.
gruossu (rum), 197.
gruossu (sudit), 194.
guado (it), 303.
guaine (fr), 303.
guapto (vegl), 191.
guardar (eng), 350.
guardar (esp), 350.
guardar (port), 350.
guardare (it), 303, 350.
guarnecer (esp), 350.
guarnecer (port), 350.
guarnir (eng), 350.
guarnire (it), 350.

guastare (it), 303.
gubernare (lat), 295, 321.
gué (fr), 303.
gueline (norm), 326.
gueline (pic), 326.
guêpe (fr), 303.
guerra (cat), 350.
guerra (eng), 350.
guerra (esp), 350.
guerra (it), 350.
guerra (port), 350.
guerra (prov), 350.
guerre (fr), 350.
gueule (fr), 183.
guglia (it), 270.
guisa (esp), 350.
guisa (it), 350.
guisa (port), 350.
guise (fr), 350.
guiza (prov), 350.
gula (sar), 328.
gula (sobres), 183, 328.
gulam (lat), 183, 328.
guot (eng), 492.
gură (rum), 183, 328.
gurpe (sar), 183.
guss (al), 322.
gută (rum), 328, 493.
gutta (sar), 328.
guttam (lat), 322, 328, 492 y n., 493.
gypsum (lat), 333.
gyrare (lat), 323.

h, [29], 334-335, 357.
ha (eng), 207.
haba (esp), 373.
habeam (lat), 477.
habebam (lat), 549 n.
habebant (lat), 549 n.
habebas (lat), 549 n.
habebat (lat), 170, 549 n.
habeo (lat), 207, 476, 477.
habere (lat), 170, 224, 365.
habes illum vistum (lat), 539.

habes tu (lat), 541.
habet (lat), 149.
habet gelatum (lat), 324.
habetis (lat), 149.
habitare (lat), 293.
habla (esp), 423.
habui (lat), 248, 488.
habuisti (lat), 488.
habuit (lat), 248.
habuit sponsatam (lat), 353.
habutum (lat), 267.
hac hora (lat), 149.
hacha (esp), 335.
hache (fr), 334, 335.
hadie (lat), 456.
hai (sobres), 207.
hallar (esp), 423.
hamac (fr), 139.
hambre (esp), 240.
hanap (fr), 357.
hanche (fr), 334.
hängematte (al), 139.
hanka (franco), 334.
happja (franco), 334.
harangue (fr), 357.
haribergo (gót), 335.
harpa (gót), 335.
hase (fr), 127.
haspa (gót), 335.
haunitha (franco), 334.
hauo (gasc), 373.
haus (al), [29], 68.
haut (fr), 122 n., 127, 217, 413.
haut-bois (fr), 170.
haver (sobres), 365.
hawa (germ), 248.
haya (esp), 471.
haz (esp), 426.
he (cat), 207.
he (eng), 207.
he (esp), 207, 476.
heaume (fr), 218.
hecho (esp), 207.
hederam (lat), 284, 359.

hei (port), 207, 476.
helar (esp), 128, 324.
helme (fr), 218.
helme (germ), [33].
helmu (franco), 218.
hembra (esp), 302, 520.
hembras (esp), 537.
hennir (fr), 263.
hera (port), 284.
herba (cat), 168, 172.
herbam (lat), 157, 160, 168, 172, 402.
herbe (fr), 172, 186.
heresca (gasc), 302.
hereuse (fr), 572.
heri (lat), 196, 197, 200.
herimos (esp), 258.
herir (esp), 258.
hérisson (fr), 470.
hermano (esp), 324.
hermoso (esp), 135, 258.
herva (port), 172, 409.
herz (al), 42.
heume (fr), 218.
heur (fr), 147, 267.
heure (fr), [29], 44, 256.
hiberna (lat), 253.
hibernum (lat), 253.
hic (lat), 563.
hice (esp), 199.
hici (lat), 563.
hiciste (esp), 276.
hiedra (esp), 284.
hiel (esp), 172, 562.
hielo (esp), 324.
hierba (esp), 172, 409.
Hieronimum (lat), 289.
hierro (esp), 172, 302.
hígado (esp), 153.
hija (esp), 166.
hijo (esp), 59, 302.
hijuelo (esp), 149.
hilo (esp), 166.
hinc ha hora (lat), 149.
hiniesta (esp), 257, 324.

hinnire (lat), 263.
hinojo (esp), 324.
hiramos (esp), 258.
hiriendo (esp), 258.
Hispaniam (lat), 356.
hiver (fr), 253.
hlanka (germ), 357.
hlao (germ), 357.
Hludawik (franco), 357.
(H)ludowic (franco), 357.
hnap (germ), 357.
hoc (lat), 12 n., 189, 563.
hoc illi (lat), 8.
hoco (lat), 189 y n.
hoder (esp), 489.
hodie (lat), 205, 456.
hoja (esp), 205, 302, 464.
hoje (port), 205, 456.
hom (cat), 565.
hombre (esp), 232, 288, 520, 531 n.
homem (port), 288, 404, 405, 520 n., 531.
homens (port), 405.
hominem (lat), 188 n., 191, 194, 232, 235 y n., 288, 404, 405, 519, 520, 531 y n.
homines (lat), 193, 290, 405.
homini (lat), 197.
homme (fr), [28], 235 y n., 519.
homo (lat), 231, 233, 235 n., 297, 404, 565.
honte (fr), 334, 335.
hôpital (fr), 147.
horca (esp), 183.
hordeolum (lat), 457.
hordeum (lat), 457.
horma (esp), 181.
hors (fr), 581.
hortos (lat), 196.
hortum (lat), 196, 510.
hospes (lat), 197.
hospital (esp), 147.
hospitalem (lat), 147, 219 n., 270.
hospitalis (lat), 219.

hospitem (lat), 288.
hospites (lat), 288.
hospiti (lat), 197.
hostal (esp), 147.
hostem (lat), 197.
hôtel (fr), 147.
hôtels (fr), 219 n.
hoto (esp), 244.
houe (fr), 248.
hoy (esp), 205, 456.
hoz (eng), 205.
hoz (esp), 413.
hring (germ), 357.
hrokk (germ), 357.
huérfano (esp), 288.
huesa (esp), 178.
hueso (esp), 178.
huésped (esp), 288.
huéspedes (esp), 288.
huevo (esp), 238.
hui (fr), 205, 456.
huis (fr), 204, 207, 455.
huissier (fr), 207.
huit (fr), 205.
humble (fr), 143.
hütte (al), 44.

i, [29 y ss.], 43 y ss., 127, 143, 149,
  152, 156 y ss., 166-167, 186 y ss.,
  250. 253 y ss., 267 y ss., 329 y ss.,
  345 y ss., 352, 387 y ss., 451 y ss.
i (it), 575.
i (lat), 3, 122 n.
-í (luc), 161.
-i (fr), 166.
-í (norteit), 379.
-í (retorrom), 379.
-í (sobres), 196.
iacere (lat), 330.
iacet (lat), 211, 331, 333, 358.
iactare (lat), 259, 332.
iacui (lat), 487.
iaiunare (lat), 259.
ial (vegl), 191.

-ials (sobres), 196.
ıam (lat), 190, 333, 530.
iantare (lat), 259.
ianuam (lat), 213, 332, 488.
ianuarium (lat). 251, 259, 331, 332.
  488.
iapă (rum), 197, 484.
iarba (rum), 172.
iarba (vegl), 172.
iarnă (rum), 253.
iască (rum), 169.
iauz (champ), 219 n.
-ible (fr), 143.
ici (fr), 563.
ici (rum), 563.
-icum (lat), 524.
ich. (al), 64, 123.
-ida (cat), 166.
-ida (esp), 166.
-ida (prov), 166.
-ida (port), 166.
-ida (norteit), 379.
-ida (retorrom), 379.
-ida (sobres), 166, 185.
idda (sar), 167.
idée (fr), 142.
-idi (norteit), 379.
-idi (retorrom), 379.
-ido (esp), 166.
-ido (port), 166.
-idu (norteit), 379.
-idu (retorrom), 379.
ie- (lat), 259.
-ie (fr), 166.
ie (rum), 191.
iectare (lat), 259, 329 n., 331.
iéderă (rum), 284.
ieiunare (lat), 259, 331.
ieiunat (lat), 267.
-iel (rum), 498.
-ien (fr), 207.
ientare (lat), 259.
ienuam (lat), 213, 259, 332.
ienuarium (lat), 259, 330, 331, 488.

iepe (rum), 197.
iépure (rum), 197, 284, 309.
-ier (fr), 207, 572.
ier (prov), 196, 200.
ieret (fr), 547.
ierĭ (rum), 197.
ierru (sar), 253.
iert (sobres), 196.
ies (sobres), 178.
íev (sobres), 196.
ieuz (fr), 219.
igniv (sobres), 565.
il dort (fr), 572.
ilha (port), 512.
il lave (fr), 174.
il ne coupe pas (fr), 525.
il noie (fr), 127.
il noua (fr), 127.
ils ont (fr), 127.
ils sont (fr), 127.
ill (fr), [33],
illa (cat), 512.
illac (lat), 115, 407, 563.
illae manus (lat), 274.
illam (lat), 167, 191, 498.
illam auriculam (lat), 242 n.
illam carnem (lat), 362.
illam feminam (lat), 334, 577, 579.
illam haunitham (lat), 334.
illam partem (lat), 579.
illam sponsam (lat), 353.
illam uvittam (lat), 359.
illas (lat), 498.
illas duas rotas (lat), 539.
illas happjas (lat), 334.
illas manus (lat), 538.
illas testas (lat), 334.
ille (lat), 191.
illic (lat), 115.
illos (lat), 217 y n., 575, 576.
illos homines (lat), 576.
illos panes (lat), 578.
illos patres (lat), 576.
illos pilos (lat), 538.

illu (sudit), 191.
illud (lat), 560.
illud caseum (lat), 560.
illui (lat), 184 n.
illum (lat), 191, 274.
illum ferrum (lat), 274.
illum focum (lat), 274.
illum hominem (lat), 334.
illum lectum (lat), 274.
illum martellum (lat), 274.
illum mundum (lat), 274.
illum oleum (lat), 274.
illum panem (lat), 578.
illum porcum (lat), 274.
illum solem (lat), 577.
illum ventum (lat), 274.
ill' uricula (lat), 242 n.
image (fr), 143.
îmblu (rum), 275.
impiega (it), 149.
împle (rum), 231.
implet (lat), 231.
implicat (lat), 149.
imprimere (lat), 508.
in (rum), 309.
inabscondere (lat), 271.
înalt (rum), 414.
in altum (lat), 414.
-inam (lat), 235.
inde minare (lat), 263.
indicano (it), 115 n.
indicant (lat), 115 n.
indicem (lat), 233.
indovinare (it), 262.
-ine (fr), 235.
ineptum (lat), 115.
infernus (lat), 571 n.
înflă (rum), 44, 231.
inflat (lat), 44, 231.
ingenium (lat), 236.
ingrassiare (lat), 508.
îngroşă (rum), 462.
ingrossiare (lat), 462.
in illu tempu (lat), 264.

inimicitiam (lat), 40.
inimicum (lat), 40.
innatural (esp), 518.
inodiare (lat), 263.
in odio (lat), 205.
inquaerere (lat), 482.
inquinatum (lat), 482.
îns (rum), 429.
insalatam (lat), 385 n.
insignem pietate (lat), 529.
in scuola (it), 353.
insulam (lat), 512, 538.
integram (lat), 149.
intègre (fr), 147.
integrum (lat), 147, 149, 207.
intoxicare (lat), 135.
intrare (lat), 263, 509, 516.
inverno (it), 253.
inverno (port), 253.
invierno (esp), 253.
iocare (lat), 255, 267.
iocum (lat), 200, 248, 331, 333, 565.
ióin (vegl), 191.
ióiva (vegl), 191.
-iolum (lat), 111, 242.
iovenem (lat), 188, 238.
iovis (lat), 333.
ipsam piram (lat), 364.
ipsas dentes (lat), 538.
ipsas manos (lat), 538.
ipse (lat), 429.
ipsos filos (lat), 577.
ipsos pilos (lat), 538.
ipsos tempos (lat), 577.
ipsum (lat), 429.
ipsum filum (lat), 577.
ipsum focum (lat), 57.
ipsum solem (lat), 577.
ipsum tempus (lat), 577.
-ir (cat), 166.
-ir (esp), 166.
-ir (fr), 166.
-ir (port), 166.
-ir (prov), 166.

-ir (sobres), 166.
-ira (sobres), 185.
-ire (it), 166.
ire (lat), 3.
-ire (lat), 161, 166.
-ire (rum), 161.
irmão (port), 324 n.
-is (fr), 199.
iscalam (lat), 356.
-isce (lat), 207.
-iscit (lat), 197.
iscla (prov), 512.
iscoba (sar), 160, 182.
iscriptam (lat), 94.
iscriptum (lat), 166.
-iscum (lat), 207.
Ischia (it), 512.
iskala (log), 353.
isla (esp), 512, 538.
isle (fr), 512, 538.
ispissu (sar), 167.
isposu (sar), 353.
issu (sar), 429.
-ist (prov), 199.
-iste (esp), 199.
isteddu (sar), 494 n.
istria (log), 399.
isulam (lat), 512.
-it (cat), 166.
-it (prov), 166.
-it (rum), 161.
-ita (it), 166.
-ită (rum), 161.
-ita (luc), 161.
-itam (lat), 166, 379.
-iti (lat), 379.
-ition (fr), 143.
-ito (it), 166.
-itu (luc), 161.
-itum (lat), 166, 379.
iu- (lat), 259.
-iu (norteit), 379.
-iu (retorrom), 379.
-iu (sobres), 166, 185.

uárbal (vegl), 175.
uárbul (vegl), 191.
iudicare (lat), 210, 253, 333.
iudicium (lat), 145.
iugum (lat), 331, 333, 364, 403.
iumentum (lat), 254 n.
iunctam (lat), 333.
iuncturam (lat), 185.
iuncum (lat), 331, 333.
iungere (lat), 417.
iuniciam (lat), 254 n.
iuniperum (lat), 147, 254 n., 331.
iunium (lat), 236.
iunius (lat), 571.
iurabam (lat), 190.
iurabamus (lat), 190.
iurabat (lat), 190.
iuramus (lat), 190.
iuravit (lat), 190.
iuro (lat), 331.
iuvenem (lat), 238, 288, 331, 333.
iuvenes (lat), 288.
ive (fr), 484.
ivern (cat), 253.
ivern (fr), 253.
ivern (prov), 253.
iviern (eng), 253.
iwe (fr), 484.
-izio (it), 145.

ja-, je-, ji-, jo-, ju- (lat), véase por la *i*.
ja (fr), 190, 530.
ja (port), 530.
jã (port), 352.
jabón (esp), 368.
jace (rum), 331.
jaille (fr), 244.
jal (fr), 326.
jala (vegl), 167.
jalino (prov), 326.
jalne (fr), 510.
jambe (fr), [30], 27, 65.
jamme (fr), 324.

jammer (al), [30], 64.
jana (prov), 352.
janeiro (port), 259, 330, 488.
janela (port), 213.
jantar (port), 259.
janvier (fr), 330, 488.
jarbe (fr), 225.
jardin (fr), 131.
jardín (esp), 131.
jarva (sobres), 172, 409.
jau (francoprov), 326.
jau < g a l l u m (prov), 326.
jau < g a u d i u m (prov), 326.
jaune (fr), 510.
jaure (cat), 330.
j' avais (fr), 127.
jazer (port), 330.
jazer (prov), 330.
je demeure (fr), 138.
jejunar (prov), 259.
je le jure (fr), 127.
jement (fr), 254 n.
jenvier (fr), 259.
je prouve (fr), 138.
jeter (fr), 259.
jeu (fr), 200, 219 n., 248, 565.
jeun (fr), 127.
jeune (fr), 127, 188, 238, 267.
jeûne (fr), 127.
jeûner (fr), 259.
jibia (esp), 204, 472 y n.
jieist (fr), 211.
j'ignore ce que vous dites (fr), 127.
j'ignore ceux que vous dites (fr), 127.
jimia (esp), 478.
jneapăn (rum), 331.
joc (cat), 565.
joc (prov), 565.
joc (rum), 331.
joder (esp), 489.
joelho (port), 324.
joie (fr), 131, 246, 326.
joie (lim), 326.
joie (poit), 326.

join (vegl), 184.
joit (vegl), 184.
joiva (vegl), 184.
jongár (vegl), 323 n.
joŋko (vegl), 184.
jorn (cat), 352.
jorn (prov), 352.
jornz (fr), 571.
jorz (fr), 571.
jos (cat), 352.
jos (prov), 352, 410.
jos (rum), 352, 410.
jouer (fr), 267.
jouir (fr), 267.
jour (fr), 352.
jovem (port), 288.
joven (esp), 238, 288, 333.
jóvenes (esp), 288.
joya (esp), 131, 326.
judeca (rum), 253.
juefne (fr), 188, 238.
juego (esp), 333.
juene (fr), 238.
jueu (fr), 248.
jueves (esp), 333.
jug (rum), 331, 4ʊ3.
jugar (esp), 255.
jugement (fr), 145.
juger (fr), 210, 253, 254.
jugier (fr), 210.
juicio (esp), 333.
juin (fr), 236.
juinz (fr), 571.
julgar (port), 253.
julio (esp), 333.
jumeaux (fr), 262.
jument (fr), 254 n.
junco (esp), 333.
june (rum), 331.
junípero (esp), 147.
jur (rum), 331.
jura (rum), 190.
jură (rum), 190.
juram (rum), 190.

jurăm (rum), 190.
jus (fr), 352, 410.
jüs (fr), 139.
juso (port), 352.
jutjar (cat), 253.
jutjar (prov), 253.
juzgar (esp), 253, 333.

k, [29 y ss.], 49, 51 y ss., 133, 362
  y ss., 386 y ss., 430 y ss.
kaddu (sar), 364, 496.
kadena (sar), 160.
kagare (log), 396.
kain (vegl), 311.
kaira (vegl), 311.
kakare (sar centr), 396.
kakhare (tosc), 396.
kal (vegl), 348.
kalb (árabe), 310 n.
kale (sar), 348.
καμπή (gr), 321.
kand (vegl), 348.
kandu (sar), 348.
kántana (sar), 528.
kantu (sar), 348.
kapei (vegl), 368.
kapra (sar centr), 420.
karβeddu (log), 311.
karviale (vegl), 311.
karus (lat), 310.
kasse (al), 123, 125.
kasu (sar), 460.
kasu (sudit), 460.
kategorie (al), 142 n.
katena (sar), 193.
katze (al), 310.
kaufen (al), 73, 97.
kavadd (sar centr), 364.
kavaddu (sudit), 496.
kavallu (sudit), 496, 497.
kavúl (vegl), 175.
ke (vegl), 346 n.
kelu (log), 311.
kelu (sar), 193.

keller (al), 311.
kena (log), 311.
kenápura (sar), 149, 158 n.
kentu (log), 311.
kentu (sar), 78, 79, 193, 469.
kera (log), 311.
kera (sar), 160.
kerbu (log), 311.
kerrere (sar), 345.
keret (sar), 193.
keval (norm), 316.
keval (pic), 316.
kidzu (log), 311.
kief (norm), 316.
kief (pic), 316.
kier (norm), 316.
kier (pic), 316.
kimbe (log), 311, 482.
kímighe (log), 311.
kind (al), 310.
kirkare (sar), 253.
kivardzu (log), 311.
kluf (vegl), 340.
ko (vegl), 344.
koa (norteit), 377.
koa (sar), 193, 364.
koda (sar centr), 364.
kóit (vegl), 185.
kolora (sar), 238.
konoskere (sar), 181.
koriu (nuor), 466.
koro (sar), 178, 189 n., 528, 561.
korpus (sar), 193.
korría (sar), 471.
kórrina (sar), 193.
kossa (sudit), 440.
krae (sar), 340.
krau (sar), 340.
kráuk (vegl), 183.
krédere (sar), 193.
kredro (vegl), 337.
kréere (sar), 337.
krepúr (vegl), 368.
krokš (retorrom), 182.

krukš (retorrom), 182.
kual (vegl), 178.
kuatro (vegl), 348.
kuatuárko (vegl), 348.
κυβερνᾶν (gr), 321.
kuh (al), 310.
kup (vegl), 318, 368.
kur (al), 69.
Κυρεῖνος (gr), 346 n.
Κυριακός (gr), 346 n.
kutte (al), 44.

l, [29 y ss.], 80 y ss., 127, 133, 308,
    309, 340 y ss., 381 y ss., 411 y ss.,
    419 y ss., 562.
là (fr), 115, 407, 563.
là (it), 115, 563.
lã (port), 237, 308, 405.
la < l a v a b a t (rum), 190.
la < l a v a r e (rum), 253, 373.
lă (rum), 190.
lăa (rum), 253.
labia (lat), 475.
labium (lat), 475.
lac (norteit), 434.
la carne (esp), 362.
la carne (norteit), 362.
la casa (tosc), 577.
laccio (it), 479.
la cena (tosc), 576.
laço (port), 470.
lacium (lat), 479.
lacrămă (rum), 420.
lacrima (it), 420.
lacrimam (lat), 225, 420.
lacs (fr), 479.
lactarium (lat), 207.
lactem (lat), 207, 308, 434 y n., 483.
lactucam (lat), 261.
lăcustă (rum), 493.
lach (prov), 434.
lâcher (fr), 135.
lad (sobres), 175.
là-dedans (fr), 525.

là-dessus (fr), 525.
lado (esp), 175.
lado (port), 175.
ladu (sar), 175.
laetum (lat), 241.
la fémmina (tosc), 579.
la fenêtre (fr), 525.
lagrema (prov), 420.
lágrima (esp), 420.
lágrima (port), 420.
lagrima (it), 420 n.
la guglia (it), 270.
l' aguglia (it), 270.
la haie (fr), 133.
lai (fr), 563.
laicher (fr), 135 n.
laine (fr), 129, 308.
lairme (fr), 225, 420.
laischier (fr), 135 n.
laissiét (fr), 210 n.
lait (fr), 207, 483.
lait (piam), 435.
lait (prov), 207, 435.
laitier (fr), 207.
la χarne (tosc), 362.
lalpam (lat), 216.
lana (esp), 115, 308.
lana (it), 115, 308.
lana (prov), 308.
lână (rum), 308.
lanam (lat), 115, 129, 231, 237, 405.
lande (esp), 341.
lande (port), 341.
lang (al), [29], 56.
Langres (fr), 508.
langue (fr), [28], 1, 45, 81, 235, 486.
langueur (fr), 486.
languorem (lat), 486.
lank (vegl), 167.
la pala (tosc), 577.
la part (fr), 579.
la parte (tosc), 579.
la preuve (fr), 138.
laquium (lat), 476.

laqueum (lat), 470, 476.
larcin (fr), 296, 525.
laridum (lat), 282.
larma (sobres), 420.
larme (fr), 225.
larrecin (fr), 295, 296, 525.
laru (sar), 243.
la scuola (it), 353.
laschier (fr), 135.
la semaine (fr), 266.
las manos (esp), 538.
las partes (tosc), 579.
la spuse (fr), 353.
lastimar (esp), 341.
lastimar (port), 341.
lat (eng), 207.
lat (prov), 175.
lat < l a t u m (rum), 175.
lat < l a t u s (rum), 175.
la tela (tosc), 577.
latg (sobres), 207, 434.
latir (esp), 341.
latir (port), 341.
lato < l a t u m (it), 175.
lato < l a t u s (it), 175.
latrocinium (lat), 295, 525.
latrones (lat), 93.
latum (lat), 175.
latus (lat), 175.
latz (prov), 175.
laudă (rum), 273.
lăuda (rum), 253.
lauda (sobres), 273.
laudare (lat), 253, 365, 534.
laudaris (lat), 534.
laudat (lat), 246, 273.
launa (sobres), 308.
laur (prov), 243.
laur (rum), 243.
lauribaccam (lat), 359.
lauro (esp), 243.
laurum (lat), 243.
lauza (prov), 273.
lauzar (prov), 253, 365.

avabat (lat), 190.
avar (cat), 253.
avar (esp), 253.
avar (port), 253.
avar (prov), 253.
avar (sobres), 253.
avare (it), 253, 373.
avare (lat), 253, 373.
lavat (lat), 174, 190.
lavatum (lat), 174.
lavé (fr), 174.
la vémmina (tosc), 57.
laver (fr), 253.
l'avertin (fr), 270.
la vertin (fr), 270.
lavia (prov), 475.
laxatum (lat), 210.
laxicare (lat), 135.
laz (fr), 479.
lazo (esp), 470.
le (fr), [29].
lé (fr), 175.
leagă (rum), 197.
leage (rum), 197.
leal (port), 268.
leare (sar), 273.
lebre (port), 284.
lebre (prov), 284.
lec (norteit), 434.
lectum (lat), 194, 205, 434, 484.
lech (prov), 434.
leche (esp), 207, 434 y n.
lecho (esp), 205, 434.
lechuga (esp), 261.
léere (log), 392.
leg (rum), 197.
lega (prov), 484.
legalem (lat), 268.
lege (corso), 394.
lege (rum), 197, 394.
legem (lat), 197, 208, 394, 395, 565.
léger (fr), 207.
legere (lat), 392, 394, 395.
légere (sar centr), 392.

leggere (centroit), 395.
legier (fr), 207.
legna (it), 167.
legne (fr), 167.
legno (tosc), 447.
legua (esp), 484.
leguam (lat), 200.
lei (fr), 208, 395.
lei (prov), 565.
léiere (sudit), 395.
leisir (fr), 261.
leit (piam), 435.
leit (prov), 435.
leite (port), 207, 435.
leito (port), 435
leivra (francoprov), 36.
le mani (it), 274.
le mano (tosc), 274.
lemn (rum), 161, 167, 445.
l'endemain (fr), 359.
lendemain (fr), 359.
le neveu (fr), 266.
lenga (luc), 161.
lenga (prov), 486.
lengua (esp), 486.
lengue (fr), 235.
lenha (port), 167.
lenha (prov), 167.
lenn (sobres), 233.
lenna (sobres), 167.
lenzuelo (esp), 149.
lenzuolo (it), 149.
leña (esp), 167.
leonem (lat), 267.
le pain (fr), 578.
lepore (lat), 36, 188, 197, 284, 309.
lepre (it), 284.
lequam (lat), 484.
ler (port), 395.
lerme (fr), 225.
les (fr), 575.
les haricots (fr), 334 n.
les hommes (fr), 334, 540, 576.
les pains (fr), 578.

les passions (fr), 127.
les pères (fr), 576.
l'espuset (fr), 353 n.
let (eng), 205.
letg (sobres), 205, 434.
leu (fr), 200.
leuca (gal), 484.
leva (it), 373.
leva (port), 373.
leva (prov), 373.
leva (sobres), 373.
levada (sobres), 379.
levai (sobres), 379.
leva illum (lat), 149.
levallu (lat), 149.
levantémonos (esp), 539.
levantémonos (port), 539.
levar (port), 273.
levar (prov), 273.
levar (sobres), 273.
levare (it), 273.
levare (lat), 273.
levat (lat), 309, 373.
levatam (lat), 379.
levati (lat), 379.
levatum (lat), 379.
levau (sobres), 379.
leve (fr), 174.
levem (lat), 139.
lever (fr), 273.
leviarium (lat), 207.
lez (fr), 175.
l' homme (fr), 297, 334.
lì (it), 115.
libertatem (lat), 276.
licere (lat), 261.
lié (fr), 241.
liebre (esp), 284.
lieire (fr), 395.
lieit (prov), 205.
liengu (sobres), 233.
l'ierre (fr), 359.
lierre (fr), 284, 359.
lieto (it), 241.

liettu (sudit), 194.
lieu (fr), 200, 219 n., 248, 565.
lieue (fr), 200, 482.
lieung (sobres), 233.
lieunga (sobres), 486.
lieva (esp), 309.
lièvre (fr), 127, 188, 284.
ligat (lat), 197.
lignam (lat), 167.
lignum (lat), 161, 167, 233, 445, 446, 447.
ligo (lat), 197.
líinu (sudit), 446.
limam (lat), 235.
limare (lat), 263.
limbă (rum), 486.
limba (sar), 486.
lime (fr), 235.
limer (fr), 263.
limpede (rum), 231, 375.
limpedem (lat), 375.
limpidum (lat), 204, 231, 375, 377.
limpio (esp), 204, 377.
limpo (port), 204, 377.
lin (fr), 127.
lînă (rum), **231.**
linceul (fr), 149.
lîngoare (rum), 486.
Lingones (lat), 508.
lingua (it), 486.
lingua (port), 486.
linguam (lat), 235, 350, 486.
linna (sar), 167, 448.
linnu (sudit), 448.
linteolum (lat), 149.
linum (lat), 233, 309.
lion (fr), 267.
lire (fr), 395.
lit (fr), 205, 484.
litière (fr), 137.
liu (fr), 200.
liug (sobres), 565.
liung (sobres), 233.
líunu (sudit), 445.

lná (francoprov), 152.
lo (fr dial), 274.
lo (prov dial), 274.
loa (esp), 273.
loar (esp), 253.
loc (prov), 200 n., 565.
loc (rum), 197.
localem (lat), 255.
locare (lat), 398.
locarium (lat), 207.
locum (lat), 178, 193, 197, 200, **248**, 565.
locustam (lat), 493.
loch (al), 123, 129.
löcher (al), 123, 129.
loda (it), 273.
lodare (it), 253.
lodo (esp), 183.
lodo (port), 183.
lo ferro (centroit), 274.
l'oglio (centroit), 274.
loi (fr), 395, 565.
lóik (vegl), 185.
loin (fr), 236 n., 570.
loir (fr), 342 n.
loisir (fr), 261.
loita (prov), 207.
loku (sar), 193.
lomb (prov), 183.
lombo (it), 183.
lombo (port), 183, 416.
l'omme (fr), 334.
lomo (esp), 183, 416.
lonc (fr), 570.
long (fr), [29], 235, **570**.
longam (lat), 510.
longe (fr), 510.
longe (lat), 236 n., 570.
longo (port), 237.
longum (lat), 233, 235, 570.
lop (prov), 565.
los (esp), 575.
lo scritto (it), 353.
lo spedale (it), 270.

l'ospedale (it), 270.
los pelos (esp), 538.
lot (prov), 183.
loto (it), 183.
lotta (it), 204 n.
lottare (it), 204 n.
lou (fr), 565.
loue (fr), 246, 273.
louer (fr), 253, 365, 398.
Louis (fr), 357 y n.
loup (fr), 565.
louro (port), 243.
louva (port), 273.
louvar (port), 253.
loyer (fr), 207.
lu (val), 184 n.
lua (port), 237, 405.
luare (rum), 273.
lu ccasu (sudit), 560.
lucent (lat), 208.
lucet (lat), 185.
luctam (lat), 204, 207, 430.
luctare (lat), 204 n.
lucha (esp), 204, 207.
ludu (sar), 183.
luec (prov), 200 y n.
luego (esp), [29].
luenh (prov), 570.
l'uette (fr), 359.
luette (fr), 359.
lueu (fr), 200, 248.
luf (sobres), 565, 567.
lu fierru (centroit), 274.
lu fuocu (centroit), 274.
l'ufte (alb), 430.
lugar (esp), 255.
luisent (fr), 208.
luite (fr), 204 n., 207.
luk (vegl), 178.
lu liettu (centroit), 274.
lum (prov), 531.
lu martiellu (centroit), **274**.
lumbre (esp), 531 n.
lumbu (sar), 183.

lumbum (lat), **183, 416.**
lume (it), 531.
lume (port), 531.
lume (**rum**), 531.
lumen (lat), 531.
lumene (lat), 531 n.
lumine (lat), 531 n.
lu munnu (centroit), 274.
luna (esp), 405.
luna (**it**), 405.
luna (luc), 161.
luna (prov), 405.
lună (rum), 161, 231, 405.
luna (sar), 405.
lunae dies (lat), 263.
lunam (lat), 152, 231, 233, 237, 405, 499.
lundi (fr), **127, 263.**
lune (**fr**), 405.
luoc (**prov**), **200.**
luok (**vegl**), **563.**
l'uomo (it), 297.
luongu (sobres), 233.
luotta (eng), 207.
lup (rum), 281.
lúpul (rum), 281.
lupum (lat), **281, 565.**
lupum illum (lat), 281.
lu puorcu (centroit), 274.
lurette (fr), 256.
lusciniolum (lat), 359.
lut (rum), 183.
luta (port), 204, 207.
lutga (sobres), 207.
lutum (lat), 183.
lutte (fr), 204 n., 207.
lu vientu (centroit), 274.

ll, 494-499.
llama (esp), 341.
llamar (esp), 341.
llana (cat), 308.
llano (esp), 341.
llanta (esp), 415.

llave (esp), 276, 341, 373.
llavi (cat), 475.
llebre (cat), 284.
llegir (cat), 395.
llengua (cat), 308, 486.
lleno (esp), 341.
llenya (cat), 167.
llet (cat), 207, 308, 435.
lleva (cat), 373.
lleva (esp), 309, 373.
llevar (cat), 273.
llevar (esp), 273, 309.
lley (cat), 565.
llit (cat), 205, 435.
lloa (cat), 273.
lloar (cat), 253.
lloc (cat), 308, 565.
llom (cat), 183.
llop (cat), 565.
llor (cat), 243.
llot (cat), 183.
llum (cat), 531.
lluna (cat), 308, 405, 499.
lluvia (esp), 204.
lluyta (cat), 204 n., 207.

m, [29 y ss.], 48, 86, 127, 133, 404 y ss., 415 y ss., 529 y ss.
ma (eng), 541.
ma (fr), [29].
maça (esp), 454.
maça (port), 454.
maçana (esp), 454.
macchia (it), 147.
măciucă (rum), 454.
mácula (esp), 147.
maculam (lat), 147.
mâcher (fr), 510.
macho (esp), 423.
macho (port), 423.
madir (sobres), 378.
madre (esp), 175.
madre (it), 175.
madre (port), 175.

madrugar (esp), 295.
măduă (rum), 498.
madur (prov), 361.
maduro (esp), 149, 360.
maduro (it dial), 362.
mage (lat), 534.
maggio (centroit), 395, 471.
magis (lat), 394, 534, 539, 541.
magistrum (lat), 394.
maglia (it), 147.
magnî (val), 210 n.
mai (fr), 471, 565.
mai (rum), 394.
mai (prov), 565.
mai (sobres), 541.
maiestru (rum), 394.
maig (cat), 471, 565.
maiius (lat), 395.
maille (fr), 147.
main (fr), [29], 45, 127, 129.
maio (port), 471.
maire (prov), 175.
mais (fr), 45.
maison (fr), 235.
maisa (eng), 418.
maisa (vegl), 418.
maissela (prov), 441.
maissele (fr), 441
maître (fr), 124. 127.
maiu (rum), 471.
maiu (sar), 471.
maiu (sudit), 395, 471.
maius (lat), 297, 471, 565.
maixella (cat), 441.
mal (cat), 569.
mal (fr), 174.
mal (port), 569.
mâle (fr), 423, 512.
male (it), 139.
male (lat), 569.
malheur (fr), 258.
malifatium (lat), 372.
malinconia (it), 139
malla (esp), 147

malleu (lat), 110.
mallium (lat), 110.
mălum (lat), 154.
mălum (lat), 154.
mancha (esp), 147.
manducare (lat), [30], 117, 293.
mandare (lat), 416.
manducat (lat), 184.
manéga (berg), 152.
manéga (prov), 152.
manere (lat), 117, 118.
mánga (prov), 152.
manger (fr), 293.
manicam (lat), 152.
mannare (sudit), 416.
mano (esp), 42.
manoika (vegl), 184.
manojo (esp), 478.
manonka (vegl), 184.
mansionem (lat), 235.
manum (lat), 44, 129, 233, 237, 405.
manus (lat), 405.
mão (port), 237, 405.
mãos (port), 237, 405.
mar (cat), 175.
mar (esp), 175.
mar (port), 175.
mar (prov), 175.
măr (rum), 239.
mar (sobres), 175.
márcuri (corso), 149.
mare (cat), 175.
mare (it), 175.
mare (lat), 174, 175, 189 n., 209, 407.
mare (rum), 175.
mare (sar), 175.
margin (vasc), 323.
marginaceum (lat), 323 n.
marginem (lat), 323.
marguen (arag), 323 n.
marguinazo (arag), 323 n.
martes (esp), 541.
martis (lat), 541.
mărunt (rum), 253.

mâs (rum), 44.
masă (rum), 239, 418.
mascella (it), 441.
mascle (cat), 423.
mascle (prov), 423.
masculum (lat), 423, 511, 512.
mascur (rum), 423.
maschier (fr), 510.
maschio (it), 423.
măsea (rum), 440.
masle (fr), 423, 511, 512.
ma spuse (fr), 353.
masse (fr), 454.
massidda (sar), 442.
massilla (sudit), 440.
massue (fr), 454.
masticare (lat), 91, 92, 510.
mastin (fr), 519.
masuetinum (lat), 519.
măsură (rum), 262.
mat (vegl), 167.
matg (sobres), 471, 565.
mathieu (fr), 200.
mathuro (tosc), 362.
mâtin (fr), 519.
matrem (lat), 91, 92, 157, 175.
matteam (lat), 454.
matteucam (lat), 454.
Mattheum (lat), 200.
mattianam (lat), 454.
mátur (rum), 149, 153.
maturam (lat), 378.
maturicare (lat), 295.
maturo (it), 40, 128, 149, 360.
maturo (tosc), 577.
maturum (lat), 133, 149, 153, 267, 360, 361, 362, 378.
maun (sobres), 233.
mäur (fr), 267.
maure (fr), 127.
mauvais (fr), 372.
maxillam (lat), 261, 440, 441.
maximum (lat), 138.
maxumum (lat), 138.
may (cat), 539.

mayo (esp), 471.
mazza (it), 454.
maϑuro (tosc), 362.
me (it), 190.
me (lat), 190.
mea (rum), 187.
meam (lat), 187.
mecer (esp), 426.
médecin (fr), 133, 525.
meder (sobres), 172.
medicum (lat), 524.
medietate (lat), 210.
medium (lat), 205, 456.
medo (port), 172.
medullam (lat), 268, 498.
meer (al), 42.
megl (eng), 205.
meglder (eng), 205.
meglier (sobres), 205.
meglio (centroit), 274.
meglio (it), 542.
mei (lat), 187, 200, 201, 205.
meine (fr), 235.
meins (fr), 235.
meins (sobres), 565.
meire (prov), 172.
meisa (sobres), 418.
meisser (prov), 426.
meistre (fr), 426.
meitatem (lat), 210 n.
meitié (fr), 210.
mejilla (esp), 261, 441.
mel (cat), 172, 562.
mel (fr), 174.
mel (lat), 562.
mel (port), 172, 562.
mel (prov), 172, 562.
mel (sobres), 172, 562.
mel (vegl), 166.
melancholiam (lat), 139.
mele (lat), 197, 562.
mele (sar), 172, 562.
mele (tosc), 198.
mêler (fr), 266.
melior (lat), 205.

melius (lat), 205, 274, 542.
melum (lat), 239.
melle (lat), 172, 189, 562 n.
mélli (sobres), 166.
membre (fr), 235.
membrum (lat), 235.
mendicare (lat), 295.
mendicat (lat), 295.
mendie (fr), 295.
mendier (fr), 295.
mène (fr), 235.
mener (fr), 263.
mensae (lat), 161, 239.
mensam (lat), 157, 239, 418.
mensem (lat), 199, 418.
mensi (lat), 199.
mensuram (lat), 262.
mensurare (lat), 295.
mensurer (fr), 295.
mente (it), 232.
-mente (lat), 344.
mente (rum), 239.
mentem (lat), 239.
mentit (lat), 232.
mento (it), 232.
mentum (lat), 232.
menu (fr), 253.
menudo (esp), 253.
menut (cat), 253.
menut (prov), 253.
mer (fr), 174, 175, 186, 209, 407.
mercedem (lat), 115 y n., 212, 407.
merci (fr), 212, 407.
mercoledi (it), 149.
mercredi (fr), 149.
mercuri dies (lat), 149.
merda (cat), 172.
merda (it), 172.
merda (port), 172.
merda (prov), 172.
merda (sar), 172.
merdam (lat), 172, 407.
merde (fr), 172, 407.
mère (fr), 175, 186.

mereo (lat), 200, 205.
merula (sar), 193.
merulam (lat), 193.
merveille (fr), 208, 209.
mervoille (fr), 208.
més (cat), 539.
mes (cat), 565.
mes (prov), 565.
mesa (cat), 418.
mesa (esp), 418.
mesa (it), 418.
mesa (port), 418.
mesa (sar), 418.
mesa (sobres), 205.
mesam (lat), 418.
mescere (it), 426.
mese (luc), 160, 161.
mese (rum), 161, 239.
mese (sar), 160.
mese (sudit), 199.
mesem (lat), 418.
mesler (fr), 266.
mesme (fr), 538.
meşte (rum), 426.
met (fr), 129, 167, 186.
met (prov), 167, 172.
metere (lat), 172.
metipsimum (lat), 538.
meto (esp), 167.
meto (port), 167.
mets (fr), 167.
méttel (sobres), 167.
metter (sobres), 172.
mettere (lat), 96, 157.
mettet (fr), 129.
metto (it), 167.
metto (sudit), 274.
mettre (fr), 96, 124, 127.
metum (lat), 172.
meu irmão (port), 324 n.
meule (fr), 178, 186.
meum (lat), 187, 200, 248, 530.
meum germanum (lat), 324 n.
meunu (lat), 530.

mëur (fr), 149, 267, 361, 378.
meurs (fr), 205.
meurt (fr), 138, 178.
meut (fr), 186.
meute (fr), 186.
mexer (port), 426.
mexiella (esp), 441.
mez (eng), 205.
mezs (sobres), 205.
mezzo (it), 456.
mi (fr), 205.
mia (it), 187.
mia (prov), 187.
miam (lat), 187.
miarda (sobres), 172.
miarda (vegl), 172.
mie (rum), 166.
miedo (esp), 172.
miege (fr), 524.
miegliu (centroit), 274.
miei (fr), 137.
miei (it), 187.
miei (rum), 187.
miei < m e d i u m (prov), 205.
miei < m e i (prov), 200, 201.
miel (esp), 172, 562.
miel (fr), 172, 186, 189, 562, 572.
miel (rum), 270.
micidre (fr), 205.
miele (it), 172, 189, 198, 562.
mielher (prov), 205.
mielhs (prov), 205.
mielz (fr), 205.
mien (fr), [22], 187, 200, 530.
mier (prov), 200, 205.
miera (sobres), 178.
miércoles (esp), 149.
miércuri (rum), 149.
mierda (esp), 172.
miere (rum), 172, 197, 562.
mierel (sobres), 205.
miérro (prov), 227.
miert (sobres), 196.
mietere (it), 172.

mieu (fr), 187.
mieu (prov), 187, 200.
mieu (rum), 187.
mieux (fr), 205.
miez (rum), 456.
miez (sobres), 205, 456.
mig (cat), 205.
migir (sobres), 395.
mikr (retorrom), 185.
mil (cat), 166.
mil (esp), 166.
mil (fr), 166.
mil (port), 166.
mil (prov), 166.
mil (vegl), 172.
mile (lat), 494 n.
milia (lat), 166.
mille (it), 166.
mille (lat), 157, 166.
minare (lat), 263.
minat (lat), 235.
ministro (port), 258.
minte (rum), 239.
minto (sar), 167.
minus (lat), 235.
minuto (it), 253.
minutu (sar), 253.
minutum (lat), 253.
mio (it), 187.
miolo (port), 268.
mir (sobres), 185.
mirabilia (lat), 208, 209.
miscere (lat), 426.
misculare (lat), 266.
misculat (lat), 204.
mischia (flor), 204.
mischia (it), 204.
misdrent (fr), 149.
misero (it), 149.
miserunt (lat), 149.
misi (sudit), 199.
misiala (sobres), 441.
mismo (esp), 538.
mitte (al), [29], 44.

mittere (lat), 96, 172.
mittit (lat), 129, 167, 186.
mitto (lat), 167, 274.
mittu (sudit), 274.
mittunt (lat), 274.
miudo (port), 253.
mo (port), 178.
moale (rum), 178.
moară (rum), 178, 197.
moare (rum), 178, 197.
moarte (rum), 178.
modde (sar), 178.
modium (lat), 205.
moeda (port), 268.
mogliere (it), 149.
mogul (al), 55.
moi (fr), [22], 190.
moie (fr), 187.
moillier (fr), 149.
moins (fr), 235, 240.
moio (port), 205.
moiro (port), 205.
mois (fr), 565, 572.
moise (fr), 418.
moisir (fr), 254.
moitié (fr), 210.
mol (fr), 178.
mol (prov), 178.
mola (cat), 178.
mola (prov), 178.
molam (lat), 36, 178, 197.
molestusne sis (lat), 534.
molt (cat), 204 n.
molto (it), 299.
moll (cat), 178.
molle (it), 178.
molle (port), 178.
mollem (lat), 178.
monat (al), 91.
monceau (fr), 293.
monetam (lat), 268.
monnaie (fr), 186.
mont (fr), 45.
montagne (fr), 236.

Montaigne (fr), 236.
montaigne (fr), 236.
montaneam (lat), 236.
Monte Martyrum (lat), 509, 516.
monticello (it), 293.
monticellum (lat), 293.
Mont-Martre (fr), 509, 516.
montrez-le (fr), 44, 127.
monumentum (lat), 239.
mor (cat), 178.
mor (prov), 178.
mord (al), 127.
moridi (sar), 178.
morio (lat), 200, 205.
morit (lat), 138, 178.
mormănt (rum), 239.
mormînt (rum), 239.
moro (cat), 205.
morons (fr), 138.
morre (port), 178.
morro (port), 205.
mort (cat), 178.
mort (fr), 44, 45, 127, 178.
mort (prov), 178.
mort (sobres), 178.
morta (port), 195.
morta (sudit), 194.
mortas (port), 195.
morte (it), 178.
morte (port), 178, 195.
morte (sar), 178.
morte (sudit), 194.
mortem (lat), 178, 194, 195.
morto (port), 195.
mortos (port), 195.
morts (sobres), 196.
mortuae (lat), 194.
mortuam (lat), 194.
mortui (lat), 194.
mortum (lat), 251.
mortuos (lat), 196.
mortuum (lat), 194, 196, 251
morumus (lat), 138.
-mos (lat), 274.

mosca (cat), 183.
mosca (esp), 183.
mosca (it), 183.
mosca (port), 183.
mosca (prov), 183.
moscam (lat), 157.
-mos + nos (esp), 539.
-mos + nos (port), 539.
mot (fr), 186.
mou (fr), 44.
mouche (fr), 183.
mouche à miel (fr), 131 n.
moula (francoprov), 36.
mour (eng), 205.
mourons (fr), 138.
mout (fr), 217.
mouvoir (fr), 572.
movet (lat), 200.
moyo (esp), 205.
möz (eng), 205.
mozza (eng), 205.
muart (vegl), 178.
mucere (lat), 254.
mucho (esp), 78, 161, 204, 299, 413.
mudar (esp), 253.
mudar (port), 253.
mudar (prov), 253.
mudare (it), 379.
mudare (sar), 253.
muei (prov), 205.
muela (esp), 178.
muelle (esp), 178.
muer (fr), 253, 267.
muer (prov), 200, 205.
muere (esp), 178.
muero (esp), 205.
muert (fr), 136, 138, 178.
muerte (esp), 178.
mueu (prov), 200.
mugir (port), 395.
mugire (lat), 395.
mui (fr), 205.
muid (fr), 205.
muir (fr), 200, 205.
muito (port), 204, 207, 413.

mujer (esp), 149, 261.
muk (francoprov), 185.
mulge (rum), 161.
mulgere (lat), 161.
mulierem (lat), 149, 261.
mult (rum), 299.
multum (lat), 204, 207, 217, 299, 413.
munge (luc), 161.
muor (vegl), 175.
muore (it), 178.
muorti (sudit), 194.
muortu (sudit), 194.
muou (prov), 200.
mur (cat), 185.
mur (fr), 44, 46, 185, 530.
mûr (fr), 128, 267, 378.
mur (prov), 185.
mur (rum), 161, 185.
mur (vegl), 175.
muro (esp), 185, 530.
muro (it), 185, 530.
muro (port), 185, 530.
muros (lat), 137.
muros (port), [34].
muru (apul), 162.
muru (cal), 162.
muru (luc), 160, 161.
muru (sar), 160, 185.
muru (sic), 162.
murum (lat), 46, 185, 530.
muscă (rum), 183.
musca (sar), 183.
muscam (lat), 183.
musculum (lat), 157.
mustga (sobres), 183.
muta (rum), 253.
mutare (it), 253, 379.
mutare (lat), 253, 267.
mutter (al), [30].
mütter (al), [30].
myrrham (lat), 227.

n, [29 y ss.], 48, 86, 127, 133, 304 y ss,. 404 y ss., 415 y ss., 502 y ss., 531 y siguientes.

na (eng), 532 n.
na (sobres), 532 n.
nace (esp), 207.
nacqui (it), 487.
nacui (lat), 487.
nada (esp), [29].
nai (vegl), 167.
naïf (fr), 572.
nain (fr), 127, 129.
nair (eng), 207.
nais (prov), 207.
naist (fr), 207.
naistre (fr), 509.
naître (fr), 509.
naix (cat), 207.
nanum (lat), 129.
não (port), 532.
naris (lat), 565 n.
nars (cat), 565 n.
nas (cat), 565.
nas (prov), 565.
nas (sobres), 565.
nasce (port), 207.
nascere (lat), 509.
nascit (lat), 207.
nascondere (it), 271.
nascha (eng), 207.
nasum (lat), 565.
nat (cat), 565.
nat (prov), 565.
natalem (lat), 258.
natam (lat), 523.
natare (lat), 258.
nate (fr), 492.
nation (fr), 142.
nattam (lat), 492.
natte (fr), 492.
natum (lat), 565.
náuk (vegl), 183.
navis (lat), 571.
né (fr), 565.
ne (fr), 532.
nea (rum), 167.
nebode (sar), 253, 364.

nebot (cat), 368.
nebot (prov), 253, 368.
née (fr), 523.
negar (cat), 399.
negar (esp), 399.
negar (prov), 399.
negare (lat), 399, 400.
negat (lat), 400.
negre (cat), 207.
negri (rum), 197.
negro (esp), 207.
negro (port), 207.
negru (rum), 161, 197.
neif (fr), 167.
neif (sobres), 167.
nekf (retorrom), 170.
neiar (prov), 400.
neier (fr), 400.
neir (fr), 207.
neir (prov), 207.
neiv (sobres), 565.
neix (cat), 207.
nen (fr), 532.
nenćoin (vegl), 481.
nepos (lat), 368, 571.
nepot (rum), 253, 368.
nepote (luc), 161.
nepote (sar centr), 364.
nepotcm (lat), 199, 253, 266, 364, 368.
nepoti (lat), 199.
nepotum (lat), 368.
neque (lat), 481.
neque unum (lat), 481.
nequ-unum (lat), 481.
ner (sobres), 207.
nero (centroit), 421.
nervum (lat), 194.
nés < n a s u s (fr), 565.
nes < n a v i s (fr), 571.
nescha (sobres), 207.
net (fr), 572.
néu (cat), 565.
neu (fr), 565.
néu (prov), 565.

neuf < n o v e m (fr), 178, 304.
neuf < n o v u m (fr), 178.
neve (it), 167.
neve (luc), [24], 161.
neve (port), 238.
nevem (lat), 157, 170.
neveu (champ), 199.
neveu (fr), 253, 266, 368.
nevs (sobres), 368.
nez (fr), 565.
ni (fr), 565.
ni (prov), 565.
nici (rum), 481.
nid (fr), 565.
nido (esp), 377.
nidum (lat), 377, 565.
nie (fr), 400.
nie (log), 364, 373.
nie (sar), 160, 167.
nieie (fr), 400
nier (fr), 400.
niervu (sudit), 194.
nies (fr), 571.
niev (sobres), 178, 565.
nieve (esp), 238.
nievs (fr), 571.
nigram (lat), 197.
nigri (lat), 197.
nigrum (lat), 161, 197, 207, 421.
ninguno (esp), 481.
ninho (port), 377.
nipote (it), 253, 368.
nipote (tosc), 255.
nipote (luc), 160.
nipote (sudit), 199.
nipute (apul), 162.
nipute (cal), 162.
nipute (sic), 162.
niputi (sudit), 199.
nit (cat), 205.
nit (prov), 565.
nitidum (lat), 572.
niu (cat), 377, 565.
niu (sobres), 565.

nive (apul), 162.
nive (cal), 162.
nive (luc), [24], 160.
nive (sar centr), 364, 373.
nive (sic), 162.
nivem (lat), 167, 364, 373, 565 y n.
nivi (luc), [24].
nivis (lat), 565 n.
no (cat), 532.
no (esp), 532.
no (it), 532.
no (lat), 532.
no (prov), 565.
no (sar), 532.
no (sudit), 532.
noao (rum), 281.
noapte (rum), 431.
noastră (rum), 197.
noastre (rum), 197.
nobis (lat), 193, 281.
noce (it), 183.
noceda (esp), 253.
nocem (lat), 157.
noces (fr), 139.
noceto (it), 253.
noctem (lat), 133, 205, 208, 236 n. 431,
    432, 434, 435.
noch (prov), 434.
noche (esp), 205, 434.
nod (rum), 161.
nodu (sar), 193.
nodum (lat), 161, 193, 565, 568.
noe (sar), 160, 178.
noel (fr), 258.
noer (fr), 258.
noeud (fr), 565.
noga (cat), 183.
noi (it), 542.
noi (rum), 542.
noi (sudit), 544.
noi (vegl), 542.
noif (fr), 167, 565.
noir (fr), 207.
nois (fr), 565 n.

nois (sar), 193.
nöit (piam), 435.
noit (prov), 435.
noite (port), 205, 435.
noiz (fr), 208, 565.
nola (vegl), 185.
nom (cat), 531, 565.
nom (fr), 565.
nom (prov), 531.
nombre (esp), 531 n.
nombre (fr), 235.
nome (it), 531.
nome (port), 531.
nomen (lat), 231, 528, 531, 565.
nomen (sar), 531
nomene (lat), 531 n.
nómene (sar), 528, 531.
nominare (lat), 263.
nomine (lat), 531 n.
nommer (fr), 263.
non (it), 532.
non (lat), 149, 532.
non < n o m e n (fr), 565.
non < n o n (fr), 532.
nonca (prov), 484.
none (lat), 532.
none (sudit), 532.
nono (sar), 532.
nonque (fr), 484.
non scio (lat), 149.
nos (cat), 537.
nos (esp), 537.
nos (lat), 537, 542, 544.
nos (port), 537.
nos (prov), 537.
nos (sar), 537.
nosco (sudit), 274.
noscum (lat), 274.
nostra (sudit), 194.
nostrae (lat), 194, 197.
nostram (lat), 194, 197.
nostre (sudit), 194.
nostri (lat), 194.
nostru (rum), 197.

nostrum (lat), 194, 197.
not (eng), 205.
not (prov), 565.
notare (lat), 258.
note (venec), 435.
notg (sobres), 205.
notte (it), 133 y n., 432.
notte (sar), 432.
notz (prov), 183, 565.
nou < n o v e m (cat), 178.
nou < n o v e m (prov), 178.
nou < n o v u m (cat), 178, 565.
nou < n o v u m (prov), 178.
nou < n u c e m (cat), 565, 568.
nou (rum), 178.
nou (sar), 178.
nouă (rum), 178, 281.
nouces (fr), 139.
nous (fr), [29], 53, 537.
nous avons (fr), 540.
nous demeurons (fr), 138.
nous passions (fr), 127.
nov (sobres), 178.
nova (cat), 373.
nova (port), 373.
nova (prov), 200, 373.
nova (sobres), 373.
nova (sar), 193.
nova (sudit), 194.
novae (lat), 194, 198.
novam (lat), 193, 194, 373.
nove (it), 178, 198, 304.
nove (luc), 160.
nove (port), 178.
nove (sar), 193.
nove (sudit), 194.
nove (tosc), 198.
novem (lat), 157, 160, 178, 193, 194, 198, 304.
novi (lat), 194.
novio (esp), 139.
novo (port), 178.
novu (sar), 193.

novum (lat), 139, 178, 193, 194, 198, 200, 565.
noxam et = noxª et (lat), 529.
noz (port), 183.
nozze (it), 139.
nu (cat), 565.
nu (fr), 565.
nú (port), 377.
nu (rum), 149, 532.
nubere (lat), 139.
nubila (lat), 290.
nucă (rum), 161.
nucam (lat), 183.
nuce (apul), 162.
nuce (cal), 162.
nuce (luc), 160, 161.
nuce (sic), 162.
nucem (lat), 160, 183, 208, 38/, 389, 565, 568.
nucet (rum), 253.
nucetum (lat), 170 n., 253.
nudda (sar), 185.
nudo (esp), 377.
nudum (lat), 377, 565.
nuef (fr), 178, 565.
nueit (fr), 208, 236 n.
nueit (prov), 205.
nueu (prov), 200, 565, 568.
nueva (esp), 373.
nueva (prov), 200.
nueve (esp), 178, 304.
nuevo (esp), 178.
nuez (esp), 183.
nuf (vegl), 178.
nugă (rum), 183.
nughe (sar), 160, 183, 387.
nuit (fr), [30], 73, 205, 208, 236 n., 435.
nuke (sar centr), 387.
nul (eng), 185.
nul (fr), 185.
nul (prov), 185.
null (cat), 185.
nullam (lat), 185.

nulliam (lat), 185.
nullum (lat), 157, 185.
num (sobres), 531, 565.
număr (rum), 290.
nume (rum), 231, 531.
numerum (lat), 235, 290.
nunca (esp), 484.
nunca (port), 237.
nunquam (lat), 484.
nuostri (sudit), 194.
nuostru (sudit), 194.
nuotare (it), 258.
nuou (prov), 200.
nuova (it), 198, 373.
nuova (tosc), 198.
nuove (it), 198.
nuove (tosc), 198.
nuovi (sudit), 194.
nuovo (it), 178, 198.
nuovo (tosc), 198.
nuovu (sudit), 194.
nuptiae (lat), 139.
nus (cat), 565, 568.
nus (sobres), 537.
nusch (sobres), 183, 565.
nú ştiu (rum), 149.
nut (prov), 565.
nuu (cat), 377.
nuv (sobres), 565.
núvola (it), 128, 290.
nŭži (camp), 389.
ny (cat), [34].

o, [29 y ss.], 36, 43 y ss., 127, 143, 149, 156 y ss., 176-182, 186 y ss., 250, 253 y ss., 267 y ss., 401 y ss.
o (esp), 551.
o (fr), 560.
o (it), 551.
oală (rum), 163, 181, 197.
oámenĭ (rum), 197, 290.
-oare (rum), 197.
-oasă (rum), 197, 381.
oase (rum), 197.

-oase (rum), 197.
oaspe (rum), 197.
oaspeţ (rum), 197.
oaste (rum), 197.
oboe (al), 170.
obscurum (lat), 271, 320.
oc (fr), 8, 12 n.
oca (cat), 244, 361.
oca (esp), 244, 245, 361.
oca (it), 245.
oca (norteit), 361.
occasione (it), 147.
occasionem (lat), 147, 270.
occhio (it), 423.
oclum (lat), 205, 282, 423, 508.
octo (lat), 157, 191, 193, 197, 205, 274.
oculos (lat), 219 y n.
oculum (lat), 143, 219 n.
och (eng), 205.
ocha (eng), 244.
ochiu (rum), 423.
ocho (esp), 205.
od (fr), 560.
od (it), 551.
ode (it), 243.
oe (fr), 244, 245, 361.
oe (log), 456.
oeil (fr), 143, 205, 219 n., 423.
oeuf (fr), 186, 238, 571 n.
oeuvre (fr), 186.
oggi (it), 456.
oggi (tosc), 456.
ögl (eng), 205.
ogru (sar), 423.
ohir (cat), 253, 377.
-oi (fr), 170.
oi < h a b u i (fr), 248, 488.
oie (fr), 244, 361.
-oie (fr), 170.
-oient (fr), 170.
oignez (fr), 417.
oignion (fr), 254.
oïl (fr), 8.
oir (esp), 253, 361, 377.

oïr (fr), 253.
-oir (fr), 170, 209.
-oira (vegl), 185.
-ois (fr), 207.
-oit (fr), 170.
-oit (vegl), 185.
-oita (vegl), 185.
oito (port), 205.
ojo (esp), 205.
okru (sar), 423.
okular (al), 55.
ola (port), 181.
olam (lat), 157, 163, 494.
olho (port), 205, 423.
olivetum (lat), 170 n.
olla (cat), 181.
olla (esp), 163, 181.
ollam (lat), 157, 163, 181, 197, 494
-om (indoeur), 274.
om (rum), 231, 404.
ombre (fr), 516.
omē (port), 520 n.
ómine (sar), 404.
ómmine (sar), 188 n.
ómmine (sudit), 188 n., 191.
ómmines (sar), 193.
omne (esp-leon), 520.
omo (lat), 297.
on (fr), 565.
onda (port), 237.
onde (fr), 235.
-one (port), 237.
ongla (prov), 423.
ongle (fr), 423, 513.
onh (prov), 417.
onir (fr), 254.
onn (sobres), 233.
onta (it), 335.
onze (fr), 522.
opt (rum), 197, 274.
or (fr), 149, 243.
ora (sobres), 581.
orbacca (it), 359.
orçuelo (esp), 457.

ordadora (sobres), 581.
ordem (port), 288.
orden (esp), 288.
ordi (prov), 457.
ordinem (lat), 288.
-ote (sar), 193.
orecchio (it), 253, 423.
oreille (fr), 253, 423.
oreja (esp), 253, 423.
orelha (port), 253, 423.
orella (cat), 253, 423.
-orem (lat), 193, 197.
orfão (port), 288.
orfèvre (fr), 421.
orge (fr), 457.
orgueil (fr), 178.
oriclam (lat), 423.
oriculam (lat), 242 n., 253.
ornamentum (lat), 293.
ornement (fr), 293.
oro (esp), 93, 243.
oro (it), 93, 243.
orphanum (lat), 288.
ors (cat), 183.
ors (prov), 183, 410.
orso (it), 183, 410.
orts (sobres), 196.
orz (rum), 457.
orzo (it), 457.
os (cat), 178, 410.
-os (cat), 182, 410.
os (fr), 178.
-os (indoeur), 274.
-os (lat), 274.
os (prov), 178.
-os (prov), 182.
os (rum), 178, 197.
-os (rum), 161, 182, 197.
-osa (cat), 381.
-osa (centroit), 381.
-osa (esp), 381.
-osa (norteit), 381.
-osa (port), 381.
-osa (prov), 381.

-osa (sobres), 381.
-osa (sudit), 199, 381.
-osae (lat), 197, 199.
-osam (lat), 197, 199, 381, 572.
-osas (port), 195.
oscitare (lat), 294.
oscuro (esp), 271.
-ose (sudit), 199.
-osi (lat), 197, 199, 383.
-oşĭ (rum), 197, 383.
oso (esp), 183, 410.
-oso (esp), 182.
-oso (it), 182.
-oso (port), 182, 195.
-osos (port), 195.
ospedale (it), 270.
os pelos (port), 538.
ossam (lat), 197.
-ossi (lat), 134.
osso (it), 178.
osso (port), 178.
ossu (sar), 178.
ossum (lat), 178, 197.
-ossum (lat), 134.
ostel (fr), 219 n.
ostiarium (lat), 207.
ostieus (fr), 219.
ostium (lat), 204.
-osu (sar), 182.
-osum (lat), 161, 195, 197, 199.
ot (eng), 205, 410.
ot (fr), 243.
ôter (fr), 253 n.
otg (sobres), 205.
otoño (esp), 258.
otro (esp), 216, 413.
otto (centroit), 274.
otto (luc), 161.
otto (sar), 193.
ottu (apul), 162.
ottu (cal), 162.
ottu (sic), 162.
ou (fr), 551.
oue (fr), 246.

oui (fr), 8, 59.
ouïr (fr), 361.
oule (fr), 181.
ouriço (port), 470.
ouro (port), 243.
ours (fr), 183, 410.
oüs (fr), 488.
ouster (fr), 253 n.
out (fr), 248.
ou tens (fr), 264.
out espusede (fr), 353.
outro (port), 216, 413.
ouve (port), 243.
ouvir (port), 253, 377.
ove (it), 280.
ovillo (esp), 359.
ovos (lat), 196, 571.
ovs (sobres), 196.
ovum (lat), 196, 200, 238, 571 n.
oye (esp), 243.
oz (sobres), 205, 456.

p, [28, 29 y ss.], 48, 49, 51 y ss., 127, 128, 299 y ss., 362 y ss., 427 y ss.
pá (port), 385.
pa (prov), 234.
pábaru (sar), 243.
pacare (lat), 210, 397.
pacat (lat), 208, 209.
păcat (rum), 262.
pace (tosc), 577.
pacem (lat), 387.
pacis (lat), 208, 209.
padre (esp), 175.
padre (it), 175.
padre (port), 175.
pães (port), 277.
pagare (it), 397.
page (fr), 143.
pagu (sar), 243.
paie (fr), 208, 209.
paiier (fr), 210.
pail (vegl), 167.
paille (fr), 209.

pain (fr), 40, 126, 127, 129, 235.
pains (fr), 277.
paira (vegl), 167.
paire (prov), 175, 275.
pais (fr), 208, 209.
pájaro (esp), 289.
pala (cat), 385.
pala (esp), 385.
pala (it), 385.
pala (prov), 385.
pala (sar), 385.
pala (sobres), 385.
palabra (esp), 147, 245.
palam (lat), 124, 385.
παλάτι (gr), 452 n.
palatium (lat), 452 n.
paleam (lat), 209.
pali (lat), 219 n.
palos (lat), 219.
palpat (lat), 413.
palum (lat), 219 n.
palus (lat), 219.
pallam (lat), 124.
pámpano (esp), 289.
pámpano (port), 289.
pampinum (lat), 289, 508.
pampre (fr), 508.
pană (rum), 231.
panem (lat), 129, 234, 235.
panes (esp), 277.
panes (lat), 277.
pans (cat), 277.
panser (fr), 147.
Paolo disse (tosc), 577.
paon (fr), 374.
paour (fr), 267, 374.
papilionem (lat), 295.
păr (rum), 239.
pară (rum), 384.
parábola (esp), 147.
parabolam (lat), 147.
parabole (fr), 147.
παραβολή (gr), 245.
parabulam (lat), 245.

paraula (prov), 245.
paraulam (lat), 245.
paravlam (lat), 245.
parc (fr), 572.
pare (cat), 175.
pared (esp), 251.
paredes (esp), 277.
paredes (port), 277.
părésimi (rum), 348, 421.
paresse (fr), 421.
paret (lat), 174.
parete (it), 149, 251.
paretem (lat), 251.
paretes (lat), 277.
parets (cat), 277.
parietem (lat), 149, 251.
Paris (fr), 147.
parisien (fr), 127, 207.
parisienne (fr), 127.
paroi (fr), 251.
parois (fr), 277.
parola (it), 245.
parole (fr), 1, 147, 245.
part (cat), 175.
part (fr), 46, 175, 225.
part (prov), 175.
part (sobres), 175.
parte (esp), 175.
parte (it), 175.
parte (port), 175.
parte (rum), 175.
parte (sar), 175.
partem (lat), 93, 175.
partim (lat), 93.
partire (lat), 93.
pas (cat), 175.
pas (fr), 175, 186.
pas (prov), 175.
pas (rum), 175.
pasăre (rum), 289.
pask (vegl), 167.
paso (esp), 175.
passerem (lat), 289.
passo (it), 175.

passo (port), 175.
passu (sar), 175.
passum (lat), 175.
pâte (fr), [29, 30], 126, 127, 186.
patere (lat), 93.
patrem (lat), 93, 127, 157, 175, 275.
patru (rum). 348. 561.
patte (fr), [29, 30], 126, 127.
paubre (prov), 243.
pauc (prov), 243, 361.
pauc (sobres), 243, 361.
pauca (prov), 244.
pauca (sobres), 244.
paucam (lat), 244.
paucum (lat), 243, 244, 248
Paul (al), 69.
Paul (fr), 69.
paume (fr), 127, 186 n.
pauper (sobres), 243.
pauperem (lat), 243, 370.
pauperibus te (lat), 534.
pausare (lat), 576, 579.
pauvre (fr), 243.
paveillon (fr), 295.
pavillon (fr), 295.
pavonem (lat), 374
pavorem (lat), 267, 374.
pé (port), 172, 377.
pe (prov), 172, 565.
pe (sar), 172.
peană (rum), 231.
pebre (cat), 167, 368.
pebre (esp), 167, 368.
pebre (prov), 167, 368.
peccatum (lat), 262.
pece (it), 167.
pecora (lat), 194.
pectinem (lat), 194, 197, 284, 288,
  434 n.
pectus (lat), 161, 197, 205, 435.
pecho (esp), 205.
pedde (sar), 172.
pede (luc), 161.
pede (sar), 193.

pede (sudit), 194, 375.
pedem (lat), 157, 174, 186, 193, **210 n.**
   375, 377, 565.
pedes (lat), 540.
pedi (lat), 194.
pedicam (lat), 188, 197.
pedra (cat), 172, 299.
pedra (port), 172, 299, 420.
pedra (sar), 172, 299.
pedra (sobres), 172, 299, 420.
pedre (fr), 275.
pee (sobres), 377.
peeur (fr), 267.
peggio (centroit), 274, 471.
pei (sobres), 172, 377, 565.
peigne (fr), 284.
peiius (lat), 274.
peil (sobres), 167.
peindre (fr), 509.
peine (esp), 284, 288, 434 n., 546.
peine (fr), 235, 241.
peior (lat), 205, 471.
peira (prov), 172, 299, 420.
peire (fr), 96, 275.
peis (prov), 167, 426.
peisch (sobres), 167.
peiset (fr), 547.
peitsche (al), [29], 78.
peitz (prov), 471.
peiu (sudit), 471.
peius (lat), 205, 297 y n., 471.
peius (sar), 471 [corríjase el «plius»
   del texto].
peiver (sobres), 368.
peix (cat), 167, 426.
peix (port), 426.
peixe (port), 167.
peiz (fr), 208, 209.
pejer (prov), 471.
pel (cat), 167.
pel (fr), 172, 219 n.
peliça (port), 470.
pelissa (prov), 470.
pelisse (fr), 470.

pelo (esp), 167.
pelo (it), 167.
pelo (port), 167.
pel < p e l l e m (prov), 172.
pel < p i l u m (prov), 167.
pell (cat), 172, 276, 570.
pelle (fr), 385.
pelle (it), 172.
pelle (port), 172, 276.
pellem (lat), 172, 276, 570.
pelliça (esp), 470.
pelliceam (lat), 470.
pellissa (cat), 470.
pena (esp), 241.
pena (it), 241.
penam (lat), 235.
pennam (lat), 231.
pensare (lat), 147.
pensat (lat), 547.
penser (fr), 147.
pente (fr), 126.
pente (port), 284, 288.
peor (esp), 471.
peor (port), 471.
pepe (it), 167, 368.
pepe (luc), 161.
peperem (lat), 157.
pépie (fr), 258.
pepro (vegl), 368.
pequniam (lat), 310.
pêr (eng), 205.
pera (cat), 167, 384.
pera (esp), 167, 384.
pera (it), 167, 384.
pera (port), 167.
pera (prov), 167, 384.
pera (sobres), 167, 384.
peram (lat), 96.
perço (port), 457.
perche (fr), 284.
perd (fr), 174, 225, 552.
perdemo (it), 138.
perdemos (esp), 138.
perdeo (lat), 457.

perd-il (fr), 552.
perdimus (lat), 138.
perdit (lat), 174, 197, 225, 552.
perdo (centroit), 274.
perdo (lat), 274.
perdons (fr), 138.
perdumus (lat), 138.
perdunt (lat), 138.
pere (sudit), 375.
père (fr), 175.
pereza (esp), 421.
per hoc (lat), 189.
peri (rum), 239.
per iscritto (it), 353.
peritare (centroit), 421.
pero (esp), 85, 124.
però (it), 46, 189.
perro (esp), 85, 124.
perséga (prov), 152, 287.
pérsega (prov), 152, 287.
persicam (lat), 194, 287.
pert (fr), 46, 174, 225, 552.
pertia (sar), 193.
pèrtica (it), 284.
perticam (lat), 193, 194, 284.
pês (eng), 205.
pesce (it), 167, 426.
pescem (lat), 157.
pèsch (sobres), 167, 426.
peschier (fr), 510.
peschio (it), 512.
pèse (fr), 547.
peser (fr), 147.
pessimum (lat), 138.
pessulum (lat), 512.
pessumum (lat), 138.
peşte (rum), 167, 426.
pet (eng), 205.
peto (venec), 435.
petra (sar centr), 420.
petraę (lat), 197.
petram (lat), 172, 197, 299, 420.
petram illam (lat), 498.
pétrir (fr), 293.

pèttine (it), 284.
petz (prov), 167, 565.
peu (cat), 172, 377, 565.
peu (fr), 244, 248, 361.
peur (fr), 267, 374.
peut (fr), 178.
pez (esp), 167, 426.
pez (port), 167.
pez (sobres), 205.
pfütze (al), 142 n.
pi (vegl), 172.
piacere (it), 340, 341.
piacqui (it), 487.
piaghere (sar), 340.
pial (sobres), 172.
pial (vegl), 172.
piano (it), 341.
pianta (it), 415.
piarde (rum), 197.
piatră (rum), 172, 197, 299, 420.
piatra < p e t r a m i l l a m (rum), 498.
piatre (rum), 197.
piazza (it), 454.
pibere (sar), 167.
pice (luc), 160.
picem (lat), 159, 167 [corríjase en el párrafo de sílaba libre: p i c e y no p i s c e], 208, 209, 565.
Pictavis (lat), 248.
Pictavum (lat), 248.
pie (esp), 172, 377.
pié (fr), [32], 377, 565.
piécura (sudit), 194.
pied (fr), 102, 172, 174, 186, 210 n., 377, 565.
piede (it), 137, 172, 198, 375.
piede (tosc), 198.
piédecă (rum), 297.
piedi (it), 198.
piedi (sudit), 194.
piedi (tosc), 198.
piedra (esp), 172, 299, 420.
piedre (fr), 420.

pieds (fr), 540.
piège (fr), 188.
pieggu (centroit), 274.
pieir (prov), 205.
pieis (fr), 471.
pieitz (prov), 205.
piel (esp), 172, 276, 570.
piele (rum), 172.
pieno (it), 137, 341.
piept (rum), 161, 197.
piéptene (rum), 197, 284.
pierde (rum), 197.
pierre (fr), 172, 299, **420**.
piérsica (sudit), 194.
piertg (sobres), **178**, **196**.
pierti (sobres), 524.
piértica (sudit), 194.
piés (fr), 540.
pietatem (lat), 147, 210.
piété (fr), 147.
pietra (it), 172, 299, 420.
pietre (rum), 197.
piéttine (sudit), 194.
pieu (fr), **219** n.
pieus (fr), 219.
pieux (fr), **219** n.
piez (fr), 540.
pighe (sar), **160**, **167**.
pigmentum (lat), **449**.
pigritare (lat), 421.
pigritiam (lat), 421.
piitatem (lat), **210** n.
pike (vasc), 159.
pilam (lat), **494** n.
pili (lat), 239.
pilu (sar), 167.
pilum (lat), 167, 239.
pilla (tosc), **494** n.
pillam (lat), **494** n., **498**.
pimen (prov), 449.
pimiento (esp), 449.
pin (fr), 235.
pingere (lat), 509.
pinum (lat), 235.

pipe (apul), 162.
pipe (cal), 162.
pipe (luc), 160.
pipe (sic), 162.
piperem (lat), 167, 368.
pippitam (lat), 258.
pir (sobres), 205, 471.
pira (luc), 160.
pira (sar), 160 167.
piram (lat), 96, 167, 384.
pire (fr), 205.
pirum (lat), 46.
pis (fr), 205, 471.
piscare (lat), 94, 510.
piscem (lat), 167, 426.
piske (sar), 167, 426.
pisturire (lat), 293.
pit (cat), 205.
pitié (fr), 147, 210.
pitjor (cat), 471.
pitra (vegl), 172.
più (it), 340, 542, 543.
piuă (rum), **494** n., **498**.
piument (fr), 449.
piumento (it), 449.
pius (sar), 340.
piz (fr), 205.
pla (cat), 340.
pla (prov), 340.
plaça (esp), 454.
place (fr), 454.
plăcea (rum), 341.
placer (esp), 341, 343.
placere (lat), 212, 340, 343, 390.
placet (lat), 175.
plàcido (it), 343.
placidum (lat), 343.
placui (lat), 487.
placuisti (lat), 487.
plagam (lat), 208.
plaie (fr), 208.
plain (fr), 340.
plaine (fr), 235.
plaisir (fr), 212, 340, 390.

plaker (vegl), 340.
planam (lat), 235.
plangere (lat), 287.
plánher (prov), 287.
planta (prov), 415.
plantam (lat), 235, 415.
plante (fr), 235, 415.
planum (lat), 340.
plascher (sobres), 340.
plassa (cat), 454.
plassa (prov), 454.
plateam (lat), 343, 454.
plaun (sobres), 340.
plaure (cat), 340.
plaza (esp), 343.
plazer (prov), 340, 390.
ple (cat), 341.
ple (prov), 341.
plec (rum), 161.
plein (fr), 235, 341.
plein (sobres), 233, 341.
pleine (fr), 235.
plenae (lat), 199.
plenam (lat), 199, 235.
pleni (lat), 199.
plenum (lat), 137, 199, 231, 233, 235, 340, 341.
plëus (fr), 487.
pli (sobres), 541.
plico (lat), 161.
plin (rum), 231, 341.
pliver (sobres), 167.
plogue (esp), 487.
ploi (fr), 487.
plomb (fr), 235.
plonta (sobres), 415.
ploume (val), 184 n.
ploüis (fr), 487.
pluja (cat), 204 n.
pluk (vegl), 175.
plumam (lat), 184 n., 235.
plumbum (lat), 235, 416.
plume (fr), 235.
plus (fr), 487.

plus (lat), 340, 541, 542, 543.
pluviam (lat), 204.
po (port), 183.
po (sobres), 178.
poarcă (rum), 197.
poarce (rum), 197.
poartă (rum), 178, 408.
poate (rum), 197.
pobre (esp), 243 n.
pobre (port), 243 n.
poc (cat), 243, 361.
poca (cat), 244.
poção (port), 454.
poco (esp), 243, 244, 361.
poco (norteit), 361.
poco (it), 243, 361.
poço (port), 454.
poçoña (esp), 454.
pocha (eng), 244.
pode (port), 178.
podium (lat), 205, 565.
poenam (lat), 241.
poi (it), 542, 557.
poi (rum), 542, 557.
poil (fr), 167.
poing (fr), 447.
poire (fr), 96, 167, 384.
pois (port), 205.
poison (fr), 147, 261, 453.
Poitiers (fr), 248.
Poitou (fr), 248.
poivre (fr), 167, 368.
poix (fr), 167.
poiz (fr), 565.
poldra (prov), 183, 284.
pols (cat), 183.
poltro (corso), 149.
polvere (it), 183, 284.
polvo (esp), 183.
polvora (esp), 284.
polvora (port), 284.
pollice (it), 284.
pollicem (lat), 217, 284.
pom (rum), 231.

pomam (lat), 235.
pomme (fr), 127, 186 n., 235.
pommier (fr), 127.
pomul (rum), 498.
pomum (lat), 231.
pomum illum (lat), 498.
pon (prov), 234.
ponh (prov), 447.
ponit (lat), 231.
pont (cat), 276.
pont (fr), [29], 52.
ponte (it), 232.
ponte (port), 276.
pontem (lat), 232, 233, 234, 276.
pontes (lat), 277.
pontes (port), 277.
ponticellum (lat), 293.
ponts (cat), 277.
ponts (fr), 277.
popa (esp), 413.
popor (rum), 153.
pōpulum (lat), 124, 154.
pŏpulum (lat), 124, 153, 154.
porc (cat), 178.
porc (fr), 178.
porc (prov), 178.
porc (rum), 161, 178, 197, 274.
porca (port), 195.
porcae (lat), 197.
porcam (lat), 195, 197.
porcarium (lat), 207.
porcas (lat), 195.
porcas (port), 195.
porci (lat), 197.
porci (rum), 197.
porco (it), 178.
porco (port), 178, 195, 274.
porcos (lat), 195, 274.
porcos (port), 195, 274.
porcu (sar), 178.
porcum (lat), 161, 178, 195, 196 n., 197, 274.
porche (fr), 524.
porche (prov), 524.

porcher (fr), 207.
porchier (fr), 207.
porge (prov), 524.
port (cat), 178.
port (fr), 178.
port (prov), 178.
porta (cat), 178.
porta (it), 178, 408.
porta (luc), 160.
porta (prov), 178, 408.
porta (port), 178, 408.
porta (sobres), 178, 408.
porta < p o r t a t (cat), 277.
porta < p o r t a [t u] (cat), 277.
porta (lat), 277.
portam (lat), 157, 178, 408.
portant (lat), 277.
portar (cat), 253.
portar (esp), 253.
portar (francoprov), 210.
portar (port), 253.
portar (prov), 210, 253.
portare (it), 253.
portare (lat), 210, 253.
portas 'llevas' (lat), 277.
portat (lat), 277.
porte (fr), 178.
portegum (lat), 524.
porten (cat), 277.
porter (fr), 210, 253.
portes 'lleva' (cat), 277.
porticum (lat), 524.
portium (lat), 524.
porto (it), 178.
porto (port), 178.
portu (sar), 178.
portum (lat), 178.
poruec (fr), 189 y n.
pos (lat), 542.
pos (port), 557.
pos (prov), 557.
poser (fr), 576.
positum (lat), 282.
post (lat), 542, 557.

posterulam (lat), 188.
postierla (it), 188.
postius (lat), 205.
pot (cat), 178.
pot (prov), 178.
potet (lat), 178, 197.
potet (sar), 178.
potion (fr), 147.
potionem (lat), 147, 261, 453, 454.
potro (esp), 149.
pou (cat), 453.
pou (fr), 248, 361.
pouce (fr), 217, 284.
pouco (port), 243, 244, 361.
poudre (fr), 217, 284.
poupa (port), 413.
pousse (fr), 217.
poutre (fr), 149.
pòvero (it), 243 y n., 370.
povre (fr), 243.
poyo (esp), 205.
pozo (esp), 453.
pozó (prov), 453.
pozoña (esp), 454.
pozuelo (esp), 149.
pozzo (it), 454.
pozzuoli (it), 149.
praça (port), 343, 454.
pradă (rum), 228, 241.
prada (sobres), 378, 379.
prado (esp), 337, 378.
prado (port), 337, 378.
pradu (sar), 337.
praedam (lat), 228, 241.
praedicatorem (lat), 147.
pranu (sar), 340.
prat (cat), 337, 378.
prat (prov), 337, 378.
prat (rum), 337, 378.
prata (lat), 378, 379.
prato (it), 337, 378.
pratum (lat), 337, 378, 379.
prau (sobres), 337, 379.
prazer (port), 341, 343.

pré (fr), 337, 378.
precat (lat), 228.
précepte (fr), 518.
precetto (it), 518.
prêcheur (fr), 147.
preda (it), 241.
prédicateur (fr), 147.
prega (it), 228.
prehendere (lat), 139, 251.
premier (fr), 207.
premier (prov), 207.
prendere (it), 251.
prendere (lat), 139, 251.
prendre (fr), 251.
prenu (sar), 340.
preon (prov), 372.
pressait (fr), 127.
presser (fr), 127.
preţ (rum), 228.
pretium (lat), 228, 453.
pretz (prov), 453.
preux (fr), 256.
primarium (lat), 207.
primeir (prov), 207.
primum tempus (lat), 263.
printemps (fr), 263.
probat (lat), 138.
probumus (lat), 138.
profectum (lat), 372.
profech (prov), 372.
profit (fr), 372.
profond (fr), 372.
profundum (lat), 372.
pro hoc (lat), 189.
proie (fr), 241.
propeanum (lat), 472.
propianu (sar centr), 472.
prouve (fr), 136.
prouvons (fr), 138.
provecho (esp), 372.
proveito (port), 372.
Pro(v)ensa (prov), 374.
Provinciam (lat), 374.
provons (fr), 138.

prud'homme (fr), 256.
prúere (sar), 183.
prueve (fr), 136, 138.
prus (sar), 340.
pü (eng), 541.
puark (vegl), 178.
puart (friul), 178.
puart (vegl), 175.
puarta (vegl), 178.
puas (vegl), 175.
puce (fr), 185, 284, 522.
puede (esp), 178.
puei (prov), 205, 565.
pueis (prov), 205.
puent (esp), 276.
puente (esp), 232, 276.
puentes (esp), 276, 277.
puerco (esp), 178.
puerta (esp), 178, 408.
puerto (esp), 178.
pues (esp), 205.
puet (fr), [32], 108, 178.
pueyo (arag), 205.
pueyo (leon), 205.
pugn (sobres), 447.
pugno (flor), 204.
pugno (it), 204.
pugno (tosc), 447.
pugnum (lat), 204, 445, 446, 447.
pui (fr), 205.
puig (cat), 205, 565.
púinu (sudit), 446.
puis (fr), 205.
puix (cat), 205.
púlbere (rum), 183.
pulce (it), 185, 284.
pulce (sobres), 185.
puledro (it), 149 n.
pulga (esp), 185, 284, 288, 522.
pulga (port), 185, 288.
pulicam (lat), 185, 284, 288
pulice ille (lat), 115 n.
pulicem (lat), 185, 284, 522.
púlighe (sar), 185.

pulsat (lat), 217.
pulverem (lat), 183, 217, 284.
pulvoram (lat), 183, 284.
pulvus (lat), 183.
pullitrum (lat), 149 n.
pullus (lat), 537 n.
pumn (rum), 445.
pune (rum), 231.
punere (lat), 230.
pungere (flor), 204.
pungere (it), 204.
pungere (lat), 204.
punho (port), 204, 447.
punt (sobres), 233.
punu (sudit), 445.
puny (cat), 204 n., 447.
puño (esp), 204, 447.
può (it), 178.
puorla (sobres), 183.
puote (it), 178.
púrece (rum), 185, 284.
purecele (rum), 115 n.
purta (rum), 253.
pussa (cat), 185.
put (rum), 454.
puteoli (lat), 149.
puteum (lat), 142 n., 160, 452 n., 453, 454.
pütte (al), 452 n.
puttu (sar), 160, 454.
puttsu (sar), 454.
puy (fr), 565.
p' yat' (ruso), 67.
puϑϑu (sar), 454.

q, [29 y ss.], 51 y ss., 344 y ss., 479 y siguientes.
qalb (árabe), 310 n.
qua (lat), 348.
quadragesimae (lat), 348.
quadragesimam (lat), 348 n., 421.
quadraginta (lat), 348 n., 421.
quadro (it), 421.
quadrum (lat), 297, 348 n., 421

quadrupède (fr), [28].
quaerere (lat), 345, 346.
quaeret (lat), 193.
quaerit (lat), 214, 241.
quaglia (it), 349.
qual (cat), 348.
qual (sobres), 348.
qual (port), 348.
quale (it), 348.
qualem (lat), 348.
quando (lat), 231, 348.
quantum (lat), 348.
quaranta (it), 421.
quarante (fr), 421.
quarenta (port), 348 n.
quaresima (it), 421.
quaresma (port), 348 n.
quassicare (lat), 348.
quater (sobres), 348.
quator (sobres), 561.
quatre (cat), 348, 561.
quatre (fr), [28], 348 y n., 561.
quatre (prov), 561.
quatro (port), 348, 561.
quatto (it), 349.
quattor (lat), 251, 561.
quattro (it), 348, 561.
quattro (lat), 251.
quattuor (lat), 251, 348 y n., 349, 350.
quattuordecim (lat), 348.
que (esp), 560.
que (fr), 560.
quebrar (esp), 368.
quebrar (port), 368.
qued (fr), 560.
quedas (port), 195.
quedo (esp), 251, 345.
quedo (port), 195, 345.
quedos (port), 195.
queissa (sobres), 205, 319, 441.
quel (fr), 348.
quem (lat), 345, 346, 530.
quem (port), 345, 405, 530.
quendisch (sobres), 233, 345.

quene (lat), 530.
quepa (esp), 473.
querceam (lat), 345.
quercia (it), 345.
querer (esp), 345.
querer (port), 345.
quérir (fr), 345.
querre (cat), 345.
querre (fr), 345.
querre (prov), 345.
quéscere (apul), 345.
quescher (sobres), 345.
quet (cat), 345.
quet (prov), 345.
quetum (lat), 195, 251, 345, 346.
queue (fr), 243 n., 377.
queux (fr), 182.
qui (cat), 345.
qui (fr), 278, 345.
qui (it), 349, 487, 563.
qui (lat), 345, 346 n., 348 n., 487 n., 534.
qui (prov), 345.
quia (lat), 345.
quid (lat), 190, 345, 346 n., 558, 560.
quid facis? (lat), 149.
quid habetis? (lat), 149.
quien (esp), 345, 530.
quiere (esp), 241.
quiert (fr), 241.
quiescere (lat), 345.
quiétisme (fr), [28].
quietum (lat), 251, 345.
quince (esp), 345.
quinci (it), 563.
quindecim (lat), 184, 233, 345, 346 y n., 350.
quíndici (it), 345, 346 n., 349.
quinquaginta (lat), 347.
quinque (lat), 231, 347.
Quintus pater (lat), 534 n.
quinze (cat), 345.
quinze (fr), 345.
quinze (port), 345.

quinze (prov), 345.
Quiriacus (lat), 346 n.
Quirinus (lat) 346 n.
quiritare (lat), 265.
quis (lat), 345, 346, 534.
quod (lat), 344, 348, 558, 560.
quoi (fr), 190, 345, 560.
quom (lat), 344.
quomodo (lat), 344, 348.
quomodo et (lat), 344.
quum (lat), 344.

r, [29 y ss.], 85 y ss., 127, 307, 337
   y ss., 381 y ss., 408 y ss., 419 y ss.,
   500 y ss., 561.
rabbia (centroit), 477.
rabgia (eng), 477.
rabia (cat), 475.
rabia (esp), 475.
rabiam (lat), 477.
rabiem (lat), 475.
racine (fr), 293.
rădăcina (rum), 293.
radicinam (lat), 293.
radium (lat), 207, 395, 456.
rage (fr), 477.
raggio (centroit), 395.
ragione (it), 453.
ragna (it), 133.
ragnuola (it), 149.
rai (fr), 207.
rai (prov), 207.
raide (fr), 147.
raig (cat), 207.
raio (port), 207.
raipa (vegl), 166, 368.
raison (fr), 261, 453.
raiu (sudit), 395.
raiva (port), 475.
ramo (esp), 85.
ramo (it), 85.
rançon (fr), 147.
rang (fr), 357.
rapetisser (fr), 525.

rare (fr), 174.
rasare (lat), 334.
răşină (rum), 262.
răspunde (rum), 424.
rationem (lat), 237, 261, 453.
rătund (rum), 271.
rău (rum), 229.
raubar (prov), 253.
raubare (lat), 253.
raubôn (germ), 253.
rauja (prov), 477.
ravgia (sobres), 477.
rayo (esp), 207.
raz (eng), 207.
rază (rum), 456.
razão (port), 237.
razó (prov), 453.
razões (port), 237.
razón (esp), 453.
razzo (it), 456.
rebelle (fr), 44.
rebondre (prov), 580.
rebus paratis (lat), 534.
recipere (lat), 370.
recipit (lat), 149.
reclamat (lat), 547.
recleimet (fr), 547.
reçoit (fr), 149.
reddere (lat), 139.
rédemption (fr), 147.
redemptionem (lat), 147.
redon (prov), 271
redondo (esp), 271.
refusare (lat), 372.
regain (fr), 127.
regem (lat), 208, 395.
reginam (lat), 112, 151.
rei (fr), 208.
reímos (esp), 258.
reina (esp), 151.
reine (fr), 112, 151.
reir (esp), 258.
rem (lat), 115, 189, 530.
remiardzu (sar), 478.

rendere (it), 139.
rendere (lat), 139.
rendo quod prendidi (lat), 139.
rendre (fr), 139.
rene (lat), 530.
renegat (lat), 149.
renie (fr), 149.
renhó (prov), 257.
renionem (lat), 257, 261.
repausare (lat), 579, 580.
repausat (lat), 580.
répoudre (fr), 424, 576, 580.
repondre (prov), 580.
reponere (lat), 580.
reposer (fr), 579, 580.
reptar (prov), 517, 520.
reputare (lat), 517, 520.
requin (fr), 127.
rer (fr), 174.
resinam (lat), 262.
responder (esp), 424.
responder (port), 424.
respondere (lat), 150, 424, 576.
reter (fr), 517.
retes (lat), 170.
rets (fr), 170.
retundum (lat), 258, 271.
reum (lat), 229.
rëuser (fr), 372.
revondre (francoprov), 580.
rey (esp), 395.
Rhin (fr), 127.
riamos (esp), 258.
riba (cat), 368.
riba (esp), 368.
riba (port), 368.
riba (prov), 368.
riceve (it), 149.
ricevere (it), 370.
rîde (rum), 229.
ridendo (lat), 258.
rider (norteit), 377.
ridere (lat), 377.
ridet (lat), 229.

ridiamus (lat), 258.
ridimus (lat), 258.
ridire (lat), 258.
rie (norteit), 377.
rien (fr), 189, 530.
riendo (esp), 258.
riéu (prov), 221.
rigide (fr), 147.
rigidum (lat), 147.
riniega (it), 149.
riñón (esp), 261.
ripa (it), 368.
rîpă (rum), 229, 368.
ripam (lat), 166, 229, 368.
riposare (tosc), 579.
rispondere (it), 424.
rispunder (sobres), 424.
ritondo (it), 271.
riu (prov), 221.
rîu (rum), 229.
riva (it), 370.
riva (sobres), 368.
rive (fr), 368.
rivum (lat), 221, 229.
roagă (rum), 197.
roată (rum), 178, 197, 273, 378, 493.
robar (cat), 253.
robar (esp), 253.
rod (rum), 197.
roda (cat), 178, 273, 378.
roda (port), 178, 273, 378.
roda (prov), 178, 378.
roda (sar), 160, 178, 273.
roda (sobres), 178, 273, 365, 378.
rodund (sobres), 233.
rodunt (lat), 197.
rog (prov), 477.
rog (rum), 197.
rogat (lat), 197.
rogationem (lat), 454.
rognon (fr), 257.
rognone (it), 257.
rogo (lat), 197.
roi (fr), 131.

roi (prov), 476.
roib (rum), 477.
roig (cat), 475, 477.
romper (esp), 307.
romper (port), 307.
rompere (it), 307.
rompre (fr), 307.
ronhó (prov), 257.
ronionem (lat), 257.
rosa (tosc), [34].
rosée (fr), 253 n.
rossa (sudit), 199.
rosse (sudit), 199.
rota (luc), 160.
rotam (lat), 157, 178, 197, 273, 363, 365, 378, 493.
rotundum (lat), 233, 258, 271.
roubar (port), 253.
roue (fr), 138 n., 273, 378.
rouer (fr), 138 n.
rouette (fr), 138 n.
rouge (fr), 209, 275, 477.
rouzée (fr), 253 n.
ruassar (sobres), 580.
ruaussa (sobres), 580.
rubare (it), 253.
rubeum (lat), 209, 275, 475, 476, 477.
rubio (esp), 475.
rubiu (sar), 475.
rue (fr), 400.
rueda (esp), 178, 273, 378.
ruede (fr), 178.
rugăciune (rum), 454.
rugam (lat), 400.
rughe (sar), 160, 183.
ruiu (sar), 475.
ruivo (port), 475.
rumiko (gasc), 363.
rumper (sobres), 307.
rumpere (lat), 307.
rumpere (sar), 307.
ruota (it), 178, 378.
ruoto (it), 273.
rupe (rum), 307.

rupse (rum), 429.
rupsit (lat), 429.
rupt (rum), 429.
ruptum (lat), 429.
ruser (fr), 372.
russae (lat), 199.
russam (lat), 199.
russi (lat), 199.
russi (sudit), 199.
russu (sudit), 199.
russum (lat), 199.

s, [29 y ss.], 61 y ss., 127, 306, 309, 353 y ss., 381 y ss., 424 y ss., 534 y siguientes.
sa (fr), [29].
sa (retorrom), 549 n.
şa (rum), 498.
sabão (port), 368.
saber (cat), 368.
saber (esp), [29], 59, 123, 360, 368.
saber (port), 368, 473.
saber (prov), 361, 365, 368.
sabere (it dial), 362.
sa bira (log), 364.
sabó (cat), 368.
sabó (prov), 368.
sabuit (lat), 248.
saburram (lat), 374.
sac (fr), 571, 572.
saća (lig), 473.
saccia (sudit), 473.
saccos (lat), 571.
saccum (lat), 571.
saccus (lat), 571.
sacrament (fr), 147.
sacramentum (lat), 147, 296, 519, 525.
sacs (fr), 571 n.
sache (fr), 473.
sadde (fr), 291.
sade (fr), 121, 188, 291.
saec- (lat), 356.
saeta (esp), 395.
saetaceum (lat), 265, 470.

saetacium (lat), 253.
saetam (lat), 241.
saetta (centroit), 395.
saφere (tosc), 362.
săgeată (rum), 214, 394.
sagesse (fr), 145.
sageta (cat), 395.
sageta (prov), 395.
sagittam (lat), 214, 394, 395.
sagmam (lat), 449.
saiba (port), 473.
saigne (fr), 127.
saint (fr), 438.
sainte escriture (fr), 353 n.
sairement (fr), 296, 519, 525.
sait-il (fr), 552.
sal (cat), 175, 562, 569.
sal (esp), 175, 562.
sal (lat), 562.
sal (port), 175, 562, 569.
sal (prov), 175, 498, 562.
sal (sobres), 175, 562.
sale (it), 175, 189, 562.
sale (lat), 175, 189 y n., 498, 562, 565, 569.
sale (sar), 562.
salicem (lat), 282.
salicetum (lat), 170 n.
saliva (it), 309.
salivam (lat), 309.
saltat (lat), 131.
saltum (lat), 216, 244.
salutas (lat), 378.
saluti (lat), 378.
salutis meae (lat), 534.
salvaje (esp), 524 n.
salvatge (cat), 257.
salvatge (prov), 257, 524.
sámbene (log), 482.
sa mmanos (sar), 538.
sămtu (dacorrum), 437.
sanc (cat), 482.
sanc (prov), 482.
sanctum (lat), 437, 438, 575.

sanch (prov), 438.
sang (fr), 482.
sangre (esp), 482.
sangue (it), 482.
sangue (port), 482.
sanguem (lat), 482.
sanguinem (lat), 297, 350, 482.
sanguisugam (lat), 400.
sangsue (fr), 400.
sanitatem (lat), 117.
San Pablo (esp), 572.
San Paolo (it), 575.
sant (cat), 438.
santo (it), 438.
santo (esp), 438.
santo (port), 438.
são (port), 556.
saorra (prov), 374.
saoul (fr), 572.
sapar (vegl), 368.
sapaun (vegl), 368.
sapcha (eng), 473.
sapcha (prov), 473.
sapere (it), 360, 368.
sapere (lat), 360, 361, 362, 365, 368.
saphere (tosc), 362.
sapia (prov), 473.
sapiam (lat), 473.
sapidum (lat), 121, 188, 291.
sapiente mente (lat), 510.
sapientiam (lat), 145.
sa pira (sar centr), 364.
sapit (lat), 549 n., 552.
sapone (it), 368.
sapone (tosc), 577, 579.
saponem (lat), 368, 578, 579.
saponum (lat), 368.
sappi (sobres), 473.
sappia (centroit), 473.
săptămînă (rum), 253.
şapte (rum), 172, 214, 309, 546.
sapui (lat), 248, 488.
sapuisti (lat), 488.
sapuit (lat), 248.

săpun (rum), 368.
saputum (lat), 369.
sarcophage (fr), 147.
sarcophagum (lat), 147.
sar dentes (sar), 538.
sare (rum), 175, 562.
săruţi (rum), 378.
sas (fr), 253, 470, 571.
şase (rum), 214, 546.
saul (vegl), 182.
sauma (prov), 449.
saumam (lat), 449.
saung (sobres), 482.
saus (pic), 217 n.
saute (fr), 127, 131, 186 n.
sauvage (fr), 257, 524.
savamment (fr), 510.
saveir (fr), 361.
saver (sobres), 365, 368.
savoir (fr), 365, 368.
savon (fr), 368, 578, 579.
savun (sobres), 368.
scadea (rum), 356.
scader (sobres), 356.
scadere (it), 356.
scala (it), 94, 353, 356.
scala (sobres), 353.
scalam (lat), 353, 354.
scamnum (lat), 231, 418.
scară (rum), 353.
scaun (rum), 231, 418.
scempio (it), 309.
sceptre (fr), 518.
scernere (it), 356.
scetre (fr), 518.
scettro (it), 518.
scevera (it), 309.
scialiva (it), 309.
sciame (it), 356.
scimmia (it), 309, 478.
sciringa (it), 309.
scopa (it), 182, 368.
scopam (lat), 157, 182, 368, 369, 370.
scór (vegl), 320.

scorteam (lat), 354.
scret (sobres), 166.
scripsit (lat), 429.
scripsum (lat), 161, 166.
scriptam (lat), 94.
scriptum (lat), 139, 157, 163.
scris (rum), 161, 166.
scrise (rum), 429.
scrissi (it), 441 n.
scritto (it), 166, 441 n.
scrittu (luc), 161.
scrofa (it), 372.
scrofa (osco), 372.
scua (sobres), 182, 368, 369.
scudo (it), 379.
scure (it), 265.
scuro (it), 271.
scutum (lat), 379.
schaner (sobres), 332.
schanugl (sobres), 324.
schaumna (sobres), 356.
schelira (sobres), 324.
schemia (sobres), 478.
schiender (sobres), 324.
schner (eng), 332.
schnojar (eng), 400.
schnuogl (eng), 324.
schunscher (sobres), 331, 358.
schurnada (sobres), 352.
şea (rum), 172.
sec (cat), 168.
sec (fr), 572.
sec- (lat), 356.
secare (lat), 364.
secat (lat), 244.
secca (sudit), 199.
seccia (sudit), 473.
secchia (it), 508.
seclam (lat), 508.
secourt (fr), 258.
securi (lat), 265.
securum (lat), 253, 267, 360, 361, 362, 365, 401, 402, 483.
sèche (fr), 473.

sed (esp), 167, 306.
seda (esp), 241.
sedaço (port), 253, 470.
sedàs (cat), 253, 470.
sedatsch (sobres), 470.
sedattu (sar), 253.
sedatz (prov), 253.
sedda (sar), 172.
sedda (sudit), 496.
sede (port), 167, 306.
sede (log), 392.
sedi (camp), 394.
sedicam (lat), 188.
segare (log), 364.
ségete (sar centr), 392.
segetem (lat), 392, 394.
segir (sobres), 402.
segre (prov), 481.
seguir (cat), 481.
seguir (esp), 481.
seguir (port), 481.
segur (cat), 253, 401.
segur (prov), 253, 361, 365.
seguro (esp), 253, 360, 401.
seguro (port), 253, 401.
seguru (retorrom), 402.
seguru (sar), 253.
sei (it), 546.
seille (fr), 127, 508.
sein (fr), 235.
seis (esp), 205, 546.
seis (port), 546.
seit (sobres), 167, 306, 565.
sekare (sar centr), 364.
sel (fr), 175, 189, 498, 562.
selva (cat), 167.
selva (esp), 167.
selva (it), 167.
selva (port), 167.
selva (prov), 167.
selva (sobres), 167.
selvadi (sobres), 524.
selvaggio (it), 524 n.
selvatico (it), 257.

sella (cat), 172.
sella (it), 172.
sella (port), 172.
sella (prov), 172.
sellam (lat), 172, 205, 496, 498.
selle (fr), 172.
sello (esp), [29].
semaine (fr), 253, 266, 511, 517.
semana (esp), 253.
sembler (fr), 263, 513.
sembrar (esp), 520.
semer (fr), 519.
seminare (lat), 519, 520.
semitam (lat), 235, 291, 522.
semn (rum), 445.
semper (lat), 561 y n.
semper (sobres), 561.
sempere (lat), 561 n.
sémpere (sar), 561.
sempre (cat), 561.
sempre (fr), 561.
sempre (it), 561.
sempre (lat), 561 n.
sempre (port), 561.
sempre (prov), 561.
sencillo (esp) 417.
senda (esp), 291, 522.
senestre (lat), 139.
sente (fr), 235, 291, 522.
sentí (sobres), 379.
sentida (sobres), 379.
sentire (lat), 437.
sentitam (lat), 379.
sentiti (lat), 379.
sentitum (lat), 379.
sentiu (sobres), 379.
sentivit (lat), 257.
senuec (fr), 189.
senziello (esp), 417.
sepa (esp), 473 y n.
separare (lat), 147.
separas (lat), 309.
separat (lat), 149.
separer (fr), 147.
séparer (fr), 147.

sepcha (prov), 473.
sepia (cat), 473.
sepia (prov), 473.
sepiam (lat), 204, 472 y n., 473.
seppi (it), 488.
seppia (centroit), 473.
sept (fr), 172, 428.
septem (lat), 172, 193, 214, 280, 309, 428, 517, 520, 546
septem manus (lat), 517.
septimanam (lat), 253, 266, 511, 517.
sequam (lat), 481.
sequentare (lat), 481.
sequere (lat), 479, 481.
sequire (lat), 481.
sequis (lat), 479.
sequit (lat), 479.
sequo (lat), 200, 479, 481.
sequont (lat), 479
seram (lat), 572.
seráur (vegl), 182.
serf (fr), 570.
serment (fr), 147, 296, 519, 525.
serour (fr), 258.
sers (fr), 571.
serum (lat), 194.
servum (lat), 570.
servus (lat), 571.
ses (eng), 205
s'espethe (fr), 353 n.
set < s a p i t (fr), 552.
set < s e p t e m (cat), 172, 428.
set < s e p t e m (fr), 172, 428, 517.
set < s e p t e m (prov), 172, 428, 517, 520.
set < s i t e m (cat), 167, 306, 565.
set < s i t e m (prov), 167, 306, 565.
seta (it), 241.
sete (it), 167, 306, 378.
sete (port), 172, 428.
sete (rum), 167, 306, 378.
set mains (fr), 517.
setmana (cat), 253, 517.
setmana (fr), 511.

setmana (prov), 253, 517.
set mans (prov), 517.
sette (apul), 162.
sette (cal), 162.
sette (it), 172, 280.
sette (luc), 161.
sette (sar), 172, 193, 428.
sette (sic), 162.
settimana (it), 253.
settimanam (lat), 517.
sëu (fr), 369.
seul (champ), 199.
seul (fr), 61, 186 n.
seule (fr), 186 n.
sëur (fr), 267, 361, 365, 401, 483.
seus (fr), 488.
seuve (fr), 167.
Sevilla (esp), 83.
sèvre (fr), 149.
sevrer (fr), 147.
sex (lat), 205, 546.
sex(em) (lat), 214.
sextarium (lat), 265, 466.
sgür (eng), 402.
si (fr), 190.
si (it), 190.
şi (rum), 190, 309.
si (vegl), 546.
sia (it), 187.
sia (prov), 187.
siala (sobres), 172.
siam (lat), 187.
siápto (vegl), 172.
siat (sobres), 172, 428.
siba (port), 204, 472.
sibla (sobres), 423.
sic (lat), 190, 309.
sic- (lat), 356.
sicalam (lat), 356.
siccam (lat), 199.
siccu (sudit), 199.
siccum (lat), 168, 199.
sicriptam (lat), 94.
sicuro (it), 253, 360.

sicuro (tosc), 576.
sidis (sar), 160, 167, 306.
siega (esp), 244.
siège (fr), 188.
siéis (prov), 205, 546.
siella (esp), 205.
siemi (sobres), 463.
siempre (esp), 561.
sieru (sudit), 194.
siete (esp), 172, 428.
sieu (fr), 200, 479.
sieuent (fr), 479.
sieus (fr), 479.
sieut (fr), 479.
sieuvre (fr), 479, 481.
siewre (fr), 481.
siga (esp), 481.
signum (lat), 445.
sigo (esp), 481.
siguro (it. dial), 362.
sikhuro (tosc), 362.
silvam (lat), 167.
silvaticum (lat), 257, 524.
silla (esp), 205.
sim (lat), 187.
simia (cat), 478.
simia (port), 478.
simia (prov), 478.
simiam (lat), 309, 478.
simium (lat), 478.
simplum (lat), 309.
simţi (rum), 437.
simulare (lat), 263, 513.
sîn (rum), 231.
sine hoc (lat), 189.
sinextrum (lat), 139.
singe (fr), 478.
sînge (rum), 482.
singellum (lat), 417.
singo (nap), 445.
siniestro (esp), 139.
sinistrum (lat), 139.
sînt (rum), 437, 556 y n.
sintió (esp), 257.

šintar (astur), 259.
sinum (lat), 231, 235.
sipiritum (lat), 94.
siringa (it), 309.
sis (cat), 205.
sis (fr), 205, 546.
sis (sobres), 205, 546.
site (luc), 160.
sitem (lat), 167, 306, 378, 565.
sitis (lat), 167, 306.
situlam (lat), 508.
siuvre (fr), 481.
six (fr), 205, 546.
skala (al), 94.
skrittu (sar), 166.
só (port), 385.
soară (rum), 561 n.
soare (rum), 182, 197, 385.
soárece (rum), 358.
şoárece (rum), 153, 358.
soave (it), 351.
socri (lat), 275.
socri (rum), 275.
socrum (lat), 193, 420.
soef (fr), 351.
soeur (fr), 561.
soffia (it), 423.
soffla (prov), 423.
sogno (it), 463.
soi < s a p u i (fr), 248, 488.
soie (fr), 187, 241.
soif (fr), 167, 565 n.
soir (fr), 572.
sois (fr), 565 n.
sokru (sar), 193.
sol (cat), 182, 385.
sol (esp), 182, 385, 492.
sol (port), 182, 220, 492.
sol (prov), 182.
sola (sudit), 199.
solae (lat), 199.
solam (lat), 36, 199.
solc (cat), 204 n.
solco (it), 204 n.

sole (champ), 199.
sole (it), 182, 385.
sole (luc), 160, 161.
sole (sar), 160, 182, 193.
sole (sudit), 199.
soleil (fr), 385, 492.
solelh (prov), 385, 492.
solem (lat), 157, 182, 193, 197, **385,** 492.
soli (lat), 199.
soliculum (lat), 385.
solidos (lat), 217 n.
solidum (lat), 282.
solum (lat), 199, 385.
solla (esp), 423.
som (prov), 418.
soma (it), 449.
sombra (esp), 520.
somme (fr), 133, 275, 449, 519.
somn (rum), 418.
somni (cat), 463.
somni (prov), 463.
somnium (lat), 463.
somnum (lat), 133, 275, 418, 519, **520.**
soms (fr), 138.
son (cat), 418, 556.
son (esp), 556.
son (prov), 418, 556.
sonare (lat), 263.
songe (fr), 463.
sonho (port), 463.
sonner (fr), 263.
sonno (it), 418.
sonnu (sar), 418.
sonnum (lat), 520.
sono (it), 530, 556.
sono (port), 418, 520 n.
sont (fr), 556.
sont-ils (fr), 556.
sopla (esp), 423.
sor (prov), 561.
sora (sobres), 561.
soră (rum), 561.
sorcerus (fr), 207.

sorcier (fr), 207.
sórcio (it), 153.
sorcrote (fr), 139.
sorda (sudit), 199.
sorde (sudit), 199.
sordo (esp), 183.
sordo (it), 183.
soricem (lat), 153, 358.
soritz (fr), 153.
soro (lat), 561.
soror (lat), 561 y n.
sororem (lat), 36, 182, 258.
sorre (prov), 561.
sorre (sar), 561.
sort (cat), 183.
sort (fr), 183.
sort (prov), 183.
sortiarium (lat), 207.
soru (rum), 561 n.
sos filos (camp), 577.
sos filos (log), 577.
sos filos (sudit), 577.
sospeçon (fr), 295, 296.
sos pilos (sar), 538.
sos tempos (camp), 577.
sos tempos (log), 577.
sot (fr), 127.
sotil (cat), 166.
sotil (fr), 166.
sotil (prov), 166.
soto (esp), 216, 244.
sotte (fr), 127, 186 n.
sottile (it), 166.
soudain (fr), 523.
souffle (fr), 423.
soula (francoprov), 36.
soum (lat), 235 n.
soupçon (fr), 296.
sourd (fr), 183.
sourd (prov), 183.
sourdre (fr), 509.
souris (fr), 153.
sous < s o l i d o s (fr), 217 n.
soüis < s a p u i s t i (fr), 488.

sout (fr), 248.
souto (port), 216.
sovdanum (lat), 523.
sovedanum (lat), 523.
spada (it), 379.
Spagna (it), 356.
spargere (lat), 410.
spatham (lat), 353, 363, 379.
speclum (lat), 205.
spelh (prov), 205.
spem (lat), 189.
speme (it), 189.
spene (it), 189.
sperat (lat), 353.
spes (rum), 167.
spess (sobres), 167.
spesso (it), 167.
spia (norteit), 398.
spicam (lat), 355, 397, 398.
spicum (lat), 355.
spiga (it), 355, 397.
spiga (norteit), 398.
spigia (sobres), 355.
spíia (norteit), 398.
spinam (lat), 157.
spinulam (lat), 513.
spiritum (lat), 143, 146.
spissum (lat), 167.
sponsum (lat), 353, 418.
sposo (it), 353.
sposum (lat), 418.
spus (sobres), 353.
sta (it), 549.
sta (rum), 190.
stă (rum), 190, 549.
stabat (lat), 190.
stabbio (it), 423.
stabulam (lat), 423.
stabulum (lat), 423.
staccio (it), 265.
stai (it), 542.
stai (rum), 542.
staio (it), 265.
stalla (vegl), 169.

stant (lat), 353.
stare (lat), 210 n.
starru (sudit), 466.
stas (lat), 542.
stat (lat), 190, 549.
stat (sobres), 549, 555.
stattan (sobres), 555.
staul (rum), 423.
stea (rum), 494 n., 498.
steaua (rum), 498.
stégnere (it), 486.
steila (norteit), 494.
steila (sobres), 157, 170, 494.
stelam (lat), 157, 163, 494.
stele (rum), 161, 169, 273, 498.
stella (it), 163, 169, 494 n.
stella (luc), 161.
stellae (lat), 169, 273.
stellam (lat), 53, 157, 161, 163, 169,
    170, 494 y n., 498.
stellam illam (lat), 498.
stellas (lat), 498.
stelle (it), 273.
Stephanum (lat), 235, 372.
stetti (it), 488.
stetui (lat), 488.
stidda (cal), 53.
stigă (rum), 399.
stilla (apul), 162.
stilla (cal), 162.
stilla (sic), 162.
stimar (sobres), 356.
stimare (it), 356.
strega (it), 399.
strengár (vegl), 323 n.
stret (eng), 207.
stretg (sobres), 207.
stria (camp), 399.
strictum (lat), 204, 207.
strigam (lat), 399.
stringere (lat), 323 n.
stunt (lat), 353.
su (fr), 369.
sù (it), 139, 410.

su (rum), 556 y n.
suar (sobres), 365.
suau (cat), 351.
suau (prov), 351.
suavem (lat), 351.
subbia (it), 423.
subitanum (lat), 523.
subito (lat), [16].
súbito (it), [16].
subtil (port), 166.
subtilem (lat), 166.
subțire (rum), 166.
subulam (lat), 423.
sub umbra (lat), 520.
succo (it), 494 n.
succum (lat), 163, 494 n.
succurrit (lat), 258.
suco (esp), 204 n.
sucum (lat), 163, 494 n.
sudare (lat), 365.
su dempus (camp), 577.
su dempus (log), 577.
suen (fr), 235 n.
suentar (sobres), 481.
sueño (esp), 418, 463, 520.
suera (francoprov), 36.
sufflar (sobres), 423.
sufflat (lat), 423.
suflă (rum), 423.
suivre (fr), 481.
συκωτόν (gr), 153.
sulă (rum), 423.
sula (sar), 423.
sulagl (eng), 492.
sulcum (lat), 204 n.
sule (apul), 162.
sule (cal), 162.
sule (sic), 162.
sulegl (sobres), 385.
suli (sudit), 199.
sulu (sudit), 199.
sum (lat), 530, 556 n.
sumus (lat), 138.
sunt (lat), 138, 556 y n.

suora (it), 561.
suord (sobres), 183.
su o'u (sar), 57.
sûr (fr), 267, 401.
surco (esp), 204 n.
surd (rum), 161, 183.
surda (luc), 161.
surdae (lat), 199.
surdam (lat), 199.
surdi (lat), 199.
surdi (sudit), 199.
surdo (port), 183.
surdu (sar), 183.
surdu (sudit), 199.
surdum (lat), 183, 199.
surgere (lat), 509.
sûrkrût (al), 139.
sursum (lat), 139, 410.
surva (sar), 423.
sus (fr), 410, 488.
süs (fr), 139.
suso (esp), 139.
suso (it), 410.
su sole (camp), 577.
su sole (log), 577.
suspectionem (lat), 295.
susum (lat), 410.
suttile (sar), 166.
suuentar (sobres), 481.
su vilu (camp), 577.
su vilu (log), 577.
su vilu (sudit), 577.
syringam (lat), 309.

t, [29 y ss.] 49, 51 y ss., 127, 133, 304 y ss., 362 y ss., 547 y ss.
ta (fr), [29].
tabanum (lat), 372.
tabaquière (fr), 137.
tabatière (fr), 137.
tabblam (lat), 147.
table (fr), 69, 147.
tabulam (lat), 147.
tacere (lat), 390.

tacqui (it), 487.
tacui (lat), 248, 487.
tacuit (lat), 248.
tafano (it), 372.
tafanu (osco), 372.
tafel (al), 69.
taguit (lat), 248.
tăia (rum), 213.
tăiere (rum), 213.
taila (francoprov), 275.
taillier (fr), 210.
taisson (fr), [23].
talem (lat), 219 n.
tales (lat), 219.
taliare (lat), 210, 213.
talis (lat), 219.
talpum (lat), 216, 413.
tallo (esp), 305.
tallo (it), 305.
taon (fr), [28].
ţară (rum), 197, 214, 309, 500.
taru (sar), 108.
ta spuse (fr), 353.
taur (prov), 243.
taur (rum), 243.
taur (sobres), 243.
tauru (sudit), 243.
taurum (lat), 108, 243.
tawlam (lat), 147.
tchanter (val), 210 n.
te (lat), 115, 532 n.
te (sar), 532 n.
te (sudit), 532 n.
teară (rum), 170.
tebe (prov), 121, 287.
tebeu (cat), 377.
tebi (cat), 377.
teć (lomb), 434.
teco (centroit), 274.
tectum (lat), 207.
tecum (lat), 274.
tech (prov), 434.
techo (esp), 207, 434.
tegla (francoprov), 105.

tegla (retorrom), 170.
teia (port), 170.
teigne (fr), 236.
teila (francoprov), 36, 105, 107.
teila (sobres), 170.
teint (fr), 127.
teit (fr), 207.
teit (piam), 435.
teit (prov), 207.
teito (port), 207, 435.
tel (fr), 219 n.
tela (cat), 170.
tela (esp), 170.
tela (it), 95, 170.
tela (prov), 170.
tela (sar), 170, 193.
telam (lat), 36, 95, 107, 170, 193, 275.
telh (prov), 204.
tels (fr), 219 n.
témoigne (fr), 236.
témoin (fr), 236.
temp (eng), 492.
tempo (port), 237, 304.
temps (cat), 304.
temps (fr), [28], 53, 304, 492.
temps (prov), 304.
temps (sobres), 233, 304.
tempus (lat), 193, 233, 304, 309 n.,
    492.
tempus (sar), 193, 304.
tempus fert (lat), 534.
tenca (port), 237.
tendre (fr), 188, 235.
tene (sar), 532 n.
tene (sudit), 532 n.
tenebras (lat), 149 y n., 257.
tenebres (fr), 149.
tene ffame (sudit), 548.
tenerum (lat), 188, 235.
tenete fame (sudit), 548.
tenet famem (lat), 548.
tennede vámene (sar), 548.
tenne ffamene (sar), 548.

tenter (fr), [28].
tepidum (lat), 115, 118, 120, 121, 188, 204, 249, 282, 286, 287, 291, 375, 377, 523.
terra (cat), 500.
terra (port), 500.
terra (prov), 500.
terram (lat), 197, 309, 500 y n.
terre (fr), 500 y n.
testam (lat), 27, 129, 146.
teste (fr), 146.
testimonium (lat), 236.
tet (eng), 207.
tête (fr), 27, 129, 146.
tetg (sobres), 207.
teum (fr), 187.
tgamin (sobres), 315.
tgau (sobres), [29], 55, 314, 315, 368, 369, 550, 565.
tgaum (sobres), 233.
tgaun (sobres), 314, 315.
tgei (sobres), 345.
tgeu (sobres), 345.
tgi (sobres), 345.
tgiern (sobres), 320.
tgierp (sobres), 320.
tgil (sobres), 185.
tgina (sobres), 185, 320.
thallum (lat), 305.
the (ing), 61.
thing (ing), [30], 61.
thwahlja (germ), 305.
ti (log), 373.
ti (sobres), 185.
ţiară (rum), 197, 309.
tibi (lat), 373.
tibio (esp), 204, 377.
tibio (port), 204, 377.
tiède (fr), 120, 121, 188, 249, 282, 286, 291, 523.
tiempo (esp), 304, 492.
tien (fr), [22].
tiens (fr), 55.
tièpido (it), 115, 188, 282, 375.

tierra (esp), 500.
tieu (prov), 187.
tieus (fr), 219.
tievdu (fr), 523.
tième (fr dial), 287 n.
tiévedu (fr), 523.
tiglio (flor), 204.
tiglio (it), 204.
tigna (flor), 204.
tigna (it), 204.
til (fr), 204.
tilde (esp), 147.
tiliam (lat), 204.
tilium (lat), 204.
tilleul (fr), 204.
timp (rum), 304, 309 n.
tineam (lat), 204, 236.
tinieblas (esp), 149 y n., 257.
tío (esp), 305.
tio (port), 305.
tiroir (fr), 572.
title (fr), 147.
titre (fr), 143.
título (esp), 147.
titulum (lat), 147.
tivi (sar centr), 373.
tja (al), [29].
toa (prov), 187.
toam (lat), 187.
toamnă (rum), 161 n., 231, 258, 270.
toda (port), 195.
todas (port), 195.
todo (port), 195.
todos (esp), 491.
todos (port), 195, 491.
toi (fr), [22, 30], 102.
toi < t a c u i (fr), 248.
toi (vegl), 185.
toile (fr), 170.
toit (fr), 207.
tôle (fr), 147.
tondo (it), 271.
tonitrum (lat), 149.
tonnerre (fr), 149.

topo (esp), 216, 413.
torcere (it), 479.
torcere (lat), 479.
torcis (lat), 479.
torcit (lat), 479.
torco (lat), 479.
toro (esp), 243.
toro (it), 243.
torquere (lat), 486.
torquo (lat), 479.
toti (lat), 378, 491.
toţi (rum), 378.
totti (lat), 491.
tottos (lat), 491.
totum (lat), 195.
touaille (fr), 305.
toue (fr), 187.
toum (lat), 187.
toupo (port), 413.
touro (port), 243.
tous (fr), 491.
tout (fr), 248.
toz (fr), 491.
trabajo (esp), 257.
traballho (port), 257.
tractare (lat), 210.
traer (esp), 337.
tráere (sar), 337.
trage (rum), 337.
trahere (lat), 337, 543 n.
trahir (fr), 97.
traire (prov), 337.
traiter (fr), 210.
traitier (fr), 210 y n.
trans (lat), 189.
trapalium (lat), 257.
trarre (it), 337, 543 n.
trau (sar), 243.
traure (cat), 337.
travail (fr), 257.
travalh (prov), 257.
trazer (port), 337.
tre (it), 542, 543.
tre (sudit), 543.

trebalh (prov), 257.
trebbia (it), 423.
trébol (esp), 372.
treddentes (it), 545.
tree (ing), 53, 337 n.
tre ffeminas (lat), 534.
trèfle (fr), 372.
trega (prov), 484.
tregua (esp), 484.
tregua (it), 484.
treguam (lat), 200, 484.
trei (rum), 542.
trei (sudit), 542, 543.
treis (fr), 106.
tremble (fr), 188.
trembler (fr), 263.
tremulare (lat), 263.
tremulat (lat), 188.
trer (sobres), 337.
tre rreges (lat), 534.
très (fr), 189.
tres (lat), 189, 542, 543.
tres dentes (lat), 545.
tres feminas (lat), 534.
tres reges (lat), 534.
trève (fr), 484.
trevo (port), 372.
tribulat (lat), 423.
trieue (fr), 200.
trifòglio (it), 372.
trifolium (lat), 372.
trilha (port), 423.
trilla (esp), 423.
tripalium (lat), 257.
triphyllon (lat), 372.
triuwa (germ), 484.
troiam (lat), 205.
trois (fr), 106, 189, 572.
trois amis (fr), 572.
tronido (esp), 149.
trueia (prov), 205.
truie (fr), 205.
truja (cat), 205.
tsaiá (prov), 398.

tscharner (sobres), 312.
tschel (sobres), 385.
tschendra (sobres), 312.
tschiel (sobres), 312.
tschien (sobres), 233.
tschiero (sobres), 312.
tschiun (sobres), 233.
tschun (sobres), 233, 312, 482.
tsiá (prov), 398.
tu (cat), 185.
tu (esp), 185.
tu (fr), 185.
tu (it), 185.
tu (lat), 185, 190.
tu (port), 185.
tu (prov), 185.
tu (rum), 185.
tua (it), 187.
tua (prov), 187.
tuam (lat), 187.
tue (sar), 185.
tuen (fr), 187.
tuit (fr), 491.
tuo (it), 187.
turbidum (lat), 204.
turbio (esp), 204.
tutti (it), 491.
tuum (lat), 187.
tuvo (esp), 204.
tyrolien (fr), 207.

u, [30 y ss.], 43 y ss., 127, 133, 137,
    149, 152, 156 y ss., 183-185, 186 y ss.,
    250, 253 y ss., 267 y ss., 401 y ss.,
    479 y ss.
-u (fr), 185.
uardar (sobres), 350.
ubi (lat), 280.
uço (esp), 204, 207, 455.
-uda (cat), 185.
-uda (esp), 185.
-uda (port), 185.
-uda (prov), 185.
-uda (sar), 185.

udir (sobres), 253, 361.
udire (it), 253.
-udo (esp), 185.
-udo (port), 185.
-udu (sar), 185.
udum (lat), 184.
-ue (fr), 185.
-uec (fr), 189.
uef (fr), 238, 571 n.
uefs (fr), 571.
uei (prov), 205.
ueil (fr), 143, 205, 219 n.
ueit (prov), 205.
uelh (prov), 205, 423.
uelz (fr), 219.
uem (fr), 235 n., 404.
ués (fr), 571.
ueu (prov), 200.
ueuz (fr), 219.
ugne (it dial), 417.
ugnere (flor), 204.
ugnere (it), 204.
-ui (lat), 187.
uiara (sobres), 350.
uis (prov), 204, 270, 455.
ulmetum (lat), 170 n.
ulmu (berb), 159.
ulmum (lat), 159.
ull (cat), 205, 423.
um (port), 237.
-um (lat), 274.
um (sobres), 233, 565.
uma (port), 237.
umbram (lat), 513, 516.
-umus (lat), 138.
un (fr), [29], 186, 235.
un (rum), 161.
-un (vegl), 175.
unam (lat), 235.
undam (lat), 235.
undecim (lat), 184, 233, 522.
une (fr), 186, 235.
unge (it), 417.
unge (port), 417.

unge (rum), 417.
ungere (flor), 204.
ungere (it), 204, 486.
ungere (lat), 204, 323 n., 486.
unghia (flor), 204.
unghia (it), 204, 423.
unghie (rum), 423.
ungit (lat), 417.
ungitis (lat), 417.
ungla (cat), 204 n., 423.
ungla (sobres), 423.
un grand homme (fr), 570, 572.
ungulam (lat), 204, 423.
unha (port), 204, 423.
unionem (lat), 254.
unir (fr), 254.
unire (lat), 254.
unu (luc), 161.
unum (lat), 159, 184, 191, 235, 237.
unviern (sobres), 253.
unzir (esp), 417.
uña (esp), 204, 423.
úolp (sobres), 183.
uómmine (sudit), 194.
uomo (it), 404.
úors (sobres), 183.
uost (sobres), 403.
-uota (vegl), 175.
uottu (centroit), 274.
uou (prov), 200.
uovo (it), 238.
-ur (vegl), 175.
-ura (cat), 185.
-ura (esp), 185.
-ura (it), 185.
-ura (port), 185.
-ura (prov), 185.
-ură (rum), 185.
-ura (sar), 185.
urceolum (lat), 468.
urcior (rum), 468.
-ure (fr), 185.
ureche (rum), 253.
urechie (rum), 423.

ureglia (sobres), 423.
urka (vasc), 159.
urs (rum), 183, 410.
ursum (lat), 183, 410.
-us (lat), 274.
-us (sobres), 182.
ușă (rum), 204, 455.
uscio (it), 204, 455.
üsch (eng), 204, 207.
user (fr), 254.
-usi (it), 134.
-usi (sudit), 199.
usignuolo (it), 359.
ussum (lat), 410.
ușta (rum), 294.
ustiam (lat), 204.
ustiu (sudit), 455 n.
ustium (lat), 204, 207, 455.
-usu (it), 134.
-usu (sudit), 199.
u sule (cal), 577.
-ut (cat), 185.
-ut (prov), 185.
-ut (vegl), 175.
-uta (it), 185.
-uta (rum), 185.
-ută (rum), 185.
-uto (it), 185.
utrum levis an grevis? (lat), 139.
utschals (sobres), 196.
utschí (sobres), 196.
utschials (sobres), 220.
uvam (lat), 184, 191.

v, [30 y ss.], 49, 60 y ss., 127, 300
y ss., 362 y ss.
va (lat), 574.
va (retorrom), 549 n.
vaca (cat), 175, 301.
vaca (esp), 175, 301, 492.
vaca (port), 175, 301, 492.
vaca (prov), 175, 301, 492.
vacă (rum), 175, 301, 493.
vacca (it), 175, 301, 491.

vacca (sobres), 175, 301.
vaccam (lat), 141, 175, 275, 301, 407, 491, 492, 493.
vaccarium (lat), 207.
vaccarum (lat), 207.
vacu (cal), 487.
vacuum (lat), 487.
vacha (eng), 492.
vache (fr), 141, 175, 275, 301, 407, 492.
vacher (fr), 207.
vachier (fr), 207.
vad (rum), 303.
vadit (lat), 549 n.
vado (esp), 303.
vadum (lat), 303.
văduvă (rum), 490.
vaginam (lat), 151, 303.
vaila (vegl), 170.
vain (fr), 129.
vaincre (fr), 509.
vaincu (fr), 509.
vainquons (fr), 509.
vair (fr), 207.
valde (lat), 282.
valdrai (fr), 513.
valere habeo (lat), 513.
valet (lat), 552.
valide (lat), 282.
valle (it), 498.
vallem (lat), 496, 497.
vănă (rum), 239.
vandro (vegl), 169.
vanitat (lat), 235.
vante (fr), 235.
vanum (lat), 129.
vargă (rum), 239.
varge (fr), 225.
varium (lat), 207.
vart (rom), 581.
vas (prov), 410.
vasare (sudit), 460.
văsc (rum), 239.
vastare (lat), 303.
vaudrai (fr), 513.

vaut (fr), 552.
văzut (rum), 262.
ve (cat), 273.
ve (esp), 167.
ve (port), 167.
ve (prov), 167.
veade (rum), 197.
veccia (it), 468.
vecchia (sudit), 194.
vecchie (sudit), 194.
vecchio (it), 508.
vece (it), 301 n.
veces (esp), 277.
vecin (rum), 258, 389.
vecini (rum), 273.
vecino (esp), 258, 391.
vecımum (lat), 258.
veclum (lat), 143, 205, 508.
vede (it), 167, 375.
vede (rum), 167, 197, 375.
vedea (rum), 262.
vedemo (centroit), 274.
vedemo (it), 138.
veder (norteit), 377.
vedi (it), 542.
vedi (lat), 375.
védova (it), 490.
vegl (sobres), 205.
vegn (sobres), 273.
vegna (sobres), 463.
veher (cat), 377.
vehí (cat), 391.
veidet (lat), 552.
veine (fr), 235.
veinte (esp), 273.
veintre (fr), 509.
veit (fr), 552.
veitt (fr), 552.
veiz (fr), 540.
vejiga (esp), 383.
vejo (port), 205.
vel (cat), 170.
vel (prov), 170.
vel (sobres), 170.

velh (prov), 205.
velim (lat), 385.
velo (esp), 170.
velo (it), 170.
velum (lat), 170.
vell (cat), 205.
vem (port), 273.
vemos (esp), 138.
ven < v e n d i t (prov), 570.
ven < v e n i t (prov), 273.
ven < v e n t u m (prov), 234.
ven (esp), 273.
venam (lat), 235, 239.
vendange (fr), 478.
vendedi (lat), 200, 247 n.
vendei (prov), 200 n., 247 n.
vendemia (prov), 478.
vendemia (sobres), 478.
vendemiam (lat), 159.
vendemmia (it), 478.
vénder (prov), 287.
vender (sobres), 169.
vendere (it), 169.
vendere (lat), 128, 169, 247 n., 287 .
vendes (lat), 293.
vendet (lat), 193.
vendi (it), 280.
vendi (fr), 200.
vendiei (prov), 200 y n.
vendimia (esp), 204, 478.
vendis (fr), 200.
vendis (lat), 239, 280.
vendit (lat), 239.
vendo (esp), 169.
vendo (port), 169.
vendo (lat), 169, 193, 239.
vendrai (fr), 293.
vendre (cat), 169.
vendre (fr), 128, 169.
vendre (prov), 169.
veneri (rum), 239.
veneris dies (lat), 239.
venger (fr), 510.
vengier (fr), 210.

veni (lat), 193, 273.
veni (sar), 193, 273.
veniat (lat), 236.
venir (fr), 263.
venire (lat), 263.
venire habeo (lat), 293, 294.
venit (lat), 193, 273.
venit (sar), 193, 273.
vennegna (luc), 161.
vennemma (luc), 160.
vennemma (sudit), 478.
venneñña (sudit), 478.
venni (it), 273.
venti (it), 273, 280.
venti (lat), 205.
venti (tosc), 199.
ventum (lat), 194, 234, 437, 570.
venui (lat), 273.
veo (port), 170.
veoir (fr), 377.
ver (esp), 377.
ver (port), 377.
ver (sobres), 377.
veracum (lat), 265, 266.
verai (fr), 265.
verbecem (lat), 358, 409.
verd (sobres), 167, 301, 570.
verde (esp), 167, 300, 301.
verde (it), 167, 301.
verde (luc), 161.
verde (port), 167, 301.
verde (rum), 161, 167, 301.
verde (sudit), 199, 300.
verecundiam (lat), 204, 253, 266, 458.
verema (cat), 478.
verge (fr), 225, 510.
verger (fr), 207.
vergier (fr), 207.
vergogna (it), 204 n., 253, 458.
vergogne (fr), 204, 253, 266, 458.
vergonça (port), 458.
vergonha (port), 204, 253, 458.
vergonha (prov), 253, 458.
vergonya (cat), 253.

vergüença (esp), 458.
vergüenza (esp), 253.
vermis (lat), 571 n.
verrai (fr), 293.
verrere (lat), 300.
verrò (it), 294.
vers (cat), 410.
vers < v e r s u m (fr), 410.
vers < v e r m i s (fr), 571.
verse (al), [34].
versi (it), [34].
verso (it), 410.
versum (lat), 410.
vert (cat), 167, 301, 570.
vert (fr), 167, 186, 301, 570 y n.
vert (prov), 167, 301, 570.
verte (fr), 570 n.
vertiginem (lat), 270.
veru (sar), 193.
verum (lat), 193.
vervecarium (lat), 207, 510.
vervecem (lat), 358, 409.
vervegarium (lat), 510.
ves (prov), 410.
vesa (sobres), 167.
vesce (fr), 469.
vescica (it), 383.
vescovo (it), 270, 370.
vesicam (lat), 383.
veşmît (rum), 294.
vespam (lat), 270, 303.
vessa (cat), 469.
vessa (norteit), 469.
vessa (prov), 469.
vesso (port), 410.
vessum (lat), 410.
vestia (sudit), 455 n.
vestimentum (lat), 294, 295.
vêtement (fr), 295.
veteranum (lat), 262.
vêtir (fr), 295.
vetlum (lat), 282, 508.
vetscha (sobres), 468.
vetulae (lat), 194.

vetulam (lat), 194.
vetuli (lat), 194.
vetulum (lat), 143, 194, 282, 508.
vetz (prov), 301 n.
veu (cat), 167, 565, 568.
veule (fr), 186 n.
veut (fr), 186.
veuve (fr), 240, 490.
veve (fr), 240, 490.
vewe (fr), 490.
vexiga (esp), 383.
vez (esp), 301 n.
vezer (prov), 377.
vezes (port), 277.
vezí (prov), 390.
vezi (rum), 375, 542 y n.
vezin (prov), 273.
vezino (esp), 391.
vezo (port), 453.
vézoa (prov.), 490.
vi (cat), 301, 565.
vi (prov), 301, 565.
vi (francoprov), 187.
via (cat), 187.
via (eng), 187.
vía (esp), 187.
via (it), 187.
via (port), 187.
via (prov), 187.
via (sobres), 187.
viadi (sobres), 524.
viaggio (it), 524 n.
viaje (esp), 524 n.
viam (lat), 187.
viatge (prov), 524.
viaticum (lat), 524.
vićain (vegl), 387.
vicem (lat), 301 n.
vices (lat), 277, 581.
vicia (lat), 467 n., 468, 469.
vicini (it), 273.
vicini (lat), 273.
vicino (it), 65.
vicino (tosc), 389, 461 y n.

vicinu (sudit), 389.
vicinum (lat), 258, 387, 389, 390, 391.
vida (esp), 244.
vídedi (sudit), 548 n.
videmus (lat), 138, 274.
video (lat), 205, 251.
videre (lat), 262, 377.
videre habeo (lat), 293.
vides (lat), 375, 540, 542 y n.
videt (lat), 167, 197, 375, 552.
videt (sar), 548.
vídete (sar), 548.
vídeti (sudit), 548.
vidio (lat), 251.
viduam (lat), 240, 251, 490.
vidutum (lat), 262.
vie (fr), [29].
vie (rum), 281.
viecchi (sudit), 194.
viecchiu (sudit), 194.
víede (camp), 548 n.
víede (log), 548 n.
viegne (fr), 236.
vieil (fr), 143, 205, 508.
viejo (esp), 205.
vielh (prov), 205.
vien (esp), 276.
viene (esp), 273, 276.
viene (it), 273.
vienes (esp), 276.
vieni (it), 273.
viens (fr), 273.
vient (fr), 273.
vientu (sudit), 194.
vierge (fr), 227.
viesso (esp), 410.
viete (sar), 167.
viéu (prov), 221.
viéua (sobres), 490.
vif (fr), 484.
viginti (lat), 199, 273, 280.
vigna (it), 56, 463.
vigne (fr), 56, 236, 463.
vigva (eng), 166.

vigva (gris), 166.
vikf (eng), 166.
vikf (gris), 166.
vila (cat), 494 n.
vilam (lat), 494 n.
vim (port), 273.
vimtu (macedorrum), 437.
vin < v e n i (fr), 273.
vin < v i n u m (fr), [30], 60, 127, 186, 301, 565.
vin (prov), 301, 565.
vin (rum), 231, 273, 301.
vin (sobres), 233, 301, 565.
vina (cat), 273.
vînă (rum), 239.
vinc (cat), 273.
vincere (flor), 204.
vincere (it), 204.
vincere (lat), 204, 509.
vînd (rum), 239.
vinde (rum), 169, 239.
vindemgia (eng), 478.
vindemiam (lat), 160, 161, 204, 478.
vindicare (lat), 210, 510.
vindima (port), 204, 478.
vine (esp), 273.
vine (rum), 273.
vineam (lat), 236, 251, 281, 463.
víneri (rum), 239.
vingt (fr), 199, 273.
vinha (port), 463.
vinha (prov), 463.
vinho (port), 237, 301.
viniam (lat), 251.
vino (esp), 123, 301.
vino (it), 301.
vins (fr), 273.
vint (cat), 273.
vint (fr), 273.
vint (prov), 199, 273.
vînt (rum), 437.
vinte (port), 199.
vinti (port), 273.
vinti (sar), 273.

vinti (sudit), 199.
vinum (lat), 231, 233, 237, 301, 565.
vinzǐ (rum), 239, 280.
vinya (cat), 463.
viña (esp), 56, 463.
virde (apul), 162.
virde (cal), 162.
virde (sic), 162.
virdem (lat), 167, 282, 570.
virdi (sudit), 199.
virgam (lat), 225, 239, 510.
virge (fr), 227.
virginem (lat), 227.
viridem (lat), 161, 199, 282, 300, 301.
viridi (lat), 199.
viridiarium (lat), 117, 207.
viridiarum (lat), 207.
viscum (lat), 239.
vischin (sobres), 390.
vissi (it), 441 n.
vissire (lat), 301.
vitam (lat), 244.
vitium (lat), 453.
vittam (lat), 239, 301.
viu (prov), 221.
vivam (lat), 166, 484.
vive (fr), 484.
vivendam (lat), 267.
vivit (lat), 221.
vivum (lat), 166, 484.
vixi (lat), 441 n.
vizinho (port), 258, 391.
vizza (sudit), 469.
voar (port), 385.
vocca (sudit), 300.
vocem (lat), 159, 182, 208, 209, 565, 568.
vodar (prov), 365.
voeu (fr), 182.
voi (it), 542.
voi (rum), 542.
voi (vegl), 542.
voie (fr), 187.
voil (fr), 170

voile (fr), 170.
vois (fr), 540.
voisin (fr), 258, 273, 390.
voit (fr), 167, 552.
voit-il (fr), 552.
voix (fr), 565.
voiz (fr), 208, 209, 565.
volare (lat), 385.
volo (lat), 385.
volp (prov), 183.
volpe (it), 183.
volui (lat), 488.
volumus (lat), 138 y n.
volunt (lat), 138.
volli (it), 488.
vos (lat), 542.
vot (prov), 182.
vota (lat), 182, 300.
votare (lat), 365.
voto (it), 182.
votum (lat), 182, 301.
votz (prov), 182, 565.
vouer (fr), 365.
voulons (fr), 138.
vous (fr), 572.
voyage (fr), 524, 573.
voyons (fr), 138.
voz (esp), 182.
voz (port), 182.
vrazzu (sudit), 339, 469.
vucca (luc), 160.
vulpe (rum), 183.
vulpem (lat), 183.
vulturem (lat), 300, 413.
vusch (sobres), 182, 565
vutte (luc), 160.

wad (germ), 303.
wagen (al), 66.
wall (ing), [30], 59.
wanne (al), [31].
wardôn (germ), 303, 350.
warnjan (germ), 350.
was (al), 123.

waterproof (fr), 142.
wepsa (franco), 303.
werra (germ), 350.
wicke (al), 467 n.
wisa (germ), 350.
wostjan (germ), 303.

x, 546.
xinxa (cat), [35].

y (esp), 551.
ya (esp), 333, 530.
ya (sar), 530.
yace (esp), 333.
yacer (esp), 330.
yallına (sudit), 326 n., 328.
yana (log), 352.
yanna (cal), 213.
yanna (log), 213, 488.
yantar (esp), 259.
yegua (esp), 484.
yema (esp), 324.
yenna (calabr), 213.
yennaru (sudit), 330.
yénneru (sudit), 188 n.

yente (esp), 333.
yerba (esp), 409.
yerno (esp), 324, 514.
yeso (esp), 333.
yeux (fr), 219.
yola (sudit), 328.
yosso (nuor), 352.
yu (log), 364.
yugo (esp), 333.
yugu (sar centr), 403.
yugu (sar centr), 364.
yunku (log), 331.
yunta (esp), 333.
yuso (esp), 139, 352.
yuvu (sudit), 403 n.

zace (rum), 331, 358.
zece (rum), 309.
θεîος (gr), 305.
zero (fr), 61, 75.
zi (rum), 187, 352.
ziceá (rum), 253.
zimmer (al), 75.
zînă (rum), 352.
ziua (rum), 498.

ÍNDICE GENERAL

Págs.

Lista de abreviaturas   7

OBSERVACIONES PREVIAS

I. *Bibliografía e iniciación en el estudio*   9

A) Síntesis bibliográfica... 10
B) Requisitos para el estudio de la lingüística románica 11

α) Conocimiento de las lenguas románicas . 12
β) Conocimiento del contorno de las lenguas románicas 16
I. Contorno lingüístico, 17.—II. Contorno cultural, 18.

C) Aspectos de la lingüística 19
α) Estructura sincrónica 20
β) Coexistencia sincrónica... 22
I Vecindad geográfica, 22.—II. Conglomerado social, 24.
γ) Diacronía 26

II. *Ortografía, pronunciación, transcripción fonética.* 27

A) Tabla alfabética de los signos de transcripción empleados 29

Págs.

B) Reglas para la pronunciación de las lenguas romances a base de la ortografía tradicional.   31
  α) Vocales   31
  β) Consonantes   32

INTRODUCCIÓN

I. *Posición y significación de la lingüística románica.*   37
  A) Filología   41
  B) Lingüística   46

II. *Lenguas romances y su clasificación*   53
  A) Francés   55
  B) Provenzal   60
  C) Catalán   65
  D) Español   67
  E) Portugués   70
  F) Italiano   72
  G) Sardo   76
  H) Retorromano   77
  I) Rumano   81
  K) Dalmático   84

III. *Origen de las lenguas románicas*   84
  A) Sustrato   90
  B) Época de la romanización   92
  C) Modo de la romanización. El latín vulgar   93
  D) La estructura lingüística del imperio...   95
  E) Disolución de la unidad lingüística   100

PRIMERA PARTE: FONÉTICA

SECCIÓN PRIMERA: ELEMENTOS DE FONÉTICA GENERAL
(109)

I. Las vocales   113

II. Las consonantes   118

  A) Oclusivas   122
    1. Oclusivas labiales   122
    2. Oclusivas apicales   122
    3. Oclusivas dorsales   123
    4. Oclusiva laríngea   124

  B) Fricativas   125
    1. Fricativas labiales   125
    2. Fricativas apicales   126
    3. Fricativas dorsales. Consonantes palatali-
      zadas   127
    4. Fricativa laríngea. Aspiración...   128
    5. Semivocales...   129
    6. Combinación de oclusivas y fricativas
      (africadas)   131

  D) Las demás consonantes   133
    1. Laterales   133
    2. Vibrantes   135

III. La sílaba   135

  A) Sílaba y grado de perceptibilidad   136
    1. Concepto del grado de perceptibilidad.   136
    2. El grado de perceptibilidad en la palabra.   137
    3. El límite silábico   139
    4. Perceptibilidad, cantidad, estructura si-
      lábica   141

Págs.

B) El diptongo   142
    1. Diptongos descendentes y ascendentes...   142
    2. Diferenciación y asimilación en el dip-
        tongo   144

A) DIFERENCIACIÓN, 144: α) En diptongos ascendentes, 144; β) En diptongos descendentes, 145
[1] Diferenciación de diptongos ya existentes,
145; 2) Diptongación de monoptongos por alargamiento, 146].—B) ASIMILACIÓN, MONOPTONGACIÓN,
146.

C) Desaparición de sílabas   147
    1. Fusión de una serie vocálica bisílaba ...   147
    2. Debilitamiento de la intensidad   150

IV. *El acento*   150
  A) La sílaba tónica   151
  B) Las sílabas inacentuadas...   152
    1. Sílabas protónicas. Acento secundario ...   153
    2. Sílabas postónicas   153
    3. Tratamiento de las sílabas átonas   153

V. *Fonología*   155
  A) Sonido y fonema   155
  B) El sistema fonológico   157

VI. *Los cambios fonéticos*   170
  A) Leyes fonéticas   170
  B) Analogía   186
  C) Voces populares y cultismos...   193

SECCIÓN SEGUNDA: FONÉTICA HISTÓRICA ROMÁNICA

CAP. PRIMERO.—EL ACENTO   201

I. *Diferencias acentuales entre el latín vulgar y el li-*
    terario   201

II. Diferencias acentuales entre las lenguas románicas. 206

CAP. II.—VOCALISMO 208

I. Las vocales tónicas 208
   A) El sistema vocálico latino 208
   B) El desarrollo de las vocales latinas simples en
      el románico 209
      1. Los primitivos sistemas cualitativos ro-
         mánicos 209
         A) EL SISTEMA LLAMADO DEL 'LATÍN VULGAR', 209.—B)
         EL SISTEMA ARCAICO EN CERDEÑA, LUCANIA Y ÁFRICA,
         212.— C) EL SISTEMA DE COMPROMISO EN LUCANO
         ORIENTAL Y ROMÁNICO DE LOS BALCANES, 213.—D) EL
         SISTEMA SICILIANO, 216.

      2. La evolución ulterior de las vocales en
         cada una de las lenguas 216
         A) OJEADA GENERAL SOBRE LA EVOLUCIÓN 'ESPONTÁNEA',
         216: α) Posición libre y trabada como condición
         del tratamiento vocálico, 216; β) Cuadro sinóp-
         tico, 219; γ) Aclaraciones y ejemplos, 219 [1) La-
         tín ī, 220; 2) Latín ĭ, 221; 3) Latín ē, 222; 4) La-
         tín ĕ, 226; 5) Latín ā, ă, 228; 6) Latín ŏ, 230;
         7) Latín ō, 232; 8) Latín ŭ, 234; 9) Latín ū, 235].—
         B) CONDICIONES DEL CAMBIO VOCÁLICO, 238: α) Influjo
         de la estructura de la palabra, 238 [1) La posi-
         ción de la vocal en la sílaba, 238; 2) Las vocales
         en hiato, 239; 3) Las vocales en proparoxítonos,
         240; 4) Nombres monosílabos, 241; 5) Final de
         dicción, 242; 6) Inicial de dicción, 242]; β) Ar-
         monización, 243; [1) Armonización a distancia,
         243; 2) Armonización en contacto, 250]; γ) In-
         flujo de las consonantes vecinas, 251; [1) Influjo
         de las palatales, 252; 2) Influjo de las velares;
         264; 3) Influjo de la *r*, 267; 4) Influjo de las na-
         sales, 268; 5) Influjo de las labiales, 274].

   C) Los diptongos latinos en románico 276
      1. Los diptongos *ae, oe* 276
      2. El diptongo *au* 277

Págs.

3. El diptongo *ai*   279
4. Los otros diptongos   280

II. Las vocales átonas   281

  A) Vocales deuterotónicas   284

    1. Generalidades   284
    2. Particularidades   286

      A) REDUCCIÓN DE LA ESCALA DE CUALIDADES, 286.—B)
      ARMONIZACIÓN, 287.—C) INFLUJO DE LAS CONSONAN-
      TES VECINAS, 289.—D) INFLUJO DE LA ESTRUCTURA DE
      LA PALABRA, 292: α) Sílaba abierta y cerrada, 292;
      β) El hiato, 292; γ) Comienzo de dicción, 293;
      δ) Influjo de los prefijos, 293.

  B) Vocales postónicas...   294

    1. En los paroxítonos   294
      A) GENERALIDADES, 294.—B) PARTICULARIDADES, 299.

    2. En los proparoxítonos   301
      A) CASOS DE REDUCCIÓN LATINO-VULGAR, 301.—B) LA
      SUERTE DE LOS PROPAROXÍTONOS DEL LATÍN VULGAR,
      302.

  C) Vocales intertónicas   305

CAP. III.—CONSONANTISMO   308

I. Las consonantes en principio de dicción...   309

  A) Consonantes simples   309

    1. Labiales   309
    2. Dentales   312
    3. Dorsales   315

      A) LATÍN C-, 315: α) Latín c^{i,e}, 315; β) Latín c^a, 318;
      γ) Latín c^{o,u}, 320.—B) LATÍN G-, 322.—C) LA-
      TÍN į-, 326.

    4. La aspirada h-   329

Págs.

B) Grupos consonánticos   331
   1. Consonante + r   331
   2. Consonante + l   332
   3. Consonante + semivocal...   335
     A) LATÍN qu̯-, 335: α) Latín qu̯ + i̯, 336; β) Latín
     qu̯ + a, 339; γ) Latín vulgar [kw] secundario,
     340.—B) ROMÁNICO gu̯-, 341.—C) LATÍN 'SUAVE', 341.—
     CONSONANTE + i̯, 342.
   4. Latín s + consonante   343
   5. Germánico h + consonante...   345
   6. Fenómenos generales...   346

II. *Consonantes en medio de dicción*   347

A) Consonantes simples   347
   1. Labiales   353
     A) OCLUSIVAS, 353.—B) FRICATIVAS, 355.
   2. Dentales   357
     A) OCLUSIVAS, 357.—B) LOS SONIDOS s, r, l, 360.
   3. Palatales   362
     A) ANTE i, e, 362.—B) ANTE a, 365.—C) ANTE o, u,
     367.
   4. Nasales   369

B) Grupos consonánticos   370
   1. Grupos consonánticos primarios...   370
     A) LATÍN r + CONSONANTE, 371.—B) LATÍN l + CON-
     SONANTE, 372.—C) NASALES, 373.—D) CONSONANTE + r
     374.—E) CONSONANTE + l, 375.—F) LATÍN s + CONSO-
     NANTE, 377.—G) LATÍN p + DENTAL, 378.—H) LA-
     TÍN k + DENTAL, 380.—I) CONSONANTE + SEMIVOCAL,
     386: α) Consonante + i̯, 386 [1] Dental + i̯, 387;
     2) Palatal + i̯ y -i̯i̯-, 394; 3) Labial + i̯, 397]; β)
     Consonante + u̯, 400 [1] Latín qu̯, gu̯, 400; 2) Las
     otras consonantes, 405].—k) CONSONANTES DOBLES,
     406: α) Latín -ll-, 409; β) Latín -rr-, 411; γ) Latín
     -nn-, 412; δ) Latín -cc-, 413.
   2. Grupos consonánticos secundarios   413
     A) TRANSFORMACIÓN DE GRUPOS SECUNDARIOS EN PRI-

Págs.

MARIOS, 414: α) Modificación de la cualidad, 414;
β) Caída, 416; γ) Adición, 416; δ) Metátesis, 418.—
B) TOLERANCIA DE GRUPOS INUSITADOS, 418.—C) CRO-
NOLOGÍA RELATIVA, 420.
    3. Grupos consonánticos terciarios   422

III. Las consonantes al final de dicción   423

  A) Consonantes finales primarias   423
      1. Latín -m   424
      2. Latín -n   425
      3. Latín -s   427
        A) CERDEÑA Y ROMANIA OCCIDENTAL, 428.—B) ROMA-
        NIA ORIENTAL, 431.
      4. Latín -x   433
      5. Latín -t...   434
        A) DESPUÉS DE VOCAL, 434.—B) DESPUÉS DE CONSONAN-
        TE, 437.
      6. Latín -d, -r, -l, -c   439

  B) Consonantes finales secundarias   441

  C) Consonantes finales terciarias   448

CAP. IV.—FONÉTICA SINTÁCTICA   449

ÍNDICE DE PALABRAS   455

ADDENDA ET CORRIGENDA

Impreso ya este tomo I, el autor indica las siguientes adiciones y correcciones (que están hechas ya en el índice de palabras).

Pág.	Lín.	Dice:	Debe decir:
35	13 s.	francés antiguo y provenzal antiguo	francés antiguo
»	14 s.	y provenzal moderno	y provenzal antiguo y moderno
62	25	que'l mon se mire	qu'el mon se mire
64	20	(cf. § 37)	(cf. § 35)
141	11	etc.).	etc.).—Había también el tipo *s i c r i p t a, s i p i r i t u s (§§ 265; 356)
185	28	-a r i u.	-a r i u; § 421.
205	27	nú stiu.	nú ṣtiu.
221	11 s.	supţire, portugués, catalán	subţire; portugués subtil [sutíl], catalán
231	21	rum. pǫrc, port. pǫrcu	rum. pǫrc, port pǫrco
252	24	it. lǫtta	it. lǫtta
261	21	-l- impermeable,	-ł- impermeable,
285	26	n u c e t u rum.	n u c e t ŭ rum.
289	4	[dəvidə]	[dəviδə]
291	24	§ 465	§ 356
312	17	gastar, portugués y provenzal guastar,	, portugués y provenzal gastar,
314	7	[yi-]	[in]
315	15	condiciones.	condiciones.—Cf. § 55.
335	26	-m e n t e y reducción)	-m e n t e: §§ 700-701)
338	25	y además del friul., también el lad. central:	también el friul.:

Pág.	Lín.	Dice:	Debe decir:
339	20 s.	q u a s s a r e catalán, español y portugués *cansar*	q u a s s i c a r e catalán, español y portugués *cascar*
341	23	s u a v e	s u a v e y d u o d e c i m
»	26	*suau.*	*suau.* Para d u o d e c i m cf. § 251.
345	18	*schaumna.*	*schaumna.*—La duplicidad de los tipos (§ 94, p. 141) i s c a- l a (fr. *échelle*, it. *scala*: § 353) / *s i c a l a (it. *scala*) justifica la desaparición de la i en el grupo etimológico s i c- (s e c-, s a e c-; § 265).
355	25	*glefa*	*ɬefa*
356	21	*chee*	*cheie*
359	19	en español y catalán;	en esp., cat. y port.;
360	5 s.	*prado* [-*d*- con pequeña inclinación al relajamiento de la oclusión].	*prado* [-ð-].
364	21	§§ 394-395.	§§ 394-395.—Para el grupo -i g i- cf. § 773.
365	20	como en español: g r e g e	[como en español]: g r e g e
366	21	*spíįca*	*spíįa*
368	3	desaparece	desaparece.—Cf. § 57
»	8	[g]	[ǧ]
»	9	[gir]	[ǧir]
370	23 s.	medial	inicial
374	14	§ 445.	§ 445.—La -n- del grupo latino -n s- desaparece ya en el lat. vulgar común (§ 33): m ē n- s a > m ē s a (rum. *masă*, vegl. eng. *maisa*, sard. it. cat. esp. port. *mesa*, sobres. *meisa*, fr. *moise*); m ē n s e > m ē s e; d ē n s u > d ē s u; s p ō n s u > s p ō s u; d e- f ē n s a > d e f ē s a.
375	20	palatal.	palatal. (§ 135).
376	10	|sk | škį|	|šk | skį|
386	14	i̯ silábica	i̯ silábica
390	23	rumano *cas;*	rumano *caş;*

Pág.	Lín.	Dice:	Debe decir:
397	1	está atestiguada	parece atestiguada
»	2	(siglo II) en suelo español.	en suelo español.
»	16	*plius,*	*peius,*
402	23	*frandzel*, ladino central *fran-žele*, suditaliano	*frandzel*, suditaliano
410	9	cf. § 497).	cf. § 497).—Cf. § 53.
412	8	úvula.	úvula. (§ 86).